EXAM PRESS®
施工管理技術検定学習書

建築土木教科書®

電気通信工事施工管理技士 1級・2級

第一次・第二次検定テキスト&問題集

第2版

石原鉄郎　毛馬内洋典

SHOEISHA

はじめに（技術分野）

インターネットが日々の生活に欠かせないものとなって久しい。特にモバイル通信技術の進歩は目覚ましく、我が国においては、混みあう電車の中や地下街、山奥の村、登山道などであっても、人が行きかう場所であれば大抵の場所でスマートフォンによる高速インターネット通信が可能となっている。さらには、電気もまだ十分に供給されていないようなアフリカの砂漠地帯からも、ライブカメラによる野生動物の配信が行われている。かつては専門の通信士が乗船し、地上との通信をモールス電信に頼っていた国際航路の船であっても、人工衛星を中継するインターネット接続により動画配信が可能な時代となっている。

このように便利な電気通信は、極めて高度な技術の上に成り立っていることは言うまでもない。そして、そのような通信設備、通信線路などの工事や維持・管理、運用を行う技術者に求められる知識やスキルも膨大なものとなっている。

電気通信工事施工管理技士は、電気通信設備の工事が滞りなく進捗するように、そして一定の品質を保った工事が行われるように管理することが重要な職責である。したがって、電気工学・電子工学・情報工学の基礎から応用までの知識、有線通信や無線通信に関する知識、ソフトウェアからハードウェアまでの幅広い知識など、備えていなければならない知識の幅は非常に多岐にわたっている。試験勉強にあたっても、どこからどう手を付けていいのか分からずに困っている、という方も多いのではないだろうか。

そこで本書では、過去に実施された試験で出題された問題を基本とし、関連性が高い資格である工事担任者、電気工事士、陸上特殊無線技士、さらには基本情報技術者試験やCCNAなど幅広い試験分野から解答に必要な知識を集積し、できるだけ分かりやすく解説を加えている。また、改訂にあたり、直近で出題されている試験問題で求められる知識について記述を加えた。これにより、受験者の皆様のお力になれるものと信じている。

電気通信工事施工管理技士試験は１級と２級に分かれているが、出題範囲に差はなく、１級は広く深い知識、２級は広く浅い知識が求められている。本文中で明確に１級と２級の区別はしていないが、随所に挿入してある過去問題について、２級受験者は２級の過去問題が十分に解けるようにしておけば十分であろう。もちろん、１級レベルの問題も解けるようにしておけば万全である。１級受験者は、２級の過去問題も含めて解けるようにしておく必要がある。

本書を有効に活用し、国家試験を乗り切っていただければ幸いである。

毛馬内 洋典

はじめに（法規、その他の分野、第2次検定等）

電気通信工事施工管理技士の第1次検定における、当該分野の学習のポイントは次のとおりである。

・法規

法規の分野からは、建設業法、労働基準法、労働安全衛生法、道路法、河川法、電気通信事業法、有線電気通信設備令、電波法、その他関連法規に関する事項が出題される。建設業法、労働安全衛生法を中心に、試験に出題された部分の条文を理解することが重要である。

・約款／設計

約款／設計の分野からは、公共工事請負契約約款や電気通信設備に関するJIS図記号に関する事項が出題される。この分野は記憶しているかどうかがポイントであり、少なくとも試験に出題された内容については、記憶しておくことが重要である。

・関連分野

関連分野からは、電気設備、消防設備、空調設備、土木、雷保護、接地に関する事項が出題される。あまり深い内容までは問われないと予想されるので、出題された部分を解答できるようにしておくことが重要である。

・工事施工

工事施工の分野からは、光ファイバの施工、低圧配線の施工、その他の施工に関する事項が出題される。光ファイバの施工については、出題ウェイトが高いと予想されるので、出題された基本的な事項について理解しておくことが得策である。

・施工管理

施工管理の分野からは、施工計画、工程管理、品質管理、安全管理、廃棄物などに関する事項が出題される。第1次検定突破のための最重要分野であり、出題された部分とそれに付随する部分については、よく理解しておくことが重要である。

第2次検定は、施工経験記述、技術的内容の記述、工程管理、安全管理、法規に関する事項が出題される。第2次検定突破のための最重要項目は、施工経験記述である。出題内容を確認し、十分に準備、対策を講じることが重要である。

石原 鉄郎

目次

第Ⅱ編　施工管理・関連分野編

第Ⅲ編　法規編

試験情報

試験スケジュール

	2級第一次検定（前期）	2級第一次検定（後期）、第一次・第二次検定	1級
申込用紙販売	2月中旬～3月中旬	6月下旬～7月中旬	4月中旬～5月下旬
申込受付期間	3月初旬～3月中旬	7月中旬～7月下旬	5月初旬～5月中旬
試験日及び合格発表日	6月初旬 →発表7月初旬	11月中旬 →第一次発表1月初旬 →第一次・第二次発表3月初旬	第一次：9月初旬 →発表10月初旬 第二次：12月初旬 →発表3月初旬
受験手数料	第一次、第二次のみ：6,500円 第一次・第二次：13,000円		第一次：13,000円 第二次：13,000円

受験資格（2級）

検定によって、それぞれ受験資格が異なる。

(1) 第一次検定

年度中における年齢が17歳以上の者

(2) 第二次検定

次のイ、ロのいずれかに該当する者

（イ）2級電気通信工事施工管理技術検定・第一次検定の合格者で、次のいずれかに該当する者

学歴等	電気通信工事施工に関する実務経験年数	
	指定学科卒業後	指定学科以外卒業後
大学／専門学校「高度専門士」	1年以上	1年6ヶ月以上
短期大学／高等専門学校／専門学校「専門士」	2年以上	3年以上
高等学校／中等教育学校／専門学校（「高度専門士」「専門士」を除く）	3年以上	4年6ヶ月以上
その他	8年以上	
電気通信主任技術者資格者証の交付を受けた者	1年以上	

（注）実務経験年数は、第二次検定の前日までで計算するものとする

（ロ）第一次検定免除者

1）令和元年度以降の学科試験のみを受験し合格した者で、第一次検定の合格を除く2級電気通信工事施工管理技術検定・第二次検定の受検資格を有する者（当該合格年度の初日から起算して12年以内に連続2回の第二次検定を受検可能）

2）技術士法による第二次試験のうち技術部門を電気電子部門又は総合技術監理部門（選択科目を電気電子部門に係るものとするものに限る。）とするものに合格した者で、第一次検定の合格を除

＜２級電気通信工事施工管理技術検定・第二次検定の受検資格を有する者
（注）実務経験年数は、第一次検定及び第二次検定同日試験の前日までで計算するものとする
※詳細については、試験実施団体のWebサイトにある「受験の手引き」を確認すること。

受験資格（１級）

検定によって、それぞれ受験資格が異なる。

（1）第一次検定

次のイ、ロ、ハ、ニ、ホのいずれかに該当する者

<table>
<tr><th rowspan="2">区分</th><th rowspan="2" colspan="2">学歴又は資格</th><th colspan="2">電気通信工事施工に関する実務経験年数</th></tr>
<tr><th>指定学科</th><th>指定学科以外</th></tr>
<tr><td rowspan="8">イ</td><td colspan="2">大学卒業者</td><td rowspan="2">卒業後３年以上</td><td rowspan="2">卒業後４年６月以上</td></tr>
<tr><td colspan="2">専門学校卒業者（「高度専門士」に限る）</td></tr>
<tr><td colspan="2">短期大学</td><td rowspan="3">卒業後５年以上</td><td rowspan="3">卒業後７年６月以上</td></tr>
<tr><td colspan="2">高等専門学校卒業者</td></tr>
<tr><td colspan="2">専門学校卒業者（「専門士」に限る）</td></tr>
<tr><td colspan="2">高等学校・中等教育学校卒業者</td><td rowspan="2">卒業後１０年以上</td><td rowspan="2">卒業後１１年６月以上</td></tr>
<tr><td colspan="2">専修学校の専門課程卒業者</td></tr>
<tr><td colspan="2">その他の者</td><td colspan="2">１５年以上</td></tr>
<tr><td>ロ</td><td colspan="2">電気通信事業法（昭和59年法律第86号）による電気通信主任技術者資格者証の交付を受けた者</td><td colspan="2">６年以上</td></tr>
<tr><td rowspan="3">ハ</td><td colspan="2">高等学校</td><td rowspan="3">卒業後８年以上の実務経験（その実務経験に指導監督的実務経験１年以上を含み、かつ、５年以上の実務経験の後専任の監理技術者による指導を受けた実務経験２年以上を含む）</td><td rowspan="3"></td></tr>
<tr><td colspan="2">中等教育学校卒業者</td></tr>
<tr><td colspan="2">専修学校の専門課程卒業者</td></tr>
<tr><td rowspan="4">ニ</td><td rowspan="4">専任の主任技術者の実務経験が１年以上ある者</td><td>高等学校</td><td rowspan="3">卒業後８年以上</td><td rowspan="3">卒業後９年６月以上</td></tr>
<tr><td>中等教育学校卒業者</td></tr>
<tr><td>専修学校の専門課程卒業者</td></tr>
<tr><td>その他の者</td><td colspan="2">１３年以上</td></tr>
<tr><td rowspan="2">ホ</td><td colspan="4">２級の第二次検定に合格した者</td></tr>
<tr><td colspan="4"></td></tr>
</table>

（注１）学科　施工技術検定規則（以下「規則」という。）第２条に定める学科をいう。（以下同じ。）
（注２）旧学校令　大学は、旧大学令（大正７年勅令第388号）による大学、短期大学又は高等専門学校は、旧専門学校令（明治36年勅令第61号）による専門学校、高等学校は、旧中等学校令　（昭和18年勅令第36号）による実業学校を含む。（以下同じ。）
（注３）大臣認定者　大学若しくは短期大学と同等以上の学歴又は資格を有すると認定された者は、試験実施機関が作成する「受検の手引」を参照のこと。
（注４）実務経験年数の算定基準日　上記区分イ、ロ、ハ、ニの受検資格の実務経験年数は、それぞれ１級第一次検定の前日（令和５年９月２日（土））までで計算するものとする。
（注５）指導監督的実務経験　上記区分イ、ロの実務経験年数のうち、１年以上の指導監督的実務経験年数が含まれていること。

（注6）専任の監理技術者による指導を受けた実務経験　建設業法第26条第3項の規定により専任の監理技術者の設置が必要な工事において当該監理技術者による指導を受けた実務経験をいう。（以下同じ。）

（注7）高等学校の指定学科以外卒業者　高等学校の指定学科以外を卒業した者には、高等学校卒業程度認定試験規則（平成17年文部科学省令第1号）による試験、旧大学入学試験検定規則（昭和26年文部省令第13号）による検定、旧専門学校入学者検定規則（大正13年文部省令第22号）による検定又は旧高等学校高等科入学資格試験規定（大正8年文部省令第9号）による試験に合格した者及び旧高等学校令（大正7年勅令第389号）による高等学校の尋常科、旧青年学校令（昭和14年勅令第254号）による青年学校本科、旧師範教育令（昭和18年勅令第109号）による付属中学校、師範学校予科若しくは青年師範学校予科を卒業又は修了した者を含む。（以下同じ。）

（注8）高等学校の卒業者　高等学校を卒業した者（上記区分ハを除く。）には、旧実業学校卒業程度検定規定（大正14年文部省令第30号）による検定に合格した者を含む。（以下同じ。）

（注9）短期大学の卒業者　短期大学を卒業した者には、旧専門学校卒業程度検定規定（昭和18年文部省令第46号）による検定に合格した者を含む。（以下同じ。）

（注10）2級合格者　2級電気通信工事施工管理技術検定・第二次検定に合格した者及び令和2年以前の2級電気通信工事施工管理技術検定に合格した者（以下同じ。）

※詳細については、試験実施団体のWebサイトにある「受験の手引き」を確認すること。

(2) 第二次検定

（イ）1級電気通信工事施工管理技術検定・第一次検定の合格者（ただし、(1) ホに該当する者として受検した者を除く）

（ロ）1級電気通信工事施工管理技術検定・第一次検定において、(1) ホに該当する者として受検した合格者のうち (1) イ、ロ、ハ、ニ又は次のⅰ、ⅱのいずれかに該当する者

<table>
<tr><th rowspan="2">区分</th><th rowspan="2" colspan="4">学歴又は資格</th><th colspan="2">電気通信工事施工に関する実務経験年数</th></tr>
<tr><th>指定学科</th><th>指定学科以外</th></tr>
<tr><td rowspan="6">ⅰ</td><td colspan="4">2級第二次検定合格後3年以上の者</td><td colspan="2">合格後1年以上の指導監督的実務経験及び専任の監理技術者による指導を受けた実務経験2年以上を含む3年以上</td></tr>
<tr><td colspan="4">2級第二次検定合格後5年以上の者</td><td colspan="2">合格後5年以上</td></tr>
<tr><td rowspan="4" colspan="2">2級第二次検定合格後5年未満の者</td><td colspan="2">高等学校</td><td rowspan="3">卒業後9年以上</td><td rowspan="3">卒業後10年6月以上</td></tr>
<tr><td colspan="2">中等教育学校卒業者</td></tr>
<tr><td colspan="2">専修学校の専門課程卒業者</td></tr>
<tr><td colspan="2">その他の者</td><td colspan="2">14年以上</td></tr>
<tr><td rowspan="8">ⅱ</td><td rowspan="8">専任の主任技術者の実務経験が1年以上ある者</td><td rowspan="8">2級第二次検定合格者</td><td colspan="2">合格後3年以上の者</td><td colspan="2">合格後1年以上の専任の主任技術者実務経験を含む3年以上</td></tr>
<tr><td rowspan="7">合格後3年未満の者</td><td>短期大学</td><td rowspan="3"></td><td rowspan="3">卒業後7年以上</td></tr>
<tr><td>高等専門学校卒業者</td></tr>
<tr><td>専門学校卒業者（「専門士」に限る）</td></tr>
<tr><td>高等学校</td><td rowspan="3">卒業後7年以上</td><td rowspan="3">卒業後8年6月以上</td></tr>
<tr><td>中等教育学校卒業者</td></tr>
<tr><td>専修学校の専門課程卒業者</td></tr>
<tr><td>その他の者</td><td colspan="2">12年以上</td></tr>
</table>

（注1）上記区分ⅰ、ⅱにおける２級合格後の実務経験起算日は当該試験の合格発表日とする。
（注2）指導監督的実務経験　上記区分ⅰの実務経験年数のうち、１年以上の指導監督的実務経験年数が含まれていること。
（注3）専任の主任技術者の実務経験　資格区分ⅱの２級合格後３年以上の者は、合格後１年以上の専任の主任技術者の実務経験が含まれていること。
（注4）実務経験年数の算定基準日　実務経験年数は、それぞれ１級第二次検定の前日（令和５年12月２日（土））までで計算するものとする。

（ハ）第一次検定免除者

1）技術士法（昭和58年法律第25号）による第二次試験のうち技術部門を電気電子部門又は総合技術監理部門（選択科目を電気電子部門に係るものとするものに限る。）とするものに合格した者で、第一次検定の合格を除く１級電気通信工事施工管理技術検定・第二次検定の受検資格を有する者

（注）実務経験年数の算定基準日　上記１）の実務経験年数は、１級第一次検定の前日までで計算するものとする。

試験の内容

（1）２級 電気通信工事施工管理技術検定

試験区分	試験科目	試験基準
第一次検定	電気通信工学等	1.　電気通信工事の施工の管理を適確に行うために必要な電気通信工学、電気工学、土木工学、機械工学及び建築学に関する概略の知識を有すること。 2.　電気通信工事の施工の管理を適確に行うために必要な電気通信設備に関する概略の知識を有すること。 3.　電気通信工事の施工の管理を適確に行うために必要な設計図書を正確に読みとるための知識を有すること。
	施工管理法	1.　電気通信工事の施工の管理を適確に行うために必要な施工計画の作成方法及び工程管理、品質管理、安全管理等工事の施工の管理方法に関する基礎的な知識を有すること。 2.　電気通信工事の施工の管理を適確に行うために必要な基礎的な能力を有すること。
	法規	建設工事の施工の管理を適確に行うために必要な法令に関する概略の知識を有すること。
第二次検定	施工管理法	1.　主任技術者として、電気通信工事の施工の管理を適確に行うために必要な知識を有すること。 2.　主任技術者として、設計図書で要求される電気通信設備の性能を確保するために設計図書を正確に理解し、電気通信設備の施工図を適正に作成し、及び必要な機材の選定、配置等を適切に行うことができる応用能力を有すること。

第一次検定の問題は択一式、解答はマークシート方式。第二次検定の問題は記述式による筆記で行う。

合格基準は第一次、第二次それぞれで得点が60%以上であること（試験の実施状況等を踏まえ、変更する可能性がある）。

(2) 1級 電気通信工事施工管理技術検定

試験区分	試験科目	試験基準
第一次検定	電気通信工学等	1. 電気通信工事の施工の管理を適確に行うために必要な電気通信工学、電気工学、土木工学、機械工学及び建築学に関する一般的な知識を有すること。 2. 電気通信工事の施工の管理を適確に行うために必要な有線電気通信設備、無線電気通信設備、放送機械設備等（以下「電気通信設備」という。）に関する一般的な知識を有すること。 3. 電気通信工事の施工の管理を適確に行うために必要な設計図書に関する一般的な知識を有すること。
	施工管理法	1. 監理技術者補佐として、電気通信工事の施工の管理を適確に行うために必要な施工計画の作成方法及び工程管理、品質管理、安全管理等工事の施工の管理方法に関する知識を有すること。 2. 監理技術者補佐として、電気通信工事の施工の管理を適確に行うために必要な応用能力を有すること。
	法規	建設工事の施工の管理を適確に行うために必要な法令に関する一般的な知識を有すること。
第二次検定	施工管理法	1. 監理技術者として、電気通信工事の施工の管理を適確に行うために必要な知識を有すること。 2. 監理技術者として、設計図書で要求される電気通信設備の性能を確保するために設計図書を正確に理解し、電気通信設備の施工図を適正に作成し、及び必要な機材の選定、配置等を適切に行うことができる応用能力を有すること。

第一次検定の問題は択一式、解答はマークシート方式。第二次検定の問題は記述式による筆記で行う。

合格基準は第一次、第二次それぞれで得点が60%以上であること（試験の実施状況等を踏まえ、変更する可能性がある）。

試験時間

	2級	1級
第一次	2時間10分	午前：2時間30分 午後：2時間
第二次	2時間	2時間45分

申込方法

簡易書留郵便による個人別申込みとする。締切日までの消印まで有効。申込用紙は、Webもしくは電話、窓口で購入し、必要書類とともに郵送する。申込の購入先や必要書類等の詳細は、最新情報をWebサイトで確認する。

受験地

２級第一次検定（前期）および１級第二次検定は、札幌、仙台、東京、新潟、名古屋、大阪、広島、高松、福岡、那覇　(10地区)

２級（後期）は「青森、仙台、金沢、静岡、鹿児島」、１級第一次検定は「金沢、熊本」でも開催予定。

問い合わせ

電気通信工事施工管理技術検定試験の詳細は、次の試験実施団体に問い合わせる。試験の最新情報については、試験実施団体のサイト（下記）に公開されているので、必ず確認する。

電気通信工事施工管理技術検定試験に関する問い合わせ先

一般財団法人 全国建設研修センター
試験業務局電気通信工事試験部電気通信工事試験課
〒187-8540　東京都小平市喜平町2-1-2
電話：042-300-0205

Webサイト

１級　http://www.jctc.jp/exam/dentsu-1
２級　http://www.jctc.jp/exam/dentsu-2

読者特典 ファイルダウンロードのご案内

本書の読者の方にむけて、ページの都合で割愛した過去問題と解説のPDFファイルをダウンロード提供いたします。また、「無線電気通信設備」「ネットワーク機器」の知識について解説したPDFファイルをダウンロード提供いたします。これらは基礎編に該当するものです。

本書の付録を提供するWebサイトは下記のとおりです。ダウンロードする際には，アクセスキーの入力を求められます。アクセスキーは本書のいずれかの部扉ページに記載されています。Webサイトに示される記載ページを参照してください。

> 提供サイト：https://www.shoeisha.co.jp/book/present/9784798181530
> アクセスキー：本書のいずれかのページに記載されています（Webサイト参照）

※提供開始は2023年8月末頃の予定です。
※電子ファイルのダウンロードには、SHOEISHA iD（翔泳社が運営する無料の会員制度）への会員登録が必要です。詳しくは、Webサイトをご覧ください。
※ダウンロードしたデータを許可なく配布したり、Webサイトに転載することはできません。

本書内容に関するお問い合わせについて

このたびは翔泳社の書籍をお買い上げいただき、誠にありがとうございます。弊社では、読者の皆様からのお問い合わせに適切に対応させていただくため、以下のガイドラインへのご協力をお願い致しております。下記項目をお読みいただき、手順に従ってお問い合わせください。

●ご質問される前に

弊社Webサイトの「正誤表」をご参照ください。これまでに判明した正誤や追加情報を掲載しています。

正誤表　https://www.shoeisha.co.jp/book/errata/

●書籍に関するお問い合わせ

弊社Webサイトの「書籍に関するお問い合わせ」をご利用ください。

刊行物Q&A　https://www.shoeisha.co.jp/book/qa/

インターネットをご利用でない場合は、FAXまたは郵便にて、下記“翔泳社 愛読者サービスセンター”までお問い合わせください。
電話でのご質問は、お受けしておりません。

●回答について

回答は、ご質問いただいた手段によってご返事申し上げます。ご質問の内容によっては、回答に数日ないしはそれ以上の期間を要する場合があります。

●ご質問に際してのご注意

本書の対象を越えるもの、記述個所を特定されないもの、また読者固有の環境に起因するご質問等にはお答えできませんので、予めご了承ください。

●郵便物送付先およびFAX番号

送付先住所　〒160-0006　東京都新宿区舟町５
FAX番号　03-5362-3818
宛先　（株）翔泳社 愛読者サービスセンター

第1部 第一次検定対策

第Ⅰ編　基礎編

第Ⅱ編　施工管理・関連分野編

第Ⅲ編　法規編

アクセスキー U
（大文字のユー）

第Ⅰ編 基礎編

第1章 電気理論

電気の性質を大きく2つに分けると、瞬間的に放電することで消滅する静電気と、連続的に電流が流れ続ける動電気に大別される。

静電気は、乾燥した季節に金属部分に触れると放電することで誰もが知っていることだろう。静電気の親玉が雷で、大地と雲の間で放電することで電荷が放出される。これに対して動電気の代表は乾電池だろう。乾電池に豆電球などを接続すると、電池の+極と−極の間で連続的に電流が流れ、電球が光るのが確認できる。まずは、電気の最も基本的な性質である電磁気学について見ていくことにする。

1.1 クーロンの法則

電磁気学の出発点はクーロンの法則である。

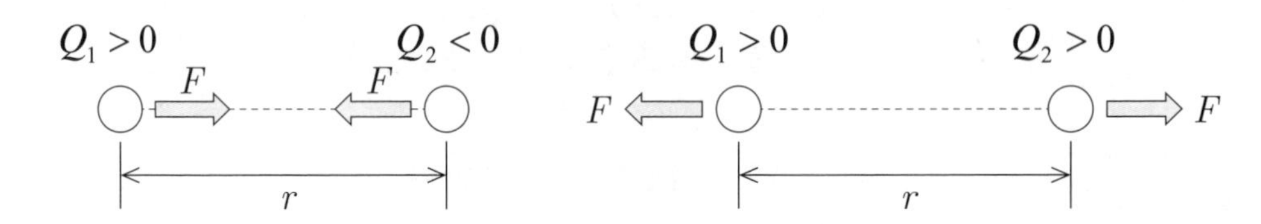

電荷が異符号の場合:引力　　電荷が同符号の場合:斥力

図1-1　クーロンの法則

これは、Q_1クーロン[C]とQ_2[C]の点電荷が距離r[m]を隔てて存在するとき、点電荷の間には

$$F=\frac{1}{4\pi\varepsilon}\frac{Q_1 \cdot Q_2}{r^2}[\mathrm{N}]$$

で表される大きさの力が発生するという法則であり、点電荷どうしが同符号であれば反発力、異符号であれば吸引力となる。εは誘電率で、その場(空間)によって定まる定数となる。

これはちょうど磁石の磁荷の間に働く力と同じ形であり、磁荷に対するクーロンの法則も

$$F=\frac{1}{4\pi\mu}\frac{m_1 \cdot m_2}{r^2}[\mathrm{N}]$$

という、電荷の場合と全く同じ形の式で表される。μは透磁率で、やはりその場によって定まる定数である。

1.2 電界・磁界

クーロンの法則の式は、次のような式に変形することができる。

$$F=\frac{1}{4\pi\varepsilon}\frac{Q_1}{r^2}\cdot Q_2\,[\mathrm{N}]$$

このように変形すると、この式が意味するものは、

> Q_1[C]の点電荷が、距離rのところに作る影響の値が$\dfrac{1}{4\pi\varepsilon}\dfrac{Q_1}{r^2}$であり、
> その点にQ_2[C]の点電荷を置くと、点電荷どうしの間にはF[N]の力が働く

と考えることができる。このような、

> Q_1[C]の点電荷が、距離rのところに作る影響

のことを電場あるいは電界と呼んでいる。このとき、$Q_2=1$[C]とすれば、その位置における影響の基準値とすることができる。すなわち

$$E=\frac{1}{4\pi\varepsilon}\frac{Q_1}{r^2}$$

の値を電場もしくは電界としている。なお、点磁荷の場合も同様に考えることができ、m_1[Wb]の点磁荷が距離r[m]のところに作る磁界H[Wb]の大きさは、

$$H=\frac{1}{4\pi\mu}\frac{m_1}{r^2}$$

と表すことができる。

例題 1-1　令和4年度1級電気通信工事施工管理技術検定（第一次）問題A（選択）〔No.2〕 

下図に示すように，真空中に$Q_1=2$ [μC]の正電荷と$Q_2=8$ [μC]の正電荷が置かれており，Q_1とQ_2の間の距離が$L=30$ [cm]のとき，2つの電荷間に働く静電力の大きさF [N]の値として，**適当なもの**はどれか。

ただし，真空の誘電率$\varepsilon_0=\dfrac{1}{36\pi}\times10^{-9}$ [F/m]とする。

(1) 1.6×10^{-4} [N]
(2) 4.8×10^{-3} [N]
(3) 4.8×10^{-1} [N]
(4) 1.6 [N]

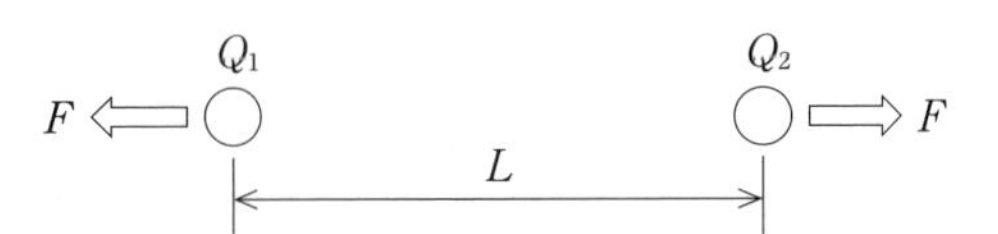

正解：(4)

解説 $F=\dfrac{1}{4\pi\varepsilon}\dfrac{Q_1 \cdot Q_2}{r^2}$ の式に与えられた値を代入すると、

$$F=\frac{1}{4\pi\times\dfrac{1}{36\pi\times10^{-9}}}\times\frac{2\times10^{-6}\times8\times10^{-6}}{0.3^2}=1.6[\mathrm{N}]$$

と求められる。

1.3 電流が作る磁界・磁界が作る電流

電界は電荷、磁界は磁荷によって作られるが、電荷の移動現象である電流が磁界を作り出したり、あるいは磁界の変化が電界を作り出すことが知られている。電流と磁界の関係はアンペールの右ねじの法則として知られている。

アンペールの法則によれば、無限長の直線電流 I[A]によって、その周囲の距離 r[m]の点に作られる磁界の大きさ H[A/m]は、

$$H=\frac{I}{2\pi r}$$

として求めることができる。磁界の向きは、電流をねじが進む方向と見立てた場合、ねじが回転する向きとなる。

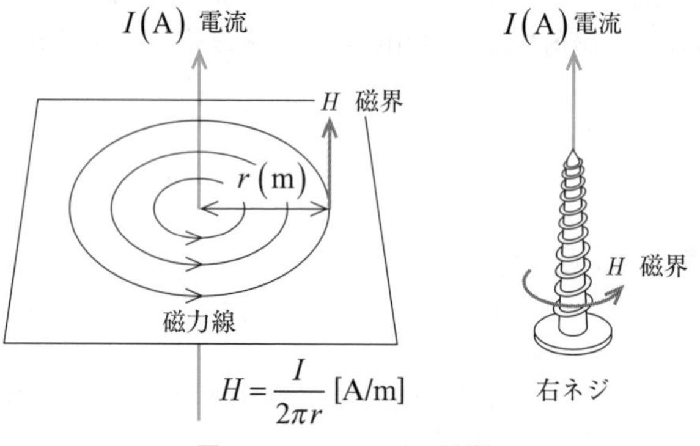

図 1-2 アンペールの法則

磁界が存在する場所で、磁界を横切って電線を動かした場合、電線には電流を流そうとする力、すなわち起電力が発生することが知られている。これがフレミングの右手の法則で、以下のような関係で表される。

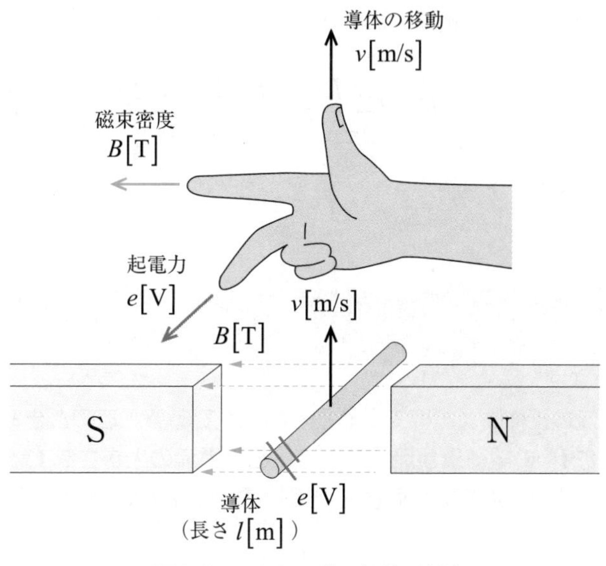

図1-3　フレミングの右手の法則

また、並行導体に電流を流した場合、互いに発生する磁界が作用し合い、電線の間には力が働く。力の向きは、電線に流す電流どうしが同じ向きの場合に引力、反対向きの場合に反発力となり、その1m当たりの大きさFは、電線間の距離をr、電流の大きさをそれぞれI_1・I_2、透磁率をμとして

$$F=\frac{\mu I_1 I_2}{2\pi r}$$

という式で求められる。

例題1-2　　令和3年度1級電気通信工事施工管理技術検定（第一次）問題A（選択）〔No.1〕 

下図に示すように，真空中に$r=0.1$ [m]の間隔で平行に置いた無限に長い2本の直線導体に同じ向きに$I_1=I_2=2$ [A]の電流が流れているとき，導体1mあたりに働く力F [N/m]として，**適当なもの**はどれか。
ただし，真空中の透磁率$\mu_0=4\pi\times10^{-7}$ [H/m]とする。

(1) 4×10^{-6} [N/m]
(2) 8×10^{-6} [N/m]
(3) 16×10^{-6} [N/m]
(4) 25×10^{-6} [N/m]

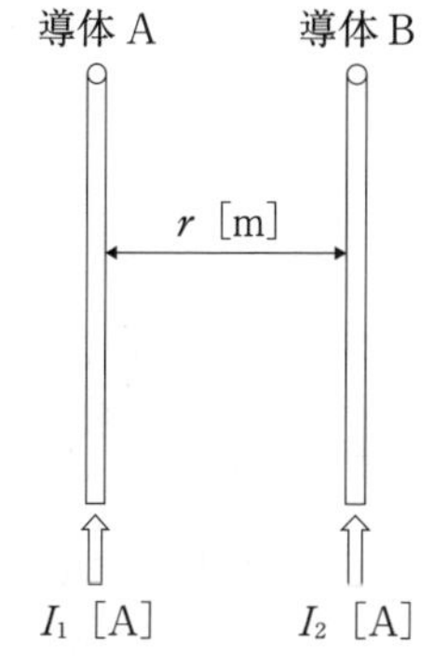

正解：(2)

解説　電線1m当たりに働く力の大きさは、公式より

$$F = \frac{\mu I_1 I_2}{2\pi r} = \frac{4\pi \times 10^{-7} \times 2 \times 2}{2\pi \times 0.1} = 8 \times 10^{-6} [\mathrm{N}]$$

と求まる。

1.4 電流

電流の正体は、電荷である電子の流れである。このとき、ある電線のある断面積を1秒間に1Cの電荷量が流れるとき、この電流の大きさを1A（アンペア）と呼んでいる。式で表すと、流れた電荷量をQ[C]、電流をI[A]、時間をt[s]として、

$$Q = I \cdot t$$

となる。

電圧は電子を押し流す力、電流は流れる電子そのもので、この2つが電気エネルギー作用の元となる。誰でもご存じのように、これを作り出すものの1つが電池（乾電池など）ということなのである。

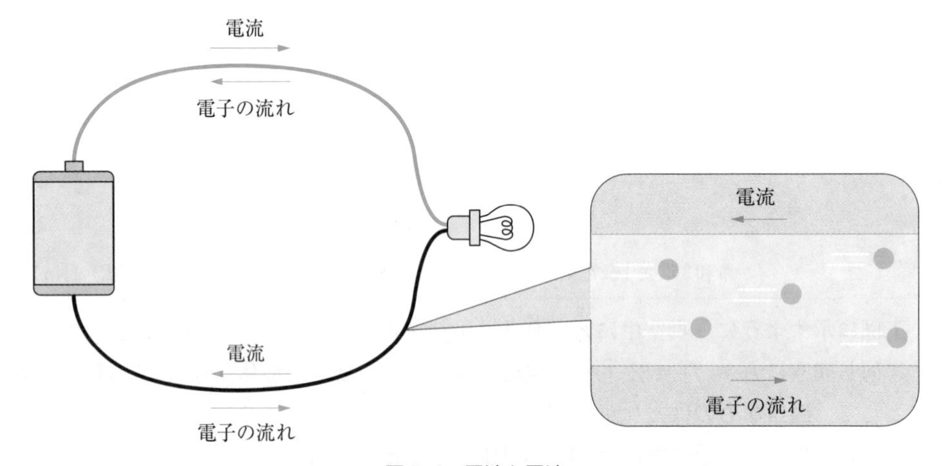

図1-4　電池と電流

1.5 電池

直流電源として最も一般的に用いられているのは電池である。どこでも売っている乾電池、車のバッテリなどで使われる充電池（蓄電池とも呼ぶ）、太陽の光で発電する太陽電池など各種のものが実用化されて利用されている。電池を大きく分けると、使い切ったら廃棄する一次電池と、充電して何度でも使える二次電池に分けられる。つまり、

二次電池＝蓄電池＝充電池である。電気通信設備に関しては、停電時のバックアップ用として二次電池を使用する場合がほとんどであるから、二次電池について見ていく。

(1)鉛蓄電池

鉛蓄電池は最も古くから使用されている二次電池で、今でも車のバッテリなど幅広く使用されている。鉛蓄電池のうち、漏液対策を施して密閉型とし容易に扱えるようにしたものをシール型鉛蓄電池と呼び、通信施設のバックアップ用をはじめUPS（無停電電源装置）など、機器内蔵用として多く使用される。特徴は次の通りである。

- 電圧は1セル当たり2V。必要な電圧の分だけ直列接続して使用する。
- 正極は二酸化鉛、負極は鉛であり、電解液は希硫酸を使用する。
- 電解液の比重は、充電で大きくなり、放電すると小さくなる。
- 過放電すると、極板付近に硫酸鉛の結晶が析出して電気伝導を妨げるため性能が劣化する。これをサルフェーションといい、極力過放電は避けなければならない。
- 密封されているため、倒しても電解液である硫酸が漏れ出すことがない。
- 充電により生じる水を内部で処理しているため蒸発散逸せず、定期的な補水が不要。
- 停電時に備え常に一定電圧で満充電を保つ方法を浮動（フロート）充電方式といい、電源回路・負荷回路と並列に接続して用いられる。

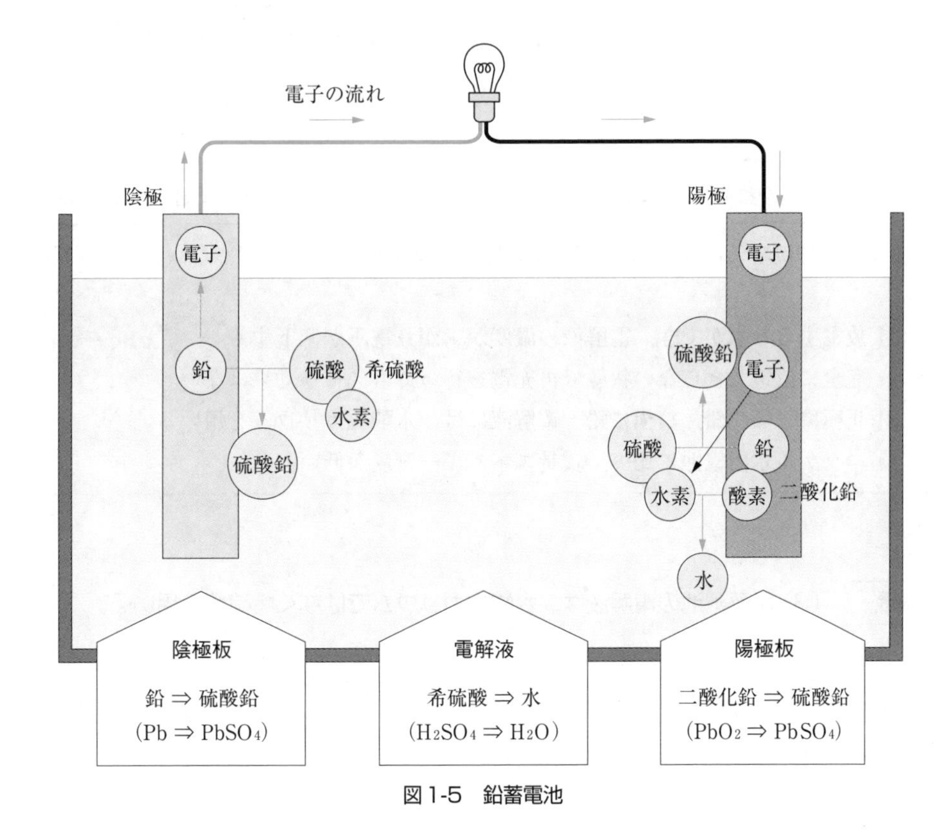

図1-5　鉛蓄電池

なお、フロート充電とよく似たものにトリクル充電がある。トリクル充電は、電池の充電が完了後、自然放電して失われていく微小容量を補う微小電流で充電し、常に満充電状態を保つ方式を指す。これに対してフロート充電は、電源・電池・負荷が並列に接続され、万が一電源が喪失した場合でも、そのまま引き続き負荷に電力が供給されるようにした仕組みを指している。

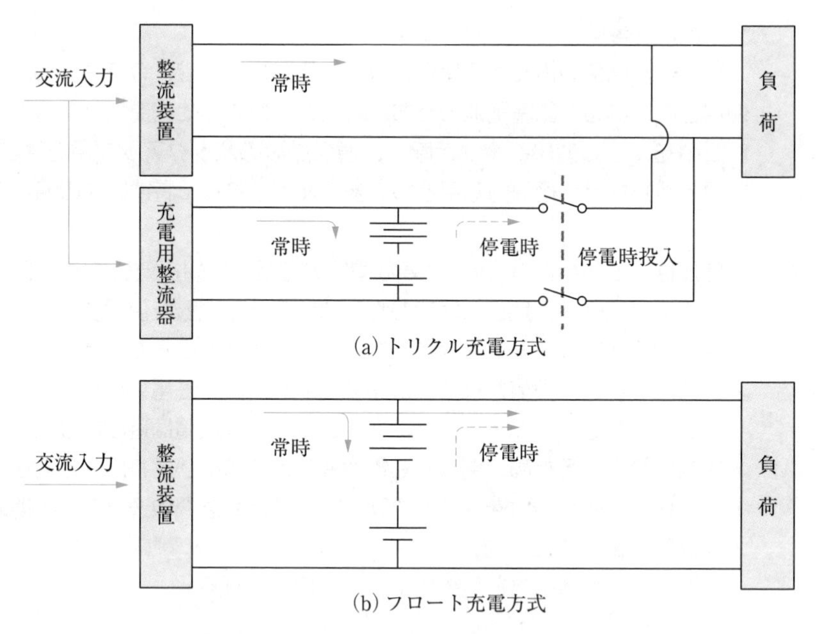

図 1-6　トリクル充電方式とフロート充電方式

例題 1-3　令和元年度 2 級電気通信工事施工管理技術検定（学科・後期）問題（選択）〔No.32〕 

鉛蓄電池に関する記述として，**適当でないもの**はどれか。

(1) 放電すると水ができ，電解液の濃度が下がり電圧が低下する。
(2) 完全に放電しきらない状態で再充電を行ってもメモリ効果はない。
(3) 正極に二酸化鉛，負極に鉛，電解液には，水酸化カリウムを用いる。
(4) ニッケル水素電池に比べ，質量エネルギー密度が低い。

正解：(3)

解説　(3) 鉛蓄電池の電解液は、水酸化カリウムではなく希硫酸を用いる。

例題 1-4　令和元年度 1級電気通信工事施工管理技術検定（学科）問題B（選択）〔No.04〕 

二次電池の充電方式に関する次の記述に該当する用語として，**適当なもの**はどれか。

「自然放電で失った容量を補うために，継続的に微小電流を流すことで，満充電状態を維持する。」

(1) 定電圧定電流充電
(2) トリクル充電
(3) 浮動充電
(4) パルス充電

正解：(2)

解説 自然放電で失った容量を補うために、継続的に微小電流を流すことで、満充電状態を維持する二次電池の充電方式はトリクル充電である。

(2) ニッケル・カドミウム蓄電池

正極に酸化水酸化ニッケル、負極にカドミウム、電解液に水酸化カリウム溶液を用いた蓄電池で、起電力は1.2Vである。電圧が乾電池（1.5V）と近く、乾電池と同型の容器に入れられて互換使用できるように作られている製品がほとんどである。

特徴として、内部抵抗が小さいため一度に大電流を流すことができ、放電末期まで比較的一定の電圧で供給することができる反面、人体に有毒なカドミウムを使用していることから、ニッケル水素蓄電池への移行が進んでいる。充電方式は、通常一定電流で充電する定電流充電方式を用いる。

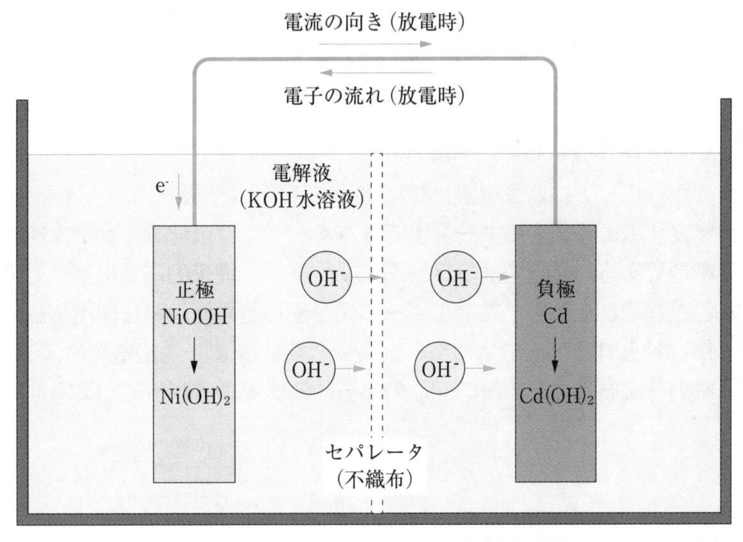

図1-7　ニッケル・カドミウム蓄電池の構成

(3) ニッケル水素蓄電池

正極に水酸化ニッケル、負極に水素吸蔵合金、電解液に水酸化カリウム溶液を用いた蓄電池である。起電力はニッケル・カドミウム蓄電池と同じ1.2Vであり、形状も同等のものが製作され広く普及している。ニッケル・カドミウム蓄電池と比較すると、同体積で容量が大きいという特徴を持っている。

ニッケル・カドミウム蓄電池、ニッケル水素蓄電池とも、完全放電しないうちに追充電してしまうと、見かけの容量が小さくなってしまうメモリー効果が発生するという欠点があるが、近年製作されている製品ではメモリー効果も小さく、より便利に使用することができるようになった。

充電方式は定電流充電である。急速充電時は、充電末期に端子電圧が若干低下する$-\Delta V$現象が発生するため、これを検出して充電終了とする。

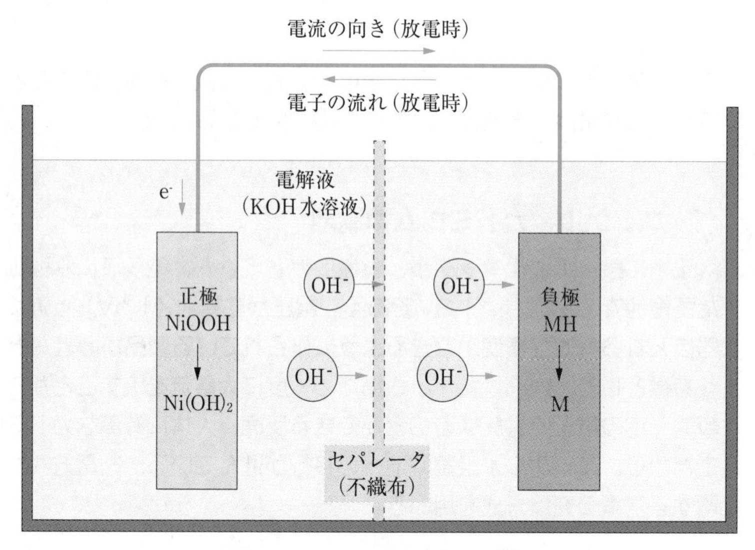

図1-8　ニッケル水素蓄電池の構成

(4) リチウムイオン電池

正極にリチウム金属酸化物、負極に炭素、電解液として有機溶媒などが使用され、化学変化によるエネルギー発生ではなく、イオン自体の移動現象を利用して充放電を行う電池である。起電力は3.6～3.8V程度で、従来の電池に比べて飛躍的に高電圧化することができたため、エネルギーロスを生じる昇圧回路を使用しなくても回路を正常に動作させられる他、エネルギー密度も大変大きく、携帯電話やスマートフォン、自動車、電力貯蔵施設など、身の回りのあらゆる機器に広がっている電池である。

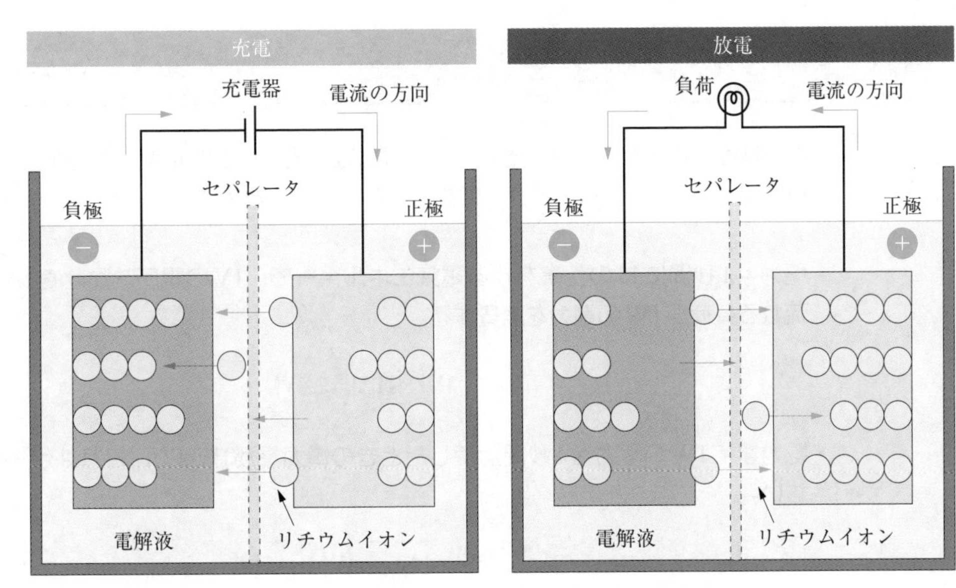

図1-9　リチウムイオン電池

例題 1-5　令和元年度 2級電気通信工事施工管理技術検定（学科・前期）問題（選択）〔No.32〕 

リチウムイオン電池に関する記述として，**適当でないもの**はどれか。

(1) セル当たりの起電力が3.7Vと高く，高エネルギー密度の蓄電池である。
(2) 自己放電や，メモリ効果が少ない。
(3) 電解液に水酸化カリウム水溶液，正極にコバルト酸リチウム，負極に炭素を用いている。
(4) リチウムポリマー電池は，液漏れしにくく，小型・軽量で長時間の使用が可能である。

正解：(3)

解説 (3) 電解液に水酸化カリウム水溶液を使うのはニッケル・カドミウム蓄電池やニッケル水素畜電池である。リチウムイオン電池は、有機電解液を使用する。

1.6 オームの法則

電気の基本法則としておなじみのものはオームの法則である。オームの法則は、R[Ω]の抵抗にV[V]の電圧を掛けたとき、$I=\frac{V}{R}$[A]の電流が流れるというものだ。

1.7 電力と電力量

電力量は、電気エネルギーを使って実際に取り出したエネルギーの量を表し、電力は単位時間である1秒間に得られた電気エネルギーの量を表す。

- 電力＝1秒間に1Jの仕事をする電気エネルギーで、1Vの電圧をかけて1Aの電流が流れる負荷が1Wの電力を消費する。

$$1[\mathrm{V}]\times 1[\mathrm{A}]=1[\mathrm{W}]$$

- 電力量＝1Wの電力を1秒間消費したときの電力量が1W·sで、これは仕事量1Jと等しい。

$$1[\mathrm{W}]\times 1[\mathrm{s}]=1[\mathrm{W\cdot s}]=1[\mathrm{J}]$$

1.8 抵抗の組み合わせ回路

オームの法則を用いた直流回路の応用として、抵抗の直列・並列回路、そしてそれらを組み合わせた直並列回路が挙げられる。これは電気通信工事施工管理技士に限らず、無線従事者、工事担任者、さらには電気工事士や電験など、電気にかかわる各種国家試験でも基本問題として必ず出題されているものである。

(1) 抵抗の直列回路

$R_1[\Omega]$と$R_2[\Omega]$を直列にすると、合成抵抗は$R_1+R_2[\Omega]$になる。

これは、「直列にすると、電流の流れにくさである抵抗値が和になる」ということである。

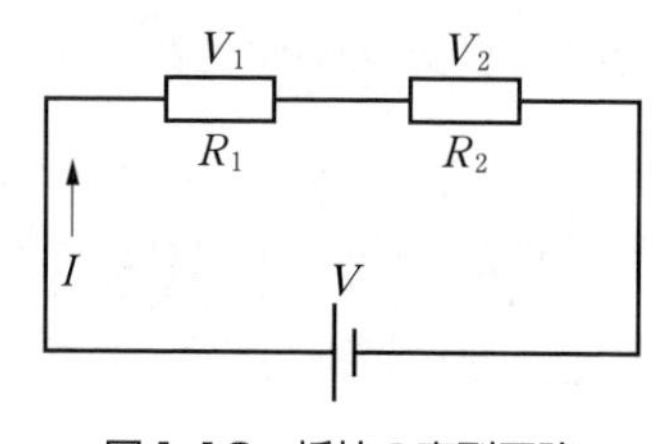

図1-10　抵抗の直列回路

(2) 抵抗の並列回路

$R_1[\Omega]$と$R_2[\Omega]$を並列にすると、合成抵抗は$\dfrac{1}{\dfrac{1}{R_1}+\dfrac{1}{R_2}}[\Omega]$になる。

なお、並列の合成抵抗値の分母・分子にR_1R_2を掛けると、$R = \dfrac{R_1R_2}{R_1 + R_2}$となり、俗に「**和分の積の式**」として知られる公式になる。注意しなければならない点として、3本以上の抵抗を並列にするとき、合成抵抗は$\dfrac{1}{\dfrac{1}{R_1}+\dfrac{1}{R_2}+\dfrac{1}{R_3}+\cdots}$とはなるが、$\dfrac{R_1R_2R_3\cdots}{R_1+R_2+R_3+\cdots}$とはならない。

例題 1-6　令和元年度 2級電気通信工事施工管理技術検定（学科・後期）問題（選択）〔No.02〕 

下図に示す抵抗R[Ω]が配置された回路において，AB間の合成抵抗R_0[Ω]の値として，**適当なもの**はどれか。

(1) $\dfrac{1}{4}R$[Ω]
(2) $\dfrac{1}{2}R$[Ω]
(3) $2R$[Ω]
(4) $5R$[Ω]

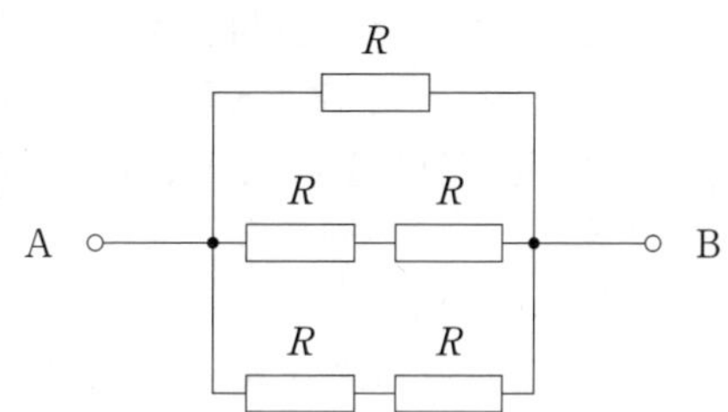

正解：(2)

解説　中・下は**Rが2本直列**なので、1本に**まとめると$2R$[Ω]**である。したがって、中・下だけを見ると**$2R$[Ω]の並列**なので、**合成抵抗はR[Ω]**。これと上のRが並列なので、全合成抵抗は$\dfrac{1}{2}R$[Ω]と求まる。

例題 1-7　令和3年度 1級電気通信工事施工管理技術検定（第一次）問題A（選択）〔No.3〕 

下図に示す最大目盛I_a = 50［mA］，内部抵抗r = 5.6［Ω］の電流計に分流器を接続して，測定範囲をI = 0.4［A］まで拡大したときの分流器の倍率mと分流器の抵抗R_S［Ω］の値の組合せとして，**適当なもの**はどれか。

	（分流器の倍率m）	（分流器の抵抗R_S）
(1)	7	0.9［Ω］
(2)	7	0.8［Ω］
(3)	8	0.9［Ω］
(4)	8	0.8［Ω］

正解：(4)

解説 電流計と並列に接続して電流計の測定範囲を拡大するための抵抗器を分流器、電圧計と直列に接続して電圧計の測定範囲を拡大するための抵抗器を倍率器と呼んでいる。これらは何も特別な理論はなく、抵抗の並列や直列接続の理論を使えば容易に求めることができる。

最大目盛50mAの電流計で0.4Aまで測定範囲を拡大するのだから、電流計に50mAが流れているときに抵抗には350mAが流れればよいことになる。オームの法則$I = V / R$より、両端の電圧Vが同一のとき抵抗に流れる電流は抵抗値に反比例するから、R_Sはrの1/7になればよい。したがってR_Sの値は5.6Ωの7分の1の0.8Ωと求まる。また、総合的な最大電流値を8倍に増大させたので、分流器の倍率mは8が正しい値となる。

(3) キルヒホッフの法則

キルヒホッフの法則は、電池や抵抗などが複雑に接続されている回路において、各部の電圧や電流の関係を表した法則である。とはいえ、キルヒホッフの法則が説いていることは極めて単純なことで、要するに

- 電圧は矛盾しない
  閉回路（回路の中のループ状の部分）を一周するとき、各部の電圧の和はゼロである。
- 電流は矛盾しない
  ある接続点において、その点に流れ込む電流の合計はゼロである。

という二点である。それぞれキルヒホッフの電圧則・キルヒホッフの電流則と呼ぶが、意味することは極めて単純な内容である。

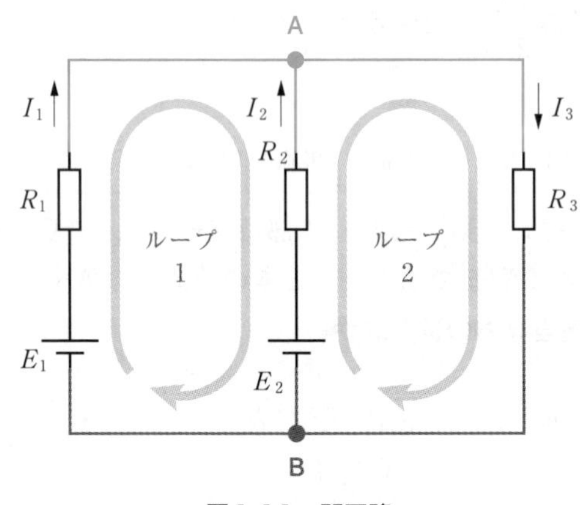

図1-11　閉回路

(4) 重ね合わせの原理

重ね合わせの原理とは、「複数の電源が存在する回路網の各部の電圧・電流値は、1つの電源だけを残して他の電圧源は短絡、電流源は開放して電源の個数だけ繰り返して求め、それを足し合わせた値になる」というもので、これは線形回路において成立する法則である。

例題 1-8　令和4年度1級電気通信工事施工管理技術検定（第一次）問題A（選択）〔No.3〕

下図に示す回路において，抵抗Rに流れる電流I［A］の値として，**適当なもの**はどれか。

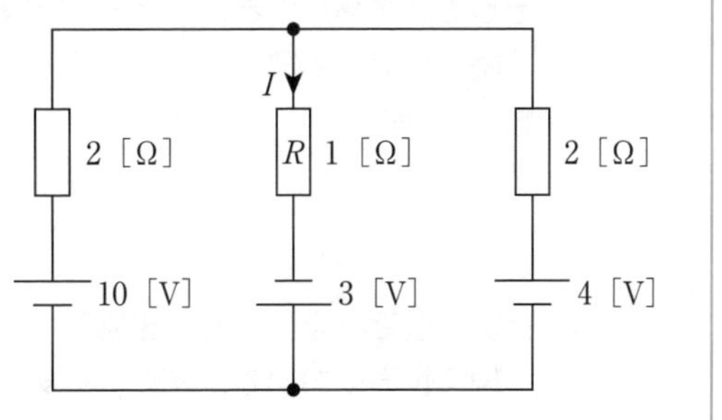

(1) 2［A］
(2) 3［A］
(3) 4［A］
(4) 5［A］

正解：(4)

解説　10Vの電池を残し、3Vと4Vの電池を短絡した回路を考えると、

$$\frac{10}{2+\frac{1\times 2}{1+2}}\times\frac{2}{1+2}=2.5[\mathrm{A}]$$

が1Ωの抵抗に流れることが求まる。同様にして、3Vの電池を残した場合は

$$\frac{3}{1+\frac{2\times 2}{2+2}}=1.5[\mathrm{A}]$$

4Vの電池を残した場合は、

$$\frac{4}{2+\frac{1\times 2}{1+2}}\times\frac{2}{1+2}=1[\mathrm{A}]$$

と求められるので、全部の電池を接続した場合、$2.5+1.5+1=5[\mathrm{A}]$と求まる。

1.9 コンデンサ

(1) コンデンサの構造

コンデンサは、絶縁された2枚の極板の間に電荷を貯めるものである。流れ込んだ電流は、極板間の電界エネルギーとして蓄えられる。極板の面積をS[m²]、極板間距離をd[m]、極板間の絶縁体の誘電率をε[F/m]とすると、コンデンサが電荷を蓄える能力である静電容量C[F]（ファラド）は、

$$C=\varepsilon\frac{S}{d}\ [\mathrm{F}]$$

という式で求められる。すなわち、極板の面積が広いほど、極板間の距離が短いほど、そして誘電率が大きいほど静電容量は大きくなる。

誘電率は、絶縁体の物質によって決まる物理定数で、その中でも特に真空中の誘電率をε_0で表し、

$$\varepsilon_0 \fallingdotseq 8.85\times10^{-12}\,[\mathrm{F/m}]$$

という値である。なお、絶縁体のことを誘電体ともいう。

現実世界において、例えば空気やプラスチックなどの誘電率の値を「真空中の誘電率の何倍か」で表す値を比誘電率と呼び、通常ε_rで表す。一例として、誘電率が8.85×10^{-10}[F/m]の物質があるとき、この物質の比誘電率ε_rは100という感じで使う。

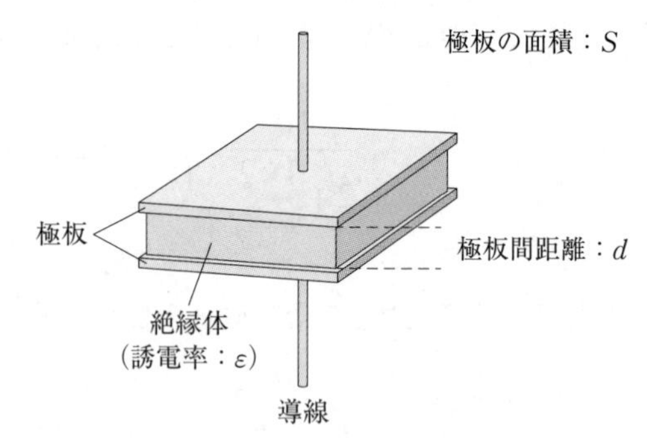

図 1-12　コンデンサの基本構造

・コンデンサの静電容量

$$C=\frac{\varepsilon S}{d}=\frac{\varepsilon_0\varepsilon_r S}{d}$$

S：極板の面積[m^2]　　d：極板間距離[m]　　ε：絶縁体の誘電率[F/m]
ε_0：真空の誘電率（8.85×10^{-12}[F/m]）　　ε_r：絶縁体の比誘電率

(2) コンデンサの電気的性質

コンデンサは、流れ込んだ電流（の正体である電荷）を蓄える性質を持つ。流れ込んだ電荷量をQ[C]（クーロン）、コンデンサの静電容量をC[F]、極板間電圧をV[V]とすると、

$$V=\frac{Q}{C}\,[\mathrm{V}]$$

という関係が成立する。

(3) コンデンサに蓄えられるエネルギー

コンデンサに電圧を掛けて電流が流れ込むということは、当然エネルギーが流入することになる。静電容量C[F]のコンデンサにV[V]の電圧を掛けてQ[C]の電荷量が流れ

込んだときにコンデンサに蓄えられた静電エネルギー W[J]は、

$$W = \frac{1}{2}QWv = \frac{1}{2}CV^2 = \frac{Q^2}{2C}$$

で与えられる。

(4) コンデンサの直列接続・並列接続

抵抗と同様、コンデンサも直列や並列に接続して使用される場合がある。コンデンサの直列・並列合成静電容量は抵抗とはちょうど真逆で、「並列は静電容量の和」「直列で和分の積」となる。

C_1とC_2の直列合成静電容量C_S

$$C_S = \frac{C_1 \times C_2}{C_1 + C_2}$$

C_1とC_2の並列合成静電容量C_P

$$C_P = C_1 + C_2$$

例題 1-9　令和元年度 2級電気通信工事施工管理技術検定（学科・前期）問題（選択）〔No.1〕 

下図に示す電極板の面積$S = 0.4$[m^2] の平行板コンデンサに，比誘電率$\varepsilon_r = 3$の誘電体があるとき，このコンデンサの静電容量[F] の値として，**適当なもの**はどれか。ただし，誘電体の厚さ$d = 4$[mm]，真空の誘電率ε_0[F/m] とし，コンデンサの端効果は無視するものとする。

(1) $0.03\varepsilon_0$[F]
(2) $0.3\varepsilon_0$[F]
(3) $100\varepsilon_0$[F]
(4) $300\varepsilon_0$[F]

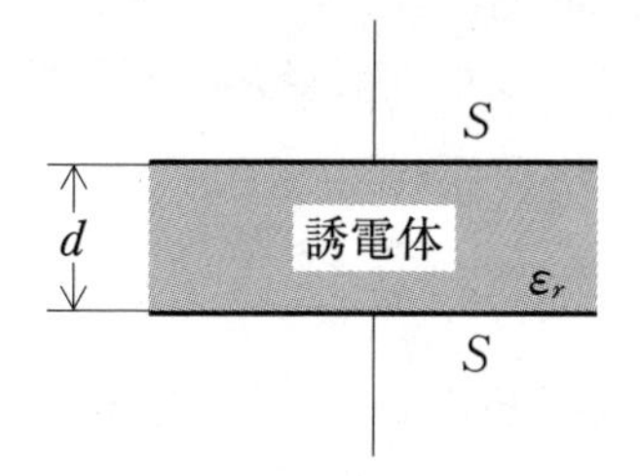

正解：(4)

解説　コンデンサの静電容量は、

$$C = \varepsilon \cdot \frac{S}{d}$$

で求められる。ここでεは誘電率だが、比誘電率とは「真空の誘電率ε_0の何倍であるか」を表す値なので、比誘電率が3ということは、この問題の誘電体（絶縁体）の誘電率は「$3\varepsilon_0$」であることを意味する。

これに値を代入して計算すると、

$$C = \varepsilon_r \varepsilon_0 \cdot \frac{S}{d} = 3\varepsilon_0 \cdot \frac{0.4}{0.004} = 300\varepsilon_0 \text{ [F]}$$

となる。

例題 1-10　令和元年度 1級電気通信工事施工管理技術検定（学科）問題A（選択）〔No.01〕 

下図に示す電極間の距離 $d_0 = 0.02$[mm]，電極の面積 $S = 100$[cm^2] の平行板空気コンデンサにおいて，電極間に厚さ $d_1 = 0.01$[mm]，比誘電率 $\varepsilon_r = 10$ の誘電体を挿入し，電極間に充電電圧 $V = 24$[V] を与えたときのこのコンデンサが蓄える電気量 Q[μC] の値として，**適当なもの**はどれか。
ただし，コンデンサの初期電荷は0とし，端効果は無視できるものとする。
また，真空の誘電率 $\varepsilon_0 = 8.85 \times 10^{-12}$[F/m]，空気の比誘電率は1とする。

(1) 0.01 [μC]
(2) 0.19 [μC]
(3) 0.30 [μC]
(4) 2.3 [μC]

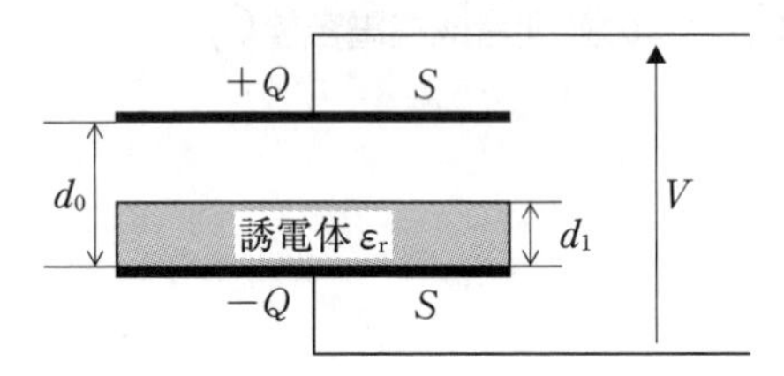

正解：(2)

解説　このようなコンデンサの場合、誘電体が入っていない上側の部分と誘電体が入っている下の部分のコンデンサが直列に接続されていると考えられる。
コンデンサの静電容量は、誘電率をε、極板間距離をd、極板面積をSとして

$$C = \varepsilon \frac{S}{d}$$

で与えられる。また、比誘電率は真空の誘電率に対する倍数であり、C_1とC_2のコンデンサの直列合成静電容量は

$$\frac{C_1 C_2}{C_1 + C_2}$$

で求められる。さらに、静電容量C[F]のコンデンサをV[V]で充電したときに蓄えられる静電エネルギーQは$Q = CV$[J]で求められるので、これに題意の値を代入して計算すると、

$$Q=\frac{8.85\times10^{-12}\times\frac{100\times10^{-4}}{0.01\times10^{-3}}\times10\times8.85\times10^{-12}\times\frac{100\times10^{-4}}{0.01\times10^{-3}}}{8.85\times10^{-12}\times\frac{100\times10^{-4}}{0.01\times10^{-3}}+10\times8.85\times10^{-12}\times\frac{100\times10^{-4}}{0.01\times10^{-3}}}\times24$$

$$=\frac{240\times8.85\times10^{-12}\times\frac{100\times10^{-4}}{0.01\times10^{-3}}}{11}\fallingdotseq0.1931\times10^{-6}\,[\mathrm{C}]$$

したがって約0.19μ[C]と求まる。

例題1-11　令和3年度1級電気通信工事施工管理技術検定（第一次）問題A（選択）〔No.2〕 

下図に示す回路において，$C_1 = 2$［μF］，$C_2 = 4$［μF］，$V = 12$［V］のとき，2つのコンデンサに蓄えられるエネルギーW［J］として，**適当なもの**はどれか。

(1) 9.6×10^{-5} ［J］
(2) 8.64×10^{-4} ［J］
(3) 5.4×10^{7} ［J］
(4) 1.08×10^{8} ［J］

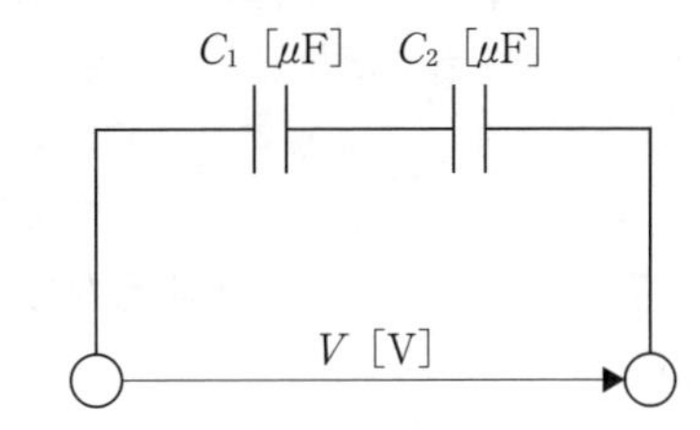

正解：(1)

解説　まず直列合成静電容量を求める。

$$C_P=\frac{2\times10^{-6}\times4\times10^{-6}}{2\times10^{-6}+4\times10^{-6}}=\frac{4}{3}\times10^{-6}\,[\mathrm{F}]$$

したがって、コンデンサに蓄えられるエネルギーは

$$W=\frac{1}{2}CV^2=\frac{1}{2}\times\frac{4}{3}\times10^{-6}\times12^2=9.6\times10^{-5}\,[\mathrm{J}]$$

と求められる。

1.10 コイル

(1) コイルの構造

コイルは、小学校の理科の実験でも必ず登場する電磁石である。導線に電流を流すと周囲に磁界が発生するが、何度も重ねて導線を集中して巻くことで、発生した磁界を強化しているわけである。理科の実験のときのようにコイルを巻いたものを(棒状)ソレノイドと呼び、円環上に巻くことで磁束を内部に閉じ込めたものを環状ソレノイドと呼ぶ。

コイルの性質の大きさはインダクタンスという値で示され、通常は記号Lを用いる。

単位はヘンリー[H]である。当然、コイルをたくさん巻けば巻くほどコイルの性質は強くなり、インダクタンスも大きな値になる。

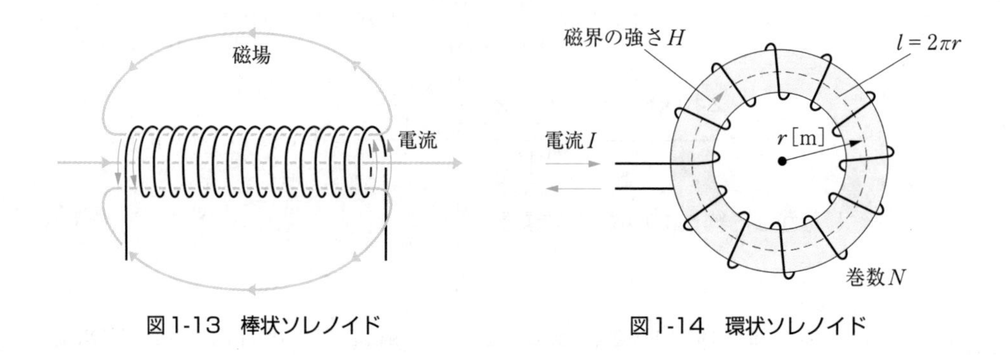

図1-13　棒状ソレノイド

図1-14　環状ソレノイド

(2) コイルに挿入した鉄心の透磁率とリアクタンス

コンデンサの電極の間に挿入する誘電体と同様に、コイルの内部に鉄心などを挿入すると、コイルの性質を変化させせることができる。コイルの性質は、電流が流れることによって発生する磁界によってもたらされているから、「より小さな電流で、たくさんの磁界を作り出すことができる」物質を挿入すれば、少ない巻数でも大きな性質を持つコイルを作ることができる。このような物質を磁性体と呼び、その性質の値を透磁率と呼んでいる。

なお、真空中の透磁率μ_0は、

$$\mu_0 = 1.26 \times 10^{-6} \text{ [N/A}^2\text{]}$$

という値である。これは空気中でもほとんど同じ値である。また、誘電率と同じように、「ある物体の透磁率が真空中の値の何倍か」という比透磁率も定義される。

(3) 磁性体の性質

環状ソレノイドなどの磁気回路において、鉄心などの磁束を通す物質を磁性体と呼んでいるが、磁性体は内部の微小磁石の向きを変えるためのエネルギーが必要であるため、一般にヒステリシス特性と呼ばれる性質を表す。この特性を表しているヒステリシス曲線の例は次のようになる。

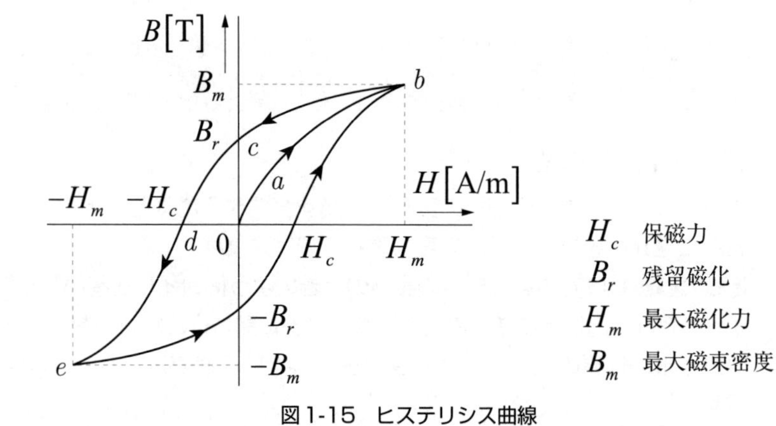

図1-15　ヒステリシス曲線

　このグラフにおいて、横軸は磁界の大きさ、縦軸は磁束密度を表す。原点からスタートし、磁性体に磁界を加えていくと曲線aの経路をたどってb点に至り、ここから磁界を弱くしていくとc点に至る。c点での磁束密度B_rは、与えられた磁界がゼロになっても残留している磁束密度で、これを残留磁化と呼ぶ。さらに逆方向の磁界を加えるとe点に至る。d点における磁界の大きさの絶対値H_cは保磁力と呼ばれる。

　e点からまた最初の向きに磁界を掛けていくと、矢印の経路でb点に戻るという性質を持つ。この曲線から分かることは次の通り。

- c点におけるB_rが残留磁化（残留磁気）、d点におけるH_cが保磁力。
- ヒステリシス曲線で囲まれた面積が大きい材料は永久磁石に適している。
- ヒステリシス曲線で囲まれた面積が小さい材料は、変圧器や電磁石の鉄心に適している。
- ヒステリシス曲線で囲まれた面積は、曲線を一回りするときに消費されるエネルギーに相当する。

例題 1-12　令和2年度1級電気通信工事施工管理技術検定（第一次）問題A（選択）〔No.2〕

下図に示す磁性体の磁束密度B［T］と磁界の強さH［A/m］の曲線に関する記述として，**適当なもの**はどれか。

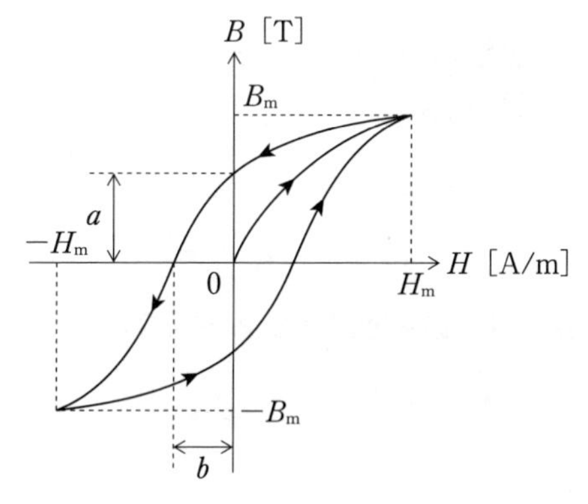

(1) この曲線は，無負荷飽和曲線と呼ばれる。
(2) 電磁石の鉄心の材料としては，残留磁気と保磁力が大きい強磁性体が適している。
(3) この曲線のaは残留磁気を表し，bは保磁力を表す。
(4) この曲線を一まわりするときに消費される電気エネルギーは，この曲線内の面積に反比例する。

正解：(3)

解説

(1) この曲線はヒステリシス曲線と呼ばれる。
(2) 電磁石用には、残留磁気と保磁力が小さいものが適している。
(4) 反比例ではなく比例である。

例題1-13　令和元年度２級電気通信工事施工管理技術検定（学科・後期）問題（選択）〔No.1〕 

下図に示す平均磁路長L[m]，断面積S[m^2]，透磁率μ[H/m]の環状鉄心に巻数N_1，N_2のコイルがあるとき，両コイルの相互インダクタンスM[H]を表す式として，**適当なもの**はどれか。ただし，磁束の漏れはないものとする。

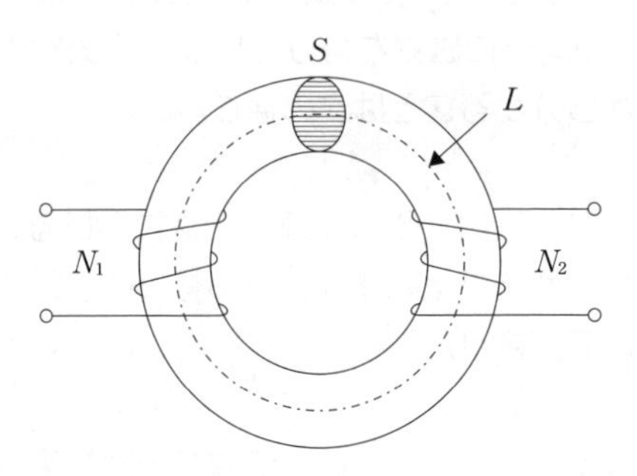

(1) $M=\dfrac{\mu SN_1}{LN_2}$[H]　　(2) $M=\dfrac{\mu SN_2}{LN_1}$[H]

(3) $M=\dfrac{\mu SN_1N_2}{L}$[H]　　(4) $M=\dfrac{\mu S}{LN_1N_2}$[H]

正解：(3)

解説　一次コイルに流れる電流をI_1とすると、一次コイルの起磁力はN_1I_1なので、環状鉄心に生じる磁場の磁束密度Bは、

$$B=\frac{\mu N_1I_1}{L}$$

と求められる。磁束Φは、磁束密度×断面積なので、

$$\Phi=\frac{\mu N_1I_1S}{L}$$

となる。この磁束は二次コイルを貫くため、二次コイルの誘導起電力は、

$$V_2=-N_2\frac{\Delta\Phi}{\Delta t}=\frac{\mu N_1N_2S}{L}\frac{\Delta I_1}{\Delta t}$$

と求められる。

インダクタンスは、一次コイルに流れる電流の時間変化に対して二次コイルに発生する電圧の値なので、

$$M=\frac{\mu SN_1N_2}{L}\text{ [H]}$$

が相互インダクタンスの値となる。

1.11 交流回路

電気（電圧、電流）には、大きく分けて直流と交流がある。直流は時間によって電圧や電流が変化しないもので、交流は時間によってそれらが変化するものである。

しかし、よくよく考えると、直流の乾電池も５年後１０年後には劣化して電圧が落ちるだろうし、その乾電池が製造される前は電圧自体が無かったはずである。そう考えると、世の中の全ての電圧や電流は、宇宙が誕生して以来どこかの時点で発生したわけだから、大袈裟にいえば全ての電気は交流ということもできる。現実的には、我々人間が目の前で観測している間において、時間によって変化していないとみなしても差し支えない場合を直流、それが無視できない場合を交流として取り扱う。ここからは、交流回路の理論について学んでいく。

(1) 交流電圧・交流電流

「時間によって電圧や電流が変化」すれば交流であるから、交流には事実上、無限に種類があることになる。

しかし、「世の中のどんな波形であっても、分解すると正弦波形になる」という理論（フーリエ級数展開）が存在し、実は正弦波形を解析することができれば、事実上全ての波形について解析することができるのである。したがって、最も基本となる正弦波形について考えていく。

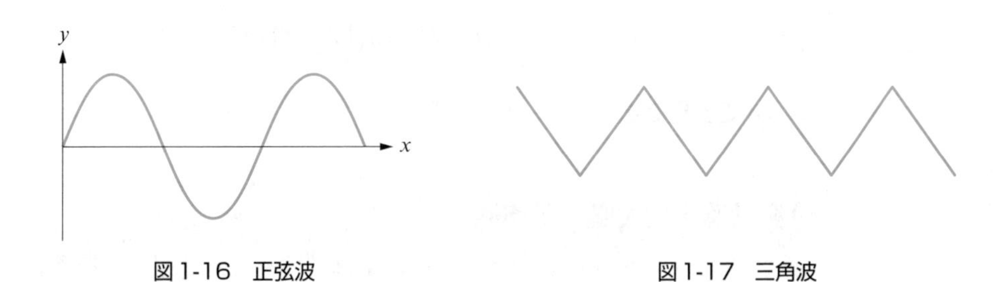

図1-16　正弦波

図1-17　三角波

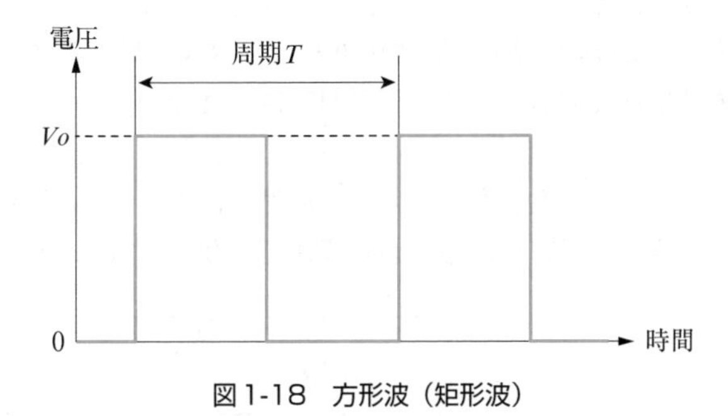

図1-18　方形波（矩形波）

1.12 交流電圧や交流電流の表現方法

発送電に限らず、情報通信や電磁波などにおいても交流の電圧・電流を扱う。そもそも「情報」というのは時間的に変化しているから意味を持つものなので、情報を伝えるということは、イコール交流の電気を伝えるということに他ならない。

正弦（sin）波形は、次のような性質を持つ。

- 最大値は1（$\theta=90°$）、最小値は-1（$\theta=270°$）
- 一周を360°で表すものを度数法、一周を2πで表すものを弧度法という。
- 周波数fは、1秒間に円を何周期回転したかという値。
- 角周波数ωは、1秒間に弧度法で何度回転するかという値。したがって$\omega=2\pi f$。

以上のことより、ある正弦波の最大値をA、周波数をfとすると、時間tにおいて、

$$x=\mathrm{A}\cdot\sin(\omega t)=\mathrm{A}\sin(2\pi ft)$$

という式で表すことができる。例えば、最大値が6V、周波数が50Hzの交流電圧は、

$$V=6\sin(100\pi t)\ [\mathrm{V}]$$

となるし、最大値が20A、周波数が60Hzの交流電流は、

$$I=20\sin(120\pi t)\ [\mathrm{A}]$$

という式で表現できる。

(1) 実効値・最大値・平均値

交流の電圧や電流を考えるとき、直流とは別の考え方が必要である。例えば、直流100Vで10Aの電流が流れている負荷であれば、常に1000Wの電力が消費されている。しかし、最大値が100Vで最大値が10Aの交流が流れている負荷の場合、当然電圧や電流が50Vや0V、3Aや0Aなどになる瞬間があるため、直流に比べると平均消費電力は小さくなってしまう。これでは不便であるから、直流の場合と同じ平均電力が得られる値を交流の電圧や電流と定義し、この値を実効値と呼んでいる。

正弦波交流の場合、最大値＝$\sqrt{2}$×実効値ということが理論的に求まっている。これは大変重要な値であるから、必ず覚えておかなければいけない。

最大値＝$\sqrt{2}$×実効値　あるいは、実効値＝最大値÷$\sqrt{2}$

つまり、100Vのコンセントには、瞬間的には最大で$\sqrt{2}$倍の約141Vがきているのである。

また、交流の平均値は、単純にプラス側とマイナス側を平均するとゼロになってしま

うから、マイナス側をプラス側に折り返す、つまり絶対値の値を取って平均した値を考える。正弦波交流の場合、

$$平均値 = 最大値 \times \left(\frac{2}{\pi}\right)$$

となる。これら実効値や平均値の数値計算には、三角関数の積分の知識が必要であるから、結果だけを覚えておけばよいだろう。

1.13 交流回路における回路素子の性質

(1) 交流回路における抵抗の性質

抵抗は、R[Ω]の抵抗にV[V]の電圧を掛けたとき、$I = \frac{V}{R}$[A]の電流が流れる素子だった。これは交流でも変わらない。例えば、20Ωの抵抗であれば、

$$V = 140\sin(100\pi t)\ [\mathrm{V}]$$

の電圧が掛かるとき、流れる電流は

$$I = 7\sin(100\pi t)\ [\mathrm{A}]$$

となる。

(2) 交流回路におけるコンデンサの性質

コンデンサの場合、素子に掛かる電圧と流れる電流の波形はタイミングがずれることが分かっている。ではどのくらいずれるかというと、$\frac{\pi}{2}$つまりちょうど90°ずれる。

コンデンサにある実効値の電圧を掛けた場合、ある実効値の電流が流れるわけだが、このときの電圧÷電流の値をリアクタンスと呼んでいる。

静電容量がC[F]のコンデンサは、f[Hz]の交流に対して

$$X = \frac{1}{2\pi fC}\ [\Omega]$$

のリアクタンスを持つ。角周波数を用いて、

$$X = \frac{1}{\omega C}\ [\Omega]$$

と表してもよい。

(3) 交流回路におけるコイルの性質

コイルにある実効値の電圧を掛けた場合も、やはりある実効値の電流が流れるわけだが、このときの電圧÷電流の値もリアクタンスと呼ぶ。ただし、コイルとコンデンサでは性質が真逆（コイルは電圧から$\frac{\pi}{2}$遅れて電流が流れる、コンデンサは電流から$\frac{\pi}{2}$遅れて電圧が発生する）であるから、コンデンサの場合を「容量性リアクタンス」、コイルの場合を「誘導性リアクタンス」と呼び分けている。

インダクタンスL[H]のコイルは、f[Hz]の交流に対して、

$$X = 2\pi fL \ [\Omega]$$

のリアクタンスを持つ。コンデンサと同様に、

$$X = \omega L \ [\Omega]$$

と表してもよい。

(4) 交流回路における抵抗・コイル・コンデンサの組み合わせ回路

コイル・コンデンサ・抵抗が直列や並列に組み合わされた回路では、直流回路における抵抗の直列・並列計算と同じように考えることはできない。また、同じリアクタンスであっても、コイルの誘導性リアクタンスとコンデンサの容量性リアクタンスでは、互いに真逆の性質を持っているから、これも単純に計算することはできない。このような場合、虚数jを用い、「90°進む」ことを$+j$、「90°遅れる」ことを$-j$で表現すると都合がよいことが知られている。虚数jは「2乗すると－1になる数」のことである。

誘導性リアクタンス

電圧に対して電流が90°遅れる。これを数式で表すと、電圧に対して電流は$-j$方向。したがって、

$$\frac{V}{-jI} = \frac{Vj}{-j \cdot j \cdot I} = \frac{jV}{I} = j\frac{V}{I} = jX$$

となり、虚数の$+j$が付いたリアクタンス値として表される。

容量性リアクタンス

電流に対して電圧が90°遅れる。これを数式で表すと、電流に対して電圧は$-j$方向。したがって、

$$\frac{-jV}{I} = -j\frac{V}{I} = -jX$$

となり、虚数の$-j$が付いたリアクタンス値として表される。

RLC直列回路

以上のことから、抵抗R、誘導性リアクタンスX_L、容量性リアクタンスX_Cを直列にした回路の合成インピーダンスは次のように計算できる。

$$R+jX_L-jX_C=R+j\left(X_L-X_C\right)$$

RLC並列回路

RLCの並列回路の場合は、抵抗のときと同じように「導電率の逆数の和」を計算することで、合成インピーダンスを求めることができる。

共振回路

RLCの直列・並列回路において、LとCのリアクタンスが完全に打ち消し合っているものを共振という。直列共振の場合、LCの合成リアクタンスはゼロとなり、並列共振の場合は無限大となってしまう性質を持つ。

共振角周波数は、$\omega=\dfrac{1}{\sqrt{LC}}$で求められる。周波数で表すと、$f=\dfrac{1}{2\pi\sqrt{LC}}$となる。

例題 1-14　令和元年度 2級電気通信工事施工管理技術検定（学科・前期）問題（選択）〔No.03〕 

下図に示すRC並列回路において，抵抗$R[\Omega]$，コンデンサ$C[\mathrm{F}]$とした場合の合成インピーダンス$\dot{Z}[\Omega]$として，**適当なもの**はどれか。

(1) $\dot{Z}=\dfrac{R}{1+j\omega RC}[\Omega]$

(2) $\dot{Z}=\dfrac{R}{1-j\omega RC}[\Omega]$

(3) $\dot{Z}=\dfrac{1+j\omega RC}{R}[\Omega]$

(4) $\dot{Z}=\dfrac{1-j\omega RC}{R}[\Omega]$

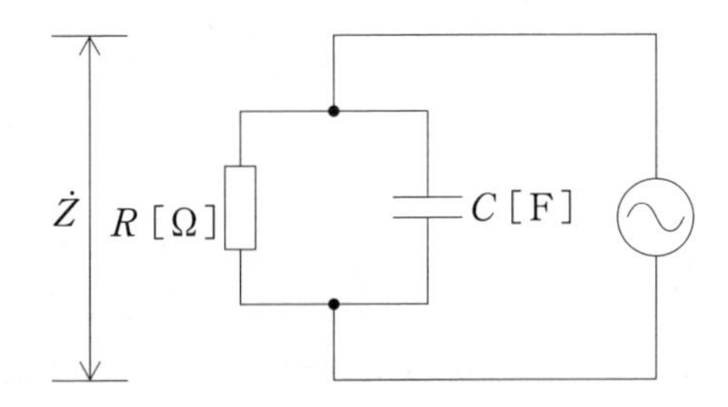

正解：(1)

解説　並列の場合は、抵抗やリアクタンスの逆数であるコンダクタンスやサセプタンスの和を求め、その逆数としてインピーダンスを求める。

まず、抵抗Rのコンダクタンスは$\dfrac{1}{R}$、コンデンサCのサセプタンスは$j\omega C$だから、これらの和であるアドミタンスは

$$\frac{1}{R}+j\omega C=\frac{1+j\omega RC}{R}$$

となる。したがって、全体でのインピーダンスは、これの逆数を取って

$$\dot{Z} = \frac{R}{1 + j\omega RC} \; [\Omega]$$

となる。

例題1-15　令和元年度２級電気通信工事施工管理技術検定（学科・後期）問題（選択）〔No.3〕 

下図に示すRLC直列共振回路において，共振周波数f_0[Hz]の値として，**適当なもの**はどれか。ただし，抵抗$R=10$[Ω]，インダクタンス$L=40/\pi$[mH]，コンデンサ$C=4/\pi$[μF]とする。

(1) 1.25[Hz]
(2) 15[Hz]
(3) 125[Hz]
(4) 1,250[Hz]

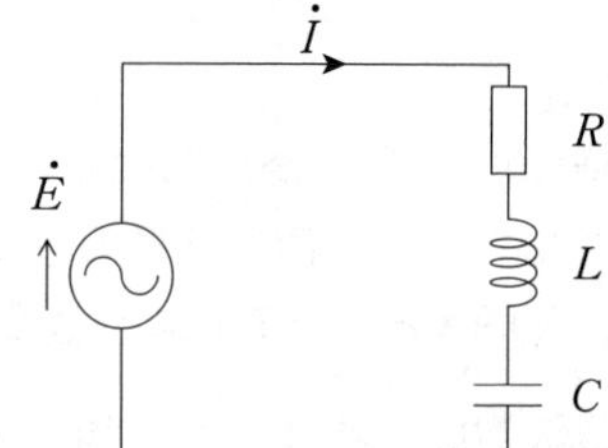

正解：(4)

解説　LC直列回路の共振周波数は$\dfrac{1}{2\pi\sqrt{LC}}$なので、これにLとCの値を代入すると、

$$\frac{1}{2\pi\sqrt{\dfrac{40}{\pi}\times10^{-3}\times\dfrac{4}{\pi}\times10^{-6}}} = 1250 \; [\text{Hz}]$$

と求められる。

例題1-16　令和3年度１級電気通信工事施工管理技術検定（第一次）問題A（選択）〔No.4〕 

下図に示すRLC直列回路において，R = 40 [Ω]，X_L = 20 [Ω]，X_C = 60 [Ω]のとき，インピーダンスの大きさZ [Ω]と回路の性質の組合せとして，**適当なもの**はどれか。

	(Z)	(回路の性質)
(1)	$40\sqrt{2}$ [Ω]	容量性
(2)	$40\sqrt{2}$ [Ω]	誘導性
(3)	$40\sqrt{5}$ [Ω]	容量性
(4)	$40\sqrt{5}$ [Ω]	誘導性

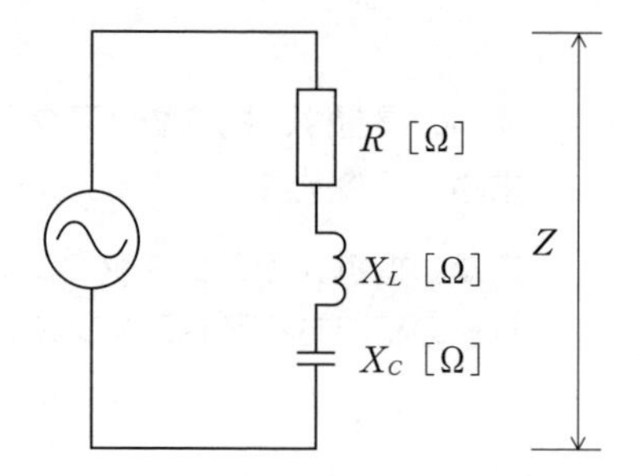

正解：(1)

解説 RLC直列回路において、容量性リアクタンスと誘導性リアクタンスは互いに打ち消し合うが、その結果誘導性リアクタンスが残った場合、回路全体のリアクタンスは誘導性、容量性リアクタンスが残った場合は容量性と呼ぶ。この回路において$X_L = 20\Omega$、$X_C = 60\Omega$より、差し引きのリアクタンスは40 Ωで性質は容量性となる。また、回路全体のインピーダンスZは、

$$Z = \sqrt{40^2 + 40^2} = 40\sqrt{2}\,[\Omega]$$

となる。

第2章 通信工学基礎

通信は「信を通す」と書く通り、情報を相手に伝えることを指す。人間どうしが対面しての言葉や表情、文字、離れた相手に送る手紙など、そして有線や無線を用いた電話やインターネットなども全て通信である。ここでは、電気通信として、有線通信と無線通信に分けて解説していく。

2.1 アナログ通信とデジタル通信

アナログとは、数値化できない量のことで、デジタルは数値化した量のことである。

アナログ通信は、本来の信号であるアナログ信号をそのままの形で伝達する。それに対してデジタル通信は、アナログ信号をいったん数値化し、数値データとして伝送する。受信側は送られてきた数値データをアナログ信号に戻して出力する。デジタル化すると必ず誤差が生じるが、人間の感覚自体がある意味いい加減なので、人間の感覚で気付かない程度の誤差以下に収まるようにしてデジタル化して通信している。

表2-1　アナログ通信とデジタル通信の特徴と利点・欠点

	アナログ	デジタル
機器の複雑さ	簡単	複雑 （ただし半導体技術の進歩によってさほどの欠点ではなくなった）
周波数利用効率	低い	高い
秘話性	低い	高い
遅延	なし	あり（処理技術の進歩により、通常ほぼ問題なし）
耐雑音性	弱い	強い

（1）OSI参照モデル

デジタル情報をやり取りする場合、通信を行う末端の人間どうしがやり取りする情報はアナログだが（例：音声や画面の明暗情報など）、それをどのようにデジタル化して符号化し、どのような電気信号（ときには光信号や電波など）に載せるかという約束ごとが合っていなければ通信することができない。このような取り決めのことをプロトコルと呼ぶが、各々のシステムに合わせて全ての機能をその都度プログラミングするのは大変で無駄が多いので、システムを機能ごとに7層に分け、その階層ごとにプログラムを分けることで機能分割を行い、新しく通信プログラムを作成する際の効率化を図っている。これをOSI参照モデル（または、俗にOSI7階層モデル）と呼ぶ。

OSI参照モデルの定義は次の通り。

表2-2　OSI参照モデルの定義

階層	名称	役割
7	アプリケーション層	ユーザに直接接するプログラム。画面表示やキー入力、通話音声の入出力などを行う部分。
6	プレゼンテーション層	データ形式を規定して管理するプログラム。画面表示であれば日本語やアルファベットの表示形式（文字コード）などを規定し、場合によっては相互変換などを行う部分。
5	セッション層	相手とのセッション、つまり通信経路の確立や維持、通信終了などの処理を行う部分。
4	トランスポート層	相手とのデータ転送の信頼性を確保する部分。例えば、受信したデータに欠落があった場合に再送処理を行ったり、データチェックによって相手が送ってきたデータが正しく受信できたことを保証したりする。これにより、上位層は送受信したデータが確実なものとして通信ができる。郵便でいえば内容証明や書留などに該当する。
3	ネットワーク層	ネットワーク上のアドレス相互間の通信を行う部分。電話であれば相手を電話番号で指定して接続する電話交換、インターネットではIPアドレスを用いてデータを中継して届けるルーティングに該当する。郵便でいえば、住所を書いて投函すれば相手の住所に届くところまでの処理。
2	データリンク層	直接接続されたノード間でデータを正しく送受するための処理部分。電話であれば電話機と交換機の間の接続、イーサネットではLANケーブル（や無線LANなど）で接続された端末とルータの間の接続処理。
1	物理層	データを送受信する電気的あるいは光学的な規格。例えば2進数の「1」を送るときは電圧5V、「0」を送るときは電圧0Vなど。これが合致しなければ通信そのものができないことはいうまでもない。

OSI参照モデルを覚えるのはちょっと大変だが、電気通信の世界では必須の知識である。少なくとも1～7層の名称は必ず言えるようにしておく必要がある。

例題2-1　令和元年度2級電気通信工事施工管理技術検定（学科・前期）問題（選択）〔No.22〕

下表に示すOSI参照モデルの空欄（ア），（イ）に該当する名称の組合せとして，**適当なもの**はどれか。

NO.	名称
7	（ア）
6	プレゼンテーション層
5	セッション層
4	（イ）
3	ネットワーク層
2	データリンク層
1	物理層

	（ア）	（イ）
(1)	アプリケーション層	ファンクション層
(2)	トランスポート層	アプリケーション層
(3)	ファンクション層	トランスポート層
(4)	アプリケーション層	トランスポート層

正解：(4)

解説 下層から物理・データリンク・ネットワーク・トランスポート・セッション・プレゼンテーション・アプリケーションの順である。

2.2 アナログ信号のデジタル化

アナログ通信の場合は、その波形を直接電波などに変調して載せることで波形を送るが、デジタル通信の場合は、アナログ信号を標本化・量子化・符号化することによってデジタルデータに変換する。これをAD変換（Analog—Digital変換）と呼んでいる。受信側は、逆符号化した後、DA変換（Digital—Analog変換）回路に入れてアナログ信号に復元する。

(1) 標本化

アナログ信号をデジタル化する第一歩は、時間的に連続する信号を、一定時間ごとに切り取ることである。

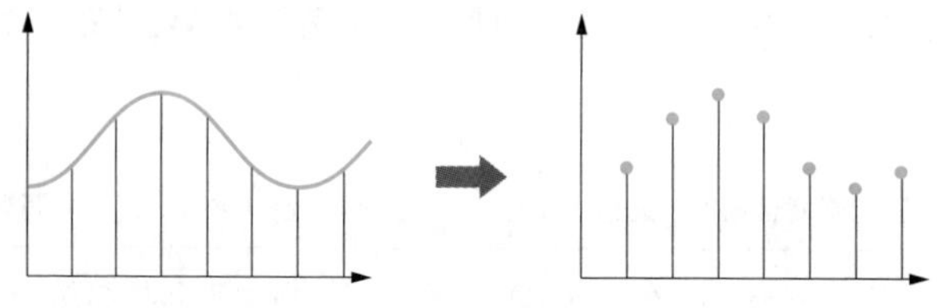

図2-1　標本化

このようにして、まずは時間的にとびとびのデータにする。これを標本化もしくはサンプリングと呼び、細かく刻めば刻むほど元のアナログ信号をより正確にデジタル化することができる。

ここで、サンプリング定理（または標本化定理）という大変重要な定理がある。それは、

> ある周波数の信号をサンプリングしてデジタル化した後、また元のアナログ信号に忠実に戻すためには、その周波数の2倍以上の周波数でサンプリングしなければならない

というものである。サンプリング周波数の逆数をサンプリング間隔またはサンプリング時間と呼ぶ。なお、サンプリング定理で示される最高周波数を超える信号が入力されると、それは折り返し雑音と呼ばれる雑音成分となるため、標本化前にLPFを挿入することが一般的である。

(2) 量子化

時間軸に沿って取り出した離散データは、次に振幅方向を離散化する。これももちろん、刻み幅が細かければ細かいほど元信号に忠実な結果が得られる。一般的には、$2^8=256$階調、$2^{10}=1024$階調、$2^{12}=4096$階調、$2^{16}=65536$階調などで区切る。このときに発生する元信号の真値と離散化された値の誤差を量子化誤差または量子化雑音と呼ぶ。

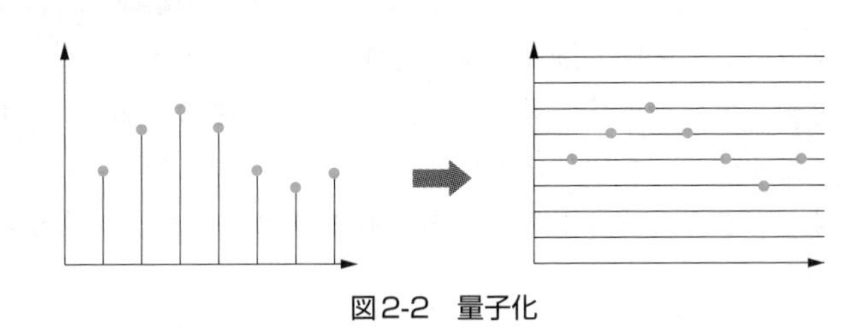

図2-2　量子化

(3) 符号化

標本化・量子化された信号は、時間軸・振幅軸ともに離散化されたデジタルデータであり、このような方式をPCMと呼ぶ。PCM符号化したデジタルデータを受信した側は、逆符号化によって標本化・量子化されたデータを復元し、これをDA変換に入れてアナログ信号に復元する。

例題2-2　令和元年度２級電気通信工事施工管理技術検定（学科・後期）問題（選択）〔No.12〕 

パルス符号変調（PCM）方式の送信側に関する次の記述の［　　］に当てはまる語句の組合せとして，**適当なもの**はどれか。

「アナログ信号の信号波形を一定の間隔で抜き取り，パルス波形に置き換えることを［ア］といい，抜き取られたパルスを，2^nの間隔で分けられた大きさのパルスに近似することを［イ］という。さらに，パルスの大きさを，2^nで重み付けした2進数のデジタル信号に変換することを［ウ］という。」

	（ア）	（イ）	（ウ）
(1)	標本化	符号化	量子化
(2)	標本化	量子化	符号化
(3)	量子化	標本化	符号化
(4)	量子化	符号化	標本化

正解：(2)

解説 アナログ信号の信号波形を一定時間ごとにサンプリングして離散値に置き換えることを標本化といい、これを振幅方向で離散化することを量子化という。このようにして得られたデータを２進数のデジタル信号に変換することを符号化といい、このようにして符号化した信号を圧縮するなどして伝送することで情報伝達を行っている。

例題2-3　令和3年度１級電気通信工事施工管理技術検定（第一次）問題A（選択）〔No.5〕 

パルス符号変調（PCM）に関する記述として，**適当でないもの**はどれか。

(1) 標本化は，連続したアナログ信号の振幅を一定の時間間隔で区切り，断続的な信号にすることであり，この時間間隔は標本化定理により決められる。
(2) パルス符号変調は，標本化，量子化，符号化の3段階の手順で行われる。
(3) 符号化は，量子化された信号の振幅値を2進符号に置き換えることである。
(4) 量子化によって生じる量子化前の信号の振幅値と量子化後の信号の振幅値の差を折り返し雑音という。

正解：(4)

解説 量子化前と量子化後の振幅値の差は量子化雑音と呼ばれる。

例題2-4　令和元年度２級電気通信工事施工管理技術検定（学科・前期）問題（選択）〔No.06〕 

最高周波数が，4[kHz] のアナログ信号をサンプリングする場合，もとのアナログ信号を再現するために必要なサンプリング時間 [μs] の値として，**適当なもの**はどれか。

(1) 125[μs]
(2) 250[μs]
(3) 375[μs]
(4) 500[μs]

正解：(1)

解説 サンプリング定理により、最低でも8kHzのサンプリング周波数が必要である。この周期を求めると、$\frac{1}{8000}=125[\mu S]$と求められる。

2.3 デシベル計算

通信工学の世界では、伝送する信号の電力などをよくデシベル［dB］で表す。デシベル［dB］という単位自体は、ほとんどの人が聞いたことがあるはずである。デシベルは、電気通信システムの信号強度や増幅率・減衰率を表すために用いられる他、オーディオの性能や騒音の大きさなどを表すために用いられている。

ベル［B］という単位は、簡単にいえば、ある2つの数値（例えば増幅器の出力と入力）を比較して何倍になるか、という値が10の何乗であるとき、そのゼロの数を表すものである。数式で表すと、

$$A[\mathrm{B}]=\log_{10}\frac{P_{\mathrm{OUT}}}{P_{\mathrm{IN}}}$$

となる。P_{OUT}は出力電力、P_{IN}は入力電力である。$\log_{10}$は10を底とする常用対数である。

この数値を10倍して扱いやすくしたものがデシベル［dB］という単位で、これを数学的に表すと次のようになる。

$$A[\mathrm{dB}]=10\times\log_{10}\frac{P_{\mathrm{OUT}}}{P_{\mathrm{IN}}}$$

なお、$\log_{10}x^2=2\log_{10}x$のように、N乗の値の対数を取るとNが前に出せるという数学的な性質がある。これと電力$P=I^2R$または$P=\dfrac{V^2}{R}$の関係から、電圧Vもしくは電流Iに対して

$$A[\mathrm{dB}]=20\times\log_{10}\frac{V_{OUT}}{V_{IN}}$$

$$A[\mathrm{dB}]=20\times\log_{10}\frac{I_{OUT}}{I_{IN}}$$

が成立する。これは、増幅器などの入出力を電圧もしくは電流の大きさで定義した場合、デシベルで表すには対数の20倍になることを意味する。

さて、増幅率や減衰率を1000倍とか100分の1とかいえば簡単なのに、わざわざデシベルを用いるのには、次に示すような理由がある。

- **扱う数字の幅が大き過ぎる**

増幅率が100倍や1000倍のうちはよいが、実際には100000000倍の増幅や1000000000分の1の減衰などという事例はたくさんある。その数字をそのまま扱うのは面倒なので、100000000倍であれば「0が8個」、1000000000分の1であれば「0が－9個」といい換えることにより、表現が簡単になる。100000000倍は+80dB、1000000000分の1は−90dBである。

・**掛け算を足し算にすることができる**

デシベルは基本的に「倍数が10の何乗であるか、というゼロの数」を表すので、掛け算の計算を足し算にすることができる。上記の例でいえば、100000000倍は+80dB、1000000000分の1は−90dBで、これらを直列にすると$+80-90=-10$dB、つまり10分の1の大きさになることを示す。

デシベルを用いた計算は、厳密には関数電卓などを用いて計算する必要があるが、電力比で1倍=0dB、2倍=3dB、10倍=10dB、$\frac{1}{2}$倍=−3dB、$\frac{1}{10}$倍=−10dBであり、電圧や電流の場合はその2倍の値になることを覚えておけば、たいていの場合事足りる。例えば、電力比50倍をdBで表現すると、これは100倍×$\frac{1}{2}$倍なので、+20dB−3dB=+17dBになる。また、電力比$\frac{1}{250}$は、$\frac{1}{1000}\times 2\times 2$なので、−30dB+3dB+3dB=−24dBと表すことができる。

第3章 有線通信

この章では、我々の周りで広く使われている実際の有線通信について見ていく。最初の商業的有線電気通信は、1800年代中盤の鉄道電信網である。これは、鉄道の線路に沿って電線を張り、拠点となる鉄道駅を中心として直流電流の断続による電信で通信を行ったものである。モールス符号として知られるモールス式電信が広まり始めたのは1844年のことであった。それ以降、直流の断続信号である電信は、人間の音声を電流に載せる電話となり、電話回線網が全国・全世界に張り巡らされた。21世紀の今日はデジタル化・大容量化が進み、アナログ音声のみならずインターネットや放送、商業通信なども光ファイバなどを用いて情報伝送されるようになった。

3.1 アナログ電話

アナログ電話は、送話信号・受話信号をアナログ信号のまま伝送し通話するものである。

アナログ電話は、交換局から２本の電線で電話機に接続される２線式アナログ電話が使用されている。交換局（電話局）には非常時に備えて大量の鉛蓄電池が常備してあり、ここから供給される48V（接地側を基準とすると-48V）の直流電圧を用いて電話機は動作する。

送受器（受話器）を上げるとフックスイッチが入り、交換機との間で直流回路が構成される。

直流回路が構成されると交換機が作動し、選択信号（相手のダイヤル番号）を受け付ける状態になる。

着信時は、交換機から16Hz・75Vの交流電流が到達する。これによってベルや電子回路による音響などを通じて電話の着信を知らせる。

例題3-1　令和３年度１級電気通信工事施工管理技術検定（第一次）問題A（選択）〔No.21〕 

通信品質の用語であるMOS（Mean Opinion Score）に関する記述として，**適当なもの**はどれか。

(1) 通信設備が正常に動作し，かつ正常なトラフィックが加わった状態において，サービスの接続・応答・復旧の各過程におけるサービスの迅速性あるいは確実性を規定するものである。
(2) 通話の総合的な満足度を表す指標であり，複数人の評価者が音声や通話の品質を5段階で評価した評点の平均値である。
(3) 人間が感じる音量感を表す尺度である。
(4) ネットワークが正常なサービスを提供できる状態にあるか否かを規定するものである。

正解：(2)

解説　(1) はQoS (Quality of Service)、(3) はラウドネス定格、(4) は可用性に関する記述である。

3.2 ISDN

ISDN（総合デジタル通信網）は、Integrated Services Digital Networkの略で、1988年からサービスが開始された。当時は日本全国隅々まで従来のアナログ電話網、すなわち2線式メタリックケーブルによるアナログ電話通信網が整備されていたため、このケーブルをそのまま用いて当時としては高速なデジタル通信ができるように作られた規格である。

(1) DSU・TA

ISDNは、ユーザ宅と交換機の間は2線のメタリックケーブルを使用するため、ユーザが使いやすい全二重通信デジタルインターフェースと、交換機との間のピンポン伝送方式（半二重通信、片側交互通行と同じ仕組み）の間で信号変換などを行う装置が必要である。これをDSU（Digital Service Unit）と呼び、交換機からの信号を終端するとともにユーザインターフェースとの信号変換、局給電をスルーしてユーザ側に伝送する処理などを行っている。

TA（Terminal Adapter）は、ISDNデジタル信号と他の信号形式、すなわち従来のアナログ電話信号やIPのデジタル信号などとの間で変換を行う装置である。TAを使用することにより、ISDNのデジタル信号を直接送受信できない機器であっても、ISDN回線に接続して使用することができる。

(2) 回線交換とパケット交換

ISDNでは、回線交換方式とパケット交換方式の両方を使用することができる。回線交換とは、従来のアナログ電話と同様、自宅の回線と通話先の回線を仮想的に接続してしまう方式である。

パケット交換モードは、送受信されるデジタル信号をパケットと呼ばれる短いデータに分け、それぞれに発信元・宛先・順序番号などを付けて転送する方式である。

パケット交換方式を使用すれば、必要なときだけデータを送ればいいし、電気通信網側は複数の発信元・複数の宛先のパケットに対し、その時々で空いている回線を利用して相手に届ければよいので、回線コストも大変安くて済む。半導体の進歩によるデジタル信号処理技術の進歩により、1990年代後半から2000年代にかけて、このような利点のあるデジタル通信化が一気に進んだ。

パケット交換方式の特長をまとめると次のようになる。

- 送信側と受信側の端末の通信速度が異なっていても通信可能。
- 送信側と受信側の端末の伝送制御方式が異なっていても通信可能。
- 通信経路の利用効率が高い。
- 伝送エラーが発生してもパケット単位で訂正・再送処理が可能なため、エラーに強い。

例題3-2　令和4年度1級電気通信工事施工管理技術検定（第一次）問題A（選択）〔No.21〕 

パケット交換方式に関する記述として，**適当でないもの**はどれか。

(1) 同一の宛先であっても，パケット毎に異なる経路を通る場合がある。
(2) 送信側の端末装置と受信側の端末装置の通信速度が異なっていてもよい。
(3) 途中の通信回線の混雑により伝送遅延が生じることがある。
(4) 情報が流れていないときも通信回線を占有するため，通信回線の利用効率は低い。

正解：(4)

解説　情報が流れていなくても通信回線を占有するのは回線交換方式である。

(3) BチャネルとDチャネル

アナログ電話では1対の回線で1つの信号しか送受信できないが、ISDNでは仮想的に複数のチャネルを設定することができる。ISDNの基本インターフェースモードでは、64kbit/sのBチャネルを2本、16kbit/sのDチャネルを1本、合計2B+Dの144kbit/sが理論的な最高伝送速度である。Dチャネルは発呼や選択信号の送り出し、呼の終了などの処理を交換機との間でやり取りする他、接続相手とのパケット交換モードでのデータ送受信にも使うことができる。Bチャネルは回線交換モードまたはパケット交換モードで相手先とのデータ送受信を行うチャネルである。

一次群速度インターフェースモードでは、Hチャネルと呼ばれる23B+Dの合計1536kbit/sでのデータ通信も可能である。

例題3-3　令和元年度2級電気通信工事施工管理技術検定（学科・前期）問題（選択）〔No.16〕 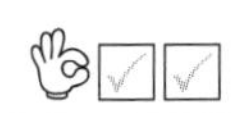

総合デジタル通信網（ISDN）における回線交換方式に関する記述として，**適当でないもの**はどれか。

(1) パケット交換方式に比べ回線の利用効率が高い。
(2) 通信時間中は，接続された回線を占有して使用する。
(3) データ伝送要求が発生するたびに物理的な伝送路を設定する。
(4) 送受信側双方の通信速度，伝送制御方式が同じでなければならない。

正解：(1)

解説　(1) 回線交換方式とは、通信中に1本の通信経路を独占して使用する形態を指す。したがって、パケット交換に比べて回線の利用効率は低くなる。

3.3 ADSL

ADSLは、従来のアナログ2線式電話回線の電線をそのまま用い、その上に高速デジタル通信を載せるための技術である。ADSLはAsymmetric Digital Subscriber Lineの略で、非対称デジタル加入者線という意味。「非対称」というのは、インターネットからユーザ側に対しては高速、ユーザからインターネット側に対しては低速という非対称な速度構成となっていることを意味し、これが同一速度のSDSL（Symmetric Digital Subscriber Line)、あるいは一般のADSLに比べて短距離・大容量化した規格であるVDSL（Very high bit rate Digital Subscriber Line）などを含めた言葉としてxDSLと表記されることもある。

xDSLは、送受信するデジタルデータを多数に分割し、それぞれを別個の周波数別のアナログ信号として変調し（分散キャリア)、幅広い周波数帯域に分散させて転送している。

なお、家庭などに引き込まれる光ファイバの終端装置をONU（Optical Network Unit）という。局側の光ファイバとユーザ側は100BASE-TXなどのイーサネットコネクタの間でメディア変換を行う。

例題3-4　令和元年度2級電気通信工事施工管理技術検定（学科・前期）問題（選択）〔No.07〕 

ADSLに関する記述として，**適当なもの**はどれか。

(1) ADSLを利用するには，ONU（Optical Network Unit）をパソコンに接続する必要がある。
(2) アナログ信号とデジタル信号の間の変換を行うための装置が必要になる。
(3) 上り（アップロード）と下り（ダウンロード）の通信速度が異なり，上りのデータ量が多い通信アプリケーションに適している。
(4) 複数の64kビット／秒のチャネルを束ねて伝送に用いることによって，高速通信を実現している。

正解：(2)

解説　(1) ONUではなく、ASDLモデムを接続する。
(3) 通常、下りの方を高速にする。
(4) これはISDNに対する記述である。

3.4 インターネット

今では誰もが使っているインターネット通信だが、その起源は1960年代に遡る。東西冷戦の国際事情の中、米国の軍施設や研究所・大学などを結ぶネットワークとして、万が一の核攻撃があっても耐性が高いメッシュ型ネットワークとして研究が始まった。

1990年代前半までは、主に米国を中心とした研究ネットワークとしての色が濃かったインターネットだが、1990年代後半に入って商業利用が解禁され、爆発的に普及した。

インターネットは、「ネットワークのネットワーク」とも呼ばれる。これは、世界中に散在している小規模なネットワーク（Local Area Network、略してLAN）どうしを結合し、世界規模で通信ができる大規模ネットワーク（Wide Area Network、略してWAN）にしたもの、という意味合いを持っている。

(1) IP（インターネットプロトコル）

インターネット上で主に使われているプロトコルはTCP/IPである。インターネット上の住所はIPアドレスと呼ばれ、従来使われているIPv4（インターネットプロトコルバージョン4）は32ビットのアドレス長で、8ビットごとに10進数化してピリオドで区切った0.0.0.0～255.255.255.255という形で表現される。IPv4では、論理的に約43億アドレスを振ることができ、当初はこれで十分だと思われていた。しかし近年、我々の周りのあらゆる機器がインターネット接続されるようになり（IoT＝Internet of Things）、新たにIPv6（インターネットプロトコルバージョン6）が使用され始めている。IPv6ではアドレスが128ビットとなり、事実上天文学的な数となった。

IPアドレスを使用したルーティングはOSI参照モデルの第3層（ネットワーク層）に位置付けられる。なお、IP層ではデータの最終的な到達は保証されない。

例題3-5　令和元年度2級電気通信工事施工管理技術検定（学科・後期）問題（選択）〔No.22〕 

TCP/IPにおけるIP（インターネットプロトコル）の特徴に関する記述として，**適当でないもの**はどれか。

(1) パケット通信を行う。
(2) 最終的なデータの到達を保証しない。
(3) 経路制御を行う。
(4) OSI参照モデルにおいて，トランスポート層に位置する。

正解：(4)

解説　(4) IPはネットワーク層に位置する。トランスポート層はTCPやUDPが該当する。

IPv4アドレス

IPv4アドレスは、ネットワークアドレスとホストアドレスに区切られる。ネットワークアドレスは、ノードが複数台接続されたグループ（ネットワーク）を代表するアドレスで、ホストアドレスはそのネットワーク内で個々の端末を表すアドレスである。0.0.0.0～255.255.255.255の数値範囲で表されるIPアドレスのうち、どこまでがネットワークアドレスでどこからがホストアドレスかを示す値は、サブネットマスクと呼ばれる。これは上位から何ビットまでがネットワークアドレスであるかをビット数で示したり、あるいはそのビット数をIPアドレスと同じ形で表現したりする。

このサブネットマスクビット長による分類は重要な概念なので、理解しておかなければならない。

IPアドレスのクラス

クラスA

32ビットあるIPv4アドレスのうち、最上位ビットが0であるアドレス。具体的には0.0.0.0～127.255.255.255の範囲で、42億の全IPアドレス空間のうち半分に相当する。ネットワークアドレス長は8ビット、ホストアドレス長は24ビットである。

クラスB

上位2ビットが「10」で始まるアドレスで、128.0.0.0～191.255.255.255がその範囲である。ネットワークアドレス長は16ビット、ホストアドレス長は16ビットで、割り当てられるホスト数は65,534個である。

クラスC

上位3ビットが「110」で始まるアドレスで、192.0.0.0～223.255.255.255がその範囲である。ネットワークアドレス長は24ビット、ホストアドレス長は8ビットで、割り当てられるホスト数はブロードキャストアドレスを除いた254個である。

クラスD

上位4ビットが「1110」で始まるアドレスで、224.0.0.0～239.255.255.255がその範囲である。このクラスDは、IPマルチキャスト通信で使用するためのアドレスで、主にLAN内において、放送のようなマルチメディア通信やルータ間のルーティングプロトコルにおけるデータのやり取りなど、通常のノード間通信とは異なる通信形態のために使用される。

クラスE

上位4ビットが「1111」で始まるアドレスで、240.0.0.0～255.255.255.255がその範囲である。これは実験目的のために予約されているもので、実際の通信には使用されないアドレスである。

※ ×は0もしくは1(任意)

図3-1　IPv4アドレスのクラス

ネットワークアドレスとブロードキャストアドレス

サブネットマスク以下のビットを全て0として表したものをネットワークアドレス、全て1として表したものをブロードキャストアドレスと呼び、原則としてこのアドレスはホスト用としては使わない。ネットワークアドレスは、そのネットワークそのもの（ネットワーク全体）を表し、ブロードキャストアドレスは、そのネットワーク内のノード全てに情報を一斉伝達（ブロードキャスト）するために用いられる。

通常の1：1の通信（例：192.168.0.5⇔192.168.0.10間の通信など）をユニキャスト通信と呼ぶのに対し、このようなものをブロードキャスト通信と呼んでいる。

例えば、192.168.32.1というIPアドレスに対し、上位24ビットまでがネットワークアドレス、下位8ビットがホストアドレスであった場合は、

- 192.168.32.1/24
- 192.168.32.1/255.255.255.0

のように表現する。2^8＝256個のIPアドレスのうち、ホスト部を全部0とした192.168.32.0がネットワークアドレス、ホスト部を全部1とした192.168.32.255がブロードキャストアドレスとなる。したがって、このネットワーク内でホスト用として使えるIPアドレスは、192.168.32.1 〜 192.168.32.254の合計254個である。

ループバックアドレス

ネットワークに接続されるサーバやルータ、パソコンなどは、ネットワーク上で使用するIPアドレスとは別にループバックアドレスという特別なIPアドレスを持つ。ループバックアドレス空間は127.0.0.0/8だが、通常127.0.0.1が使用される。このア

ドレスは、機器から見ると「自分自身」を指すため、自分自身から自分自身あての通信処理などに用いられる。

例題3-6 令和元年度1級電気通信工事施工管理技術検定（学科）問題A（選択）〔No.30〕 

IPv4アドレス「192.168.10.128/26」のネットワークで収容できるホストの最大数として，**適当なもの**はどれか。

(1) 26　(2) 62　(3) 128　(4) 254

正解：(2)

解説 このサブネットにおいて、IPv4アドレスの32ビットから26ビットを引くと6ビットなので、2^6=64個のIPアドレスが使える。このうちネットワークアドレスとブロードキャストアドレスの2つを引いた62個がホストに割り当て可能なアドレスである。

例題3-7 令和元年度2級電気通信工事施工管理技術検定（学科・前期）問題（選択）〔No.24〕 

IPアドレスの表現方法であるクラスC に関する記述として，**適当なもの**はどれか。

(1) マルチキャストに対応したネットワークを構築する場合に使用する。
(2) ホストアドレス部が16ビットのネットワークを構築する場合に使用する。
(3) ホストが254台以下のネットワークを構築する場合に使用する。
(4) IPv6に対応したネットワークを構築する場合に使用する。

正解：(3)

解説 (1) はクラスD、(2) はクラスBの説明である。(4) については、IPv6の場合、IPv4のようなクラス分けはない。

例題3-8 令和元年度2級電気通信工事施工管理技術検定（学科・後期）問題（選択）〔No.24〕 

LANに繋がっている端末のIPアドレスが「192.168.3.121」でサブネットマスクが「255.255.255.224」のとき，この端末のホストアドレスとして，**適当なもの**はどれか。

(1) 9　(2) 25　(3) 121　(4) 249

正解：(2)

解説 サブネットマスク255.255.255.224は、27ビットマスクを意味する。したがって、192.168.3.0～192.168.3.31が1つ目のサブネット、192.168.3.32～192.168.3.63が2つ目のサブネット、192.168.3.64～192.168.3.95が3つ

目のサブネット、そして192.168.3.96～192.168.3.127が4つ目のサブネット。端末のIPアドレスを見ると4つ目のサブネットに含まれていることから、121-96=25がホストアドレスである。

プライベートIPアドレスとグローバルIPアドレス

今現在最も広く用いられているIPv4アドレスは、0.0.0.0～255.255.255.255の範囲だが、この範囲のアドレスを誰もが自由に使えるわけではない。マルチキャストアドレスやループバックアドレスなどの分類もあるが、これらを別にするとLAN内だけで使うことができて誰でも勝手に使うことができるプライベートIPアドレスと、インターネット上で使う、世界的に管理団体が管理しているグローバルIPアドレスに分かれる。

プライベートIPアドレスは、次の3種類である。

- 10.0.0.0～10.255.255.255（10.0.0.0/8）
- 172.16.0.0～172.31.255.255（172.16.0.0/12）
- 192.168.0.0～192.168.255.255（192.168.0.0/16）

プライベートIPアドレスは、マンションの部屋番号や会社の内線番号のようなものである。したがって、このアドレスをそのまま用いてインターネット通信を行うことはできない。ではどうすればよいかといえば、インターネットへの接続口となるルータ内でIPアドレスを変換している。これをNAT（Network Address Translation）やNAPT（Network Address/Port Translation）、IPマスカレードなどと呼んでいる。

同じ会社の本社と支社など、地理的に離れて存在するプライベートIPアドレスの端末どうしが直接通信することは通常不可能であるが、インターネットを介して仮想的にそれらを接続する技術がIP-VPNである。VPNはVirtual Private Networkの略で、仮想的にプライベートネットワークを遠隔地まで接続する技術のことである。

これを実現するため、本社と支社のルータ間でプライベートIPアドレスのデータをグローバルIPアドレスの通信データとしてカプセル化し、対向ルータではそれを元に戻して自らのLAN内に転送するという処理を行う。

IPv6アドレス

IPv6は、IPv4アドレスの枯渇が見えてきたため新たに作られた128ビット空間のIPアドレスである。128ビットでは2の128乗、すなわち43億×43億×43億×43億という天文学的なアドレス空間となるため、事実上無限にアドレスを振ることができる。IPv6の表記方法は、IPv4のように表すと192.168.0.0.0.0.0.0.0.0.0.0.0.0.0.1のようになってしまい冗長過ぎるのと、場合によってはIPv4アドレスと見分けが付きにくいおそれがあるため、次のような記法を用いている。

- 4ビットごとに16進数の0～fで表す。
- 16進数4桁ごとにコロン（：）で区切って表記する。
- 16進数4桁が0000となる場合、「::」と短縮して表現できる。ただし最も長くなる1か所のみに限る。

IPv6ループバックアドレス

IPv6においても、IPv4と同様ループバックアドレスがあり、これは::1を使うこととされている。

リンクローカルアドレス

IPv4のプライベートアドレスに対応する概念がリンクローカルアドレスで、これはfe80::/10が予約されていて、実際の実装では、fe80::/64を使用する。

例題3-9　令和元年度 2級電気通信工事施工管理技術検定（学科・後期）問題（選択）〔No.21〕 

次のIPv6のアドレスをRFC 5952で規定されているIPアドレス表記法で記述した場合，**適当なもの**はどれか。

「0192：0000：0000：0000：0001：0000：0000：0001」

(1) 192：：：：1：：：1
(2) 192：：1：：1
(3) 192：：1：0：0：1
(4) 192：0：0：0：1：：1

正解：(3)

解説　IPv6で省略できるゼロの連続は1か所のみで、最も長い部分を省略する。したがって、（1）と（2）は明らかに誤り、（3）と（4）を比べると（3）の方がより正しい省略記法となる。

※RFCとはRequest For Commentsの略で、インターネット上の規格を定める団体IETF（Internet Engineering Task Force）が出している技術文書である。
http://www.ietf.org/rfc/

(2) IPSEC

IPSECは、ネットワーク層であるIPレベルでデータストリームの内容を認証・暗号化するための規格である。暗号化技術を使うことで、パケット単位で改竄検知や暗号化が可能であるため、TCPやUDPなど上位層で暗号化を提供していなくてもパケット全体として暗号化通信を行うことができる。IPSECはIPv4・IPv6のどちらでも使うことが可能であり、IPv4ではオプション機能、IPv6では基本的に実装が必須とされている。

IPSECは、ノード間にSA（Security Association）という一方向コネクションを確立するため、双方向通信の場合は2本のSAを確立する必要がある。SAに必要な情報を確立するプロトコルは、IKE（Internet Key Exchange）と呼ばれる。SAを確立した後は、AHもしくはESPのどちらか少なくとも1つのプロトコルを用いて通信を行う。

- AH（Authentication Header）：IPパケットにメッセージ認証子（MAC）を付け、真正性と完全性を確保する。
- ESP（Encapsulated Security Payload）：IPパケットに認証暗号を施し、機密性を確保する。

ESPの認証暗号は、パケットの秘匿性と改竄検知の両方を行うことができるが、AHのみを用いた場合は改竄検知しか行うことができない。

IPSECは、次のいずれかの通信モードに従って行われる。

- トランスポートモード：パケットデータ部のみに暗号化を施す。
- トンネルモード：ヘッダを含めたパケット全体を暗号化し、新たなIPヘッダを付加する。

トランスポートモードは、主に2つのホスト間の通信で使われ、トンネルモードは、主にセキュリティゲートウェイ相互間、及びセキュリティゲートウェイとホスト間の通信で使われる。

例題3-10　令和2年度1級電気通信工事施工管理技術検定（学科）問題A（選択）〔No.29〕 

IPsecに関する記述として，**適当でないもの**はどれか。

(1) IPv4では，IPsecの装備はオプションとなっているが，IPv6ではIPsecの装備は標準として位置付けられている。
(2) AHは，IPパケットの送信元の真正性と完全性を確保するためのプロトコルである。
(3) ESPは，IPパケットの機密性を暗号化により確保するプロトコルである。
(4) トランスポートモードは，転送するIPパケット自体をすべてペイロードとしてIPsecを適用し，新たにIPヘッダを付け加える。

正解：(4)

解説　トランスポートモードはデータ部だけを暗号化処理するものである。(4) はトンネルモードに対する説明である。

(3) TCP/IP上の各種プロトコル

我々がLANやインターネットを使って種々のサービスを受けるとき、ノード間通信の手段としてIP（IPv4またはIPv6）が主に使われるが、これはOSI参照モデルの1～3層までの話で、その上で動作する各種サービスは4～7層に該当する。広く使われているサービスについていくつかを取り上げて概要を解説する。

TCP

TCPは、Transmission Control Protocolの略で、ノード間で3ウェイハンドシェイクを行うことで信頼性が高い通信を保証する仕組みである。IP通信は基本的にベストエフォート・ノーギャランティつまり「データ伝送のために最大限努力はするけど保証はしない」仕組みであるから、信頼性を確保するためのプロトコルとして考え出された。例えばホストAとホストBが通信するにあたり、次のようなやり取りが行われる。

- ① A→Bに通信開始を要求する。(SYNフラグ=1でデータを送る)
- ② B→Aに通信開始を承諾し接続開始を知らせる。(SYN=1、ACK=1)
- ③ A→Bに確認応答する。(SYN=0、ACK=1)

このようにして互いに確認を取りながらデータ転送を行うため、信頼性が高い通信が可能となる。欠点は、CPUやメモリに対する負荷が大きい他、送受信するデータ量が非常に小さい場合、通信開始・通信終了処理のやり取りデータ量の方が多くなって非効率、などが挙げられる。

とはいえ、TCP層のレベルでデータの信頼性が保証されていることは大変便利なので、現在使用されている多くのプロトコルはTCPの上で動いている。

UDP

UDPは、User Datagram Protocolの略で、ハンドシェイクなしに送りっぱなしというプロトコルである。TCPに比べると極めて単純な仕組みなので機器に対する負荷・ネットワークに対する負荷も必要最小限で効率が高いという特徴を持っている。欠点として、送信したデータが正しく受信されたという保証がないので、それでも構わない通信や、万が一正しくデータが伝送されなかった場合、それを補償する仕組みを別途上位プロトコルで実装するなどの工夫が必要となる。

ポート番号

TCPやUDPを使った通信では、通信相手を表すIPアドレスの他にポート番号を使って通信相手のプログラムを指定する。つまり、「IPアドレス」「TCP/UDPの別」「ポート番号」を使用してプログラムどうしがデータのやり取りを行っている。

TCP/IP上では各種のサービスが提供されるが、どのサービスがどのプロトコル・ポート番号を使うかは決まっている。一例を挙げると、

DNS…UDP/53
DHCP…UDP/67・68
NTP…UDP/123
FTP…TCP/20・21(ファイル転送時に他の番号が使われる場合もある)
SSH…TCP/22
SMTP…TCP/25
HTTP…TCP/80
POP3…TCP/110

IMAP4…TCP/143
HTTPS…TCP/443

などがあるが、この他にも多くのプロトコルが使われている。

ポート番号は0～65535まであり、1023以下はWell Known Portとしてシステムが使うために予約されている。

例題3-11　令和4年度 2級電気通信工事施工管理技術検定（第一次・前期）問題（選択）〔No.22〕

UDPヘッダに含まれるフィールドとして，**適当でないもの**はどれか。

(1) 送信元ポート番号
(2) 宛先ポート番号
(3) チェックサム
(4) 確認応答番号

正解：(4)

解説　UDPは、TCPのように互いに確認を取って確実なデータ伝送を行うものではないため、ヘッダに確認応答番号は含まれていない。

例題3-12　令和4年度 1級電気通信工事施工管理技術検定（第一次）問題A（選択）〔No.31〕

DHCPに関する記述として，**適当なもの**はどれか。

(1) 各クライアントに対してIPアドレスやサブネットマスク，デフォルトゲートウェイのアドレス，DNSサーバのアドレスなどを自動的に割り当てるためのプロトコルである。
(2) IPネットワークに接続される機器の時刻を同期させるためのプロトコルである。
(3) メールクライアントからメールサーバへのメールの送信，あるいはメールサーバ相互間でメールを送受信するためのプロトコルである。
(4) Webサーバと Webブラウザとの間において，HTMLファイルや画像ファイルなどを送受信するためのプロトコルである。

正解：(1)

解説　(2) はNTP、(3) はSMTP、(4) はHTTPに関する記述である。

例題3-13　令和元年度1級電気通信工事施工管理技術検定（学科）問題A（選択）〔No.09〕 

TCPでは，TCP／IPネットワークにおいて通信を行うノード間にコネクションを確立してデータの転送を行うが，その際にコネクションを識別するために必要なものの組合せとして，**適当なもの**はどれか。

(1) 宛先IPアドレス，宛先TCPポート番号，送信元IPアドレス，送信元MACアドレス
(2) 宛先IPアドレス，宛先TCPポート番号，送信元MACアドレス，送信元TCPポート番号
(3) 宛先IPアドレス，宛先TCPポート番号，送信元IPアドレス，送信元TCPポート番号
(4) 宛先MACアドレス，宛先TCPポート番号，送信元MACアドレス，送信元TCPポート番号

正解：(3)

解説 TCP/IP通信でコネクションを識別するために使われるのは、ノードの住所であるIPアドレスと、サービスをやり取りする窓口であるTCPポート番号である。

ICMP

TCP/IPを利用する通信は、IPとTCP/UDPだけでは十分な信頼性を担保した通信はできない。例えば通信経路の途中に障害が発生して通信ができない場合などにおいてネットワークの状況を知るための仕組みが別途必要である。このために使用されるのがInternet Control Message Protocol、略してICMPと呼ばれるプロトコルである。

ICMPを利用した実装として代表的なものとして、pingとtracerouteがある。

ping

ICMPのエコー要求を相手に送り、受け取った相手はエコー応答通知を返送する。これによりIPレベルで相手への通信ができているか否かを知ることができる。

traceroute

通信相手への中継経路を知るためのコマンドである。まず、TTL=1としたパケットを送出すると最初のルータでTTL=0となり通知が返される。次にTTL=2としてパケットを送出すると、2つ目のルータでTTL=0となり通知が返送される。このようにしてTTLを増やしつつパケットを送出すれば、通信相手への経路に存在するルータを知ることができる。

TTLはTime To Liveの略で、パケットがルータで中継されるたびに1ずつ減少していく。TTL=0となった場合、それ以上の中継は行われず、TTL Expiredとなって通知が返送される。

ICMPの利用方法はこの他にもあるが、これら2つの実装用として圧倒的に多く使用されている。

暗号化規格

インターネット通信でよく暗号化に用いられるSSLはSecure Sockets Layer、TLSはTransport Layer Securityの略で、SSLはネットスケープ社が開発した暗号化の仕組みである。TLSはSSLの後継で、現在使われているプロトコルは、正式にはTLSだが、従来のSSLという呼び名も普及しているため、一般的にSSLといえば現在使われているTLSをも含んで指している。

暗号方式としては公開鍵暗号方式が使用される。公開鍵暗号は、送信者の秘密鍵で暗号化した暗号文を、送信者の公開鍵で復号化して閲覧する仕組みである。秘密鍵は外部に漏れないよう秘匿し、公開鍵はインターネットなどを通じて広く配布する。秘密鍵で暗号化した文章は、ペアとなる公開鍵でしか復号できないため、これによってセキュリティが保たれる。

RSA暗号

RSAは最も初期の暗号化方式で、大きな数の素因数分解が困難であることを利用した方式である。1024～4096ビット程度の数を鍵に使うことが推奨されている。

DES

DESはData Encryption Standardの略で、米国の標準暗号化規格であった共通鍵暗号である。共通鍵暗号は、暗号化・復号化に共通の暗号化鍵を用いる方式である。現在のコンピュータ処理能力を使えば比較的容易に解読されてしまうため、安全ではないとされている。

3DES

DESの脆弱性を補うため、DESを3回施すことで強力化したもの。現時点では安全とはされているが、米国国立標準技術研究所では2030年までの使用を推奨している。

AES

AESはDESに代わる新しい共通鍵暗号方式で、Advanced Encryption Standardの略である。鍵長は128ビット・192ビット・256ビットの3種類で、現時点では解読不可能とされている。

なお、これらの暗号化技術に対し、意外と盲点となるのは人間そのものである。例えば、部内者を騙った電話やメールでセキュリティ情報や機密情報を盗み出したり、シュレッダーにかけた書類から元の書類を復元するなど一見アナログ的な手法による情報収集もなお有効な手段であり、このような攻撃手法もあることを覚えておかなければならない。このような手法をソーシャルハッキング、もしくはソーシャルエンジニアリングと呼んでいる。

例題3-14　令和4年度2級電気通信工事施工管理技術検定（第一次・前期）問題（選択）〔No.23〕 

TLSに関する記述として，**適当でないもの**はどれか。

(1) TLSは，OSI参照モデルのネットワーク層に位置するプロトコルである。
(2) TLSは，SSLの後継のプロトコルである。
(3) httpの通信がTLSで暗号化されるWebサイトのURLは，「https」で始まる。
(4) TLSは，Webサーバと Webブラウザ間の安全な通信のために用いられている。

正解：(1)

解説　TLSは、ネットワーク層ではなくトランスポート層に位置する。

例題3-15　令和4年度1級電気通信工事施工管理技術検定（第一次）問題A（選択）〔No.36〕 

AES暗号に関する記述として，**適当なもの**はどれか。

(1) 共通鍵暗号方式の1つであり，鍵長は，56ビットである。
(2) 共通鍵暗号方式の1つであり，鍵長は，128ビット，192ビット，256ビットの中から選択する。
(3) 公開鍵暗号方式の1つであり，大きい数での素因数分解の困難さを安全性の根拠としている。
(4) 公開鍵暗号方式の1つであり，楕円曲線上の離散対数問題を安全性の根拠としている。

正解：(2)

解説　(1) はDESに関する記述、(3) はRSA、(4) は楕円曲線暗号に関する記述である。

(4) 各種のインターネットサービス

TCP/IP上で広く使用されているインターネットサービスについて、代表的なものを取り上げて解説していく。

DNS

DNSはDomain Name Systemの略で、いわゆるホスト名やサーバ名、メールアドレスに対応するメールサーバなどの名前に対するIPアドレスの解決を行う仕組みである。UDPの53番ポートを使用してサービスされる。もしDNSが存在しなければ、我々はWebを閲覧する際などに対応するIPアドレスを暗記しておかなければいけなくなる。

DNSは、全世界に13台あるルートDNSサーバを頂点としたツリー構造のデータベースとなっている。ルートサーバはトップレベルドメイン（TLD）の情報を持ち、それ以下のドメイン名については傘下のサーバに権限が委譲されている。このような領域のことをゾーン（Zone）と呼ぶ。

TLDとは、例えば www.hogehoge.co.jpの最後の.jpの部分である。TLDは基本的には国レベルを意味し、.jpは日本、.cnは中国、.ukはイギリス、.ruはロシア…などである。最も、近年は国別にとらわれない商業用や各種団体用など多くのTLDが存在するようになった。

セカンドレベルドメインは、例えば www.hogehoge.co.jpのco.の部分である。これは基本的に組織の属性を表し、co.は会社（company）、goは政府組織（government）、acは大学（academy）…などを意味している。

このようにしてルートから末端までを順番にたどり、最終的なデータベースを持っているDNSサーバからホスト名に対するIPアドレスの照会結果を受け取り、そのIPアドレスに対して接続に行く、という動作が行われることで、我々はIPアドレスを直接知らなくても便利にインターネットを利用することができる。

正引きと逆引き

DNSサーバに対するクエリは、ホスト名からIPアドレスを調べる正引きと、IPアドレスからホスト名を調べる逆引きがある。

プライマリサーバとセカンダリサーバ

DNSは、これまで示したように重要なサービスなので、DNSサーバには高い信頼性が求められる。そこで、通常組織内にはプライマリサーバとセカンダリサーバの2台を配置し、もし一方が停止しても他方でサービスが継続できるようにする。

例題3-16　令和元年度1級電気通信工事施工管理技術検定（学科）問題A（選択）〔No.12〕

ドメインネームシステム（DNS）に関する記述として，**適当なもの**はどれか。

(1) ゾーン（Zone）には，プライマリDNSサーバとセカンダリDNSサーバが存在し，DNSサービスの信頼性の向上を図っている。
(2) DNSを利用して，IPアドレスに対応するドメイン名を求めることを正引き，逆にドメイン名に対応するIPアドレスを求めることを逆引きという。
(3) インターネットにおける論理的な名前であるドメイン名に対応するIPアドレス，又はIPアドレスに対応するドメイン名を，DNSサーバに対して問い合わせるクライアントソフトウェアをトレーサ（Tracer）という。
(4) DNSキャッシュサーバは，ドメイン名空間の頂点にあってドメイン全体の情報を保持するサーバである。

正解：(1)

解説
(2) 正引きと逆引きの解説が逆である。
(3) DNSサーバに対してクエリを発行するソフトウェアはリゾルバと呼ぶ。
(4) これはルートDNSサーバの解説である。キャッシュサーバは、組織内などにおいて、一度問い合わせたクエリをキャッシュし、むやみに外部サーバに問い合わせに行かないようにするものである。

例題3-17　令和4年度1級電気通信工事施工管理技術検定（学科）問題A（選択）〔No.27〕

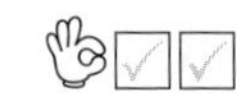

DNSに関する記述として，**適当でないもの**はどれか。

(1) ドメイン名とIPアドレスを相互に変換するシステムの総称である。
(2) ドメイン名が商業組織用であることを示す「com」は，トップレベルドメインに該当する。
(3) 最上位のゾーンをルートゾーンといい，ルートゾーンの内容を管理するDNSサーバをルートサーバという。
(4) ドメイン名に対応するIPアドレス又はIPアドレスに対応するドメイン名をDNSサーバに対して問い合わせるクライアントソフトウェアをBGPという。

正解：(4)

解説　DNSサーバに対して問い合わせ（クエリと呼ぶ）を行うクライアントソフトウェアはリゾルバと呼ばれている。

DHCP

DHCPは、Dynamic Host Configuration Protocolの略で、TCP/IPネットワークにおけるネットワーク管理プロトコルの一種である。もっとも身近なところでは、コンピュータをネットワークに接続する際、IPアドレスやゲートウェイ、サブネットマスク、DNSサーバなどの情報を自動的に設定するために使われている。

例題3-18　令和元年度1級電気通信工事施工管理技術検定（学科）問題A（選択）〔No.27〕

TCP／IPで通信を行うため，各クライアントに対してIPアドレスやサブネットマスク，デフォルトゲートウェイなど，さまざまな設定を自動的に割り当てるプロトコルとして，**適当なもの**はどれか。

(1) ARP
(2) SNMP
(3) DHCP
(4) MIME

正解：(3)

解説　ARPは7階層モデルの第2層において、隣接するノード間通信を行う際にIPアドレスとMACアドレスの対照を行うためのプロトコル、SNMPはネットワーク経由でルータやスイッチなど各種ネットワーク機器のデータ収集や設定を行うためのプロトコル、MIMEは各種バイナリデータを電子メール上で使えるアスキー文字に変換するための規格である。

HTTP・HTTPS

HTTPはHyperText Transfer Protocol、HTTPSはその後にSecureを付けたもので、HTTPはTCPの80番ポート、HTTPSはTCPの443番ポートが使われる。いわゆるWebの閲覧に使用されるプロトコルで、インターネット上の通信の多くを占めている。

HTTPSはSSLによる暗号化通信が行われる。昨今はCPUやメモリの高性能化・大容量化が進み、暗号化に使用するサーバ資源も相対的に小さくなっているため、HTTPSによる通信が多くなっている。

FTP

FTPはFile Transfer Protocolの略で、その名の通りファイルをやり取りするためのプロトコルである。TCPの21番ポートで制御コネクション、20番ポートで転送コネクションを張るが、場合によってはこれとは別のポート番号も転送用に使用する。

TELNET/SSH

TELNET（Teletype network）もSSH（Secure Shell）も、サーバやルータなどにログインしてターミナル操作を行うためのプロトコルで、TELNETはTCPのポート23番、SSHは22番を使用する。

SSHはSecure SHellの略で、その名の通り暗号化されたセキュアな通信を提供するが、TELNETは暗号化されず素のままでデータが流れてしまうため、使用は推奨されない。

VoIP

VoIPは、Voice over IPの略で、電話などの音声データをIPデータの上に載せてしまう技術のことを指している。これを実現するためのプロトコルは各種のものが策定されているが、代表的な呼制御プロトコルとしてSIPやH.323が多く使われている。

SIP

SIP（Session Initiation Protocol）はHTTPをベースとして作られた呼制御方式で、後述のH.323に比べるとセッションの開始・変更・終了のみを行う単純なプロトコルである他、HTTPと同様にテキストベースでコマンドを送る仕様であるため、機能の追加や拡張が容易であるという特徴も持つ。通信データ自体には、音声データとしてRTP（Real-time Transport Protocol）　やRTCP（Real-time Transport Control Protocol）、制御データとしてSDP（Session Description Protocol）が多く使われる。

SIPサーバ群は、通信を代理中継するプロキシサーバ、SIPクライアントやプロキシサーバのリクエストに対して、代わりに相手のアドレスを探索するリダイレクトサーバ、SIPクライアントの情報を登録する登録サーバ、SIPネットワークの電話番号やIPアドレス、ゲートウェイやプロキシサーバなどの情報が保存されるロケーションサーバなどから構成されている。

H.323

H.323は、IP上でリアルタイム音声・動画通信を行うために標準化されたプロトコルである。H.323上で使われる各種プロトコルやコーデック（Codec：Coder/Decorder。音声や画像をデジタル化する処理方式）は次の通りである。

- H.225：登録、許可、状態、解放の手順並びに呼シグナリングなど
- H.245：制御シグナリング
- RTP/RTCP
- オーディオ・コーデック：G.711、G.729、G.723.1
- ビデオ・コーデック：H.261、H.263

VoIPシステムの構成要素としては、これ以外にも下記のようなものが挙げられる。

ゲートウェイ

他の通信プロトコルとの相互データ変換を行う機器のこと。例えば、従来のアナログ電話との接続のために信号変換処理を行ったりする。

ゲートキーパ

IPアドレスと電話番号の相互変換を行ったり、課金処理などを行う、H.323ネットワークの中心処理サーバのこと。

QoS

Quality of Serviceの略。IPネットワーク上に種々のデータが流れている場合、それらによってデータ帯域が圧迫されてしまうと、IP電話の通信に遅延や切断が発生してしまうおそれがある。音声通話において遅延は致命的なので、ネットワーク中継機器においてQoSを設定することで、IP電話用の優先帯域を確保することができる。

例題3-19　令和4年度1級電気通信工事施工管理技術検定（第一次）問題A（選択）〔No.28〕 

IPネットワークのQoSを実現するためのトラフィック制御方式であるポリシングに関する記述として，**適当なもの**はどれか。

(1) パケットの送出間隔などを調整することで，最大速度を超過しないようにトラフィックを平準化するものである。
(2) トラフィックが最大速度を超過しないか監視し，超過した場合には超過分のパケットを破棄するか優先度を下げる制御である。
(3) 伝送を開始する前にRSVPによって，伝送経路上のルータなどに帯域幅や遅延の最大値を指定することで特定アプリケーション間の通信品質を確保するものである。
(4) IPv4において，送信しているパケットの優先度，最低限の遅延，最大限のスループット等のサービスの品質を表すためのIPヘッダの中のフィールドである。

正解：(2)

解説 (1) はシェーピング(Shaping)、(3) はIntServ (Integrated Services)、(4) はTOS (Type Of Service) フィールドに関する記述である。

例題3-20　令和3年度1級電気通信工事施工管理技術検定（第一次）問題A（選択）〔No.20〕 

IPネットワークで使用されるVoIPに関する記述として，**適当でないもの**はどれか。

(1) 音声データに付加するヘッダとして，IPヘッダ，TCPヘッダ，RTPヘッダがある。
(2) アナログ信号である音声をデジタル信号に変換する符号化方式にG.711がある。
(3) 優先制御は，ルータが受け取った音声データのパケットを他のデータのパケットよりも優先的に送信することである。
(4) 呼制御は，回線の接続，切断，発呼や着呼など，電話をかけるための制御や，かけた相手を呼び出すための制御である。

正解：(1)

解説 VoIPにおいては、確実性よりもリアルタイム性が求められる音声データに対してTCPは通常用いられず、UDPが使用されている。したがってTCPヘッダはUDPヘッダの誤りである。

(5) ネットワークの中継装置

TCP/IPを用いて遠隔地と通信を行う場合、データを中継する装置が必要となる。

リピータ

リピータは、信号をリピートする、つまり第1層である物理層の電気信号や光信号、無線電波をそのまま増幅することで広範囲に中継する装置である。ブリッジやルータが高価であった時代（1990年代前半ごろまで）は多用されたが、現在はあまり使われなくなった。

ブリッジ

ブリッジは、基本的にはリピータと同じく信号を増幅して中継する装置だが、接続されたネットワークどうしで信号を中継すべきか否かを判断する機能を持っていて、第2層のデータリンク層で信号を判断して中継する装置である。これにより、信号が不用意に広範囲に伝搬することを避け、通信効率を向上させることができる。いわゆる「スイッチングハブ」がこの機能を持った装置である。

なお、高価な製品では、データパケットにVLANタグという印を付けることで、同一の機器を仮想的に切り分けて使用するVLAN機能を持ったものもある。VLANを利用することで、柔軟なネットワーク設計を行うことができる。

ルータ

ルータは、第3層であるネットワーク層で信号を中継する装置である。したがって、ルータが中継する信号は、中継の前後で物理層・データリンク層が別々でも構わない。

なおL3スイッチという機器もあるが、これは中継の前後ともに物理層・データリンク層がイーサネット（有線LAN）であるもので、ネットワーク層で信号を判断して中継する。

プロキシ（代理）サーバ

リピータ・ブリッジ・ルータとは少し異なり、サーバ上で動作するプログラムによってクライアントから相手先への接続要求をいったん受け付けて、そのプログラムがクライアントの代わりにインターネットなどにアクセスを行い、取得してきたデータをインターネットサーバに代わってクライアントに転送する役割を持ったものである。

代表的なものとしてWeb（HTTP）データキャッシュを行うsquidの他、DNSのクエリデータをキャッシュしておくDNSキャッシュサーバも広義のプロキシサーバに当てはまる。

リバースプロキシサーバ

プロキシサーバはクライアント（インターネットの情報を閲覧するユーザ側の構内）側に設けられるが、リバースプロキシサーバはサーバ側に置いてクライアントとWebサーバの間の通信を中継するもの。一般にWebサーバは多くの通信が集中して過負荷になりやすいため、リバースプロキシサーバを置くことでWebサーバの負荷軽減を図ることができる。また、複数のWebサーバにリクエストを振り分けることによって負荷分散を行う機能や、特に負荷が大きい暗号化（TLS/SSL）処理をリバースプロキシサーバが担うことで暗号化のための負荷を分散させる場合もある。

ルーティングプロトコル

ルータによって網の目のように接続されたネットワークにおいて正常に通信を行うためには、ルータに宛先ネットワークあてのデータ中継地図が存在しなければならない。

このような地図をルーティングテーブルと呼ぶ。ルーティングテーブルは、小規模なネットワークであれば手動で設定することもできるが、現在のようなインターネットではそれを手動で設定することは現実的ではないうえ、ネットワーク障害が発生した場合に代替経路を見つけ出すことなどは手動では限界がある。

そこで、ルータ間でルーティングテーブル情報をやり取りすることにより、自動的に最適経路が設定され、ユーザはルーティングテーブルやネットワークマップを意識することなく通信が可能になる。このために使用されるのがルーティングプロトコルで、RIP・OSPF・EIGRP・BGPなど各種のプロトコルが開発されて使用されてきた。

RIP

RIPはRouting Information Protocolの略で、ルーティングプロトコルの中では初期に開発されたものである。主な特徴は次の通りである。

- 宛先ネットワークまでを中継するルータ数をホップ数という値で表し、これをメトリック値とする。そして、最もメトリック数＝ホップ数の小さい経路を採用する。これをディスタンスベクタ型と呼ぶ。

- 計算負荷が非常に少ないため、ルータ本体にかかる負荷が小さくて済む。
- ルータ間でのルーティングテーブルのやり取りは、マルチキャストで行われる。
- ルータ間の定期経路情報広告は、通常30秒おきに行われる。隣接ルータからの経路情報が通常180秒以上来ない場合、経路が切断されたとみなして経路情報を削除する。
- 宛先ネットワークへの経路数の上限が15なので、もし16以上のホップ数がある場合は無限遠として扱われて中継されなくなってしまう。
- ルータ間の経路の太さは考慮に入らないため、ホップ数は少ないが帯域の狭い経路が存在する場合、そちらを使用してしまう。
- RIPv1は、サブネットマスクがクラスA・B・Cの決め打ちなので、それより細かく分割したサブネットがある場合に対応できない。（RIPv2では対応されている）

このように、RIPは設計が古いため、ルータに対する負荷が非常に小さいなどの利点はあるものの、現在の高度化・複雑化したネットワークでは使いづらく、あまり使われていない。

ルーティングプロトコルを使用してルータ間でのルーティングを行う際、上記の他にルーティングループの防止が必要である。これは、何らかの事情により環状リンクが経路となってしまった場合、そこに入り込んだパケットがタイムアウトするまでループしてしまう現象である。ルーティングループが発生してしまうと、解消するまで正常な通信が行えなくなる危険がある他、トラフィックやルータの負荷が急増してしまうなどの問題も発生する。そこで、RIPではスプリットホライズンやポイズンリバースという手法でこれをできるだけ防いでいる。

スプリットホライズン

ルータAからルータBに対してルーティング情報が伝達された場合、ルータBはその情報をルータAには送らないという動作。

ポイズンリバース

ルータAからルータBに対してルーティング情報が伝達された場合、ルータBは、そのルータAからもらったルート情報に対してはメトリック値16（＝到達不可能）を付けてルータAに送り返すという動作。

なお、ルータのインターフェースが直接リンクダウンするなど明らかに伝送不可能な経路が発生した場合、30秒おきのレギュラーアップデートとは別にその経路を使用するテーブルに対してメトリック16を付けて隣接ルータに知らせる。

OSPF

OSPFはOpen Shortest Path Firstの略で、RIPの弱点を解決するものとして開発された。大きな特徴として、スタティックルーティング（手動設定）やRIPでは不可能な冗長経路構成が容易に実現できる点が挙げられる。会社などの組織内ネットワークルーティングプロトコルとしては最も広く用いられている。

OSPFの主な特徴は次の通りである。

- リンクステート型ルーティングプロトコルであり、隣接するルータとの回線の太さに応じて重みづけを行ったコスト値を加算し、最小コストの経路を使用する。
- ルータどうしはネイバー関係を確立し、ルータ間で自身の持つリンク情報を伝達し合うことでネットワーク全体のトポロジマップを作成する。
- トポロジマップより宛先ネットワークへのコスト値を計算する。
- ネットワーク規模の増大に対処するため、ネットワークを複数のエリアに分割することができる。各エリアにおいてはエリア内でのルーティング情報がやり取りされ、エリア外との通信は、他エリアとの境界に存在するエリア境界ルータを通して行われる。
- エリア間ルーティングはバックボーンエリア内で経路情報をやり取りすることで行われる。
- ルーティング情報更新の負荷を軽減するため、代表ルータの他にバックアップ代表ルータが選出され、負荷分散が行われる。

以上のように、OSPFは小規模ネットワークから大規模ネットワークまで使いやすいように設計されているため、現在広く用いられるルーティングプロトコルとなっている。

EIGRP

EIGRPはEnhanced Interior Gateway Routing Protocolの略で、距離ベクトル型ルーティングプロトコルの一種である。最適経路を算出するためのメトリック値として、ネットワーク遅延・最小帯域幅・信頼度・負荷・最小MTUなど複数の数値をパラメータとした複雑な計算式を用いることにより、ネットワーク管理者の考えに応じた柔軟な経路設計ができるという利点がある。また、回線障害発生時などに経路の再計算に長い時間がかかることなく経路を切り替えることができるなど多くの特徴を持っている。

欠点としては、特定ネットワークベンダ（Cisco社）のみの実装であるため複数の会社の機器が混在するネットワークでは使えないことや、メトリック計算式が複雑なのでいくつかのパラメータは使用しないことにするとOSPFなどと大差がないという点などを挙げることができる。

BGP

BGPは、Border Gateway Protocolの略で、インターネットの根幹となるルーティングプロトコルである。BGPは、これまでに挙げられてきたプロトコルとは異なり、組織内でのルータ設定で使用することはできず、インターネット上で経路制御を行う組織ごとに割り当てられた世界で唯一のAS番号を使用し、隣接ネットワークのBGPルータとの間で接続とルーティング情報のやり取りを行う。

例題3-21　令和元年度1級電気通信工事施工管理技術検定（学科）問題A（選択）〔No.31〕

IPネットワークで使用されるOSPFの特徴に関する記述として，**適当なもの**はどれか。

(1) 経路判断に通信帯域等を基にしたコストと呼ばれる重みパラメータを用いる。
(2) ディスタンスベクタ型のルーティングプロトコルである。
(3) 30秒ごとに配布される経路制御情報が180秒間待っても来ない場合には接続が切れたと判断する。
(4) インターネットサービスプロバイダ間で使われるルーティングプロトコルである。

正解：(1)

解説　(2) と (3) はRIP、(4) はBGPが該当する。

例題3-22　令和2年度1級電気通信工事施工管理技術検定（学科）問題A（選択）〔No.12〕

企業などがコンテンツ配信用のWebサーバを公開する場合に設置するリバースプロキシサーバの役割に関する記述として，**適当でないもの**はどれか。

(1) 内部のクライアントPCからのHTTPリクエストのURL情報をもとに，不適切なWebサイトへのアクセスを禁止するURLフィルタリングを行う。
(2) Webサーバから出力されたデータをキャッシュしておき，インターネットからのリクエストに対するレスポンス速度を向上させる。
(3) Webサーバが複数台ある場合，インターネットからのリクエストを各Webサーバに振り分けることにより，負荷を分散させる。
(4) WebサーバとインターネットURL間のSSL/TLSによる通信を行うことで，Webサーバの負荷を軽減する。

正解：(1)

解説　(1) はファイアウォール機器に内蔵されることがあるURLフィルタリング機能である。

3.5 LAN

LANは小規模ネットワーク、WANは大規模ネットワークと定義されているが、それではどこまでが小規模でどれ以上が中規模や大規模ネットワークか、という厳密な定義はない。現在は、おおむね家庭内や会社・組織内程度の範囲をLANと呼んでいる。

(1) 有線LAN

ルータやスイッチングハブなどのネットワーク機器が爆発的に普及した結果、家庭内

LANや社内LANなどは既に常識となった。ここではまず、有線LANについて見ていく。

イーサネット

現在有線LANとして広く使われているのは、イーサネットと呼ばれるネットワークである。イーサネットのイーサとは、かつて宇宙空間を占めていて光などを伝達する物質だと考えられていたetherから名付けられたもので、我々の周りに自然に（存在を感じさせないように）存在し、情報などを伝達する媒体でありたいという思いが込められている。

イーサネットのメディア（物理的媒体）としては、以下のようなものが存在する。（この他にも多数の規格があるが、代表的なものを示す）

表3-1 イーサネットのメディア

名称	物理媒体	特徴
10BASE-2	細い同軸ケーブル	速度10Mbps、バス接続。全長約200mまで。
10BASE-5	太い同軸ケーブル	速度10Mbps、バス接続。全長500mまで。
10BASE-T	ツイストペアケーブル（カテゴリ3以上）	速度10Mbps、スター接続による柔軟な敷設や端末位置などの変更が可能。
100BASE-TX	ツイストペアケーブル（カテゴリ5以上）	速度100Mbps、10BASE-Tをさらに高速高性能化させた規格。最大長100m。
1000BASE-T	ツイストペアケーブル（カテゴリ5e以上）	速度1Gbps、100BASE-TXをさらに高速高性能化させた規格。最大長100m。
1000BASE-LX 1000BASE-SX	マルチモード光ファイバ、LXはシングルモード光ファイバもある	速度1Gbps。LXは長波長レーザ光、SXは短波長レーザ光。最大距離500m程度だがLXのシングルモードは最大10km程度。

初期の10BASE-2/5はバス接続である。これは1本の同軸ケーブルにノード（端末）を並列にぶら下げていく方式である。これに対してスター接続は、中央に集線装置（ハブ）を置き、端末とハブの間を個別に結ぶ方式である。バス接続はその物理的性質上、1本のケーブルに並列に接続される端末にも、他の端末がやり取りしているデータがそのまま流れる。したがって、通信を不正に傍受することが容易である他、端末が増加すると信号の衝突が増え、通信効率が低下するという欠点がある。

これに対してスター接続の場合、スイッチングハブなどを用いてデータを必要な端末だけとやり取りすることにより、セキュリティ的・データ輻輳的にも圧倒的に有利になる。

1990年代はスイッチングハブも高価だったが、2000年代以降劇的に低価格化したため、現在はほとんどがスイッチングハブによって集線された100BASE-TXもしくは1000BASE-Tとなった。

競合制御手順

10BASE-2/5やリピータハブによって集線された10BASE-Tなどにおいては、複数の端末が並列となっているため、同じタイミングでデータが送信された際、電気信号の衝突が起こって正常な通信ができなくなってしまう。これをコリジョン（衝突）と呼ぶが、このような信号の競合が発生したときに正常に通信するための競合制御手順も規定され、これをCSMA/CD（Carrier Sense Multiple Access/Collision Detection）と呼んでいる。

CSMA/CDの手順は次の通りである。

- Carrier Sense＝送信を開始する前に、他者の送信データが流れていないか確認する。
- 他者が通信をしていなければ自分の送信を開始する。
- Collision Detection＝信号衝突の発生を検知する。衝突していた場合、ランダムな時間待機して再度送信を試みる。

現在普及が進んでいる1Gbpsまたはそれを超える速度のイーサネットにおいては、通信が高速であるため信号衝突検知が間に合わない他、スイッチングハブの普及により信号衝突検知自体が不要な構成が普通となったため、このような衝突検知の仕組みは既に使われなくなった。しかし、イーサネットの基本としてなおCSMA/CDの仕組みは重要項目として知っておく必要がある。

(2) 無線LAN

無線LANは、その利便性によって爆発的に普及した。しかし、使える周波数の数が少ないため混信がひどくなり、その結果信号強度は十分あるのにエラーが増加して通信速度が出ない、などという経験をした方も多いのではないだろうか。

無線LANは、有線LANの物理層を無線にしただけだと思われそうだが、無線には有線とは異なる特徴があるため、データリンク層の通信プロトコルも有線LANとは別のものが使われている。

まず、ノード相互間の通信路は、SSID（Service Set Identifier）と呼ばれる名前で区別され、互いにSSIDが一致しない限り通信はできない。しかし、SSIDが一致すれば通信可能というだけではセキュリティ的に問題があるため、これとは別に後述するように各種の認証や暗号化の仕組みが取り入れられている。

また、無線LANの規格については、高速大容量化などの技術開発により多くの規格が策定されてきた。代表的な無線LANの規格は次の通りである。

表3-2　無線LANの規格

規格	周波数帯	最大通信速度
IEEE802.11b	2.4GHz	11Mbps
IEEE802.11g	2.4GHz	54Mbps
IEEE802.11a	5GHz	54Mbps
IEEE802.11n	2.4GHz 5GHz	600Mbps
IEEE802.11ac	5GHz	6.9Gbps
IEEE802.11ad (WiGig)	60GHz	6.8Gbps
IEEE802.11ax	2.4GHz 5GHz	9.6Gbps

無線LAN規格が急激に広まったのは802.11b規格の製品からで、これは従来の802.11規格（2Mbps）を高速化して11Mbpsとしたものだった。

802.11bの上位互換として登場したのが802.11gで、OFDMを用いることで高速化を実現した一方、電子レンジなどと被る2.4GHz帯（ISM帯）を使用するため、これらからの干渉を強く受ける欠点がある。

802.11nでは、複数のアンテナを用いて通信を高速化するMIMOを使用することにより、従来よりも大幅に高速化することに成功している。

802.11acでは、もはや混信がひどい2.4GHzバンドは使用せず、5GHzのみを使用する。80MHzチャネルボンディングの他、160MHzチャネルボンディング、256 QAMなどの技術を駆使してギガビットスループットを得ている。

無線LANの周波数帯（物理層）

無線LANには、2.4GHz帯と5GHz帯がある。2.4GHz帯の周波数は、1つのチャネルが使用する電波の幅が隣接するチャネルまで広がっているため、同一の場所で干渉せずに使用できるチャネルは「1・6・11」「2・7・12」「3・8・13」「4・9・14」「5・10」の組み合わせしかない。これ以外の組み合わせの周波数が1つの場所で使用されている場合、電波の相互干渉が発生するため通信速度の低下などが発生してしまう。5GHz帯においては、空港の気象レーダや衛星通信でも使用されている周波数帯であることから、これらに悪影響を与えないような使い方をしなければいけない。そのため、屋外使用の可否、衛星通信のある上空方向に強い電波が出ないようにした専用機器の使用など、様々な制約が課せられている。

CSMA/CA

有線イーサネットの競合制御プロトコル（アクセス制御方式）としてCSMA/CDが使用されていたが、無線LANではCSMA/CAと呼ばれるプロトコルが使用される。CSMA/CAとは、Carrier Sense Multiple Access/Collision Avoidanceの略で、

- Carrier Sense＝送信を開始する前に、他者の送信データが流れていないか確認する。
- 他者が通信をしていなければ自分の送信を開始する。
- Collision Avoidance＝キャリアセンスの段階で他者が通信中だった場合、その通信が終了するのと同時に送信すると信号が衝突する可能性が高くなる。したがって、他者の通信が終了後、ランダムな長さの待ち時間を取ってから送信を行う。ただし、周囲に多くのノードがある場合、永久に送信できなくなる可能性があるため、複数回の待ち時間が連続する場合は徐々に待ち時間を短くしていく。

という仕組みで通信が行われる。

無線の場合は、有線とは異なりノードが二次元的に散在している他、電波の疎通が有線に比べて不安定なため、このような競合制御手順が採用されている。このことからも、無線LANにおいて電波干渉（輻輳）が発生して伝送速度の低下が起きている場合、素人考えで電波の出力だけを増強しても何ら意味がないことが分かる。

例題3-23　令和元年度2級電気通信工事施工管理技術検定（学科・後期）問題（選択）〔No.08〕

無線LANのアクセス制御方式であるCSMA/CA方式に関する記述として，**適当でないもの**はどれか。

(1) データが正常に送信できたかどうかについては，受信側からの肯定応答信号で判断する。
(2) 肯定応答信号が返信されない場合は，データを再送信する。
(3) 他の端末が無線伝送路を使用している場合には，無線伝送路が空いたことを確認してからランダムな時間待機後に送信を始める。
(4) 無線LANでは，無線伝送路上でのデータ衝突の発生を検知できる。

正解：(4)

解説　(4) 無線LANでは、空間を伝搬するという電波の性質上、無線伝送路上でのデータ衝突は検知できない。

例題3-24　令和元年度2級電気通信工事施工管理技術検定（学科・後期）問題（選択）〔No.17〕

無線LANの規格に関する記述として，**適当でないもの**はどれか。

(1) IEEE 802.11 gの最大伝送速度は，11 Mbpsである。
(2) IEEE 802.11 gは，2.4 GHz帯の電波を使う電子レンジと電波干渉を生じやすい。
(3) IEEE 802.11 aは，IEEE 802.11 gに比べて通信範囲が狭い。
(4) IEEE 802.11 nは，MIMOと呼ばれる技術が採用されている。

正解：(1)

解説　(1) IEEE802.11 gの最大伝送速度は54Mbpsである。

隠れ端末問題とさらし端末問題

隠れ端末は、例えばノードA・B・Cが存在する空間において、A⇔B、A⇔Cは電波が到達しているのに、障害物との位置関係などでB⇔Cは電波が届かないという状況を指している。この状況下でBがAと通信を開始しようとした際、Cが電波を発していてもBは受信できないため、Aに対して電波を発してしまう。AはBからの電波とCからの電波が混信して正しく受信できないから、BやCから見ると、「混信がないのに、なぜAは正しく受信してくれないのだろう？」ということになってしまう。もちろん、これは伝送速度の低下を招くが、根本的に解決することはできない。

さらし端末は、ノードどうしが互いの信号の到達範囲内にある状態である。例えば、A⇔B、C⇔Dがそれぞれ別個の通信を行っている状況において、ノードBとノードCが互いにさらし状態にあるとする。すると、ノードB・Cは、自分には関係ない通信であっても同じ帯域の電波で通信が行われているため、その関係ない通信の合間を使って通信しなければならない。したがって、こちらも不当に伝送速度の低下を招いてしまうわけである。

隠れ端末問題・さらし端末問題ともに、地理的な位置関係や使用している周波数帯域そのものを変更するしか根本的な解決策はなく、無線LANを使用するにあたっては必ず考慮しなければならない重要な問題である。

(3) 無線LANの暗号化技術

LAN上には、基本的に外部に漏れては困るデータが流れていることがほとんどである。個人での使用のみならず、法人の場合には機密情報の流出など、一歩誤ると企業生命にもかかわる重要な情報が流れている。有線LANであれば、物理的な伝送路で接続されている範囲にしかデータは流れないが、無線LANの場合は目に見えない＝どこまで飛んでいるか分からない電波というメディアを使用する以上、その暗号化は極めて重要な技術となる。

無線LANで使用されている暗号化には、次のような種類がある。

- WEP：Wired Equivalent Privacyの略である。ストリーム暗号方式RC4を用い、40ビットの鍵を用いている。容易に解読できることが判明したため、現在ではほとんど使われていないし、推奨もされていない規格である。
- WPA：Wi-Fi Protected Accessの略で、Wi-Fi Alliance（Wi-Fiの普及促進を図るために設立された業界団体）が策定した暗号化プロトコルに準拠していることを示している。また、そのプロトコル自体もWPAと呼んでいる。WPAは、WEPの弱点を補強するために128ビットの鍵を用い、TKIP（Temporal Key Integrity Protocol：システム運用中に動的に鍵を変更するプロトコル）を採用しているのが大きな変更点である。
- WPA2：WPAの改良版で、共通鍵暗号方式であるAES方式をベースにしたCCMPを導入したのが大きな変更点である。AESはAdvanced Encryption Standardの略で、従来のDES暗号方式に代わるより強化された新しい標準暗号方式である。CCMPはCounter mode with Cipher-block chaining Message authentication code Protocolの略で、脆弱性が露呈したWEPの代替として開発された暗号化アルゴリズムである。

IEEE802.1X

無線LANの電波そのものの暗号化技術の他に、端末がLANに接続する際の認証技術としてIEEE802.1Xが使用されている。これは、接続を認めた端末機器以外がコンピュータネットワークに接続しないよう、次のような方式で認証が行われる。

- サプリカント：認証クライアントソフトウェアのこと。接続しようとする端末の上で稼働している必要がある。
- オーセンティケータ：IEEE802.1Xに対応したLANスイッチ。認証が取れるまで、クライアントからのデータをLAN内に伝送しない機能を持つ。
- 認証サーバ：認証を判断するサーバで、RADIUSサーバなどが使用される。ただし、RADIUS認証と802.1X認証は別のもので、802.1Xはデータリンク層の認証、RADIUSはネットワーク層での認証の仕組みである。

端末が認証LANスイッチに接続されると、EAP認証が行われる。認証LANスイッチ経由でEAPメッセージがRADIUSフレームとしてRADIUSサーバに送られる。ここで認証が行われ、正しく認証されるとLANへの接続が可能となる。

EAP

802.1Xに使用されるEAPには、次のようなものがある。

- EAP-MD5：チャレンジ＆レスポンス方式で暗号化されたIDとパスワードで認証する方式。クライアント側のみ認証が行われる。
- EAP-TLS：サーバ・クライアント双方の電子証明書で認証を行う方式。TLSのサーバ認証・クライアント認証の仕組みを用いている。電子証明書のデータは、USBメモリやスマートカードなどのメディアを使用することが一般的である。
- EAP-TTLS：サーバ側にのみ電子証明書を準備してサーバ認証済みのTLS通信路を構築し、その暗号化通信路を通してパスワードによるクライアント認証を行う方式である。
- EAP-PEAP：サーバ側にのみ電子証明書を準備してサーバ認証済みのTLS通信路を構築したうえで、その暗号化通信路を通してさらにEAP通信を行うことでクライアントを認証する方式である。

チャレンジレスポンス認証は、ワンタイムパスワード（短い時間だけ有効な使い捨てパスワード）の一種で、次のような動作を行う。

①クライアントは認証サーバに対して認証要求を送る。
②サーバは特定のアルゴリズムで生成したランダムな数列データ（チャレンジコード）を返信する。
③クライアントは、ユーザが入力したパスワードと、サーバから返送されたチャレンジコードを基に特定のアルゴリズムで計算し、計算結果であるハッシュ値をレスポンスとして送り返す。
④サーバは、ユーザの正規のパスワードから内部で計算を行いハッシュ値であるレスポンスを生成し、ユーザから返送されてきたレスポンスと比較する。これらが一致していれば認証される。

例題3-25　令和元年度2級電気通信工事施工管理技術検定（学科・前期）問題（選択）〔No.17〕 

無線LANの暗号化方式に関する記述として，**適当でないもの**はどれか。

(1) WEP方式では，暗号化アルゴリズムにDES暗号を使用している。
(2) WPA2方式では，暗号化アルゴリズムにAES暗号をベースとしたAES―CCMPを用いている。
(3) WPA方式では，TKIPを利用してシステムを運用しながら動的に暗号鍵を変更できる仕組みになっている。
(4) WEP方式は，WPA，WPA2方式に比べ脆弱性があり安全な暗号方式とはいえない。

正解：(1)

解説　(1) WEPは、暗号化アルゴリズムにRC4を使用している。

例題3-26　令和4年度1級電気通信工事施工管理技術検定（第一次）問題A（選択）〔No.22〕 

無線LANの認証で使われる規格IEEE 802.1 Xに関する記述として，**適当でないもの**はどれか。

(1) EAP-MD 5のクライアント認証は，パスワード認証である。
(2) EAP-PEAPのクライアント認証は，クライアントのデジタル証明書を使う。
(3) EAP-TTLSのクライアント認証は，パスワード認証である。
(4) EAP-TLSのクライアント認証は，クライアントのデジタル証明書を使う。

正解：(2)

解説　EAP-PEAPのクライアント認証は、証明書とユーザID/パスワードを使用している。

例題3-27　令和元年度1級電気通信工事施工管理技術検定（学科）問題A（選択）〔No.29〕 

ネットワークを介してユーザ認証を行う場合に使用されるチャレンジレスポンス認証の仕組みに関する記述として，**適当なもの**はどれか。

(1) クライアントにおいて，利用者が入力したパスワードとサーバから送られてきたチャレンジコードからハッシュ値を生成し，サーバに送信する。
(2) クライアントにおいて，利用者が入力したユーザIDとサーバから送られてきたチャレンジコードからハッシュ値を生成し，サーバに送信する。
(3) サーバにおいて，利用者が入力したパスワードとクライアントから送られてきたチャレンジコードからハッシュ値を生成し，クライアントに送信する。
(4) サーバにおいて，利用者が入力したユーザIDとクライアントから送られてきたチャレンジコードからハッシュ値を生成し，クライアントに送信する。

正解：(1)

解説　チャレンジレスポンス認証は、クライアントにおいて、利用者が入力したパスワードとサーバから送られてきたチャレンジコードからハッシュ値を生成してサーバに送る。サーバはユーザのパスワードデータベースからパスワードを求め、これとチャレンジコードから生成したハッシュ値とユーザからのハッシュ値を比較することで認証を行う。

例題3-28　令和元年度 2級電気通信工事施工管理技術検定（学科・後期）問題（選択）〔No.23〕

VLANに関する記述として，**適当なもの**はどれか。

(1) 暗号化やトンネリングによりセキュリティを確保することで，インターネット上で仮想的な専用回線を構築するものである。
(2) 複数のプライベートIPアドレスとポート番号を1個のグローバルIPアドレスと任意のポート番号に変換するものである。
(3) スマートフォンなどの携帯端末をアクセスポイントのように用いて，パソコン等をインターネットに接続するものである。
(4) 物理的に1台のスイッチングハブを，論理的に複数のスイッチングハブとして利用するものである。

正解：(4)

解説　VLANは、フレームにVLANタグを追加することにより、物理的には1台のスイッチを別々のネットワークに分割して利用する技術のこと。
(1) はVPN、(2) はNAT（NAPT、またはIPマスカレード）、(3) はテザリングの説明である。

3.6　インターネットVPN

VPN（Virtual Private Network）は、例えば東京本社と大阪支社のように離れた2地点間を仮想的に接続する技術である。その動作がトンネルに似ていることから、IPトンネリングとも呼ばれる。これによって、複数の離れた場所にある社内LANなどを仮想的に直結し、あたかも同一のネットワークであるかのように通信を行うことができるようになる。これにより、例えば支社のLAN上にあるパソコンから本社のプリンタに書類を印刷する、といったことができるようになる。

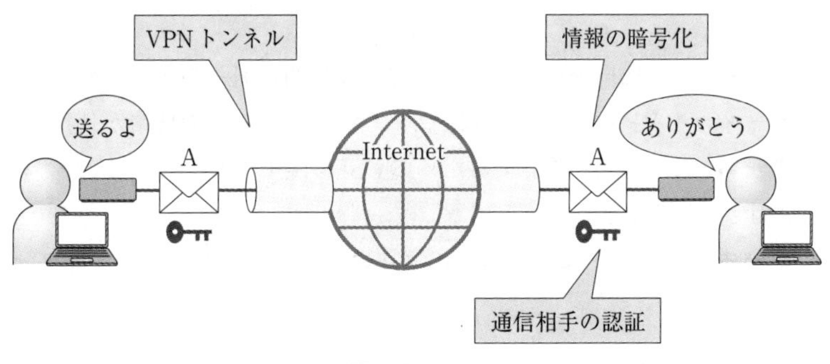

図3-2　VPN

VPNは通常、セキュリティを確保するため、伝送路の途中を暗号化して送る。これにより、中継途中での情報の盗み読みや改竄を防止している。

また、VPNには、ネットワークどうしを接続するLAN間接続VPNと、社内LANの端末として外部から仮想的に接続するリモートアクセスVPNがある。使用している技術自体は基本的に同じものだが、前者は例えば本社と支社の間を接続する場合に使われ、後者は外出先からでもノートパソコンなどで社内LANに接続して報告書などを転送する、といった用途に使われる。

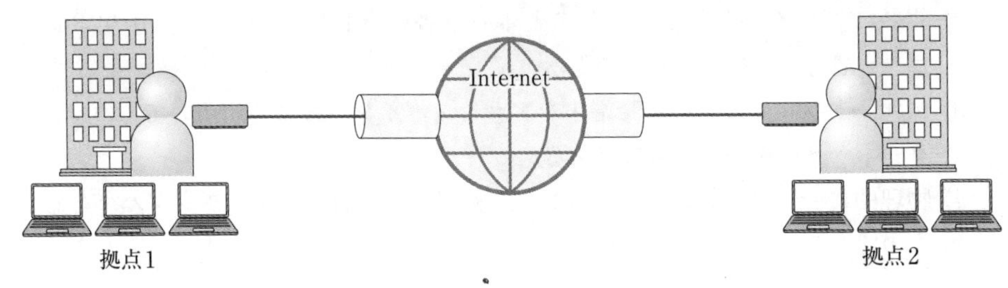

図3-3　LAN間接続VPN

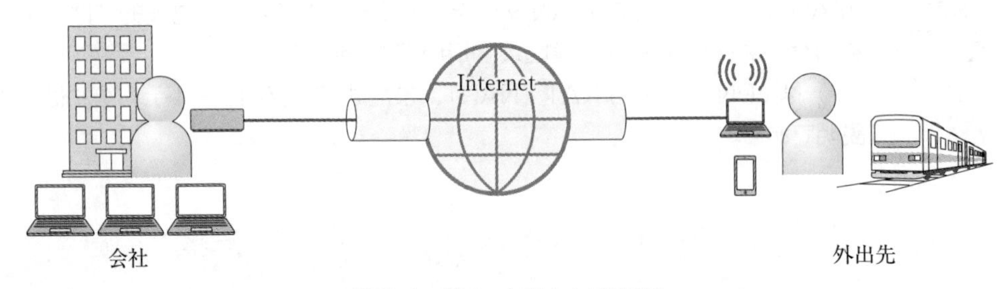

図3-4　リモートアクセスVPN

インターネット経由でVPNを実現するためのプロトコルとして、IPSecやGREなどのプロトコルが主に使用されている。

例題3-29　令和4年度 1級電気通信工事施工管理技術検定（第一次）問題A（選択）〔No.29〕 

インターネットVPNに関する記述として，**適当でないもの**はどれか。

(1) インターネット上に自分専用の通信回線を仮想的に引くのがインターネットVPNである。
(2) インターネットVPNでは，暗号化やトンネリングなどの技術が使用される。
(3) インターネットVPNを構築するためのOSI参照モデルのネットワーク層のプロトコルとして，IPsecが使用される。
(4) インターネットVPNでは，通信速度が保証されている。

正解：(4)

解説　インターネットを経由した場合、相手までパケットを届ける経路は通常自らの管理下ではないため、他者のトラフィックの増減などにより通信速度は変化してしまう。もし通信速度の保証が必要であるなら、インターネット経由ではなく別途専用線などを契約する必要がある。

3.7 MPLS

MPLSはMulti-Protocol Label Switchingの略で、IP網のようにIPアドレスによってルーティングを行う代わりに、ラベルと呼ばれるタグをパケットに付加し、そのラベルを参照することでノード間でのパケット伝送を行う仕組みである。原理的にIPv4・IPv6・IPXなどのプロトコルに関係なく転送を行うことができる他、トラフィックの順位付けが可能であり、遅延が少なく信頼性が高いなどの利点を持っている。

MPLS網を用いてIP-VPNを構築する場合、IPパケットはMPLS網に入る地点のLER（Label Edge Router）でMPLSタグを付与し、MPLS網内ではLSR（Label Switch Router）によりスイッチングを行い、対向側のLERでタグを削除してIPパケットに戻されることでポイントーポイント地点間でのIP通信を可能としている。

例題3-30　令和2年度1級電気通信工事施工管理技術検定（学科）問題A（選択）〔No.31〕 

MPLSに関する記述として，**適当でないもの**はどれか。

(1) MPLSは，IP-VPNサービスを提供するために通信事業者の閉域網で使われている。
(2) MPLS網内のMPLS対応ルータは，LSR（Label Switch Router）と呼ばれ，特にMPLS網の出入り口におかれるLSRはLER（Label Edge Router）と呼ばれる。
(3) IP網からMPLS網にパケットが入る際に，パケットにラベルが付与され，MPLS網からIP網に出る際にラベルが取り除かれる。
(4) MPLSのトラフィックエンジニアリングは，MPLS網内を転送するパケットの暗号化などのセキュリティに関する技術である。

正解：(4)

解説　トラフィックエンジニアリングは、MPLS網内を転送するパケットの経路コスト計算や経路制御などのトラフィック制御技術を指すもので、暗号化とは関係ない。

第4章 無線通信

電波を使った無線通信の歴史は、20世紀初頭から始まった。最初は電信（モールス符号）のみのやり取りだった無線通信も、有線通信と同様、すぐに無線電話（音声など音響の伝達）の研究開発と実用化が進み、電波を使った音声通信やラジオ放送が花開くこととなった。21世紀の現在では、デジタル変調全盛となり、地上波テレビ放送もデジタル化されたことはご存じの通りである。これら無線通信の仕組みについて解説していくことにする。

4.1 電波の周波数と伝搬の特徴

電波は、その周波数により大きく性質が異なる。基本的に、周波数が低いほど山陰などにも入り込み、遠距離まで届くが、載せられる情報量は少なくなる。周波数が高くなると、飛び方は光と似て直進性が強くなる。デジタル通信に用いられるのは、30～300MHzのVHF帯以上の周波数であり、おおむね表4-1のような性質がある。

表4-1　周波数の種類と性質

周波数帯	性質
VHF (30～300MHz)	・移動通信、固定通信など幅広く使用される。 ・夏季のスポラジックE層による異常伝搬が起きることがある。 ・対流圏内の逆転層などにより電波が散乱し、見通し距離外の遠距離まで伝搬することがある。 ・山岳のナイフエッジ上を電波が通過する際に回折が生じ、見通し外の稜線下まで届くことがある一方、ナイフエッジ上方では直接波と回折波の干渉が起こる。
UHF (300～3000MHz)	・地上デジタルテレビ、携帯電話などに使われる、無線通信のメインバンド。 ・電離層反射波は起こらないが、ラジオダクトや建物などによる反射・回折はVHF帯より顕著になる。 ・無指向性のブランアンテナ・スリーブアンテナ・コリニアアレイアンテナ、単指向性の八木アンテナなどが主に用いられる。
SHF (3～30GHz)	・人工衛星、無線LANなどに幅広く使われている。 ・給電線として導波管、アンテナとしてパラボラアンテナが使われることがある。 ・10GHzを超える周波数では、雨や雪などによる減衰の影響が大きくなる。

例題4-1　令和2年度1級電気通信工事施工管理技術検定（学科）問題A（選択）〔No.26〕 

VHF帯の電波の見通し外伝搬に関する記述として，**適当でないもの**はどれか。

(1) 電波の伝搬路上に山岳があるとき，山岳の尾根の厚みが波長に比べて薄く，完全導体とみなせるような場合には，山頂が二次放射源となった電波の受信電界強度が，山岳のない場合の球面大地回折波より著しく強くなる場合がある。
(2) 大地と電離層のD層の間を反射しながら伝搬するので，導波管の中を伝わる電波と同じような電磁界の模様が生じ，減衰が少なく非常に遠くまで伝搬する。
(3) 送信点及び受信点から見通せる地上から数km上空の空間に電波を放射すると，送受信アンテナのビームが交差する部分のうち，受信アンテナのビーム角に含まれる方向に散乱された電波が受信される。
(4) 地上約100kmの所に突然電子密度の濃い層のスポラディックE層が現われると，電波が密度の濃い層で反射され，地上に戻ってくるため非常に遠くまで伝搬する。

正解：(2)

解説　大地とD層の間を反射しながら遠距離まで伝搬するのは長波帯の特徴である。

4.2 アナログ無線通信

電波利用の初期から行われてきた無線電信は、電波を出すか・出さないかで符号を送る一種のデジタル通信だったが、それを別にすると、電波の利用は電波という高周波の信号に音声や画像などのアナログ信号を載せて（これを変調という）伝送することから始まった。

電波というのは高周波信号、要するに交流の正弦（サイン）波形である。正弦波形は、成分として波の振幅（電圧や電流の大きさ）、周波数、そして位相がある。これらを、電波に載せて送りたい信号で変化させることで信号を送るわけである。なお、電波として送りたい高周波信号のことをキャリア、電波に載せる音声などの信号を変調波、変調を受けて電波として放出される信号を被変調波と呼ぶ。

電波は1秒間に30万km（光速と同じ）伝搬するので、光速をc [m/s]、周波数をf [Hz]、波長をλ[m]とすると、

$$\lambda = \frac{c}{f}$$

の関係がある。

(1) 振幅変調

振幅変調は最も単純な変調方法で、変調波の振幅で搬送波の振幅を変化させる方式である。Amplitude Modulationの頭文字を取ってAM変調と呼ばれている。

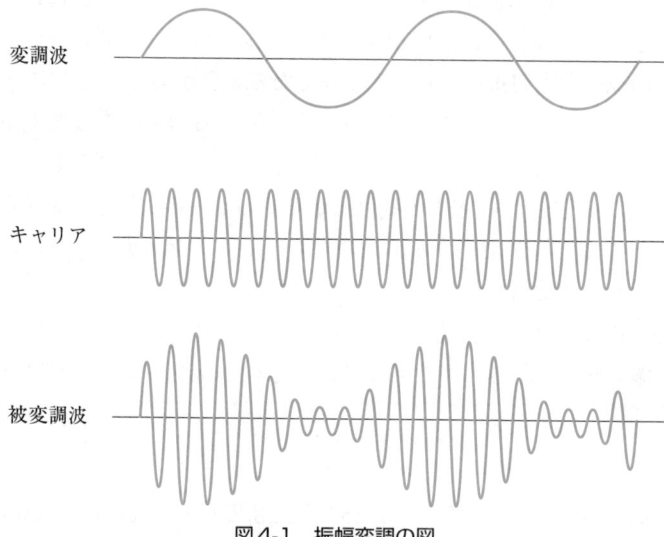

図4-1　振幅変調の図

振幅変調の特徴は、次の通りである。

- 単純な回路で済む。
- 伝送途中の雑音信号は振幅情報として載るので、雑音には弱い。
- 搬送波の周波数をf_0、変調波の周波数をf_mとすると、被変調波の周波数成分は$f_0 \pm f_m$の周波数成分を持つ。

AM変調は、いわゆるAMラジオ放送の他、短波帯の放送や通信などに広く使用されている。

(2) 周波数変調

周波数変調（Frequency Modulation　略してFM）は、変調波の振幅で搬送波の周波数を変化させる方式である。例えば、

変調波の振幅が＋1V⇔搬送波の周波数が101MHz 変調波の振幅が0V⇔搬送波の周波数が100MHz 変調波の振幅が－1V⇔搬送波の周波数が99MHz

といった具合である。

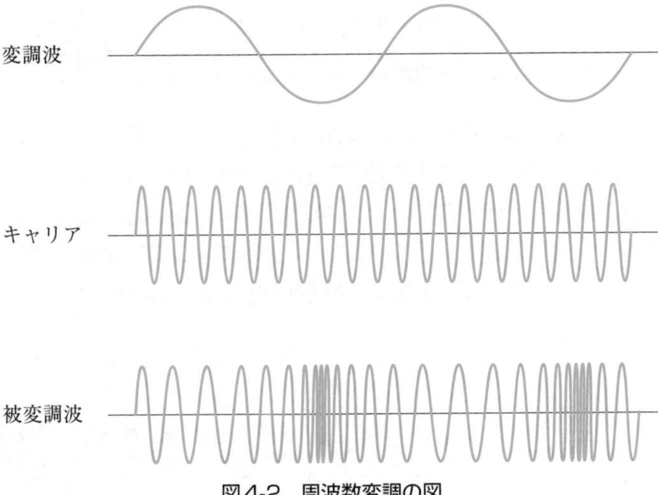

図4-2　周波数変調の図

周波数変調の特徴は次の通りである。

- 回路は複雑。
- 周波数帯域幅は振幅変調よりも大きく広がってしまう。
- 複数の信号が混信した場合、強い信号のみが復調される弱肉強食。

数十MHz～数GHzの超短波（VHF）・極超短波（UHF）帯が活用されるようになると、FM変調のデメリットである非効率さも問題とならなくなり、これらの周波数帯では多くがFM変調を用いるようになった。身近な例では、76～95MHzを使用するFMラジオの他、かつてのアナログテレビ放送の音声もFM変調で送信されていた。

例題4-2　令和元年度2級電気通信工事施工管理技術検定（学科・後期）問題（選択）〔No.05〕 

超短波（VHF）帯の用途や特徴に関する記述として，**適当なもの**はどれか。

(1) 山岳回折により山の裏側に伝わることがある。
(2) 我が国の地上デジタルテレビ放送は，この周波数帯を使用している。
(3) 電離層での反射による異常伝搬が起こらない周波数帯である。
(4) 主に，パラボラアンテナが使用される。

正解：(1)

解説
(2) 地上デジタルテレビ放送はUHF帯である。
(3) 通常は起きないが、スポラディックE層による異常伝搬が起きることがある。
(4) パラボラアンテナはSHF帯以上で使われる。

4.3 スーパーヘテロダイン受信機

受信機は、電波を受信し、増幅して信号処理を行い、電波の上に重畳されていた音声信号や画像信号などを取り出す装置である。受信機の構成としては、受信周波数に対して周波数混合を行っていったん中間周波数に変換し、高性能なフィルタを通過させてから増幅・信号処理を行うスーパーヘテロダイン方式が広く利用されている。図4-3に、スーパーヘテロダイン方式のFM受信機の構成例を挙げる。

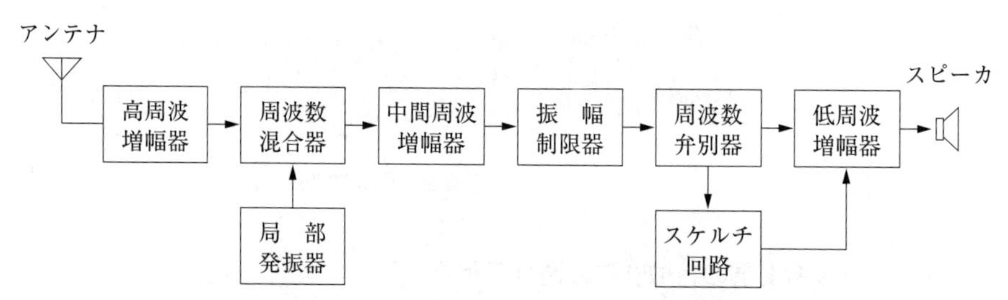

図4-3　スーパーヘテロダイン方式のFM受信機の構成例

(1) 高周波増幅器

アンテナで受信した信号は一般的に微弱であるため、低雑音高利得の増幅回路によって信号を増幅する。

(2) 周波数混合器

局部発振器から送られた信号と受信信号を混合し、中間周波数に変換する。周波数混合器は、入力された2つの周波数の差を取り出す回路なので、受信周波数f、局部発振器の発振周波数f_L、中間周波数f_Iの間には、

$$f = f_L \pm f_I$$

の関係がある。

(3) 局部発振器

受信周波数と中間周波数の差の信号を発振する回路。PLL回路を用いることにより、可変かつ安定な周波数を作り出すことができるため、多くはPLL回路で構成されている。

(4) 中間周波増幅器

中間周波増幅回路では、受信信号に合わせた狭帯域のフィルタを挿入し、隣接周波数からの混信を避けたうえで大きく信号増幅を行う。これによって、受信周波数を可変と

しても、狭帯域のフィルタが利用できることで近接混信波からの妨害を受けにくくすることができる。

(5) 振幅制限器・周波数弁別器・スケルチ回路

この3種類の回路は、アナログ方式のFM受信機（FMラジオ）に特徴的なものである。振幅制限器は、受信信号に含まれている振幅を一定化し、周波数変調信号を復調するときの妨げにならないようにする回路。周波数弁別器は、入力信号の周波数によって出力電圧が変化する回路で、この回路でFM信号を復調する。スケルチ回路は、受信信号がないときに出力される大きな雑音信号を防止する。

スーパーヘテロダイン方式は、部品点数は増えるものの特性がよい受信機を構成することができるため、AMラジオやFMラジオをはじめとしてデジタル無線装置などにも幅広く利用されている。利点と欠点をまとめると次のようになる。

表4-2　スーパーヘテロダイン方式の利点と欠点

利点	• 中間周波増幅回路に狭帯域のフィルタを設けることができ、良好な受信特性が得られる。 • 局部発振回路にPLL方式を採用することで、良好な周波数変動特性が得られる。
欠点	• 回路が複雑。 • $f = f_L \pm f_I$の関係から、本来受信したい周波数とは異なる周波数（中間周波数の2倍だけ離れた周波数）も受信されてしまう。これをイメージ受信と呼び、原理的に避けられないため、高周波増幅回路にフィルタを設けて対処する。 • 受信周波数に近接した強力な信号が存在すると、不当に感度が抑圧されてしまうことがある。これを感度抑圧現象という。 • 複数の強力な妨害波が到来すると、受信回路が飽和することで受信中の信号や中間周波数と同じ周波数の信号が生成され、それが再生されて混信を起こしてしまうことがある。これは相互変調妨害と呼ぶ。

例題4-3　令和元年度２級電気通信工事施工管理技術検定（学科・後期）問題（選択）〔No.06〕 

スーパヘテロダイン受信機において，受信周波数が990 [kHz]，局部発信周波数が1,445 [kHz] の場合，影像妨害を起こす周波数 [kHz] の値として，**適当なもの**はどれか。

(1) 535 [kHz]
(2) 1,900 [kHz]
(3) 3,425 [kHz]
(4) 3,880 [kHz]

正解：(2)

解説 混合器は、2つの周波数の和と差を出力する。題意の条件下において、$|990-1445|=455$[kHz]が中間周波数であることが分かるので、局部発振周波数1,445kHzと中間周波数455kHzの和である1,900kHzが影像周波数である。

例題4-4　令和3年度1級電気通信工事施工管理技術検定（第一次）問題A（選択）〔No.25〕 

下図に示すFM受信機のブロック図において，（ア）に当てはまる回路の名称とその内容に関する記述の組合せとして，**適当なもの**はどれか。

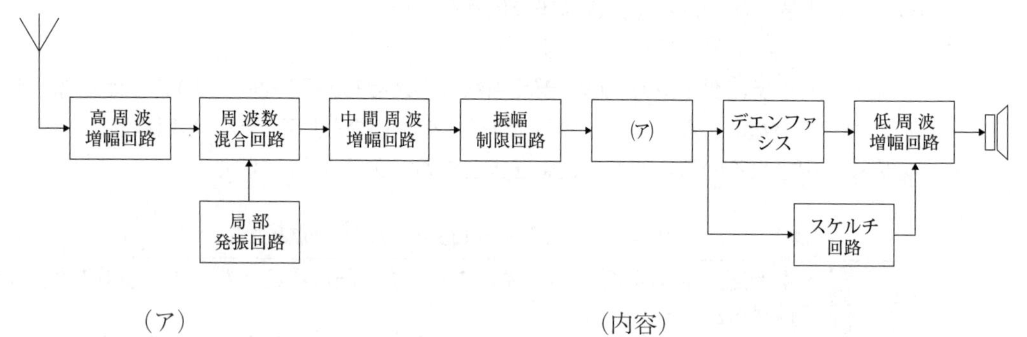

	（ア）	（内容）
(1)	周波数弁別回路	FM波の周波数変化に比例した信号波を取り出すためのFM検波回路である。
(2)	周波数弁別回路	振幅の大きな信号によって，瞬間的に周波数偏移が過大になるのを防ぐ回路である。
(3)	IDC回路	FM波の周波数変化に比例した信号波を取り出すためのFM検波回路である。
(4)	IDC回路	振幅の大きな信号によって，瞬間的に周波数偏移が過大になるのを防ぐ回路である。

正解：(1)

解説 「振幅の大きな信号によって、瞬間的に周波数偏移が過大になるのを防ぐ回路」は、FM送信機に用いられるIDC回路である。

4.4 PLL回路

従来のコイルとコンデンサを組み合わせた発振回路は、周囲の温度や湿度、電圧、振動などによって**周波数が変動**してしまい、高度なデジタル通信用として用いることは不可能である。

高精度な信号発生器としては、**水晶発振器**が多く用いられるが、水晶はその大きさによって発振周波数が決定されてしまう。そこで、水晶発振器の極めて正確な周波数を参照信号として、それを基に別の発振器の周波数を安定化させる回路が考案された。これを**PLL回路**と呼んでいる。

(1) PLL発振回路

PLLの原理を用いた発振回路の基本原理は次の通り。

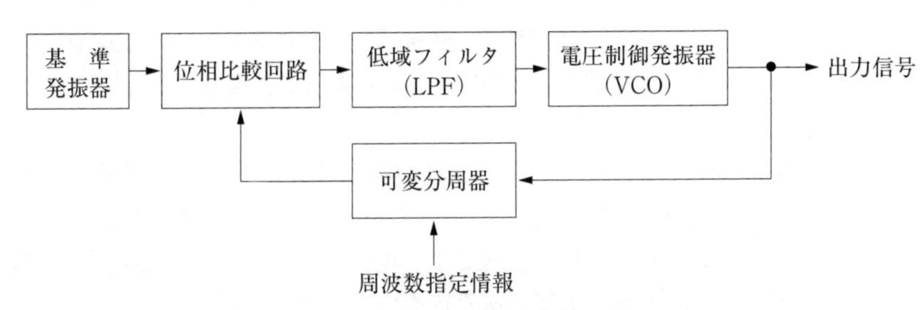

図4-4 PLLの原理を用いた発振回路の基本原理

基準発振器には、安定性が高い水晶発振器が用いられる。位相比較回路は、2つの入力信号の位相的な差異を極めて敏感に検出する回路である。この出力をLPFに通して雑音を取り除くとともに安定化した直流信号とし、これによってVCOの発振周波数をコントロールする。VCOは、入力電圧によって出力周波数を変えることができる発振回路で、分周器は、入力された周波数をN分の1に落とす回路である。

このような構成により、周波数指定情報を入力すれば、その周波数の極めて安定した発振回路を構成することができる。

(2) PLL変調回路

PLL発振回路を応用し、VCOの直前にマイクからの音声信号を重畳することで、FM変調器を作ることができる。この場合の回路構成は次のようになる。

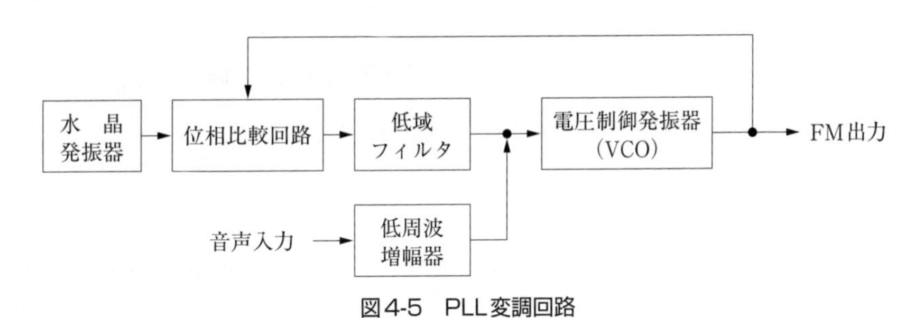

図4-5 PLL変調回路

(3) PLL復調回路

PLLを利用したFM変調回路と対になるのがFM復調回路である。これは、PLLループを次のような構成にすることで、入力したFM変調波から音声出力（FM復調信号）を得ることができる。

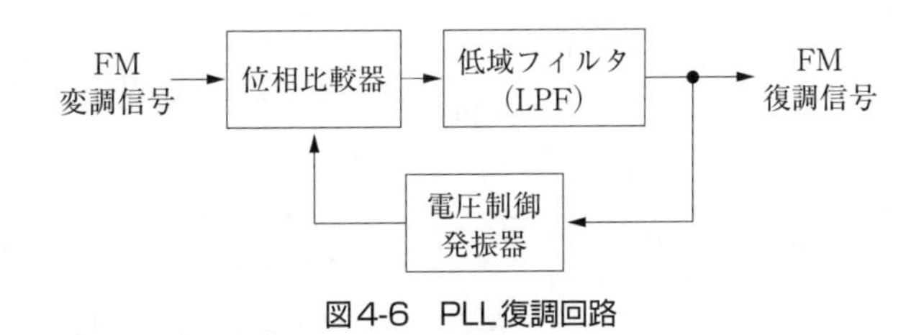

図4-6 PLL復調回路

4.5 デジタル無線通信

デジタル無線通信といっても、変調理論自体はアナログでの変調と何ら変わるものではない。例えば、変調を、＋5Vと0Vのように二値化した信号で行えばデジタル変調となる。

デジタル信号の場合、1秒間に変調を行う回数をデータ変調速度（単位：baud）と呼び、1秒間に送られるデータのビット数をデータ伝送速度（単位：bps、bit/s）と呼ぶ。

1回の変調で1ビットが伝送できる場合、データ伝送速度＝データ変調速度だが、1回の変調で2ビット以上が伝送できる場合、データ変調速度とデータ伝送速度は異なる値になる。1回の変調で送れるビット数をnとすると、

$$\text{データ伝送速度} = n \times \text{データ変調速度}$$

という計算式が成立する。

(1) デジタル振幅変調

デジタル信号によって搬送波の振幅を変化させるものである。ASK（Amplitude Shift Keying）とも呼ばれている。

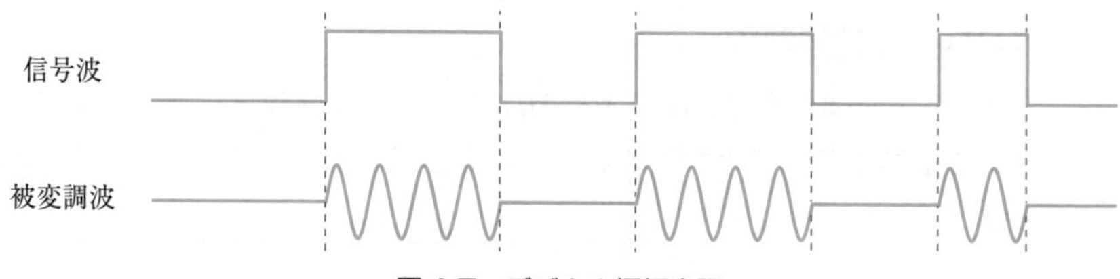

図4-7　デジタル振幅変調

(2) デジタル位相変調

デジタル位相変調は、デジタル信号によって搬送波の位相を変化させる。例えば、デジタル信号の0であれば位相差0°、1であれば180°（π）のようにすれば、一度の変調で1ビットの信号を載せることができる。00で位相差0°、01で90°、11で180°、10で270°のように細かく刻むことにすると、1回の変調で2ビットや3ビットを載せることができる。

ビット	位相変位
00	0°
01	90°
11	180°
10	270°

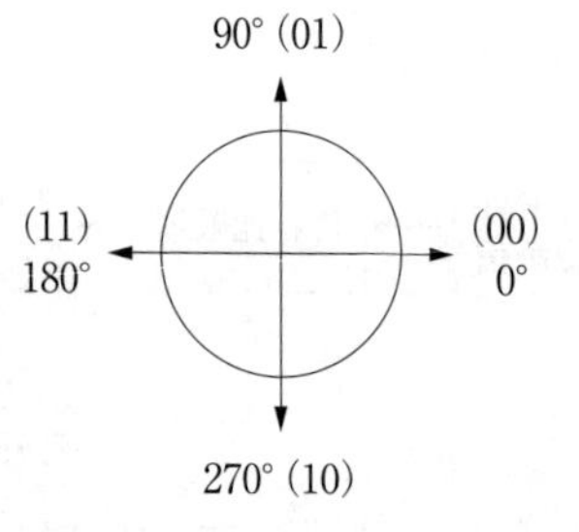

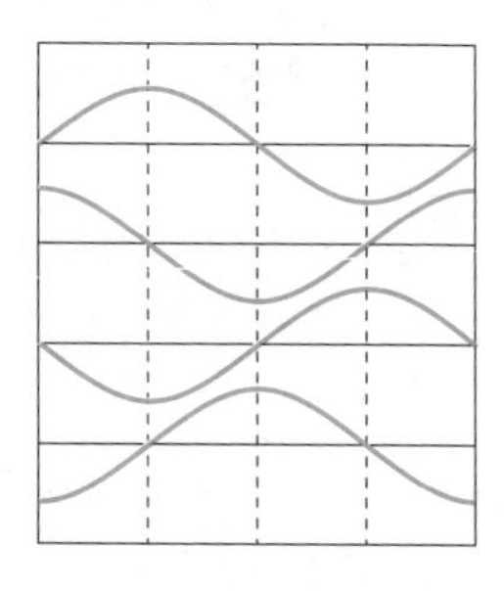

図4-8　四相位相変調方式の原理

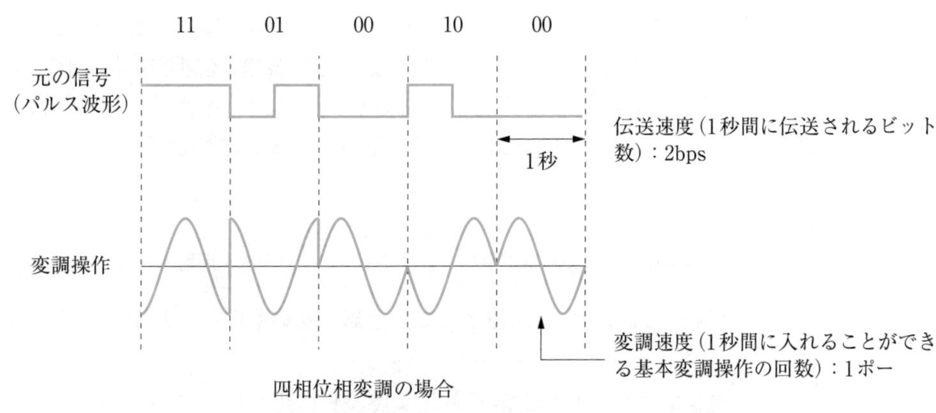

図4-9　変調速度（四相位相変調の場合）と伝送速度

位相変調はPSK（Phase Shift Keying）と呼ばれるが、一度に1ビットを載せるものをBPSK、一度に2ビット（4値）を載せるものをQPSK、一度に3ビット（8値）を載せるものを8PSK、一度に4ビット（16値）を載せるものを16PSK…と称している。

(3) デジタル周波数変調

デジタル周波数変調は、送信するデジタル信号のビット値によって、例えば0で1500Hz、1で2500Hzと周波数を変えて伝送する方式である。FSK（Frequency Shift Keying）と呼ばれる。FSKは、アナログ電話回線の上でデジタル信号を伝送する際に多く用いられた。

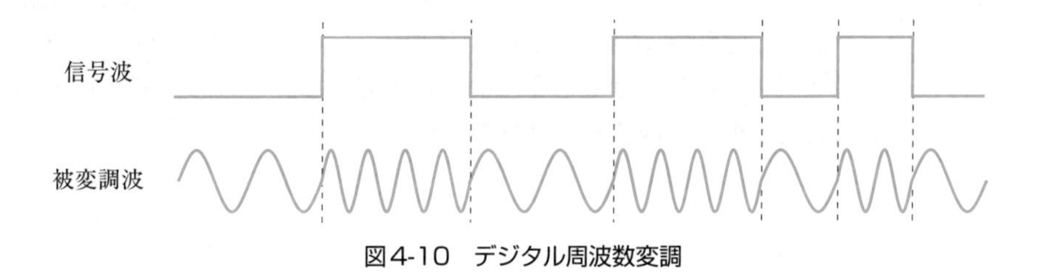

図4-10　デジタル周波数変調

(4) QAM

デジタル振幅変調・周波数変調・位相変調の3種類のうち、振幅変調と位相変調は同時に使うことができる。

振幅大・位相差0°⇔デジタル信号の00
振幅大・位相差180°⇔デジタル信号の01
振幅小・位相差0°⇔デジタル信号の10
振幅小・位相差180°⇔デジタル信号の11

という感じになるわけである。QAMは、一度に大量の情報が載せられるため、現在の携帯電話の変調方式として広く採用されている。振幅・位相方向に2ビット（4値）ずつ、合計4ビットを一度に変調するものを16QAM、振幅・位相方向に3ビット（8値）ずつ、合計6ビットを一度に変調するものを64QAMと呼ぶ。

例題4-5　令和4年度1級電気通信工事施工管理技術検定（第一次）問題A（選択）〔No.5〕 

デジタル変調のQAM方式に関する記述として，**適当でないもの**はどれか。

(1) 16QAMは，受信信号レベルが安定であれば16PSKに比べBER特性が良好となる。
(2) 64QAMは，16QAMよりも1シンボルで多くの情報を伝送できる。
(3) QAM方式は，搬送波の位相と周波数の両方を変化させる変調方式である。
(4) QAM方式は，我が国の地上デジタルテレビ放送のOFDM信号を構成するサブキャリアの変調に利用されている。

正解：(3)

解説　QAM方式は、搬送波の位相と振幅の両方を変化させている。周波数ではない。

(5) MSK

MSK（Minimum Shift Keying）は、デジタル位相変調（PSK）の一種で、PSKの場合は1・0のデジタル信号で変調を行うのに対し、デジタル信号の代わりに正弦波を用いて位相変調を行うというものである。これにより、信号波形が急激に立ち上がるというデジタル信号特有の性質によって起因する非線形ひずみを軽減することができ、より特性を改善することができるという特徴を持つ。これは、FSKにおいて変調指数が1/2である状態と表現することもできる。

(6) GMSK

GMSKはガウス最小偏移変調（Gaussian Minimum Shift Keying）の略で、連続位相周波数偏移変調方式の一種である。この方式では、周波数変調を行う前のデジタルデータに対してガウスフィルタを適用することにより、MSKに比べて周波数帯域幅のサイドローブを低く抑えることができる。これによって電力を節約し、隣接する周波数チャネル間の干渉を減らすことができる一方、受信側で複雑な信号復元処理を行う必要があるなどの欠点もある。

例題4-6　令和元年度 2級電気通信工事施工管理技術検定（学科・前期）問題（選択）〔No.18〕 

移動通信に用いられる次の変調方式のうち，周波数利用効率が**最も高いもの**はどれか。

(1) QPSK
(2) GMSK
(3) 16QAM
(4) 8 PSK

正解：(3)

解説 QPSKは一度に4値（2ビット）を取るPSK変調、GMSKはガウス最小偏移変調の略で、一度の変調で変位する周波数を連続して変化させることによりスペクトラムが拡散することを防ぐ変調方式である。8PSKは一度に8値（3ビット）を取るPSK、16QAMは一度で16値（4ビット）を取る、位相＋振幅を組み合わせた変調方式である。この16QAMが最も周波数利用効率は高くなる。

4.6 フェージング

電波が伝搬途中で様々な影響を受け、受信点で周期的に信号強度が変動する現象をフェージングと呼ぶ。フェージングの原因は、次のような種類に分けることができ、一般に周波数が高い（波長が短い）ほど小刻みかつ鋭敏に変動するようになる傾向を持つ。

①干渉性フェージング
送信点から受信点までの伝搬経路が複数ある場合、それぞれの伝搬経路の距離が異なることによって受信点での位相が異なり、同位相の条件であれば互いに強め合い、逆位相の場合は互いに弱め合うために発生する。

②シンチレーションフェージング
伝搬途中の大気の揺らぎによって電波が散乱し、受信電界強度が変動することで発生するフェージング。

③ダクト型フェージング
大気の屈折率は、地表に近いほど大きく、宇宙空間に向かって徐々に小さくなる。しかし、地表面で空気が冷やされるなどの自然現象により屈折率の逆転層が発生すると、電波を内部に閉じ込めて遠方まで伝搬させるラジオダクトが発生することがある。この現象によって電磁波が干渉し、受信点での電界強度が変動するフェージングのことを指す。

④K型フェージング
大気の屈折率の分布が変動すると、等価地球半径が変動することがある。このとき、直接波と大地反射波の干渉状態が微妙に変化することで発生するフェージング。

⑤選択性フェージング
情報を載せて変調された電波は、ある一定の帯域幅（周波数の幅）を持つが、伝搬経

路の途中で帯域幅の一部分に減衰や位相の乱れなどが発生する周波数選択性が存在すると、送信した波形と受信した波形の成分が異なってしまい復調した信号が歪む。これを選択性フェージングと呼ぶ。

⑥吸収性フェージング

短波帯において、電離層のD層やE層を通過する際に減衰することで発生するフェージング。

⑦偏波性フェージング

反射・散乱して到達した電波の偏波面が乱れることで起こるフェージング。

⑧跳躍性フェージング

短波帯において、直接波が到達せず、電離層反射波が支配的な近距離地点において、電離層の揺らぎによって反射波が届いたり届かなかったりすることで生じるフェージング。

例題4-7　　令和4年度 2級電気通信工事施工管理技術検定（学科・後期）問題（選択）〔No.6〕 

HF帯の電波の伝わり方に関する記述として，**適当でないもの**はどれか。

(1) デリンジャ現象が発生することがある。
(2) ラジオダクトによる見通し外への伝搬が起こりやすい。
(3) フェージングが発生しやすい。
(4) 電離層と地表との間で反射をくり返して遠くまで伝搬する。

正解：(2)

解説　デリンジャ現象は、磁気嵐などにより電離層が消滅して短波帯の通信が不可能になる現象である。ラジオダクトは主にUHF帯以上の周波数帯域で顕著であり、短波帯では起こらない。

4.7 多元接続とその技術

無線通信において、1つの電波（キャリア）に複数の情報を同時に載せることを多重通信と呼ぶ。

また、多元接続というのは、携帯電話のように地上や上空などに散在する端末と個別に接続することを指し、実際上多重通信と併用されていることがほとんどである。多元接続は、電波遅延や位相歪み、電波干渉によって強度が変化するフェージングなど、多種多様な問題が顕在化する。このような状況下においては、パケット通信の利点を活用し、できるだけデータを小分けにして並列伝送させた方が有利になる。

(1) TDMA (Time Division Multiple Access) 方式

時分割多元接続の略で、同一周波数を時間で区切り、複数の通信を時間的に細切れにして伝える方式である。複数の情報が時間的に隙間なくつながってしまうと、どこが区切りなのかが分からなくなってしまうため、複数の情報の間にはガードタイムという空き時間を設ける。

(2) FDMA (Frequency Division Multiple Access) 方式

周波数分割多重接続の略で、複数の情報を異なる周波数帯域に載せて送る方式である。複数の情報が隙間なくつながってしまうと、どこが区切りなのか分からなくなってしまうため、ガードバンドという空き周波数を挟むことで複数の情報間の区切りを明確にする。

(3) CDMA (Code Division Multiple Access) 方式

CDMAは符号分割多元接続の略で、複数の信号をそれぞれ固有の符号（PN符号という）により、わざと広い帯域の周波数に変換する。これをスペクトラム拡散という。受信側では、広帯域に拡散されたデータを逆拡散処理によって元のデータに復元する。

周波数帯域が拡散したとしても、それ以上に多数のデータを多重化できるメリットがあるため、携帯電話やGPSなどに利用されている。

CDMAの特徴は、利点ばかりではない。CDMAの主な問題として、遠近問題がある。これを緩和するために、送信電力を制御する仕組みを設け、各端末が基地局とやり取りする送信電力を必要最小限に抑えることで基地局側の回路のダイナミックレンジを超えないようにする必要が生じる。

(4) OFDMA

OFDMAは、直交周波数分割多元接続（Orthogonal Frequency Division Multiple Access）の略である。これは、ある一定の周波数幅を細かい搬送波周波数に分割し、細かく区切った時間ごとに細分化したデータを割り振って伝送する方式である。

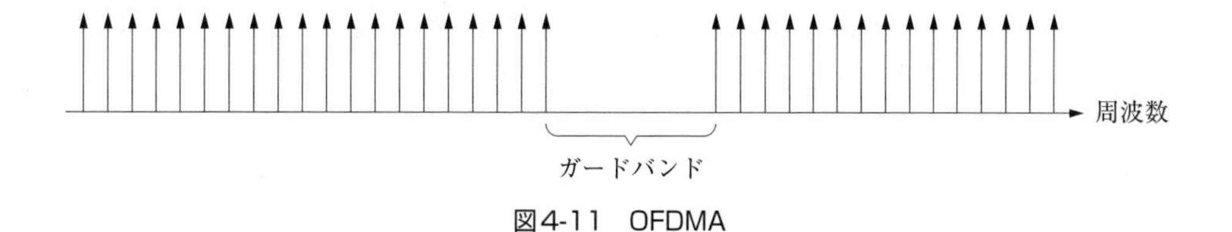

図4-11　OFDMA

例えば、無線で伝送する5MHzの周波数幅を5kHzごとに区切り、時間を1msごとに分割すれば、1秒当たり5kHz×1msのデータ転送枠が1000個ずつ生まれることになる。この枠を、細かく分割されたパケットデータの伝送に割り当てることにより、周波数幅を効率よく利用し、かつ複数のデータ通信を同時に行えるようにしているのである。

例題4-8　令和2年度 2級電気通信工事施工管理技術検定（学科・後期）問題（選択）〔No.4〕 

携帯電話システムに関する次の記述の［　　］に当てはまる語句の組合せとして，**適当なもの**はどれか。

「通話中の携帯電話機が隣のセルに移動する際に，通話を継続させる機能を［　ア　］といい，提携している他社の事業者の設備を利用して接続サービスを受けることを［　イ　］という。」

	（ア）	（イ）
(1)	ローミング	ハンドオーバ
(2)	ハンドオーバ	ルーティング
(3)	ルーティング	ハンドオーバ
(4)	ハンドオーバ	ローミング

正解：(4)

解説　携帯電話で通信を行いながら隣接基地局の地域内に移動する場合、通話を継続させる機能を**ハンドオーバ**と呼ぶ。また、契約している通信会社とは異なる通信業者の設備を利用して通信を可能にするサービスを**ローミング**と呼び、国内で使用している携帯電話をそのまま海外で使用する国際ローミングサービスなどで多く利用されている。

例題4-9　令和4年度 1級電気通信工事施工管理技術検定（第一次）問題A（選択）〔No.6〕 

第4世代（4G）携帯電話システムであるLTEに関する記述として，**適当でないもの**はどれか。

(1) 上りリンクの無線アクセス方式にはSC-FDMAを採用し，下りリンクの無線アクセス方式にはOFDMAを採用している。
(2) 音声サービスを実現するため，IPパケットにより音声データをリアルタイムに伝送するVoice over LTEを採用している。
(3) 複数の送受信アンテナにより異なる信号のセットを同一時間に同一周波数帯を用いて送受信することで伝送容量の増大や伝送品質の向上を図るMIMOを採用している。
(4) 異なる周波数の帯域を複数同時に利用することで帯域幅を拡張し，通信速度の向上を図るハンドオーバを採用している。

正解：(4)

解説　異なる周波数帯域を複数同時に利用することで帯域幅を拡張する技術は、ハンドオーバではなく**キャリアアグリゲーション**と呼ばれる技術である。

例題4-10　令和元年度 2級電気通信工事施工管理技術検定（学科・前期）問題（選択）〔No.19〕 

移動体通信で用いられるCDMA多元接続方式に関する記述として，**適当でないもの**はどれか。

(1) FDMA方式に比べて秘話性が高い。
(2) 隣接基地局へのローミングが容易である。
(3) スペクトル拡散方式が用いられる。
(4) FDMA方式に比べて干渉を受けにくい。

正解：(2)

解説　多元接続とは、携帯電話のように多数の局が地理的に散在しながら通信を行うことで、ローミングとは移動しながら通信を行う局が、隣の基地局へと接続替えを行うことを指している。(2) CDMAは符号拡散を行い、符号化・逆符号化の過程であるスペクトル拡散・逆拡散を行うことによって秘話性を高くし、干渉や雑音を受けにくくしたものであり、符号化・逆符号化を行うためには共通の拡散符号を用いるため、地理的に離れた基地局へのローミングは従来の方式よりも難しく（制御が難しく）なる。

例題4-11　令和3年度 1級電気通信工事施工管理技術検定（第一次）問題A（選択）〔No.7〕 

CDMA（符号分割多元接続）に関する記述として，**適当なもの**はどれか。

(1) 個々のユーザに使用チャネルとして直交周波数関係にある複数のキャリアを個別に割り当てる方式である。
(2) 個々のユーザに使用チャネルとして個別に信号のスペクトルを拡散する拡散符号を割り当てる方式である。
(3) 個々のユーザに使用チャネルとして1つの搬送波のタイムスロットを個別に割り当てる方式である。
(4) 個々のユーザに対して個別に使用する周波数を割り当てる方式である。

正解：(2)

解説　(1) はOFDMA、(3) はTDMA、(4) はFDMAに関する記述である。

(5) MIMO

MIMOは、Multiple Input and Multiple Outputの略でマイモと呼ぶ。これは、送信側と受信側でお互いに複数のアンテナを用い、通信品質を安定・向上させる技術のことを指している。なお、送信側・受信側ともにアンテナ１本であるものをSISO（Single Input and Single Output)、送信側が１本、受信側が複数のものをSIMO（Single Input and Multiple Output)、送信側が複数で受信側が１本のものをMISO（Multiple Input and Single Output）と略する。

MIMOは、空間中に送信側複数：受信側複数の伝送路が形成されているとみなす。

これにより、周波数帯域を増大させることなく信号を高速伝送できるようになり、周波数の利用効率を向上させることができる。

(6) ダイバーシチ

ダイバーシチとは、複数のアンテナで受信した受信信号のうち、最も受信状態の良好な信号を選択することなどにより受信品質を保つ技術のことを指す。

空間ダイバーシチ

複数のアンテナを物理的に離して設置し、それらの中で最も受信状態が良好なアンテナの出力を採用するアンテナ選択方式の他、複数のアンテナで受信された信号どうしの位相を揃えて合成し、指向性ゲインを得ることが可能な最大比合成方式も実用化されている。これをRAKE受信方式と呼んでいる。これとは逆に、複数のアンテナの信号どうしの位相を調整することで、意図的に一定方向の受信感度を落とし、その方向から到達する妨害波を低減する技術も実用化されている。

偏波ダイバーシチ

アンテナに到達する電波の偏波面とアンテナの偏波面が異なると得られる受信信号は小さくなってしまうため、偏波面が互いに90°異なるアンテナを用意し、それらの受信信号を合成したり、受信状況が良好な方を選択したりして受信波の偏波面の乱れを補償するのが偏波ダイバーシチ方式である。

周波数ダイバーシチ

同一の信号を複数の周波数で伝送し、受信側で最も良好な周波数の信号を選択することで、安定した通信が可能となる。この方式は、１本のアンテナで複数の周波数を共用できるため、物理的に複数のアンテナを必要としない利点がある。

時間ダイバーシチ

時間をずらして同一の内容を送信することにより、１本のアンテナであってもダイバーシチ効果を得ることができる。もちろん、その代償としてデータ転送に２倍の時間がかかってしまう。

例題4-12　令和元年度1級電気通信工事施工管理技術検定（学科）問題A（選択）〔No.24〕

移動通信システムで用いられるダイバーシチ技術に関する記述として，**適当でないもの**はどれか。

(1) CDMAは，1つの周波数を複数の基地局が共有しているため，周辺の基地局で受信される信号を利用する時間ダイバーシチ受信により回線の信頼性を高めている。

(2) 2つ以上の周波数帯域を使用するキャリアアグリゲーションは，通信速度の向上だけでなく，通信が安定する周波数ダイバーシチ効果も得られる。

(3) 複数の伝搬経路を経由して受信された信号を最大比合成するRAKE受信は，パスダイバーシチ効果が得られる。
(4) 偏波ダイバーシチは，直交する偏波特性のアンテナを用いて，受信した信号を合成することにより電波の偏波面の変動による受信レベルの変動を改善する。

正解：(1)

解説 CDMAは符号分割多元接続の略で、確かに1つの周波数帯域を複数の基地局で共有はしているが、各々の通信が個別のPN符号を用いて拡散化している信号を逆拡散して復調するという原理のため、周辺の基地局を巻き込んだ時間ダイバーシチのようなことは通常行っていない。パスダイバーシチとは、パス（＝伝搬経路）が複数存在していることを積極的に生かすことでダイバーシチ効果を得ることを指している。

4.8 DSRC

DSRC（Dedicated Short Range Communications：狭域通信）は、車両（自動車）との無線通信用として5.8GHz帯を使用して行われる無線通信規格で、伝送速度1MbpsのASKと4MbpsのQPSK方式が採用されている。DSRC方式を採用したシステムとしてETCが広く使われている。電波規格は次の通りである。

- 周波数帯 ………………………… 5.8GHz帯の全14ch
- 変調方式 ………………………… ASK、QPSK
- 変調信号速度 …………………… ASKは1Mbps、QPSKは4Mbps
- チャネル間周波数間隔 ……… 5MHz
- 送信出力 ………………………… 路側側300mW以下、車載側10mW以下

例題4-13　令和元年度2級電気通信工事施工管理技術検定（学科・前期）問題（選択）〔No.20〕 

我が国のITS（高度道路交通システム）で用いられるDSRC（狭域通信）に関する記述として，**適当でないもの**はどれか。

(1) DSRCで用いられる周波数は，5.8GHz帯である。
(2) DSRCは，路側機と車載器の双方向通信が可能である。
(3) DSRCの伝送速度は，最大100Mbpsである。
(4) 有料道路料金収受で用いられているETCは，DSRCを用いたシステムである。

正解：(3)

解説 DSRCとは、車両との無線通信用の規格で、5.8GHz帯を用い、伝送速度はおおむね1Mbpsないし4Mbpsとなっている。

4.9 RFID

RFID（Radio Frequency Identification）は、情報が書き込まれたICタグと読取装置との間で、電磁波を用いたワイヤレス通信により情報の読取や書換を行うシステムである。具体例として、店舗の商品に個別のRFIDタグを装着し、支払い時に商品をかごの中に入れたまま非接触で個数や価格を計算し支払いを可能とするものが実用化されている。

RFIDタグ内に電池が内蔵されていないパッシブ型の場合、読取装置から送られた電磁波を使ってID情報を返答する。電源を内蔵しないため安価で軽量に作れる反面、読取装置に対して比較的近接させないと通信することができない。アクティブ型はその逆で、比較的遠方からでも情報を読み書きすることが可能である。

読取用に用いる電磁波は、130kHz程度のLF帯、13.56MHzのHF帯、900MHzのUHF帯、2.4GHzのマイクロ波帯が用いられている。アンテナの形状としては、低い周波数帯ではコイルを用いた磁界型、高い周波数帯ではエレメントを用いた電界型が適している。

例題4-14　令和2年度1級電気通信工事施工管理技術検定（学科）問題A（選択）〔No.32〕 

RFIDに関する記述として，**適当でないもの**はどれか。

(1) RFIDで利用されるタグ用アンテナの形状は，使用する搬送波周波数にかかわらずコイル型が使用される。
(2) リーダ・ライタとRFIDタグとの間の通信は，非接触で，しかも複数のRFIDタグを同時に読み取ることができる。
(3) パッシブ型のRFIDタグは，無線電力伝送が必要であるため，殆どの場合，無線による電力伝送が可能な距離により通信距離が決まる。
(4) RFIDタグの搬送波としてUHF帯やマイクロ波帯を用いると，波長が短いために読み取りを行う際に周囲の水分の影響を受けやすくなる。

正解：(1)

解説　RFIDで利用されているタグ用アンテナの形状はコイル型が多いが、必ずコイル型を使用しなければならないというものではなく、特に高い周波数帯では非コイル型の使用もある。

4.10 LTEとWiMAX

LTEはLong Term Evolutionの略で、W-CDMAやCDMA2000などの第3世代携帯電話規格（3G）と第4世代携帯電話（4G）の中間過渡期にあたる技術である。基地局から端末に向けてはOFDMAを用い、100Mbpsを超える通信速度を実現した規格である。この通信速度を確保するために、変調方式は16QAM、64QAM、QPSKなどを用いる。

例題4-15　令和元年度1級電気通信工事施工管理技術検定（学科）問題A（選択）〔No.06〕 

第4世代移動通信システムと呼ばれるLTEに関する記述として，**適当でないもの**はどれか。

(1) データの変調において，FSKを採用している。
(2) 複数のアンテナにより送受信を行うMIMO伝送技術を採用している。
(3) 無線アクセス方式において，上りリンクと下りリンクで異なった方式を採用している。
(4) パケット交換でサービスすることを前提としている。

正解：(1)

解説　(1) FSKではなく、QPSKや16QAM、64QAMなどが採用されている。

4.11 PLC

PLCはPower Line Communicationの略で、電力線を通信線路として用いる技術を指す。具体的には一般家庭の屋内配線とコンセントを経由してインターネット通信を行うアダプタなどが製品化されている。450kHz程度までの周波数を用いるものを低速PLC、30MHz程度までの周波数を用いるものを高速PLCと呼ぶこともある。この技術は、通信線は引かれていないが電力線は来ているという山間部などで通信を行うことを想定して生み出されたが、次のような欠点があるため、現在では高速PLCが一般家庭の屋内に限って利用される例があるのみである。

- 電力機器から発せられる雑音の影響を強く受けてしまう。
- 短波帯を用いた無線通信に影響を与えるため、屋外での使用は不可。
- PLC機器から発せられる高周波信号が電気機器類に流れ込んで影響を与えてしまう可能性がある。

なお近年では、電力量計の自動検針などの分野で低速PLC技術を見直す動きもある。

例題4-16　令和2年度2級電気通信工事施工管理技術検定（学科・後期）問題（選択）〔No.15〕

広帯域電力線搬送通信設備（PLC設備）に関する記述として，**適当でないもの**はどれか。

(1) 我が国では，高圧架空配電線路での利用も認められている。
(2) 電気配線に重畳されたノイズが，通信速度に影響を与える場合がある。
(3) 屋内の電気配線を利用してLANを構築することができる。
(4) 電気配線に高周波信号を重畳して通信を行う通信方式である。

正解：(1)

解説　高圧架空配電線路で使用することはできない。

4.12 LPWA

携帯電話・スマートフォン向けの高速・大容量無線通信の需要が広まる一方、電気やガスの検針、雨量計や水量計のデータ収集など、高速通信が必要ない**遠隔無線データ収集システム**の需要も増えている。このような通信では、通信速度が低速である代わりに、**低消費電力・超低消費電力**であり、場合によっては乾電池のみで**数年間の稼働**が可能であるようなものが求められる。これに応える技術の総称が**LPWA**（Low Power Wide Area、もしくは**LPWAN**：Low Power Wide Area Network）である。LPWAの特徴として、数kmを超える長距離伝送、伝送速度は数十kbps程度、そして乾電池のみで数年～10年程度の稼働を可能としたものである。

LPWAの代表的な規格の1つに**ZigBee**がある。これはセンサーネットワークを主目的とする近距離無線通信規格の1つで、転送可能距離が短く転送速度も非常に低速である代わりに、安価で消費電力が少ないという特徴を持っている。我が国においては、使用される周波数帯は**2.4GHz**で、通信速度は**最高250kbps、通常は144kbps程度**以下で用いられる。

例題4-17　令和4年度1級電気通信工事施工管理技術検定（第一次）問題A（選択）〔No.42〕

ZigBeeに関する記述として，**適当でないもの**はどれか。

(1) ZigBeeは，伝送速度は遅いが長いバッテリー寿命を実現する近距離無線通信技術である。
(2) ZigBeeの物理層及びMAC層は，IEEE 802.15.4に準拠している。
(3) ZigBeeのネットワークトポロジーには，スター型やメッシュ型などがある。
(4) ZigBeeのアクセス制御方式として，CSMA/CD方式が採用されている。

正解：(4)

解説 CSMA/CD方式は主に有線のEthernetで用いられるアクセス制御方式であり、無線通信であるZigBeeはCSMA/CAを使用している。

4.13 FWA

固定無線アクセスシステム（FWA：Fixed Wireless Access）は、オフィスや一般世帯と電気通信事業者の交換局や中継系回線との間を直接接続して利用する無線システムを指す。周波数帯は22/26/38GHz帯を用い、電気通信事業者側の基地局と複数の利用者側の加入者局とを結ぶ1対多方向型（P-MP：Point to Multipoint）と、電気通信事業者側と利用者側とを1対1で結ぶ対向型（P-P：Point to Point）がある。

4.14 地域BWAシステム

地域広帯域移動無線アクセス（地域BWA：Broadband Wireless Access）システムは、2.5GHz帯の周波数の電波を使用し、地域の公共サービスの向上やデジタル・ディバイドの解消など、地域の公共の福祉の増進に寄与することを目的とした電気通信業務用の無線システムである。FWAと同様、ラストワンマイル（生活者や企業に対し、通信接続を提供する最後の区間）を無線接続とすることで、サービスの効率化・低価格化・柔軟性の確保などが可能となる。

例題4-18　令和2年度1級電気通信工事施工管理技術検定（学科）問題A（選択）〔No.42〕

LPWAに関する記述として，**適当なもの**はどれか。

(1) 22GHz帯，26GHz帯，38GHz帯の電波を使用し，オフィスや一般世帯と電気通信事業者の交換局や中継系回線との間を直接接続して利用する無線システムである。
(2) 既存のアナログ電話回線を利用して，40Mbpsを超えるデータ通信を可能にした通信方式で上り回線と下り回線の伝送速度が異なる。
(3) 2.5GHz帯の電波を使用し，地域の公共サービスの向上やデジタル・ディバイド（条件不利地域）の解消等，地域の公共の福祉の増進に寄与することを目的とした電気通信業務用の無線システムである。
(4) 長距離（数kmから数十km），低消費電力に的を絞ったIoT用の通信方式であり，伝送速度は数十bpsから数百kbpsである。

正解：(4)

解説 (1)は固定無線アクセスシステム（FWA）、(2)はADSL、(3)は地域広帯域移動無線アクセス（地域BWA：Broadband Wireless Access）に関する記述である。

第一次　第二次　基礎　施工管理・関連分野　法規　4 無線通信

4.15 Bluetooth・IrDA

携帯電話やパソコンと周辺機器などの間を接続するための近距離通信規格の代表例としてBluetoothやIrDAが存在する。各々の特徴は次の通り。

(1) Bluetooth

2.4GHzで周波数ホッピング（FH）方式を用いた無線規格で、ワイヤレスイヤホン、ワイヤレスマウスなど周辺機器の接続用として主に使われるが、規格のバージョンによってはIP通信を行うこともできる。通信速度や伝送距離はバージョンによって様々である。

- Ver3.0：最大通信速度24Mbps。
- Ver4.0：通信速度1Mbpsに抑える代わりに低消費電力化。通信距離は100m。
- Ver5.0：通信速度2Mbps、伝送距離は400m。

なお、現在最新規格であるVer5.2では、方向探知機能やマルチストリームオーディオ機能、オーディオシェアリング機能などが追加された。

(2) IrDA

用途はBluetoothと同様、コンピュータやスマートフォンどうし、あるいは周辺機器との間を接続する規格で、電波ではなく赤外線を用いて通信を行うものである。通信距離は1m程度、伝送速度は最大16Mbpsである。

例題4-19　令和2年度1級電気通信工事施工管理技術検定（学科）問題A（選択）〔No.43〕 

近距離無線通信であるBluetooth 2.0 + EDRに関する記述として，**適当なもの**はどれか。

(1) 5GHz帯の電波を使用し，変調方式がOFDMで，伝送速度が最大54Mbpsであり，無線LANに使用される。
(2) 2.4GHz帯の電波を使用し，変調方式が周波数ホッピングスペクトル拡散で，伝送速度が最大3Mbpsであり，コンピュータと周辺機器とのワイヤレス接続等に使用される。
(3) 赤外線を使用し，携帯電話などで端末間のデータ転送等に使用される。
(4) 2.4GHz帯の電波を使用し，伝送速度が最大250kbpsで，低消費電力であり，メッシュ型やスター型などのネットワークを構成でき，センサーデータの収集等に使用される。

正解：(2)

解説　(1) は無線LANのIEEE802.11a規格、(3) はIrDA、(4) はLPWAに関する記述である。

例題4-20　令和2年度 2級電気通信工事施工管理技術検定（学科・後期）問題（選択）〔No.18〕

携帯電話システムに関する記述として，**適当でないもの**はどれか。

(1) LTEの無線ネットワークは，パケット交換でサービスされている。
(2) 携帯電話システムでは，サービスエリアを多数の無線ゾーンに分割し，分割したゾーン内にそれぞれの基地局を設置している。
(3) 携帯電話システムで使用される電波は，主にVHF帯の周波数が用いられている。
(4) 携帯電話システムでは，1つの周波数帯域で同時に複数のチャネルを設定して通話する多元接続が用いられている。

正解：(3)

解説　携帯電話システムは、800MHz～2GHz帯のUHF波を使用している。

例題4-21　令和3年度 1級電気通信工事施工管理技術検定（第一次）問題A（選択）〔No.6〕

第4世代（4G）携帯電話システムに関する次の記述の名称の組合せとして，**適当なもの**はどれか。

（ア）　複数の送受信アンテナにより異なる信号のセットを同一時間に同一周波数帯を用いて送受信することで伝送容量の増大や伝送品質の向上を図る技術である。
（イ）　異なる周波数の帯域を複数同時に利用することで帯域幅を拡張し，通信速度の向上を図る技術である。

	（ア）	（イ）
(1)	MVNO	キャリアアグリゲーション
(2)	MVNO	リンクアダプテーション
(3)	MIMO	キャリアアグリゲーション
(4)	MIMO	リンクアダプテーション

正解：(3)

解説　異なる周波数の帯域を複数同時に使用して帯域幅を拡張する技術は、キャリアアグリゲーションと呼ばれる。

4.16 静止衛星通信

静止衛星通信は、赤道上空36,000kmに浮かんでいる静止衛星に電波を中継させることで地球上の広い範囲で通信できるようにした仕組みである。地上と衛星との間に使用される電波は、光のように直進性が強くて大量の情報を載せられる高い周波数のマイクロ波が用いられる。静止衛星の特徴を次にまとめる。

- 静止軌道は、赤道上空約36,000kmの高さにあり、24時間で一周している。
- 電波は1秒間に30万kmの速さで伝わるため、往復で0.25秒遅延する。
- 理論的には、等間隔に3個の衛星を配置すれば、地球上ほとんどの場所からアクセス可能となる。
- 太陽電池で稼働するが、春分・秋分のころ地球の影になる時間があるため蓄電池を搭載している。発電できない間は蓄電池で動作している。

例題4-22　令和元年度 2級電気通信工事施工管理技術検定（学科・前期）問題（選択）〔No.05〕 

静止衛星通信に関する記述として，**適当なもの**はどれか。

(1) 静止衛星は，赤道上空およそ 36,000［km］の円軌道を約12時間かけて周回する。
(2) 静止軌道上に3機の衛星を配置すれば，北極，南極付近を除く地球上の大部分を対象とする世界的な通信網を構築できる。
(3) 衛星通信には，電波の窓と呼ばれる周波数である1～10［GHz］の電波しか使用できない。
(4) アップリンク周波数よりダウンリンク周波数のほうが高い。

正解：(2)

解説

(1) 周回するのにかかる時間は24時間である。
(3) 12GHz、14GHzなどの周波数も利用されている。
(4) 衛星に搭載されている電源は容量に限りがあるため、伝搬損失の少ない、低い周波数をダウンリンクに使用している。

4.17 準同期軌道

人工衛星軌道は、高度20,200kmに、約12時間で地球を一周する準同期軌道が存在する。地表から見ると常に移動しているこの人工衛星は、測位システムであるGPSなどで使われている。GPS衛星は正式名をNAVSTAR衛星といい、原子時計によって作られる正確な信号と三元測位方法により、複数の衛星からの電波を受信して演算すれば極めて正確な位置情報を得ることができるものである。カーナビやスマホナビシステム、地理測位など、身の回りの様々な形で応用されている。

例題4-23　令和4年度 1級電気通信工事施工管理技術検定（第一次）問題A（選択）〔No.43〕 

GNSS（全球測位衛星システム）に関する記述として，**適当でないもの**はどれか。

(1) GNSS（全球測位衛星システム）は，位置を知るために打ち上げられた各国の人工衛星から送信される電波を受信し，その受信している地点の現在位置等を知ることができるシステムの総称である。
(2) 我が国の準天頂衛星システムの軌道は，南北非対称の「8の字軌道」になり日本付近に長く留まる。
(3) GPSでは，4機のGPS衛星からの電波を受信できれば，位置（緯度，経度，高度）の特定及び時刻の補正ができる。
(4) GPSでは，各GPS衛星はそれぞれ異なる周波数の電波を送信し，電波の変調にASKを使用している。

正解：(4)

解説　各GPS衛星は同一の周波数の電波を送信し、電波の変調にはCDMA（符号分割多元接続）を用いている。

例題4-24　令和3年度 1級電気通信工事施工管理技術検定（第一次）問題A（選択）〔No.42〕 

GPSに関する記述として，**適当でないもの**はどれか。

(1) GPS衛星は，高度約2万kmの上空を約12時間周期で地球の周りを回っている。
(2) 全てのGPS衛星は同じ周波数の電波で送信しており，電波の変調にスペクトル拡散方式を使用している。
(3) 2機のGPS衛星から電波を受信できれば，位置（緯度，経度，高度）の特定及び時刻の補正が可能となる。
(4) GPSによる測位方法である単独測位は，1台のGPS受信機を用いて測位することである。

正解：(3)

解説　位置の特定のためには、最低3機のGPS衛星からの電波が必要となる。

4.18 VSATシステム

地球上どこにいてもインターネットなどの大容量データ通信が求められる現代において利用されているのがVSATである。VSATはVery Small Aperture Terminalの略であり、通信衛星・通信衛星と通信制御を行うVSAT制御地球局・各地に点在するVSAT地球局（子局）で構成されている。

通信衛星と地球局との間では、12GHzや14GHz帯の周波数が用いられ、衛星は

VSAT制御地球局からのコントロールによって制御されている。VSAT制御地球局は通常、衛星を中継して送られてきた子局との通信を、地上の電気通信網と接続する役割も持っている。

VSAT地球局のうち、子局（船舶などに搭載される子機局）は小型軽量な装置であり、オフセットパラボラアンテナなどの指向性が強いアンテナを用いて衛星と通信を行う。性質上、自動車や鉄道など、急激に進行方向や速度が変化する移動手段の上で用いることは難しく（基本的に不可能）なる。

4.19 レーダ

電波の応用分野の１つとして、船舶や航空機、管制塔や気象観測などに用いられるレーダがある。レーダは、短いパルス信号を発射し、物標反射波から物標までの距離を求めるパルスレーダと、連続信号を発射し物標反射波との間のドップラー効果から物標の移動速度を求める連続波レーダに大別される。

なお、レーダや衛星通信で用いられるマイクロ波は、バンド名で呼ぶことが一般的である。以下にその例を示す。

- Lバンド………… 0.5 ～ 1.5GHz
- Sバンド………… 2 ～ 4GHz
- Cバンド………… 4 ～ 8GHz
- Xバンド………… 8 ～ 12GHz
- Kuバンド……… 12 ～ 18GHz
- Kaバンド……… 26 ～ 40GHz
- Vバンド………… 40 ～ 75GHz

一般的な電波の特性として、周波数が低いほどアンテナが大きくなり、広く緩やかに広がって飛ぶ。周波数が高いと性質が光に近くなり、小型アンテナでも一方向に鋭いビームを出すことができるが、特にKuバンド以上は大気中の雨滴や雪、チリ・ホコリなどによって散乱・吸収されやすくなる特性を持っている。

(1) パルスレーダ

パルスレーダは、アンテナからパルス状の電波を放射する。放射された電波は、空中を伝わり、物標により反射され、一部が戻ってくる。空中を電波が伝わる速度と、送信から受信までの時間差を掛けることで、物標までの距離が求まる。パルスレーダの性能を左右する要素には、以下のようなものが挙げられる。

- 送信電力

アンテナから送信された電波は、遠くへ行くほど弱くなる。したがって、遠くの物標を検出しようとすればするほど大きな送信電力が必要となる。

しかし、送信電力を大きくし過ぎると受信回路が信号飽和を起こしてしまい、正常に作動しなくなってしまう。これを防止するため、送信パルスに合わせて受信回路の感度を低下させ、遠くの物標からの反射波に対しては受信感度を上げるSTC回路が併用されることもある。

・アンテナのビーム幅

送受信アンテナは鋭い指向性を持っていないと、物標がどこにあるのか分からない。アンテナのビーム幅は、アンテナを真上から見たときに最大放射電力方向から$\frac{1}{2}$になる方向の角度（図4-12のθ_1）で表し、これを半値幅と呼んでいる。ビーム幅が狭いほど方位分解能は良好になる。

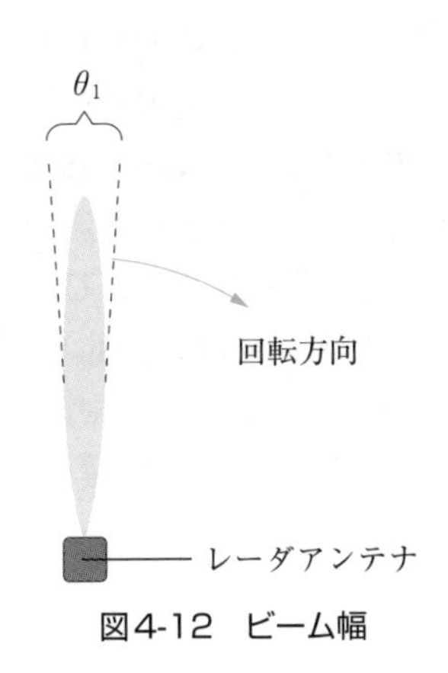

図4-12　ビーム幅

・送信パルスの幅と繰り返し周波数

送信パルス幅は狭ければ狭いほど時間分解能（＝距離分解能）は良好になるが、実質的な送信電力が小さくなってしまいSN比が悪化するため、求める性能とのトレードオフでパルス幅を設定する。また、パルスの繰り返し時間が短か過ぎると遠くの物標を検出することができなくなる反面、繰り返し時間を長くすると実質送信電力は小さくなってしまうため、こちらも求める性能とのトレードオフで送信電波の性質を決定することになる。

パルスの繰り返し時間の逆数を繰り返し周波数といい、例えば最大探知距離が150mのレーダであれば、電波が150mを往復、つまり300m進むのにかかる時間$t = \frac{300}{3 \times 10^8} = 1 \times 10^{-6}$秒より、その逆数である1MHzが繰り返し周波数ということになる。なお、パルス幅とパルス繰返し周期との比を衝撃係数と呼んでいる。

FTC回路

雨や雪などの荒天時は、画面上に大量の物標が表示されるように見えてしまい目標物が判別しにくくなってしまうので、受信信号処理回路にFTC回路を挿入する。これは、物標からの鋭い反射波のみを強調して判別を容易にするためのものである。

PPI表示

PPI表示は、回転するアンテナを中心として360°周囲方向からの反射波を円形画面に表示するもので、空港の管制塔などでおなじみのものである。パルスレーダによって自局周囲の物標の位置を表示するのに適した方法である。

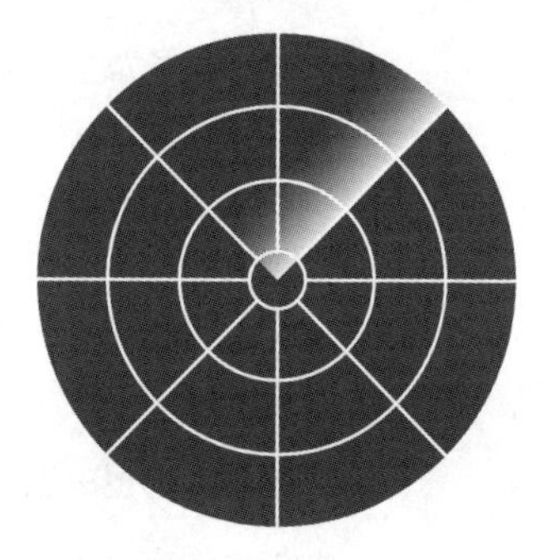

図4-13　PPI表示の画面

(2) ドップラーレーダ

ドップラーレーダは、連続した電波を発射し、反射波との間のドップラー効果を利用することで対象物の速度を求めるものである。物標が停止していれば、反射波は送信波と同一周波数の連続信号なので、差の周波数を取り出してもゼロHzである。しかし、物標が移動している場合、反射波と送信波の差の周波数は移動速度に比例するから、これを取り出して相対速度に変換することで速度を求めている。

ドップラーレーダは気象観測用にも用いられ、高層大気中の雲の様子や風速などを観測するために使われる。このとき、観測結果の表示画面はRHI表示を用いる。RHI表示は、自局からの距離を横軸、高度を縦軸に取った表示方式で、上空の雲の様子などを表示するのに適している。

(3) MPレーダ

MP（マルチパラメータ）レーダは、ドップラーレーダにおいてアンテナを垂直偏波・水平偏波の２本用意し、受信波の周波数や強度の他、電波の偏波面の回転も求めるようにしたもの。これにより、位相特性も用いて精密な観測を行えるようにしたものである。

例題4-25　令和元年度２級電気通信工事施工管理技術検定（学科・前期）問題（選択）〔No.28〕 

レーダにより降雨観測を行うレーダ雨量計に関する記述として，**適当でないもの**はどれか。

(1) MPレーダ（マルチパラメータレーダ）は，水平偏波と垂直偏波を同時に発射して観測する。
(2) 空中線から電波を発射して，雨滴にあたり散乱（反射）して返ってくる電波を収集することで観測を行う。
(3) Xバンドレーダは，Cバンドレーダに比べ低い周波数を使用するため，アンテナ直径は大きくなる。
(4) Cバンドレーダに比べXバンドレーダは観測範囲が狭い。

正解：(3)

解説　(3) XバンドはCバンドよりも高い周波数帯域なので、同一利得という条件下であればCバンドよりも小型のアンテナで済むことになる。

例題4-26　令和元年度1級電気通信工事施工管理技術検定（学科）問題A（選択）〔No.43〕 

レーダ雨量計で利用されているMPレーダ（マルチパラメータレーダ）に関する記述として，**適当でないもの**はどれか。

(1) MPレーダは，落下中の雨滴がつぶれた形をしている性質を利用し，偏波間位相差から高精度に降雨強度を推定している。
(2) MPレーダは，水平偏波と垂直偏波の電波を交互に送受信して観測する気象レーダである。
(3) 偏波間位相差は，Xバンドのほうが弱から中程度の雨でも敏感に反応するため，XバンドMPレーダは電波が完全に消散して観測不可能とならない限り高精度な降雨強度推定ができる。
(4) XバンドのMPレーダでは，降雨減衰の影響により観測不能となる領域が発生する場合があるが，レーダのネットワークを構築し，観測不能となる領域を別のレーダでカバーすることにより解決している。

正解：(2)

解説　(2) MPレーダは、水平偏波と垂直偏波の電波を同時に発射することで偏波間の位相差情報を得ることができ、高精度な観測を行うことができる仕組みになっている。

4.20 放送

不特定多数あてに情報を伝えるのが放送である。日本国内では大正14（1925）年、現在のNHK東京ラジオ第1放送が放送電波を発射したのが始まりとされている。

(1) AMラジオ放送

AMラジオ放送は、1925年の放送開始以来今日に至るまで継続しているラジオ放送である。

AMラジオは送信所への投資や維持コストはかかるものの、比較的山陰などにも電波が回り込む性質があるため、現在でも国内で広く使用されている。

(2) FMラジオ放送

FMラジオ放送は、76.1 ～ 94.9MHzの超短波帯を用いたラジオ放送である。ステレオ放送や音声多重放送が可能という特徴を打ち出して高音質の音楽放送などが多く行われている。

なお、2011年に地上波テレビがデジタルに移行した結果、従来のテレビローチャンネル（旧1 ～ 3ch、90 ～ 108MHz）の周波数が空いたため、補完放送としてこの周波数帯を使用してAM・FMの同時放送を開始したAMラジオ放送局もある。

(3) 地上デジタルテレビ放送

地上デジタルテレビ放送は、470〜710MHzのUHF帯で行われている。周波数自体は、旧来のアナログUHF放送の周波数帯域とほぼ同一のため、UHFアンテナ・同軸ケーブルなどの設備は旧来のものと互換性はあるが、電波形式が全く異なるため、アナログ用のチューナで受信することはできない。

ISDB-T方式

ISDB-Tは、Integrated Services Digital Broadcasting-Terrestrial（統合デジタル放送サービス・地上用）の略で、日本国内の地上デジタルテレビ放送はこの規格に従って放送されている。

ISDB-T方式による日本国内の地上デジタル放送は、UHF帯の470〜710MHzを使用し、13〜52chの合計40チャネルを設けている。

ISDB-T方式の特徴として、次のような点が挙げられる。

①チャネル帯域のセグメント化

1チャネルの帯域幅は6MHzあるが、これを14領域に分割したうちの13領域を利用し、これら分割された帯域のことをセグメントと呼んでいる。これにより、複数の放送内容などに使い分けることができる。現在主に使われているのは、次の2つである。

・ワンセグメント放送

7番目のセグメント1つだけを用い、携帯電話やモバイル端末などに向けた放送を行うもので、画質は低いが移動端末向けには十分であり、経済性に優れた放送である。

・フルセグメント放送

1〜6と8〜13の合計12セグメントを用いて高品質のハイビジョン放送を行う。

・その他のセグメントの運用法

ワンセグメント・フルセグメントの2種類の放送形態の他、必要に応じて4セグメントを用いた標準画質×3番組編成、8個のセグメントを用いた中画質＋4個のセグメントを用いた標準画質の2番組放送、さらには13セグメントを全て使用した超高画質放送などの利用方法がある。

②マルチキャリア（複数搬送波）

1つのチャネルを1つの搬送波に載せて伝送するのではなく、5617本のマルチキャリアで放送される。これにより、伝搬状況が悪化している場合でも、伝搬状況の悪いキャリア以外のキャリアを用いて信号を伝送することにより、高品質で安定した受信が可能となる。

③データ放送

テレビ放送と一緒に種々のデータを送受信することで、放送内容に関連した別個のデータをやり取りすることができる。

④双方向通信

放送局から受信者への一方的な伝送だけではなく、受信者から放送局への双方向通信にも対応している。

⑤インターリーブ

雑音などで信号が乱れた場合、これを正しい信号に復元する技術である。ISDB-T方式においては、周波数インターリーブと時間インターリーブを採用している。これらインターリーブを活用することにより、マルチパスなどによるフェージングに強い特徴を持っているが、パルス雑音や連続雑音の対策となるものではない。

⑥緊急警報

地震や津波などの災害が発生したか、そのおそれがある場合に出される緊急警報に対応したもので、警報によって自動的に電源を入れるなどして情報を伝えることができる仕組みである。

⑦SDTVマルチ編成

地上デジタルテレビにおいては、規格上、1つのチャネルでSDTV画質×3番組の同時放送が可能だが、帯域幅の制限があるため、HDTV画質のマルチ編成はできない。最も、放送局側の手間が掛かる割にメリットが少ないため、マルチ編成での放送はほとんど行われていない。

(4)BS・CSデジタル放送

地上の電波塔から送信する地上波放送の他、人工衛星を使って電波を中継する衛星放送も実施されている。主な放送はBS放送とCS放送で、BSは放送用人工衛星(Broadcasting Satellite)、CSは通信用衛星(Communication Satellite)を意味する。本来主目的は別の衛星であるが、地上で対応設備を設置すれば受信できる点は変わらないため、一般視聴者は特にそれらを意識して視聴せず、単に別のチャネルだと認識して受信している場合が多いと思われる。

BS・CS放送の特徴は次の通りである。

- 静止衛星を用いて放送を中継するため、全国あまねく1台の衛星でカバーすることができる。
- 晴天時は高速通信が可能であり、降雨・降雪時は低速ではあるが減衰に強い階層変調方式を用いて、極端な悪天候下でも極力受信は可能なように工夫されている。
- BSデジタル、110度CSデジタル放送で用いられるTC8PSK変調方式はビット列の遷移に規則性があるため、伝送エラーが発生しても状況次第で元のデータをある程度推定することができる。
- BSデジタル放送の場合、解像度はHDTVの1080iまで対応している。
- チャネル数は、BS-1から奇数を用いてBS-23chまでの12ch。
- 4K・8K放送対応として、変調方式に16APSKを用い、4Kを3チャネルもしくは8Kを1チャネル放送できる方式が開発されている。なおAPSKとはQAMに近い変調方式で、振幅変調ASKと位相変調PSKを同時に行うもの。

例題4-27　令和2年度1級電気通信工事施工管理技術検定（学科）問題A（選択）〔No.38〕 

BSデジタル放送に関する記述として，**適当でないもの**はどれか。

(1) 赤道上空の静止軌道上に打ち上げられた人工衛星から放送するため，1つの人工衛星で離島や山間部までサービスできる。
(2) 高速伝送が可能な変調方式と，低速伝送であるが降雨減衰に強い変調方式を組み合わせた階層変調が可能である。
(3) 超高精細度テレビジョン放送（4K・8K）のための変調方式として，64QAMが採用されている。
(4) 変調方式が，TC8PSKの場合，1つの中継器で最大約52Mbpsの伝送速度を確保できる。

正解：(3)

解説 超高精細度4K・8K放送のための変調方式としては、64QAMではなく16APSKが使われる。

例題4-28　令和2年度1級電気通信工事施工管理技術検定（学科）問題A（選択）〔No.37〕 

我が国の地上デジタルテレビ放送に関する記述として，**適当でないもの**はどれか。

(1) OFDMは，サブキャリア1本あたりの変調速度が低速であることやガードインターバルの挿入により，降雨減衰の影響の抑えることができる。
(2) 1チャネルの周波数帯域幅6MHzを14等分したうちの13セグメントを画像，音声，データの情報伝送に使用している。
(3) マルチパス妨害に有効な周波数インタリーブとインパルス雑音や移動受信で生じるフェージング妨害に有効な時間インタリーブが採用されている。
(4) データ放送では，コンテンツを記述する言語としてBML（Broadcast Markup Language）が採用されている。

正解：(1)

解説 OFDMを用いることでマルチパスによる信号劣化を緩和することができるが、降雨減衰の影響を抑えることはできない。

例題4-29　令和4年度1級電気通信工事施工管理技術検定（第一次）問題A（選択）〔No.37〕 

我が国の地上デジタルテレビ放送に関する記述として，**適当でないもの**はどれか。

(1) 1チャネルの周波数帯域幅6MHzを16等分したうちの13個のセグメントを組み合わせて地上デジタルテレビ放送の信号としている。

(2) 標準放送（SDTV）の場合は1チャネルあたり3本の放送が可能で，ハイビジョン放送（HDTV）の場合は1チャネルあたり1本の放送が可能である。
(3) 中継局も親局と同じ周波数を使って放送する単一周波数ネットワーク（SFN）の構築が可能である。
(4) データ放送では，コンテンツを記述する言語としてBMLが採用されている。

正解：(1)

解説 16等分ではなく14等分し、そのうち13個のセグメントを組み合わせて放送している。

動画圧縮符号化方式

カメラで撮影した映像の生データは、非常に膨大なデータ量となる。地上デジタルテレビ放送では、DCT（離散コサイン変換）技術と、MPEG符号化技術によってデータ圧縮を行っている。

離散コサイン変換

離散コサイン変換は、時間軸の情報を周波数軸に変換する処理である。DCTを行うことにより、画像変化を周波数軸の変化に変換し、変化パターンが類似している箇所を取り出すことによって遷移パターンを少なくすることができる。このような符号化処理をベクトル量子化と呼ぶ。

動き補償

刻々変化する動画の情報全てを伝送するのは非効率である。そこで、1フレーム前の画像と現在の画像の差分を取り出し、その差分信号を「動き情報」として伝送することで情報量を少なくすることができる。

MPEG

動画圧縮符号化方式として代表的なものにMPEGがある。MPEGには複数の規格があり、次のような特徴を持っている。

MPEG-1

MPEG（Moving Picture Experts Group）によって開発された動画規格。CDメディア1枚に1時間程度の動画を記録することを目標として提案された。特徴として、フレーム間予測と離散コサイン変換を用い、最大4095×4095の解像度、最大100Mbit/sのビットレートまでサポートしている。1990年代から2000年代初頭ごろまではよく使われたが、現在はMPEG-4などにその立場を譲っている。

MPEG-2

MPEG-1の進化形として、複数の解像度・圧縮率をサポートするなど品質が向上し、再生品質が高いという利点を持つ。デジタル衛星放送やDVD-Videoなどでも利用されている。MPEG-2動画は、MPEG-1動画に対して、インターレース対応、データ構造の多重化対応、色情報フォーマットの拡充、圧縮効率の調整などの機能が追加されている。インターレースとは、画像の縦方向を、偶数行→奇数行→偶数行→…と飛び飛びに交互に走査する方式で、順番に走査する方式はプログレッシブ方式と呼ぶ。

かつてブラウン管式モニタが主流だったころは、原理上瞬間的には画面上の１点のみしか点灯せず、蛍光体や目の残像を利用して画を作っていたため、素早く描画する方法としてインターレース形式が考案された。現在主流の液晶ディスプレイなどはプログレッシブ方式である。

MPEG-4

現在主流の動画・音声データフォーマットで、MPEG-1やMPEG-2と同様、システム、ビジュアル（動画）、オーディオ、ファイルフォーマット形式を策定した規格。一般には、そのうち動画形式を指してMPEG-4（MP4）形式と呼ぶことが多い。この規格は、現在も規格の追加・拡充が継続されている。動画圧縮の空間変換技術として離散コサイン変換を用い、フレーム間予測・1/4画素精度動き補償、AC/DC予測などの技術が導入されている他、動画の圧縮効率を重視したアルゴリズムとしてH.264も取り入れられている。

H.261

H.261は、ITU-Tによって策定された動画圧縮の規格で、1990年に勧告として承認された比較的初期の規格。デジタル動画像の圧縮符号化方式としては、フレーム間予測、離散コサイン変換、量子化、エントロピー符号化を組み合わせて用いた世界最初の国際標準で、その後に規格化されたH.263やH.264、MPEG-1、MPEG-2、MPEG-4など、数多くの動画像圧縮方式の基礎となった。当時の使い方として、ISDN上でのテレビ会議に利用することが想定されていたため、符号化ビットレートは64kbps～1.92Mbpsの間を64kbps刻みで指定するという規格になっている。

H.263

先に規格化されたH.261やMPEG-1、MPEG-2と同様、フレーム間予測と離散コサイン変換を用いたハイブリッド型と呼ばれる圧縮方式。H.261にあったループフィルタが外された代わりに、MPEG-1で導入された半画素単位での動き補償が導入されている。従来の符号化技術と同じくエントロピー符号化としてハフマン符号を用いているが、3次元可変長符号化技術を導入することで圧縮率を大きく向上させている。

H.264

ITU-Tでは「H.264」として勧告され、「MPEG-4 Part 10 Advanced Video Coding（通称：MPEG-4 AVC)」「H.264/MPEG-4 AVC」「MPEG-4 AVC/H.264」「H.264/MPEG-4 AVC」などと表現されることもある。これは従来方式のMPEG-2などの2倍以上の圧縮効率を実現するものであり、携帯電話などの低ビットレート用途から、HDTVクラスの高ビットレート用途に至るまで幅広く利用されることを想定している。圧縮アルゴリズムの原理は、MPEG-1、MPEG-2、H.261、H.263、MPEG-4などと基本的には同様で、空間変換やフレーム間予測、量子化、エントロピー符号化を採用している。

H.265

H.264/MPEG-4 AVC後続の動画圧縮規格で、High Efficiency Video Coding (HEVC) とも呼ばれる。圧縮効率が優れているため、MPEG-2 (H.262) 比で約4倍、H.264/AVC比で約2倍の圧縮性能がある。スーパーハイビジョン (8K、4320p) など高解像度な映像だけでなく、携帯電話などの低ビットレート用途も想定している。

例題4-30　令和3年度1級電気通信工事施工管理技術検定（第一次）問題A（選択）〔No.40〕 

映像符号化方式に関する記述として，**適当でないもの**はどれか。

(1) MPEG-2は，MPEG-4 AVC（H.264）より動画像情報の圧縮率が高い。
(2) MPEG-4 AVC（H.264）は，地上デジタルテレビ放送のワンセグ放送で使われている。
(3) HEVC（H.265）は，新4K8K衛星放送で使われている。
(4) MPEG-2は，MPEG-1相当の低解像度からフルハイビジョン相当の高解像度までの動画像を扱う。

正解：(1)

解説 MPEG-2は、MPEG-4AVC(H.264)よりも古い規格であり、動画情報の圧縮率は低いものである。

サービスエリア

電波は遠距離になるほど電界強度が低下する。一定以上のS/N比が得られなければ正しく復調できないから、受信可能な電界強度が目安として示されている。

- 強電界地域 ……………………… 電界強度80dBμV/m
- 中電界地域 ……………………… 電界強度70dBμV/m
- 弱電界地域 ……………………… 電界強度60dBμV/m
- 弱電界地域（地域外）……… 電界強度50～60dBμV/m

例題4-31　令和元年度1級電気通信工事施工管理技術検定（学科）問題A（選択）〔No.38〕 

我が国の地上デジタルテレビ放送の放送電波に関する記述として，**適当でないもの**はどれか。

(1) 地上デジタルテレビ放送は，13～52チャネルの周波数（470MHz～710MHz）を使用している。
(2) 地上デジタルテレビ放送の放送区域は，地上高10mにおいて電界強度が0.3mV/m（50dBμV/m）以上である区域と定められている。
(3) 地上デジタルテレビ放送では，チャネルの周波数帯幅6MHzを14等分したうちの13セグメントを使用している。
(4) 地上デジタルテレビ放送でモード3,64QAMの伝送パラメータで単一周波数ネットワーク（SFN）を行った場合を考慮し，送信周波数の許容差は1Hzと規定されている。

正解：(2)

解説　(2) 放送区域は、1mV/m（60dBμV/m）以上の区域である。

地上デジタルテレビの品質評価

地上デジタルテレビの電波品質の評価基準の１つとして電界強度が挙げられるが、品質評価基準はそれだけではなく、BER（ビットエラーレート）、MER（モジュレーションエラーレシオ）、CN比（キャリアとノイズの比）が大変重要な指標となる。

BER

BERは、送信データがどれだけ正確に受信されたかという比である。専用の測定器を用いてBERを評価し、マージン値を評価する。

$$\text{BER（ビット誤り率）} = \frac{\text{誤りビット数}}{\text{伝送ビット数}}$$

※伝送した1.0の信号がどれだけ誤ったか
※BER（ビット誤り率：Bit Error Rate）

MER

MER（モジュレーションエラーレシオ）は、デジタル信号の変調誤差比を意味する。伝送途中に加わった雑音などにより、コンスタレーション上の理想点からどの程度ずれているかを表した数値である。

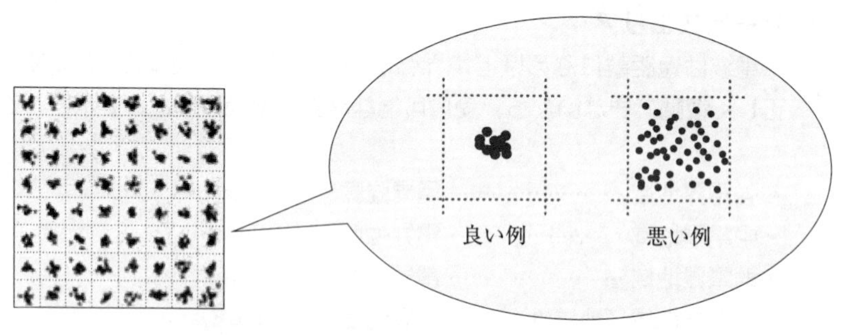

図4-14　MER

MERもやはり受信画面上だけでは分からず、専用の測定器を用いて値を評価する。

CN比

アナログ信号のSN比（Signal to Noise Ratio）に対応する概念で、デジタル信号のキャリアと雑音の比である。CN比が小さい場合、どんなに受信信号が強くても品質は悪くなり、このような場合に増幅器を使っても全く無意味である。

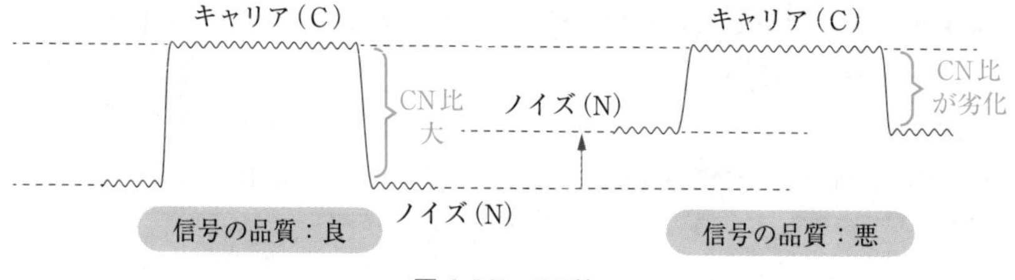

図4-15　CN比

CN比もやはり専用の測定器で値を求める。

(4) CATV

CATVはケーブルテレビの略で、電柱や地中に張られたケーブルで情報伝送を行う放送である。CATVは、外部からの影響を受けにくく帯域幅の広い物理ケーブルを使用しているため、次のような特徴を持っている。

- 天候や障害物などの影響を受けず、安定した信号強度で情報伝送ができる。
- ケーブルテレビ局の設備で受信した各種放送をケーブルを通して中継する他、BSやCSといった衛星放送なども提供できる。また、ケーブルテレビ会社が独自に開設した映画専門チャネルなども提供することが可能。受信した放送の変調方式を変換して送るものをトランスモジュレーション方式、そのまま送るのをパススルー方式といい、周波数のみを変換する周波数変換パススルー方式と同じ周波数で送る同一周波数パススルー方式の2種類がある。
- システムの装置を双方向化することで、インターネットやインターネット電話などもサービスすることができる。

以上のような特徴から、市区町村レベルでサービス提供を行っている事業者が多く見られる他、都心でも有料映画チャネルなどを多く開設することによって幅広くサービスを行っている事業者もある。ケーブルテレビの伝送方式は、HFC、FTTC、FTTH方式の3種類に大別される。

HFC方式

光ファイバと同軸ケーブルを併用した方式。建設費や維持費は比較的安価であり、技術的にも熟成している方式。

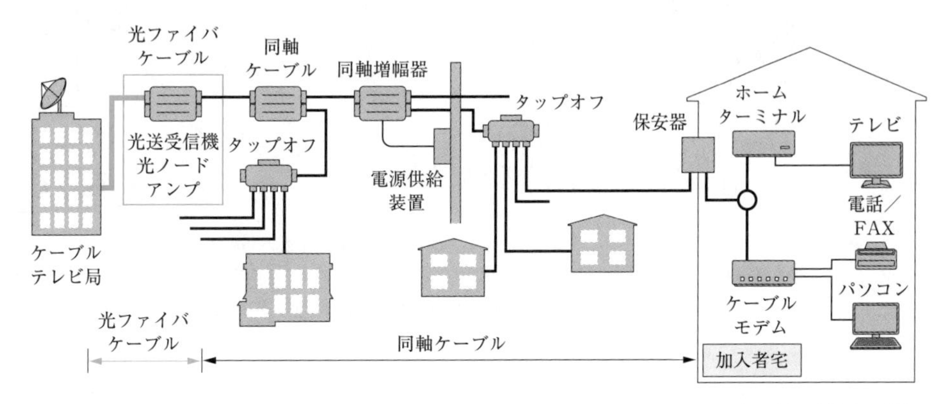

光ノードアンプ ：ヘッドエンドから光ファイバケーブルで伝送されてきた信号を光から電気信号に変換する機器
同軸増幅器 ：同軸ケーブルにより伝送された信号が途中で減衰するため，信号を増幅し伝送距離を延長するための機器
タップオフ ：ヘッドエンドから伝送された信号を各戸へ引込むため，信号を分岐・分配する機器
電源供給装置 ：同軸増幅器へ電気を供給するための電源装置

図4-16 HFCネットワークの構成例

FTTC方式

従来のHFC方式に比べ、加入者宅の近くまで光ファイバケーブルを使用したもの。HFC方式からFTTH方式へ移行する過渡段階ともいえる。

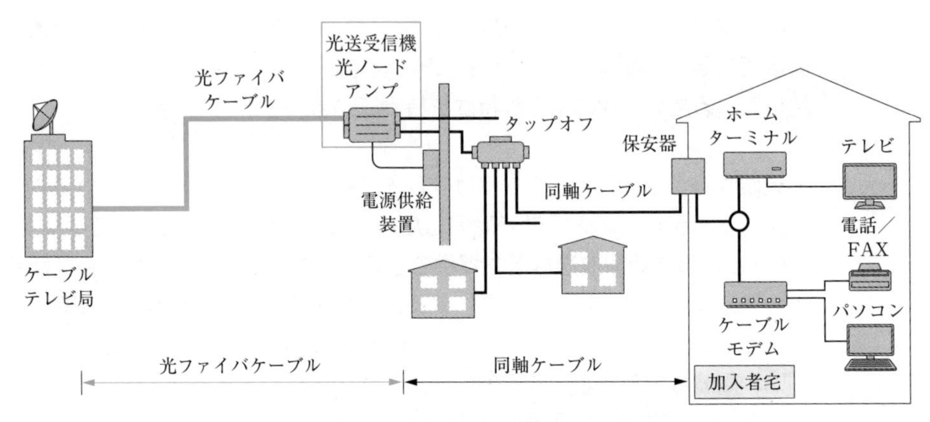

図4-17　FTTCネットワークの構成例

FTTH方式

センターから加入者宅まで光ファイバケーブルを使用したもの。大容量通信が可能であるため、高画質の動画提供が可能となる他、高品質なインターネット接続サービスを併せて提供可能であったり、電気で稼働する中継装置が不要である方式もあり、落雷などに対する耐障害性に勝るなどの利点を持つ。

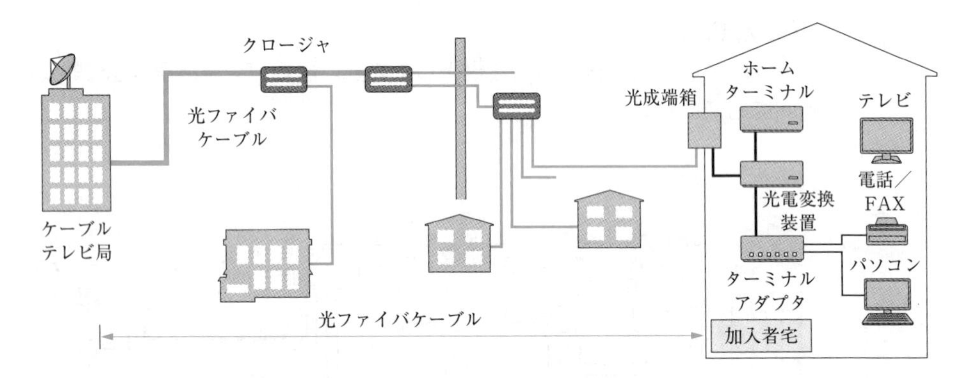

クロージャ　：光ファイバケーブルを接続し，光信号を分配するための機器
光電変換装置：ヘッドエンドから光ファイバケーブルで伝送された信号を，光から電気信号に変換する機器

図4-18　FTTHネットワークの構成例

例題4-32　令和4年度1級電気通信工事施工管理技術検定（第一次）問題A（選択）〔No.38〕 

FTTH型CATVシステムに関する記述として，**適当でないもの**はどれか。

(1) ネットワークの形態には，SS方式，PDS方式及びADS方式がある。
(2) 光ファイバを視聴者宅まで延伸することで，同軸ケーブルを用いるよりも高い周波数帯域まで伝送が可能となる。
(3) PDS方式は，電源供給を受けて動作する多重化装置を光ファイバの分岐点に設置し，そこからスター状に複数の視聴者宅へ分配する方式である。
(4) SS方式は，CATV局と視聴者宅との間を1対1で光ファイバにより接続する方式である。

正解：(3)

解説　PDS方式は、Passive Double Starつまり電源供給を受けずに受動的（パッシブ）に動作する光多重化装置を分岐点に設置した方式を意味している。

STB(Set Top Box)

CATVの視聴において、ケーブルによって伝送されてきた放送波はSTB（Set Top Box）と呼ばれる専用チューナを用いて放送を視聴する。STBには、受信したい信号を抽出するチューナ回路のほか、スクランブルを解除するCASカードのインターフェース、映像信号や音声信号をモニタに送り出すHDMI端子などが設けられている。

例題4-33　令和2年度1級電気通信工事施工管理技術検定（学科）問題A（選択）〔No.39〕 

デジタルCATVの受信機であるSTB（Set Top Box）に関する記述として，**適当でないもの**はどれか。

(1) スクランブルの解除に使用されるCASカードを装着するためのCASカードインタフェースを装備している。
(2) 地上デジタルテレビ放送，BSデジタル放送，110度CSデジタル放送は，パススルー方式で再放送された64QAM又は256QAMの変調信号を受信する。
(3) 映像信号と音声信号をテレビにデジタルで出力するためのインターフェースには，HDMI端子がある。
(4) 受信信号は，チューナで選択された後，変調信号の復調，スクランブルの解除，希望番組の選択，映像復号処理及び音声復号処理を行い，テレビに出力する。

正解：(2)

解説　パススルー方式ではなく、トランスモジュレーション方式が正しい記述である。

例題4-34　令和元年度 2級電気通信工事施工管理技術検定（学科・後期）問題（選択）〔No.29〕

CATVにおける地上デジタルテレビ放送の伝送方式に関する記述として，**適当でないもの**はどれか。

(1) 伝送方式には，「トランスモジュレーション方式」と「パススルー方式」がある。
(2)「トランスモジュレーション方式」とは，受信した電波をケーブルテレビに適した変調方式に変換して伝送する方式である。
(3)「パススルー方式」とは，受信した電波の変調方式を変えずに伝送する方式である。
(4)「パススルー方式」は，同一周波数パススルー方式のみである。

正解：(4)

解説　(4) 同一周波数パススルー方式は、地上デジタルテレビ放送の周波数の電波をそのまま伝送する方式だが、周波数を変換して伝送する周波数変換パススルー方式も使用されている。

4.21 伝送線路

無線通信においては、送受信機とアンテナの間を電線で結ぶ必要がある。この電線を伝送線路と呼ぶが、伝送線路は、その物理的形状によって決まる特性インピーダンスを持ち、送受信機側・アンテナ側とも、その特性インピーダンスと整合させないと信号の反射が生じ、エネルギーが無駄になる他、送信回路の破損などが起きることもある。

(1) 同軸ケーブル

同軸ケーブルは、テレビのアンテナ線としておなじみの伝送線路である。外部導体の内径、内部導体の外径、絶縁体（誘電体）の材料によって特性インピーダンスが決定される。

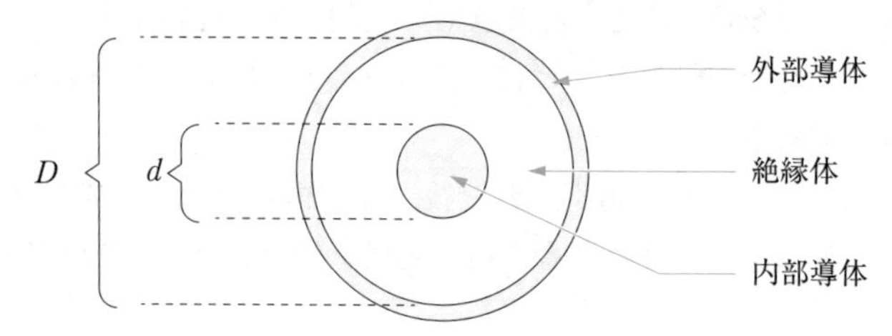

図4-19　同軸ケーブルの断面

特性インピーダンスは、絶縁体の比誘電率をε_rとして次式で求められる。

$$Z = \frac{138}{\sqrt{\varepsilon_r}} \log_{10} \frac{D}{d}$$

同軸ケーブルは、伝送する電波が外部に漏れにくく、逆に外部からの誘導妨害を受けにくいという性質を持っているから、多種多様なものが製作されて使われている。

同軸ケーブルの呼称は、次の通りである。

- **JIS規格同軸ケーブル**

(例) 3D-2V
3……絶縁体の外径 [mm]
D……特性インピーダンス。D=50Ω、C=75Ω
-
2……絶縁体の種別。2＝ポリエチレン充実型
V……構造。V＝一重外部導体編組＋PVC被覆、W＝二重外部導体編組＋PVC被覆、E＝一重外部導体編組＋PE被覆、S＝中心導体より線

この他、絶縁体に発泡ポリエチレンを用いて低損失化したFBケーブル（例：3D-FB、5D-FBなど）など数多くのものが存在している。

例題4-35　令和元年度2級電気通信工事施工管理技術検定（学科・前期）問題（選択）〔No.31〕 

高周波伝送路に関する記述として，**適当でないもの**はどれか。

(1) 特性インピーダンスが異なる2本の通信ケーブルを接続したとき，その接続点で送信側に入力信号の一部が戻る現象を反射という。
(2) 平行線路は，電磁波が伝送線路の外部空間に開放された状態で伝送されるため，外部空間の電磁波からの干渉に弱く，また，外部空間への電磁波の放射が生じるという問題が起こる。
(3) 同軸ケーブルの特性インピーダンスは，内部導体の外径と，外部導体の内径の比を変えると変化する。
(4) 同軸ケーブルの記号「3 C-2 V」の最初の文字「3」は，外部導体の概略外径をmm単位で表したものである。

正解：(4)

解説　(4) 外部導体の概略外径ではなく、絶縁体の概略外径を指している。

(2) 導波管

高周波の信号を伝送する場合、特性インピーダンスが揃っている同軸ケーブルなどを使用する必要があった。しかし周波数が数GHz～数百GHzともなると、同軸ケーブル

の伝送特性が極端に悪化したりすることがある。この対策として、金属の箱でできた筒の中を直接電波が伝搬するようにした伝送線路が考えられた。これを導波管といい、数GHz以上の周波数において、減衰が少ない実用的な伝送線路として広く採用されている。

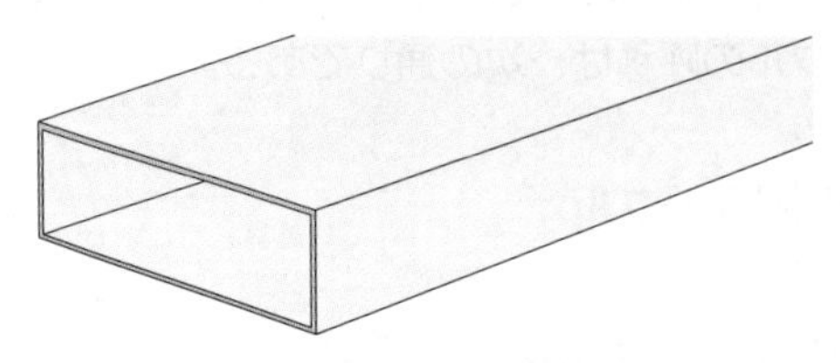

図4-20　導波管の断面図

導波管は、どんな周波数の電磁波でも伝送できるわけではなく、構造により決定される波長よりも長い波長の電磁波は通ることができず、これを遮断波長と呼んでいる。また、導波管内を伝搬する電磁波の電界と磁界の分布状況には複数の種類が存在し、それらをモードと呼んでいる。

方形導波管の縦・横の定義と、代表的な伝搬モードは次の通りである。

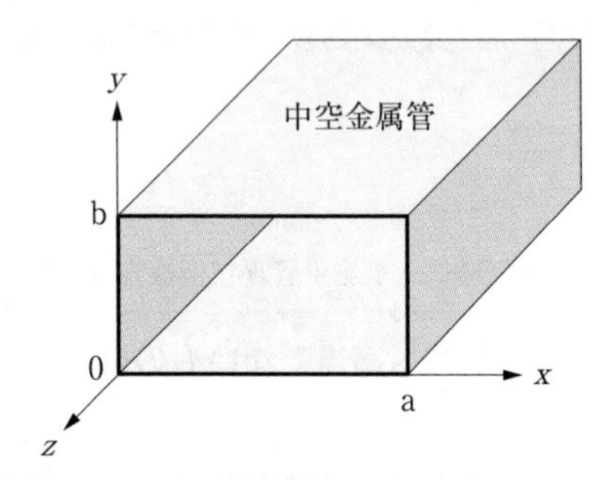

図4-21　方形導波管の縦・横の定義

表4-3　代表的な伝搬モード

モード名	モード次数		遮断波長 λc
	n（x方向）	m（y方向）	
TE_{10}	1	0	2a
TE_{20}	2	0	a
TE_{01}	0	1	
TE_{11}	1	1	0.894 a
TM_{11}	1	1	

電子情報通信学会「知識ベース」
©電子情報通信学会2010（https://www.ieice-hbkb.org/files/09/09gun_07hen_03.pdf）より引用。

最も多く用いられる伝搬モードはTE_{10}モードであり、これを基本モードと呼んでいる。

サーキュレータ

サーキュレータはレーダシステムなどに多く用いられる装置で、方向性結合器とも呼ばれている。内部構造と原理は、三方から結合された導波管の中心に強力なフェライト磁性体を置き、この磁性体による磁界で電磁波の進行方向を曲げている。サーキュレータは下図のような記号で表される。

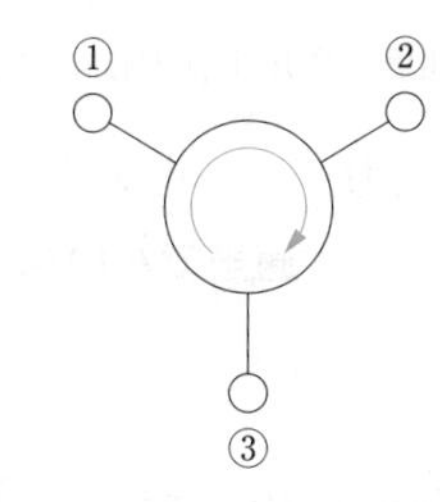

図4-22　サーキュレータの図記号

サーキュレータは、次のような機能を持っている。

- ①から入力された信号は、②に伝達される。
- ②から入力された信号は、③に伝達される。
- ③から入力された信号は、①に伝達される。

つまり、送信回路を①に、アンテナを②に、受信回路を③に接続することにより、1つのアンテナを送受信共用としつつ、送信回路の信号が受信回路に入り込まないようにすることができるわけである。

(3) 電圧反射係数とVSWR

同軸ケーブルや導波管などの伝送線路は固有の特性インピーダンスを持ち、インピーダンスの不整合があると反射波が発生してしまう。インピーダンス不整合の程度を定量的に把握する必要があるため、VSWRという値を用いることにしている。VSWRは、Voltage Standing Wave Ratioの頭文字で、電圧定在波比と訳する。これは、伝送線路上で進行方向に進む波の電圧と、インピーダンス不整合により反射して戻ってきた波の電圧から、次のような計算式で求める。

- 電圧反射係数 $\rho = \dfrac{V_2}{V_1} = \dfrac{Z - Z_0}{Z + Z_0}$
- $\mathrm{VSWR} = \dfrac{1+|\rho|}{1-|\rho|}$

ここで、V_1は進行波の電圧、V_2は反射波の電圧である。もし完全にインピーダンス整合が取れていれば（$Z = Z_0$）反射波はゼロとなり、電圧反射係数はゼロである。このときVSWRは1となる。インピーダンスの不整合が生じると反射波の電圧は大きくなり、進行波と反射波の電圧が同一（100%反射して戻ってくる）のとき電圧反射係数は1、VSWRは∞となる。これをまとめると、

• 電圧反射係数は、0が最良、1が最悪で、0～1の間の値を取る
• VSWRは、1が最良、∞が最悪で、1～∞の間の値を取る

となる。

例題4-36　令和元年度2級電気通信工事施工管理技術検定（学科・前期）問題（選択）〔No.4〕 

無線通信において，アンテナの入力インピーダンスと給電線の特性インピーダンスの整合が必要となる理由に関する記述として，**適当でないもの**はどれか。

(1) 効率の良い送受信ができなくなる。
(2) 送信機の電力増幅回路の動作が不安定になる。
(3) 電波障害の発生原因となる。
(4) 受信機の選択度の低下原因となる。

正解：(4)

解説　アンテナの入力インピーダンスと給電線の特性インピーダンスが整合しないと、送信した信号の一部が反射して送信機側に戻ることにより、効率が悪化したり、送信機の回路の動作が不安定になったり、給電線に生じる定在波によって不要な輻射が発生することで電波障害の原因になったりする。受信機の選択度は、受信回路の帯域フィルタによって決定されるため、特性インピーダンスの不整合とは関係ない。

例題4-37　令和3年度1級電気通信工事施工管理技術検定（第一次）問題A（選択）〔No.23〕 

定在波に関する記述として，**適当でないもの**はどれか。

(1) 伝送線路の負荷側を短絡あるいは開放した場合の電圧定在波比は0となる。
(2) 伝送線路に，伝送線路の特性インピーダンスと異なる負荷を接続した場合は，負荷において反射が起こり伝送線路に定在波が発生する。
(3) 伝送線路に発生する定在波の電圧の最大値を伝送線路に発生する定在波の電圧の最小値で割った値を電圧定在波比という。
(4) 伝送線路に，伝送線路の特性インピーダンスと同じ値の負荷を接続した場合の電圧定在波比は1となる。

正解：(1)

解説　負荷を短絡もしくは開放した場合、電圧定在波比は無限大となる。(2)～(4)はいずれも正しい記述である。

4.22 アンテナ

無線通信を行うためにはアンテナが必須となる。現在使用されている主なアンテナとしては次のようなものがある。

(1) アイソトロピックアンテナ

アイソトロピックアンテナは、様々なアンテナの利得基準となるものである。これは3次元空間周囲に完全に均等に電力を放射するアンテナであるが、現実的にはアンテナそのものの物理的構造があるため、全方向に均等に電力を放出するアンテナを作ることはできない。しかし、そのようなアンテナが存在するという理論上の計算を行うことはできる。

あるアンテナの、アイソトロピックアンテナに対する利得は「絶対利得」と呼ばれ、「dBi」という単位を用いる。

(2) ダイポールアンテナ

ダイポールアンテナの語源は、ダイ＝2つの、ポール＝極という意味で、給電点から2本の電線を横に伸ばしただけの形状をしている。送受信する電波の波長をλとすると、片側のエレメントがλ/4で全長としてはλ/2の長さとなる。

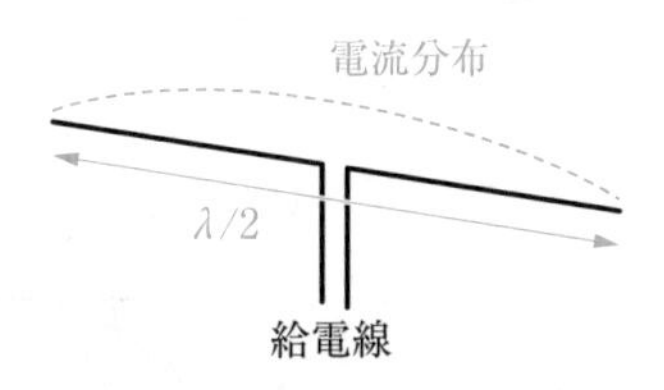

図4-23　ダイポールアンテナ

ダイポールアンテナの入力インピーダンスは約73Ωで、平衡給電する。指向性は、水平に設置したときは水平面・垂直面ともに8の字特性で、垂直面に設置したときは無指向性。なお、アンテナを上から見た指向性を水平面指向性、横から見た指向性を垂直面指向性と呼ぶ。

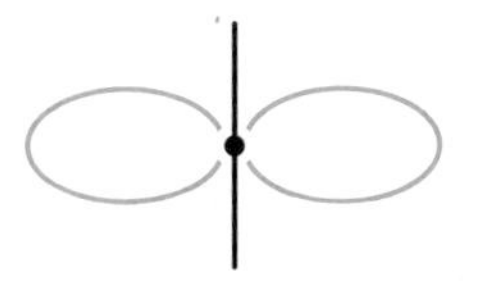

図4-24　ダイポールアンテナを水平に設置し、上から見たときの指向特性

亜種として、2本の線を折り返した形のフォールデッドダイポールアンテナも存在する。

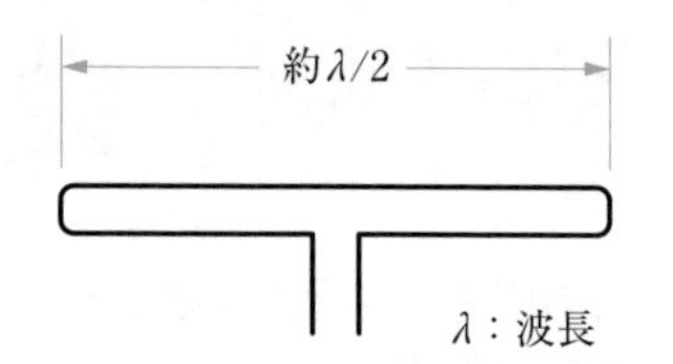

図4-25　フォールデッドダイポールアンテナ

フォールデッドダイポールアンテナの利得や指向性は普通のダイポールアンテナと同一で、入力インピーダンスは約300Ω。

このアンテナは、実際に製作することができるアンテナとしては最も単純なものなので、多種多様なアンテナの利得を測定する際の基準アンテナとしても用いられている。アイソトロピックアンテナに対して＋2.15dBの利得を持つ。

(3) ブラウンアンテナ

ブラウンアンテナは、別名グラウンドプレーンアンテナとも呼ばれ、同軸ケーブルからダイポールアンテナに給電するλ/4のエレメントを、一方は垂直に伸ばし、他方は横に広げた形としている。このような形にすることで、グラウンド側のエレメントは接地線と同様に働き、物理的形状も不平衡になるため同軸ケーブルからそのまま直結給電できるという特徴を持つ。インピーダンスは約37Ωで、50Ω系同軸ケーブルは整合回路なしで直接給電してもほとんど問題ない。水平面内無指向性であるため、移動体向けの基地局用アンテナなどに広く用いられている。

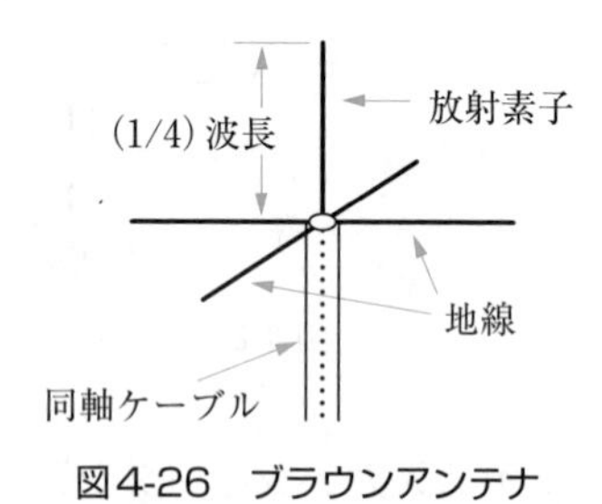

図4-26　ブラウンアンテナ

(4) スリーブアンテナ

スリーブアンテナは、ブラウンアンテナの地線を筒状の金属棒に置き換え、同軸ケーブルを覆う形にしたものである。指向性などの特徴はブラウンアンテナとほぼ同等で、給電インピーダンスが約73Ωとなり、75Ω系同軸ケーブルから整合回路なしで直結給電できるという特徴を持つ。

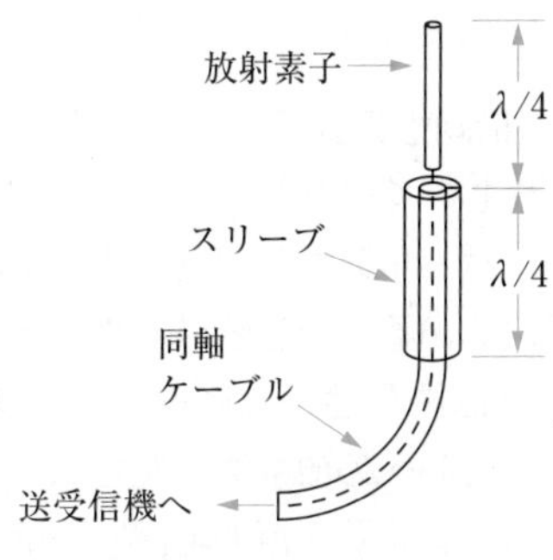

図4-27　スリーブアンテナ

(5) コリニアアレイアンテナ

ダイポールアンテナを垂直に配置して同相で給電した場合、放射される電波の位相が合成されて利得を上げることができ、多段積み重ねるほど利得が向上する。これをコリニアアレイアンテナと呼び、ブラウンアンテナの上部エレメントとしてスリーブアンテナを上下に連結したような構造のものが多く使われている。

(6) コーナーリフレクタアンテナ

ダイポールアンテナから$\lambda/2$離した背後にV字型の金属製反射板を置けば、ちょうど人間が合わせ鏡を覗き込んだときと同じように、反射板の背後に3個の鏡像アンテナが配置されたものと同等の効果を発揮し、指向性と利得を持たせることができる。開き角が90°のとき、横方向などへの副放射が最も少なく、アンテナ正面に向けての単一指向特性を持つ。

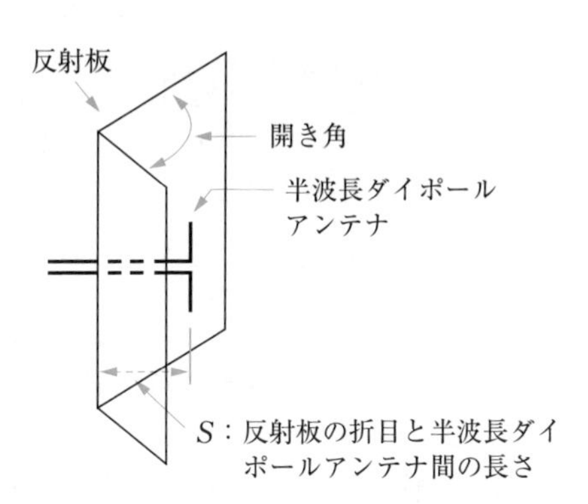

図4-28　コーナーリフレクタアンテナ

(7) 八木・宇田アンテナ

VHF・UHF帯の指向性アンテナとして最も広く利用されるもので、発明者の名前を取って八木アンテナもしくは八木・宇田アンテナと呼ばれている。構造は単純で、放射器として通常のダイポールアンテナを置き、その前面に全長が短い導波器、背面に全長が長い反射器を置いている。導波器は容量性インピーダンスすなわち電流の位相を進める働きをし、反射器は誘導性インピーダンスすなわち電流の位相を遅らせる働きをする。その結果、反射器側への放射は抑制され、導波器側に電波が導かれ、導波器側への単一指向性が現れる。導波器を複数配置するほど指向性が強くなる。

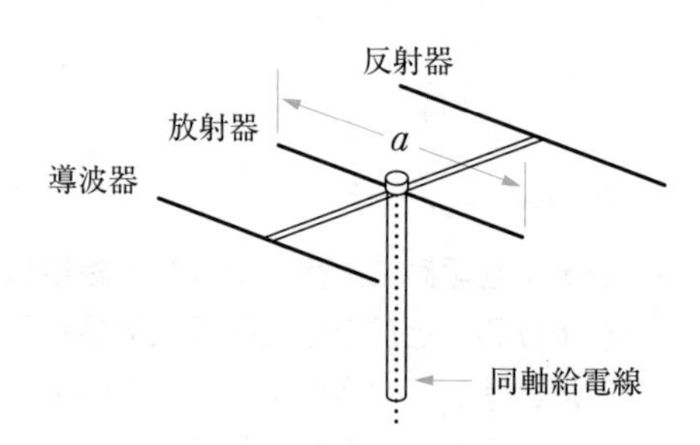

図4-29　八木・宇田アンテナ

(8) パラボラアンテナ

マイクロ波用アンテナとして多用されているパラボラアンテナは、ホーンアンテナなどの一次放射アンテナ（放射器）と、そこから放出された電磁波を反射して一方向に集中的なビームを形成する反射鏡から構成されている。

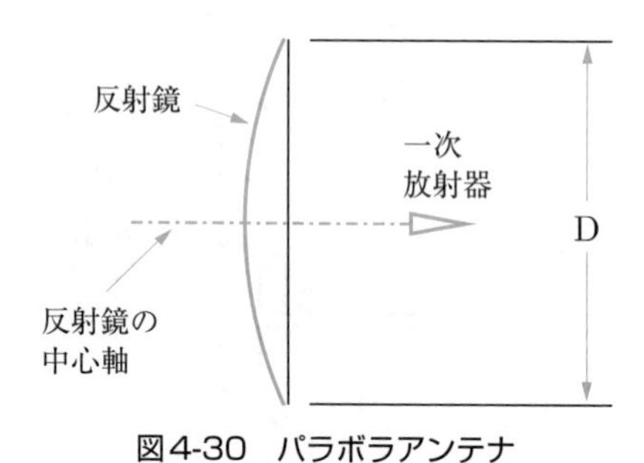

図4-30　パラボラアンテナ

このアンテナは、反射鏡の直径Dが大きいほど、そして使用するマイクロ波の波長が短いほど先鋭なビームとなって強力な指向性を持つ。パラボラアンテナの派生形として、次のような種類のものもある。

オフセットパラボラアンテナ

フルサイズのパラボラアンテナのうち一部分を切り取り、一次放射器をオフセットさせて配置したものをオフセットパラボラアンテナと呼んでいる。

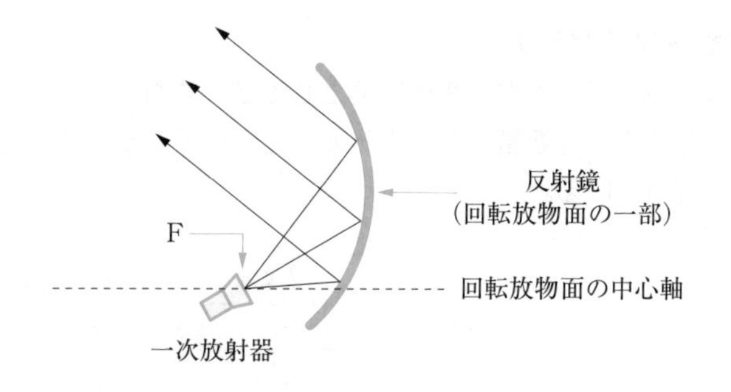

図4-31　オフセットパラボラアンテナ

このアンテナは、利得こそフルサイズのパラボラアンテナよりも落ちるものの小型軽量に作ることができるため、電界強度が十分に得られる環境であれば実用になる。VSATシステムの地球側子局のアンテナとしても広く利用されている。

カセグレンアンテナ

一次放射器を主反射鏡側に配置するため、回転双曲面を持つ副反射鏡を配置し、放射された電磁波を合計２回反射させてビームを形成するもの。こうすることで、一次放射器に接続される導波管がビームの中を横切ることによる散乱や減衰などを抑えることができるため、大型のパラボラアンテナの主形式として多用されている。

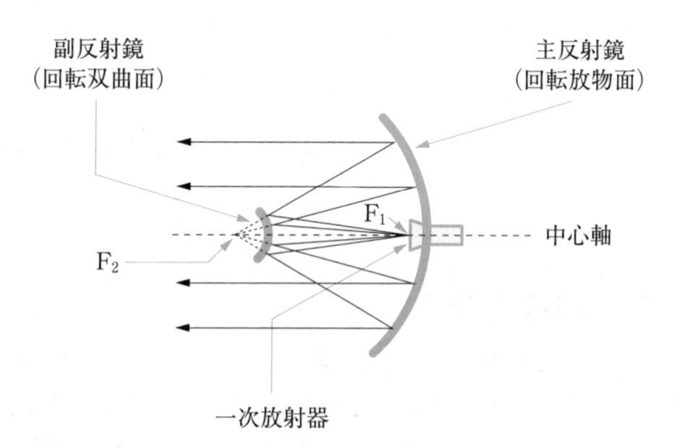

図4-32　カセグレンアンテナ

なお、パラボラアンテナの利得は、次の計算式で求めることができる。

$$G=\frac{4\pi A}{\lambda^2}\times\eta$$

G：絶対利得（真数値）　A：反射鏡の開口面積　λ：電波の波長　η：開口効率

電磁ホーンアンテナ

パラボラアンテナの一次放射器として多用されるもので、導波管の**端部を徐々に広げた形状**を持ち、導波管内を伝搬してきた電磁波がそのまま空間に放射されていくような構造となっている。

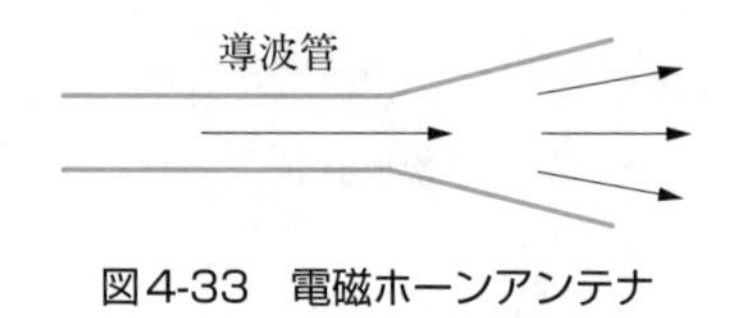

図4-33　電磁ホーンアンテナ

ホーンの長さが長い（開き角が小さい）ほど、放射される電磁波は平面波に近づく。

ホーンレフレクタアンテナ

電磁ホーンアンテナの**開口部に反射板を設け、一方向に指向性を持たせたもの**。単体のアンテナとして用いられる他、反射鏡アンテナなどの一次放射器としても用いられる。

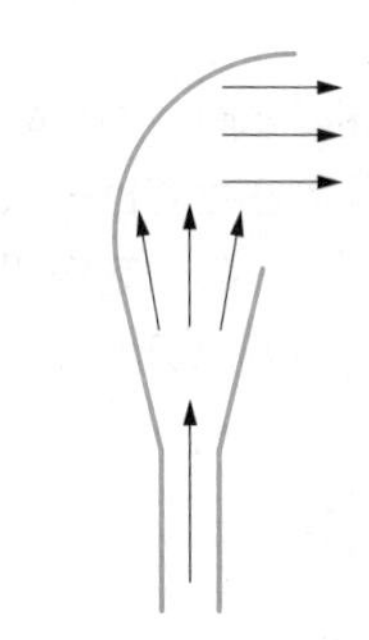

図4-34　ホーンリフレクタアンテナ

(9) スロットアンテナ

方形導波管の側面に、管内波長λ_g**の半分の距離**ごとに互い違いのスリットを設けたもので、マイクロ波用の高性能なアンテナとして動作する。スロットが多ければ多いほど一方向に鋭いビームを放射するようになり、高利得が得られる。

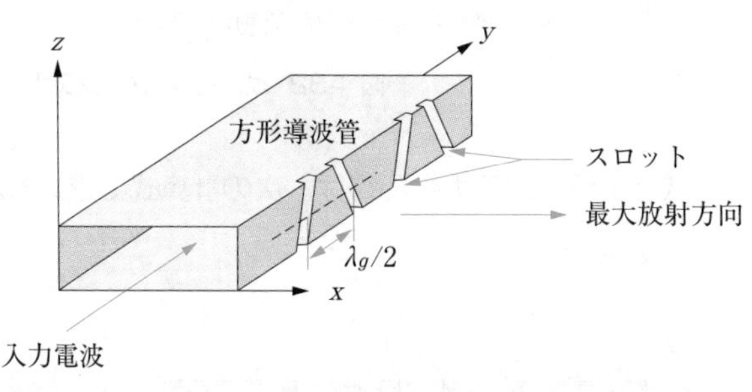

図4-35　スロットアンテナ

例題4-38　令和4年度1級電気通信工事施工管理技術検定（第一次）問題A（選択）〔No.25〕 

無線通信で使用するアンテナに関する記述として，**適当なもの**はどれか。

(1) オフセットパラボラアンテナは，回転放物面の主反射鏡，回転双曲面の副反射鏡，1次放射器で構成されたアンテナである。
(2) 八木アンテナは，導波器，放射器，反射器からなり，導波器に給電する。
(3) ブラウンアンテナは，同軸ケーブルの内部導体を1/4波長だけ上に延ばして放射素子とし，同軸ケーブルの外部導体に長さ1/4波長の地線を放射状に複数本付けたものである。
(4) スリーブアンテナは，同軸ケーブルの内部導体を1/8波長だけ上に延ばして放射素子とし，さらに同軸ケーブルの外部導体に長さが1/8波長の円筒導体をかぶせたものである。

正解：(3)

解説　(1) はカセグレンアンテナに関する記述、(2) は放射器に給電、(4) は1/8波長ではなく1/4波長が正しい記述である。

例題4-39　令和元年度1級電気通信工事施工管理技術検定（学科）問題A（選択）〔No.26〕 

パラボラアンテナ取付架台に関する記述として，**適当でないもの**はどれか。

(1) パラボラアンテナ取付架台と鉄塔本体の接合部は，風荷重や地震荷重を受けた際にパラボラアンテナ取付架台が移動する構造とする。
(2) パラボラアンテナ取付架台の応力解析は，平面解析，又は立体解析の方式により行う。
(3) パラボラアンテナ取付架台は，主に風荷重及び地震荷重を考慮して設計する。
(4) パラボラアンテナ取付架台を鉄塔リング以外に取付ける場合は，鉄塔本体の架台取付部材についての構造計算を行う。

正解：(1)

解説　パラボラアンテナは極めて鋭い指向性を持っている。風荷重などで取付架台が動いてしまうと指向性が狂い、通信品質が劇的に劣化したり通信ができなくなったりしてしまうので、簡単に移動するようでは問題である。

4.23 マイクロ波の中継システム方式

大容量デジタル通信が急激に発展した現代においては、通信メディアとして光ファイバを用いるのが主流となった。しかし、離島間の通信や電力会社・鉄道会社などの通信、放送局のスタジオから送信所までのバックアップ回線など、電波を利用した中継回線も依然として重要な役割を担っている。

電波は長距離を伝わる間に減衰する他、マイクロ波帯の電波は直進性が強く、山などの障害物の裏に回り込まない性質を持っているから、場合によっては途中に中継局を置く必要が生ずる。マイクロ波の中継方式には、以下のようなものがある。

- 直接中継方式

受信した電波を増幅し、周波数混合器によって若干周波数を可変し、それを電力増幅して送信アンテナから送り出す方式である。この方式は小さな受信信号を大きく増幅するため低雑音・高利得の増幅回路が必要となる。また、豪雨や豪雪などの条件により中継局の受信信号に雑音が大きくても（S/N比が悪くても）、原理的にそれを挽回することは不可能である。

- ヘテロダイン中継方式

受信した電波を、いったん低い周波数に変換して安定に増幅したのち、再びマイクロ波などの周波数に変換して増幅し送り出す方式である。「ヘテロダイン」とは、受信波と局部発振信号を混合して周波数変換を行ってから信号処理を行う方式のことである。スーパーヘテロダイン方式の受信機もこれを利用したものである。信号を混合する際、原理的に2つの周波数の和と差が得られてしまうので、フィルタ回路でどちらか一方を取り出している。

- 再生（検波）中継方式

受信した電波を完全に復調し、ベースバンド信号を取り出してしまう方式である。そのうえで、波形が乱れていれば波形整形などを行う他、重畳されている複数の通信のうち一部を取り出したり、新たに挿入したりすることも可能である。このようにして次の中継局に送る信号を生成したのち、変調器で信号をマイクロ波に載せ、増幅して送信するものである。

- 無給電中継方式

山岳の陰になるなどして直接電波が届かない場合、山頂付近に金属製の反射板を設置することで、鏡と全く同じ原理で中継を行うものである。

- 二周波中継方式

マイクロ波の中継回線を構築する場合、通常行きと帰りで別々の周波数を使用して双方向通信を行うが、周波数の有効利用の観点から中継局間で交互に周波数を利用する方式が採用されることがある。これを二周波中継方式と呼ぶ。

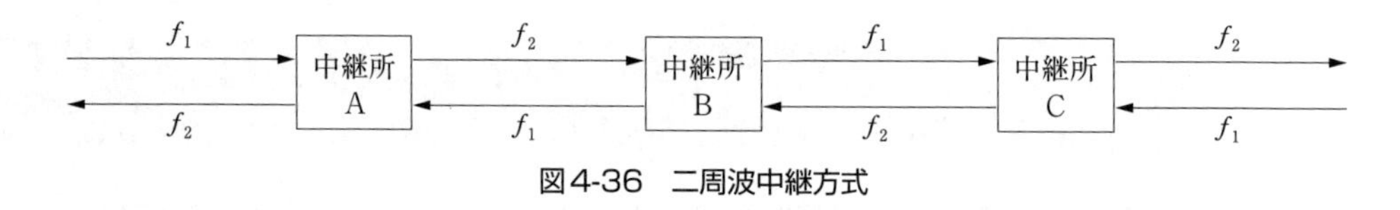

図4-36　二周波中継方式

欠点として、ラジオダクトなどの異常伝搬が発生した際、中継所を飛び越えてその先の中継所まで電波が到達してしまうオーバーリーチ現象によって混信が発生してしまう点が挙げられる。これを防止するため、中継所の配置を地理的にずらすという対策が有効である。

例題4-40　令和4年度 1級電気通信工事施工管理技術検定（第一次）問題A（選択）〔No.23〕

下図に示すマイクロ波通信の無線回線において，2つの周波数だけで無線回線を構成する，2周波中継方式の周波数配置に関する記述として，**適当でないもの**はどれか。

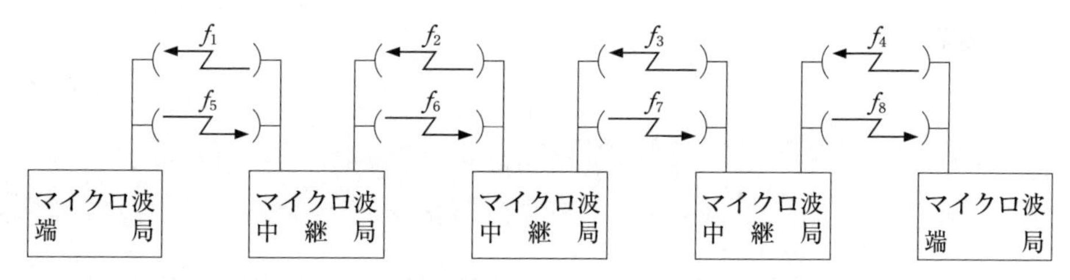

(1) 周波数f_1と周波数f_6は，同じ周波数である。
(2) 周波数f_1と周波数f_8は，同じ周波数である。
(3) 周波数f_2と周波数f_4は，同じ周波数である。
(4) 周波数f_3と周波数f_5は，同じ周波数である。

正解：(4)

解説　二周波中継方式の原理から、$f_1 = f_3 = f_6 = f_8$、$f_2 = f_4 = f_5 = f_7$となる。これに当てはまらない選択肢は（4）となる。

例題4-41　令和2年度 1級電気通信工事施工管理技術検定（学科）問題A（選択）〔No.8〕

下図に示す方形導波管のTE_{01}波の遮断周波数［GHz］として，**適当なもの**はどれか。
なお，方形導波管の遮断波長λ_c［m］は次式で与えられるものとし，ここでは電磁波の速度を3×10^8［m/s］として計算するものとする。

$$\lambda_c = \frac{2}{\sqrt{\left(\frac{m}{a}\right)^2 + \left(\frac{n}{b}\right)^2}}$$

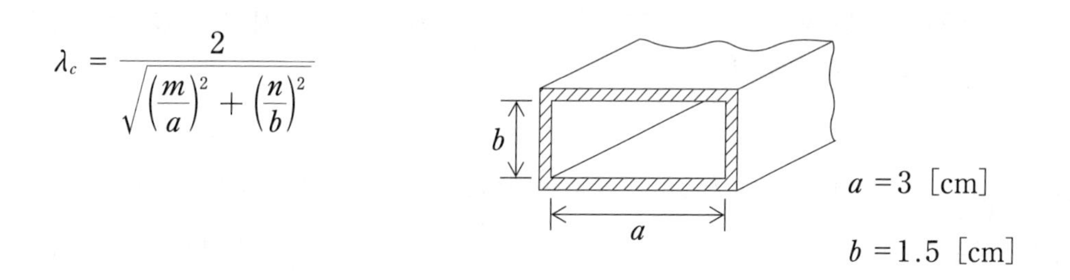

(1) 1［GHz］　(2) 3［GHz］　(3) 5［GHz］　(4) 10［GHz］

正解：(4)

解説　題意の式に値を代入して計算する。なお、伝搬モードはTE_{01}ということから、m=0、n=1として計算する。

$$\lambda = \frac{2}{\sqrt{\left(\frac{0}{0.03}\right)^2 + \left(\frac{1}{0.015}\right)^2}} = 0.06$$

これより電磁波の波長は0.06mと求められるが、回答は周波数を求めているため、

$$f = \frac{c}{\lambda} = 10\left[\mathrm{GHz}\right]$$

となる。

4.24 電波伝搬

空中や宇宙空間を伝搬する電波は、基本的には見通し距離を伝搬する。しかし、単純な幾何学的見通し距離ではなく、大気の屈折率変化による影響の他、建物や山岳などによる反射・屈折・回折など様々な要因による影響を受ける。

例題4-42　令和元年度 2級電気通信工事施工管理技術検定（学科・後期）問題（選択）〔No.04〕 

マイクロ波帯（3GHz ～ 30 GHzの周波数帯）の電波の大気中での減衰に関する記述として，**適当でないもの**はどれか。

(1) 降雨，降雪，大気（水蒸気，酸素分子），霧などによる減衰を受ける。
(2) 降雨による減衰は，周波数が高いほど小さい。
(3) 降雨による減衰は，水蒸気による減衰より大きい。
(4) 降雨域では，雨滴による散乱損失や雨滴の中での熱損失により減衰する。

正解：(2)

解説　(2) 周波数が高くなるほど波長が短くなり、雨粒の大きさに対して波長が無視できなくなるため減衰率が大きくなる。

例題4-43　令和元年度 1級電気通信工事施工管理技術検定（学科）問題A（選択）〔No.08〕 

自由空間上の距離$d = 25$[km] 離れた無線局A，Bにおいて，A局から使用周波数$f = 10$[GHz]，送信機出力1[W] を送信したときのB局の受信機入力 [dBm] の値として，**適当なもの**はどれか。ただし，送信及び受信空中線の絶対利得は，それぞれ40[dB]，給電線及び送受信機での損失はないものとする。
なお，自由空間基本伝搬損失L_0は，次式で与えられるものとし，dはA局とB局の間における送受信空中線間の距離，λは使用周波数の波長であり，ここでは$\pi = 3$として計算するものとする。

$$L_0 = \left(\frac{4\pi d}{\lambda}\right)^2$$

(1) − 70 [dBm]　(2) − 60 [dBm]　(3) − 30 [dBm]　(4) 40 [dBm]

正解：(3)

解説 伝搬損失を求める式が与えられているので、これに則って計算して求める。まず10GHzの電波の波長は、光速を$c\left(=3\times10^{8}\right)$、周波数を$f$として$\lambda=\dfrac{c}{f}$より0.03mと求められるので、これを式に代入すると

$$L_0=\left(\frac{4\times3\times25000}{0.03}\right)^2=1\times10^{14}$$

となる。これは伝搬損失の真数なので、dBにすると−140dBである。一方、送受信アンテナによる利得も勘案すると、送受信機間での伝達損失は、

$$-140+40+40=-60\ [\mathrm{dB}]$$

と求められる。ここで、送信出力は1Wなので、これをdBmに直すと+30dBmとなり、したがって受信端子における信号強度は

$$+30-60=-30\ [\mathrm{dBm}]$$

となり、答えは（3）となる。

例題4-44　令和4年度１級電気通信工事施工管理技術検定（第一次）問題A（選択）〔No.26〕

マイクロ波通信を行う無線局であるA局とB局の間において，A局から送信機出力1［W］で送信したときのB局の受信機入力電力［dBm］の値として，**適当なもの**はどれか。
ただし，A局の送信空中線及びB局の受信空中線の絶対利得はそれぞれ35［dBi］，A局における送信空中線から送信機までの給電線の損失及びB局における受信空中線から受信機までの給電線の損失はそれぞれ無いものとし，A局とB局の間の自由空間基本伝搬損失は120［dB］とする。

(1) －160［dBm］
(2) －90［dBm］
(3) －20［dBm］
(4) 80［dBm］

正解：(3)

解説 A局からの送信機出力1[W]をdBmに換算すると、1W＝1000mWの換算から、＋30dBmと求められる。また、アンテナの利得や伝搬損失の合計は、＋35＋35－120＝－50[dB]であるから、A局の送信機出力部分からB局の受信機入力までの総合利得は－50dBであることが分かる。
したがって、＋30[dBm]－50[dB]＝－20[dBm]と求められる。

4.25 各種測定器

電圧や電流などの他、信号の周波数や高周波電力、符号誤り率など、測定器を用いないと求められない値は多い。その中でも、特に無線機器の調整や測定などで用いられる測定器には次のようなものがある。

(1) デジタルマルチメータ

電圧・電流・抵抗値などは、従来は針式のアナログテスタで測定していたが、近年は高性能なデジタルマルチメータに取って代わられている。特徴は次の通り。

- A/D変換回路、増幅回路、クロック信号発生回路、計測回路、信号処理ICなどから成り、被測定値をデジタル数値で直読できる。
- 電圧測定時、マルチメータの入力インピーダンスが非常に高いため、被測定回路にほとんど影響を与えずにほぼ真値を知ることができる。
- 交流電圧、交流電流、交流電力などを測定できるものもある。この場合、被測定値は二重積分回路などを利用して直流電圧に換算し、デジタル直読表示している。
- アナログテスタと異なり、内蔵の電池が消耗すると全ての機能が動作しない。

(2) 周波数カウンタ

高周波信号の周波数を知るため、デジタル式で周波数が直読できる周波数カウンタが広く利用されている。周波数カウンタの原理は次の通り。

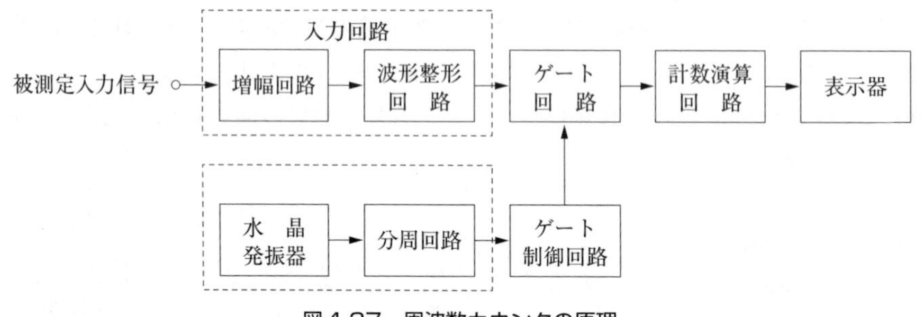

図4-37　周波数カウンタの原理

- 被測定信号は、増幅・波形整形を経て、信号周波数に比例した数のパルス信号となる。
- 水晶発振器は極めて正確な周波数を発振し、分周回路で正確なタイミング信号を生成する。
- ゲート制御回路は、正確なタイミング信号に合わせてゲート回路を駆動し、ある一定時間だけパルス信号を通過させる役割を持つ。
- 計数演算回路は、ゲート回路を通過してきたパルスの数を数えて表示器に送り、数値として表す。

例えば1秒間に50回のパルスがゲート回路を通過したとすると、被測定入力信号の周波数が50Hzと求まる。もしゲート制御信号が0.1秒間だけ出力され、その間に2000回のパルスがゲート回路を通過したとすれば、被測定入力信号は20kHzであることが分かる。このようにして周波数を直読する。

(3) オシロスコープ

横軸に時間、縦軸に入力信号を取って画面上に点を描画し、入力信号の時間的変化を可視化する装置。通常、横軸にはのこぎり波が与えられるが、横軸・縦軸ともに交流波形を入力すると、画面上でリサジュー図形と呼ばれる図を描かせることができ、これによって縦軸と横軸に入力した波形どうしの周波数や位相の関係などを可視化することができる。

(4) スペクトラムアナライザ

横軸に周波数、縦軸にその周波数成分の大きさを表示する装置で、ある一定の周波数帯域幅にどのような成分の信号が含まれているのかを可視化することができる装置。掃引同調形スペクトラムアナライザの原理構成は次の通り。

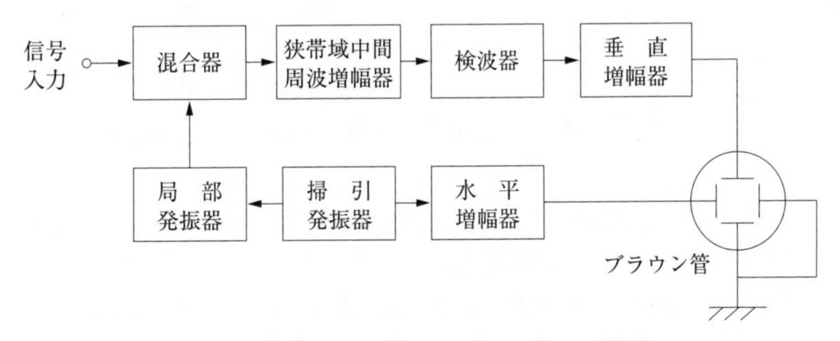

図4-38　スペクトラムアナライザの原理構成

掃引発振器は、時間とともに直線的に電圧が上昇していくのこぎり波を生成する。

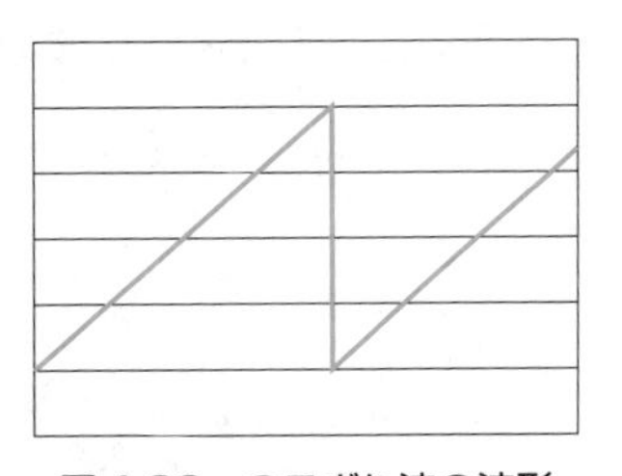

図4-39　のこぎり波の波形

局部発振器は、のこぎり波に従い、直線的・連続的に周波数が上昇していく信号を発生する。混合器は、スーパーヘテロダイン方式と同じように信号を混合し、中間周波数に変換する。中間周波に変換された信号は、狭帯域のフィルタを通った後増幅・検波され、画面の垂直方向の成分としてブラウン管に与えられる。このようにして、横軸に周波数、縦軸にその周波数に対応する成分を描くことができる。

近年は、このような複雑な構成ではなく、デジタル信号処理によって入力信号をFFT演算し、液晶画面に周波数成分を描き出すタイプの装置が広く利用されている。

(5) 基準信号発生器

各種回路の調整などのために必要な基準信号を発生させる装置。出力周波数は安定度が求められるとともに、出力振幅も設定することができるようになっているものが一般的。AMやFMなどの変調を掛けた信号が得られるようになっているものもある。

(6) カロリーメータ型電力計

高周波電力、なかでもマイクロ波の電力を測定することは容易ではないため、高周波電力を負荷に消費させ、そこで発生した熱量から電力を逆算する方式の電力計が考え出された。

カロリーメータ型電力系は、図4-40のような構成となっている。

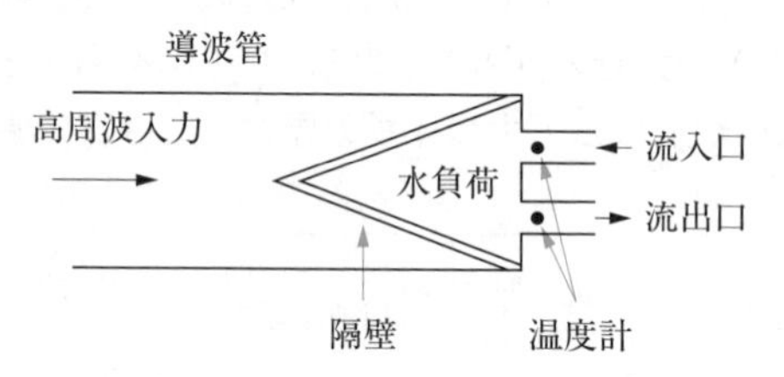

図4-40　カロリーメータ型電力計の構成

導波管を伝搬してきたマイクロ波は水を満たした負荷に吸収され、失ったエネルギーは水の温度上昇に使われることになる。このとき、水の流量と比熱、温度上昇の値からマイクロ波の電力が求まる。主として数W以上の大電力測定用として用いられる。

(7) ボロメータ電力計

ボロメータ電力計は、マイクロ波をサーミスタに消費させて熱に変え、その熱量によって変化した抵抗値を基にしてマイクロ波の電力を間接的に測定するもの。回路構成は次の通り。

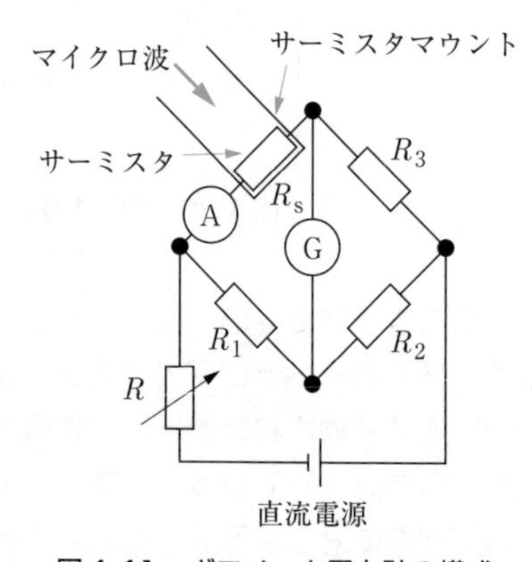

図4-41　ボロメータ電力計の構成

R_1〜R_sは直流ブリッジを構成し、ブリッジが平衡した状態、つまり$R_1 \times R_3 = R_2 \times R_S$となるように可変抵抗$R$を調整する。サーミスタに高周波電力を加えると、その発熱作用でブリッジの平衡が崩れるため、再度Rを調整してブリッジの平衡を取り、その差異から電力を求める。

(8) アイパターン測定器

デジタル無線通信の品質を定性的に可視化するために考案されたもので、横軸にデジタル信号のタイミング信号、縦軸に識別器に入力される直前のアナログ復調信号を重ねて描くもの。雑音が小さく良好な受信状態のときは中心部分の開き（目に例えてアイパターンと呼ぶ）が大きくなり、雑音や位相のずれ（ジッタ）が大きい場合はアイの開きが小さくなることで定性的な信号品質を知ることができる。

図4-42　信号品質の良好なアイパターンの例

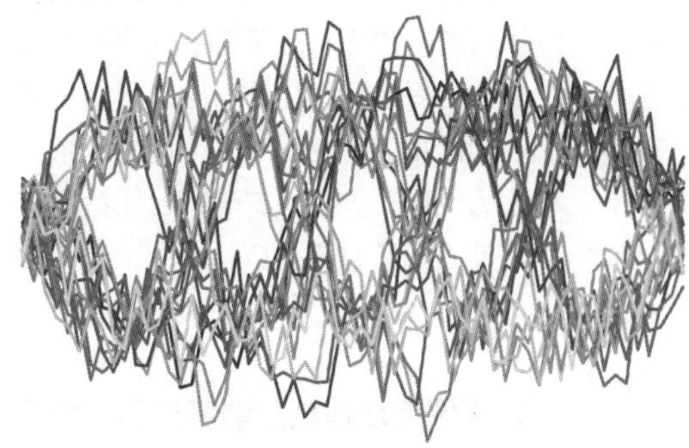

図4-43　信号品質の悪い良好なアイパターンの例

(9) ビット誤り率測定装置

デジタル無線回線の品質は、事前にある程度の机上シミュレーションは行うものの、やはり実際に設備を設置してみて稼働させてみないと分からない点が多い。そこで、実際に敷設した無線回線を使って、何ビットの伝送データに対して1ビットの割合でエラー（ビット誤り）が発生するのかを実測する必要がある。

ビット誤り率を測定するためには、あらかじめ用意したテストパターンを送信し、受信側でどれだけの誤りが発生したかを計測する。送受信点が離れている場合と隣接している場合で測定装置の構成が変わるため、双方ともに原理と構成を理解しておきたい。

送受信点が同一もしくは隣接した地点の場合

送受信点が同一もしくは隣接した地点の場合、ビット誤り率の測定構成は次のようになる。

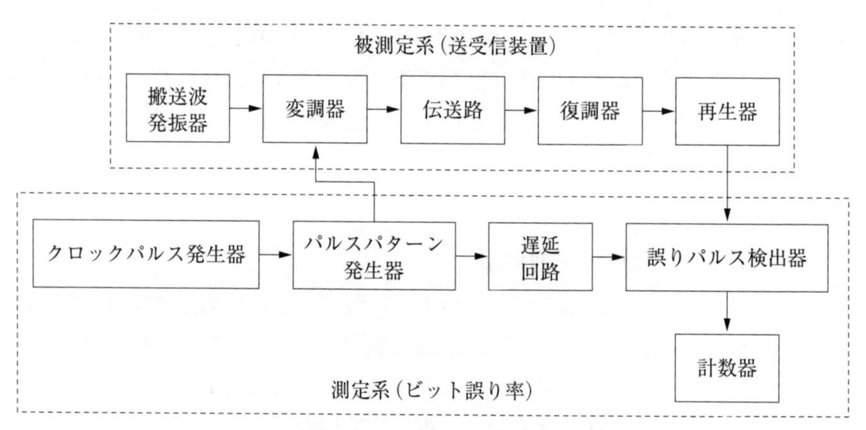

図4-44　ビット誤り率の測定構成

クロックパルス発生器は、送信するテストパターンのタイミングを生成する。これによって生成されたテストパターンは、被測定系の送信側変調器に入力される。伝送路を通って受信された信号は、復調・再生されてビットパターン列に戻される。最初に生成したパルスパターンは、**被測定系の遅延時間と同等の遅延回路**を通ったのち、再生器からの受信ビットパターンと照合され、誤りパルスが検出されればそれを計数器でカウントする。これにより、被測定系において信号が変化しエラーとなる割合を直接数値で求めることができる。

送受信点が離れた場所にある場合

送受信点が離れている場合、測定系で最初に生成したテストパターンと受信信号を直接比較することができないため、送信時に用いたものと**同一のパルスパターンを発生する装置**をもう１台用意し、受信された信号から生成したクロックを基にして生成したパルスパターンと、再生器から得られたパルスパターンを照合することで誤りパルスを検出する。

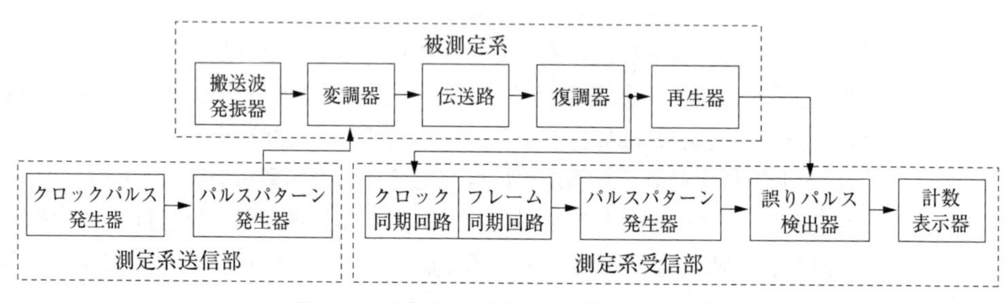

図4-45　送受信点が離れた場所にある場合

このようにして、被測定系である伝送系のエラー割合を具体的な数値で求め、その良否を判断する。

 令和3年度1級電気通信工事施工管理技術検定（第一次）問題A（選択）〔No.15〕

下図に示すデジタル周波数カウンタに関する記述として，**適当でないもの**はどれか。

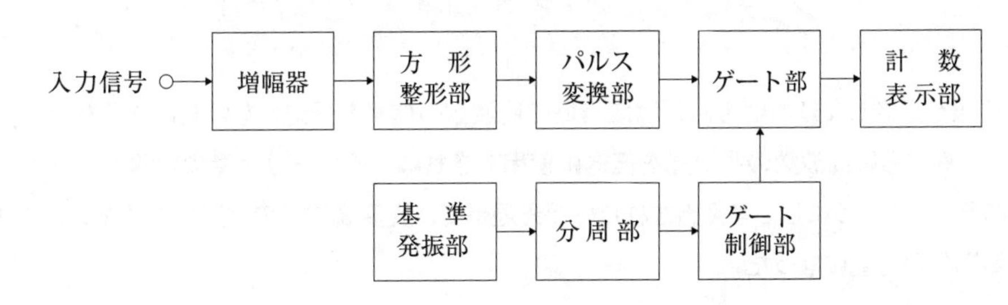

(1) ゲート部のゲート開閉時間とゲートを通過するパルスの時間的な位置関係によって計数値に＋1又は－1のカウント誤差が生じる。

(2) ゲート部のゲートを通過したパルスの数をN，ゲートが開いている時間をTとすれば，周波数fは，$f = \frac{N}{T}$ [Hz]となる。

(3) 計数表示部は，ゲート部のゲートが開いている時間に通過したパルスの数を計数し，その結果を周波数で表示する。

(4) 分周部は，基準発振部から出力された基準周波数をより高い周波数に逓倍する。

正解：(4)

解説 「分周」というのは、入力された信号の周波数を、より低い周波数に変換することを指す。入力よりも高い周波数に逓倍するのは「逓倍回路」である。

第5章 光ファイバ通信

大量の情報を伝送したければそれだけ広帯域の周波数の信号を伝送しなければならない。したがって、電波よりもさらに周波数の高い光を伝送に使用できれば、それだけ大量の情報を送ることができるわけである。このようにして考え出されたのが光通信で、光変調技術の発達により光ファイバによる高速大容量通信が可能になった。

5.1 光変調

光は非常に周波数の高い電波なので、光を変調する方法も基本的に電波と同じである。

(1) 光振幅変調

電波の振幅変調と同様、信号波で光の振幅（強度）を変調する。光の強度をデジタル的に2値で変調するパルス変調が使用されている。

(2) 光周波数変調

信号波によって光の周波数を変える方式である。原理的には可能だが、そのような変調を行う素子が存在しないため、使用されない。ただし、複数の信号を別々の周波数の光で変調し、1本の光ファイバの中を通す周波数多重（光ファイバの場合、周波数での表記はあまり用いず、光の波長を主に用いるため波長多重と呼ぶ）は広く行われている。

(3) 光パルス変調

光ファイバ通信においては、デジタル信号で光をオン・オフ制御することで信号を伝達するパルス変調が広く実用化されている。これを光パルス変調と呼んでいる。

5.2 光ファイバ

光ファイバはガラス繊維で成形され、中心部を屈折率が大きいコア、周囲を屈折率が小さいクラッドという二重構造にしてコア内に光を閉じ込めることで、長距離でも非常に伝搬損失が小さく、外部からの電磁的妨害も受けないという特徴を持った伝送線路である。

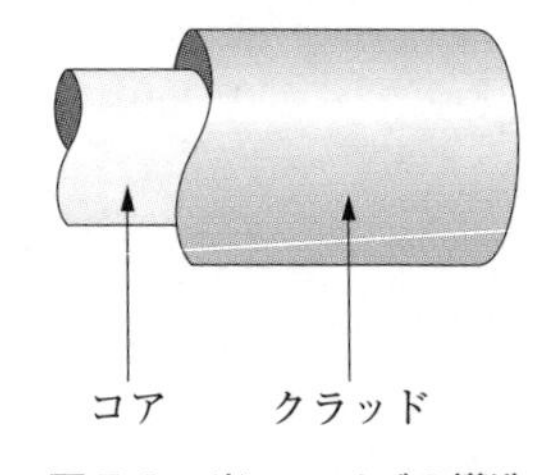

図5-1　光ファイバの構造

光ファイバの構造は大きく分けるとシングルモードと

マルチモードに分かれる。

さらに細かく分類すると、次のように分類することができる。

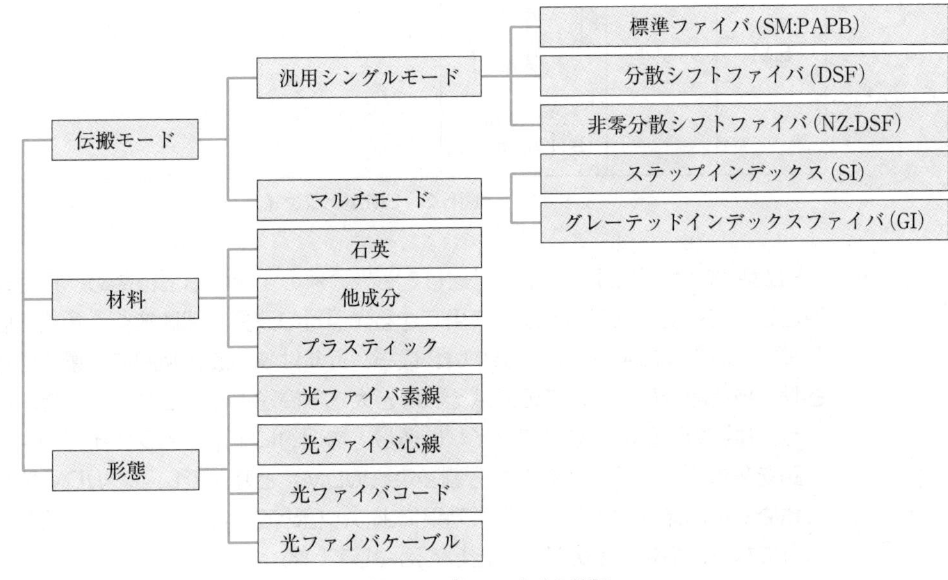

図5-2 光ファイバの分類

例題5-1 令和元年度2級電気通信工事施工管理技術検定(学科・後期)問題(選択)〔No.13〕 

光ファイバ通信の特徴に関する記述として，**適当でないもの**はどれか。

(1) メタルケーブルに比べ伝送損失が少ない。
(2) メタルケーブルに比べ伝送帯域が広い。
(3) 電磁界の影響を受ける。
(4) 波長多重により通信容量の増大が可能である。

正解：(3)

解説 (3) 光ファイバは、メタルケーブルと異なり外部からの電界や磁界の影響を受けない。

(1) SM(シングルモード)型光ファイバ

SM型光ファイバは、ファイバ内を伝搬する光の経路(モード)が1つのみのもので、コア径が非常に小さいという特徴を持つ。

光ファイバの種類
構造
光の伝搬
SM
SM型
ϕA
ϕB
A:8〜10μm
B:125μm
小
大
n2
n1
n2

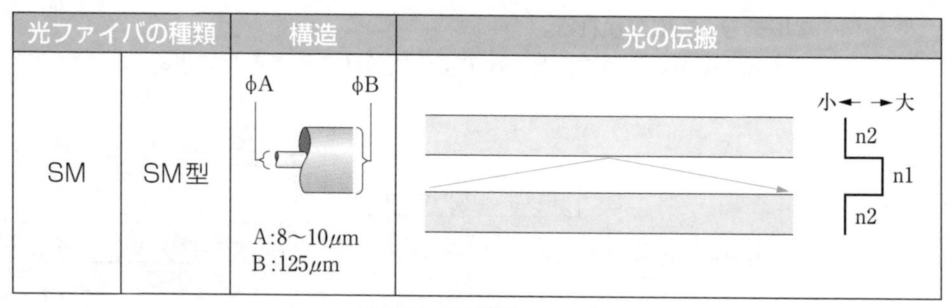

図5-3　SM型光ファイバ

SM型光ファイバは、長距離伝送しても光信号の歪みが小さいため、長距離の基幹線用として広く使われているが、使用できる光信号の波長範囲は狭く、多くの信号を波長多重するのにはあまり向いていない。最も、近年は狭い波長範囲に大量の信号を多重化させる技術開発が進み、この点はそれほど大きな問題とはならなくなった。なお、このように複数の波長の光を光ファイバに通し、物理的に１本の光ファイバの中に多数の通信路を多重化させる技術を波長分割多重（WDM）と呼んでいる。WDM技術と物理的に極めて細い光ファイバとの相乗効果により、極めて大容量の情報伝送路が実現できるようになり、情報通信の基幹線として活躍している。

(2) MM（マルチモード）型光ファイバ

MM型光ファイバは、コアが太く、コア内を伝搬する光の経路が複数存在するものである。これはさらにステップインデックス（SI）型とグレーテッドインデックス（GI）型に分類される。SI型はコアとクラッドの間の屈折率が急激に変化しているもの、GI型はコアとクラッドの間の屈折率が緩やかに変化しているため、光信号の歪みが小さくなるよう改良されているものである。

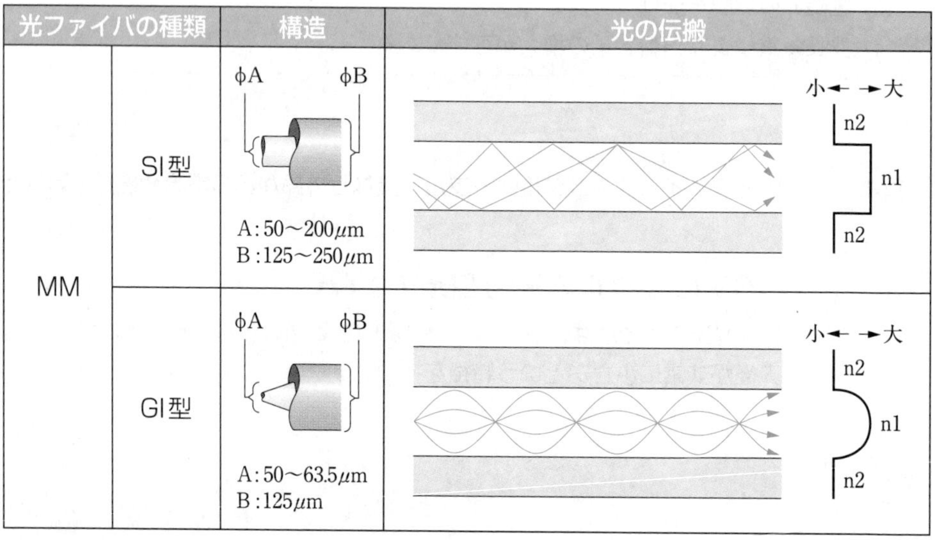

光ファイバの種類
構造
光の伝搬
MM
SI型
ϕA
ϕB
A:50〜200μm
B:125〜250μm
小
大
n2
n1
n2
GI型
ϕA
ϕB
A:50〜63.5μm
B:125μm
小
大
n2
n1
n2

図5-4　MM型光ファイバの種類

MM型光ファイバは、ファイバ内を伝搬する経路が多数あるため、複数の経路を通ってきた光どうしの伝搬経路差によって位相歪を生じるため、長距離の伝送には不向きである。

また、SM型・MM型とも、光ファイバの製作時に生じた構造の揺らぎによるレイリー散乱、異常な外圧が加わることで内部構造に歪みが生じたことによる光分散、材料であるガラス繊維の材質内不均一・微小異物混入などによる材料分散などが存在し、これらによって光信号が劣化すると伝送不良の原因となる。レイリー散乱は使用する光波長の４乗に反比例、外圧による分散は圧力の大きさに比例、材料分散は混入した異物などの割合に比例して大きくなる。

製品化された光ファイバの構造

光ファイバ単体は非常に細いガラス繊維なので、実際に敷設するにあたっては無用なテンションや外圧、浸水などが起こらないようにしなければ製品として使用することはできない。そこで、一般的に製品としては次のような構造として耐候性などを高めている。

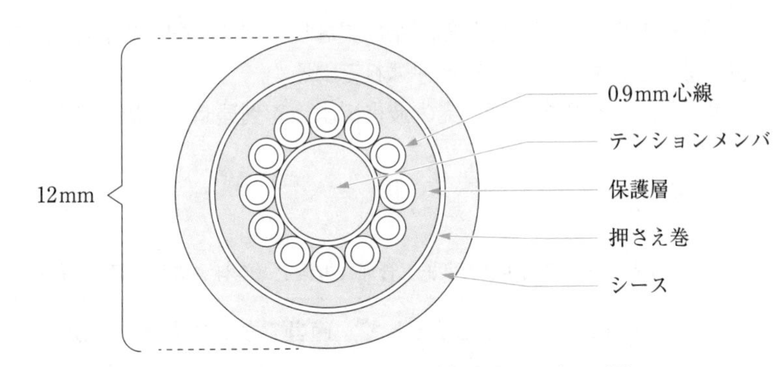

図5-5　光ケーブルの構造（層撚型ケーブルの例）

- テンションメンバ…敷設時に掛かる張力を受ける鋼線で、光ファイバ本体に直接テンションが掛からないよう保護する。曲げやすさを重視したり電磁的誘導を受けないようにする場合は、FRPやアラミド繊維などが使われることもある。
- 保護層…光ファイバ本体を側圧から守るためのクッションとしてビニル樹脂などが使われる。
- シース…外皮のことで、ポリエチレン樹脂が一般的に使われる。屋内での敷設など、場合によっては難燃性ポリエチレンなども使用される。

例題5-2　令和4年度1級電気通信工事施工管理技術検定（第一次）問題A（選択）〔No.17〕

光ファイバの分散に関する記述として，**適当でないもの**はどれか。

(1) モード分散は，シングルモード光ファイバでは発生しないがマルチモード光ファイバで発生する。
(2) 波長分散は，伝搬モードによって光の伝搬経路が異なるために到達時間が違うことで生じる分散である。
(3) 構造分散は，光の一部がクラッド部分へしみだして反射するが，このしみだしの割合が光の波長により異なり，結果的に伝搬経路の長さが光の波長により違ったものとなるために生じる分散である。
(4) 材料分散は，光ファイバの媒質の屈折率が光の波長によって異なるために光の伝搬速度が波長により異なることで生じる分散である。

正解：(2)

解説　伝搬モードによって光の伝搬経路が異なり、到達時間が異なることで生じる分散は、波長分散ではなくモード分散と呼ばれている。
波長分散は、その名の通り光の波長によって到達時間が異なることによって生じるものである。

例題5-3　令和元年度2級電気通信工事施工管理技術検定（学科・前期）問題（選択）〔No.15〕

光ファイバの種類・特長に関する記述として，**適当でないもの**はどれか。

(1) 光ファイバには，シングルモード光ファイバとマルチモード光ファイバがあり，伝送損失はシングルモード光ファイバのほうが小さい。
(2) 長距離大容量伝送には，マルチモード光ファイバが適している。
(3) マルチモード光ファイバには，ステップインデックス型とグレーデッドインデックス型の2種類がある。
(4) シングルモード光ファイバは，マルチモード光ファイバと比べてコア径を小さくすることで，光伝搬経路を単一としたものである。

正解：(2)

解説　(2) 長距離大容量伝送には、伝搬途中の光損失や歪みが小さいシングルモード光ファイバが適している。

例題5-4　令和元年度２級電気通信工事施工管理技術検定（学科・前期）問題（選択）〔No.14〕

下図に示すスロット型光ファイバケーブルの断面において，①の名称として**適当なもの**はどれか。

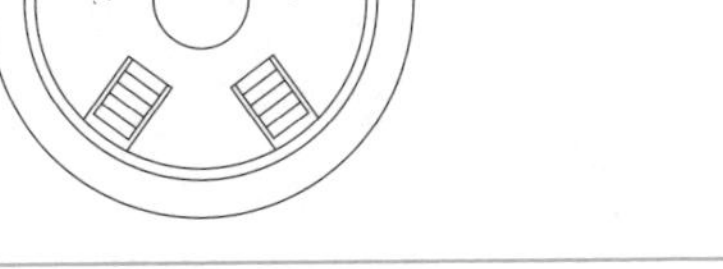

(1) 光ファイバ心線
(2) 単芯コード
(3) メッセンジャワイヤー
(4) テンションメンバ

正解：(4)

解説　光ファイバケーブルの中心部には、張力つまりテンションを受け持って光ファイバ本体へ直接テンションが掛かることを防ぐテンションメンバが配置される。

5.3 発光・受光素子、光増幅器

光通信を行うには、伝送したい情報の電気信号を光に換える発光素子と、届いた光信号を電気信号に変換する受光素子が必要である。また、長距離伝搬により減衰した光信号を光のまま増幅する光増幅器も実用化されて使用されている。

(1) 発光素子

発光素子は、発光ダイオードと半導体レーザが使用される。発光ダイオードは安価だが、光の波長に揺らぎがあり、コヒーレント（均一）な光を得ることが難しいため、光通信を行うための光源としてはあまり使用されない。半導体レーザは高価だが、コヒーレントで強力な光を得ることができるため、通信用光ファイバの光源として多用されている。

(2) 受光素子

受光素子は、光を受けて電流に換えるフォトダイオードが一般的に使用される。また、フォトダイオードからの信号を直接増幅するトランジスタも内蔵したフォトトランジスタも使用されている。

(3) 光増幅器・光中継器

光信号を増幅するためには、いったん受光素子で光を受けて電気信号化し、その電気信号で改めて半導体レーザを駆動する方式も考えられるが、特殊な光ファイバを利用することで光信号を光のままで増幅する回路が考えられた。これが光増幅器で、希土類を導入した希土類ドープファイバを使用するものなどが実用化されている。

これは、希土類ドープファイバ内の希土類イオンを励起するためのレーザ光源、光信号を重畳する光カプラ、増幅光の発振を防ぐ光アイソレータなどで構成される。

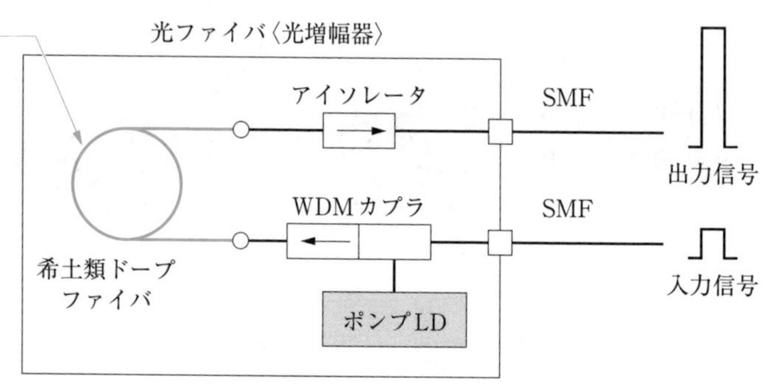

図5-6 光増幅器

光ファイバによる長距離伝送の場合、光増幅器の他に光中継器も使用される。光中継器の内部構造としては、送られてきた光信号をいったんベースバンド信号（電気信号）に復調し、波形の増幅・整形などを行った後再度光信号として送り出す3R再生中継器が使用される。3Rとは、等化増幅(Reshaping)・リタイミング(Retiming)・識別再生(Regenerating)の略で、具体的には次のような機能である。

表5-1 3R

等化増幅(Reshaping)	損失や散乱などにより歪みを受けた受信パルス波形を増幅する。
リタイミング(Retiming)	受信パルス列から同期パルス信号を抽出し、それに合わせて各種信号の同期を取ってタイミングを合わせ直す。
識別再生(Regenerating)	等化増幅後の波形を基に、送信時と同じパルスを生成し直す。

これにより、劣化した光信号は完全な形で再整形されるため、中継段数が増加しても信号が劣化することなく遠距離まで伝送することが可能となる。

例題5-5　令和3年度1級電気通信工事施工管理技術検定（第一次）問題A（選択）〔No.18〕 

光通信の中継器に関する記述として，**適当でないもの**はどれか。

(1) 3R再生中継器は，光信号を電気信号に変換した後，等化増幅，タイミング抽出及び識別再生により再生された電気信号を光信号に変換し送出する。
(2) 3R再生中継器を用いた伝送システムは，3R再生中継器による中継数の増加に伴って伝送波形の劣化や雑音が累積する。
(3) 線形中継器は，光ファイバケーブルで伝送されている光信号を光のまま直接増幅する。
(4) 線形中継器で利用している光増幅器には，エルビウム添加光ファイバ増幅器（EDFA）がある。

正解：(2)

解説 3R再生中継器は送信元のパルスを完全な形で復元して中継するため、中継段数が増加しても信号が劣化することはない。

例題5-6 令和元年度1級電気通信工事施工管理技術検定（学科）問題A（選択）〔No.20〕 

光変調方式に関する記述として，**適当でないもの**はどれか。

(1) 直接光変調方式は，送信信号で半導体レーザからの光の位相を変化させる変調方式である。
(2) 直接光変調方式は，構成が簡単で，小型化も容易，コスト低廉であるなどの特徴を有する変調方式である。
(3) 外部光変調方式は，半導体レーザからの無変調の光を光変調器により送信信号で変調を行う方式である。
(4) 外部光変調方式には，電気光学効果による屈折率変化を利用する方式と，半導体の電界吸収効果による光透過率の変化を利用する方式がある。

正解：(1)

解説 (1) 直接光変調方式は、送信信号でLEDや半導体レーザからの光の強度を変える方式である。半導体レーザに与える電源電圧などを変えても、光の位相をコントロールすることはできない。

5.4 光ファイバの損失要因

光ファイバで起こる損失の大きな原因は、光ファイバそのものによる吸収損失の他、構造欠陥により起こる分散（散乱）損失、敷設時に加えられた外力による変形損失（マイクロベンディング損失）、コネクタの接続不良による損失などが挙げられる。主な損失要因とその原因は次の通りである。

表5-2　主な損失要因とその原因

固有損失	吸収損失	材料そのものによる光吸収によって起こる損失
		材料中の不純物による光の吸収が原因の損失
	散乱損失	材料内の分子構造の揺らぎなどによって起こるレイリー散乱によって生じるもの
		光ファイバ成型時の加工精度などによって生じる構造不均一に起因する光散乱
付加損失	マイクロベンディングロス	ファイバ側面から不均一な強い圧力が加わることで軸が曲がることで生じる損失
	放射損失	光ファイバ間を接続する際、コアどうしの中心軸がずれることで、出射した光の一部が接続相手のコアに入らず外部に放射されてしまうことによって生じる損失
	接続損失	光ファイバ相互間を接続する際、放射損失や反射損失（接合面で出射すべき光が境界面で反射し、元来たファイバに戻ってしまう現象）によって生じる損失全般のこと
	結合損失	半導体レーザと光ファイバの間、もしくは光ファイバとフォトダイオード（フォトトランジスタ）の間で光結合を行う際に発生する損失

例題5-7　令和3年度1級電気通信工事施工管理技術検定（第一次）問題A（選択）〔No.17〕 

光ファイバの光損失の要因であるマイクロベンディングロスに関する記述として，**適当なもの**はどれか。

(1) 光ファイバを接続する場合にコアどうしが完全に均一に接続されない場合，一方のコアから出た光の一部が他方のコアに入射できず放射されて生じる損失である。
(2) 光ファイバのコアとクラッドの境界面の凹凸により光が乱反射され，光ファイバ外に放射されることにより生じる損失である。
(3) 光ファイバに側面から不均一な圧力が加わると，光ファイバの軸が僅かに曲がることで生じる損失である。
(4) 光ファイバ中を伝わる光が外へ漏れることなしに光ファイバ材料自身によって吸収され，熱に変換されることによって生じる損失である。

正解：(3)

解説　(1) は放射損失、(2) は散乱損失、(4) は吸収損失に関する記述である。

5.5 光ファイバの損失試験

光ファイバの損失試験方法については、JIS C 6823:2010に規定されている。主に、次のような方法が使われている。

(1) カットバック法

カットバック法は、被測定光ファイバの末端で光パワーメータを使用して光出力を測定した後、その光ファイバをある一定長（カットバック長）で切断し、光源や光励振器をそのままにして光パワーメータを使用して光強度を測定する。このときの測定値の差から直接的に高精度で損失を求めることができる。対象の光ファイバを切断する必要がある点がカットバック法の欠点である。

(2) 挿入損失法

基本的にはカットバック法と同じ原理だが、光ファイバをカットすることなく、光源や光励振器の出力と、光ファイバを通した後の出力を光パワーメータで測定して損失を求める。

一見カットバック法と変わることなく高精度で損失を測定できるように思えるが、光源や光励振器から光ファイバに結合される部分などの損失を正確に測定することができないため、カットバック法に比べると精度が劣る。原理的に、両端にコネクタが成端されている光ファイバの損失測定に向いた方法で、非破壊検査ができる点が優れている。

(3) OTDR法

OTDRはOptical Time Domain Reflectometerの略で、光ファイバの入力端から光を入射し、光ファイバ内で生じる後方散乱光や反射光を入力端で測定することで、光ファイバの全ての点から先端までの損失を求める方法である。この方法では、光ファイバ内の材料不均質などによって生じる後方散乱作用や伝搬速度などの影響で正確な測定ができない場合があるため、光ファイバの両端で測定して波形を平均化することで損失試験を行うことができる。

この方法は光ファイバ全長にわたる解析が可能なうえ、長手方向の部分的な解析や接続などによる不連続点の確認、全長の長さなども求めることができる。

(4) ツインパルス法

ツインパルス法は、光ファイバの損失を求める方法ではなく、光ファイバの波長分散特性を測定する方法である。これは波長が異なる２つの光パルスを同時に入射し、伝搬後の到達時間差によって波長分散を測定するものである。

例題5-8　令和元年度1級電気通信工事施工管理技術検定（学科）問題A（選択）〔No.18〕 

光ファイバの伝送特性試験に関する記述として，**適当でないもの**はどれか。

(1) カットバック法は，被測定光ファイバを切断する必要があるが光損失を精度良く測定できる。
(2) OTDR法は，光ファイバの片端から光パルスを入射し，そのパルスが光ファイバ中で反射して返ってくる光の強度から光損失を測定する。
(3) 挿入損失法は，被測定光ファイバ及び両端に固定される端子に対して非破壊で光損失を測定できる。
(4) ツインパルス法は，光ファイバに波長が異なる2つの光パルスを同時に入射し，光ファイバを伝搬した後の到達時間差により光損失を測定する。

正解：(4)

解説　(4) ツインパルス法で測定できるのは波長分散である。損失を測定するものではない。

5.6 光多重通信

電波通信で様々な周波数を利用するのと同様、光ファイバでも複数の波長の光を１本のファイバに通すことで多重通信を行うことができる。これをWDM（Wavelength Division Multiplex）と呼び、現代の超高速・超大容量通信を支える基幹技術として欠かせないものとなっている。

光ファイバの光多重化に主に使用される素子がAWGである。AWGは、均一に分光された光が異なる長さの複数の光ファイバ伝送路に入り、それら複数の光ファイバの出口側では各々の伝送路の長さに起因して少しずつ位相が異なる光どうしが干渉することで波長ごとに分離されることを利用したものである。

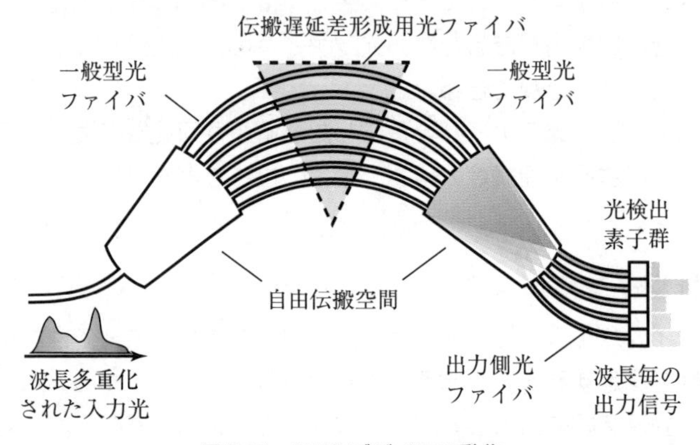

図5-7　AWGデバイスの動作

AWGは、回折格子のように精密な格子パターンを形成するような手間は不要で、光どうしが干渉し合う自由空間と長さの異なる伝送路（光ファイバ）を用意するだけで分光できるため、安価で高性能なものを得ることができ、光多重化素子として多く使用されている。

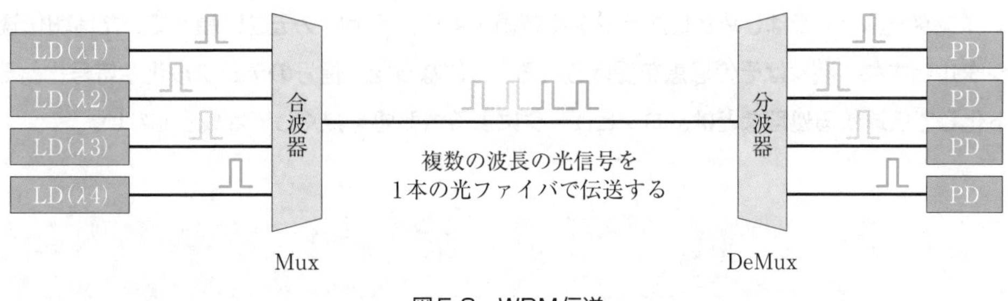

図5-8　WDM伝送

波長分割多重はWDM（Wavelength Division Multiplexing）と呼ばれ、比較的多重数が少ないCWDM（Coarse WDM）では18波長程度、多重数の多いDWDM（Dense WDM）では100波長以上を多重化して伝送している。

ファイバでの光波長による分散度合の差は信号劣化の要因となるため、非ゼロ分散シフトファイバを利用することで短距離または中距離の分散問題を補償することも行われている。

例題5-9　令和4年度 2級電気通信工事施工管理技術検定（第一次・前期）問題（選択）〔No.14〕

光ファイバを用いた伝送システムに関する記述として，**適当でないもの**はどれか。

(1) 光の変調方法には，直接変調と外部変調がある。
(2) CdSセルは，光信号を電気信号に変換する受光素子として一般的に使われている。
(3) 光ファイバ増幅器は，光信号をそのまま直接増幅する。
(4) WDMは，1心の光ファイバで複数の異なる波長の光信号を伝送する方法である。

正解：(2)

解説　(1) 正しい。発光素子を直接変調するものを直接変調、発光素子から出た一定の光を外部で変調するものを外部変調という。(2) 誤り。CdSセルは応答速度が遅いので使われず、主にフォトダイオードが用いられる。

第6章 情報工学

インターネットをはじめとしたデジタル技術により、アナログ伝送に頼っていた情報伝達も次々とデジタル化され、我々はその恩恵を受けられるようになった。信号のデジタル化や符号化、そしてパケット化して伝送する処理などは、コンピュータによる情報処理無くしては成立しない。

6.1 2進数・10進数・16進数

デジタルとは数値化を意味する。コンピュータの中では2進数を使って信号を処理する。これは、2進数を使うことにより、電圧のある・なしを数値の0と1に素直に対応させることができることがその理由である。

2進数は、下位から1の位・2の位・4の位・8の位・16の位…と位取りをする。10進数を2進数に変換するためには、10進数の数値を0になるまで2で割り算を行い、余りの数を順に並べていく。一例として10進数の60を2進数にする計算は図6-1の通りである。

逆に2進数を10進数にするには、1の位から順に「1」のある位を足していく。一例として2進数の「10011011」を10進数にすると図6-2の通りである。

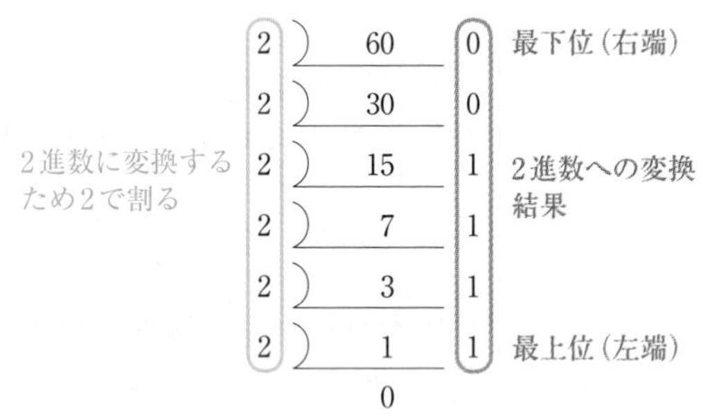

図6-1 10進数から2進数への変換方法

16進数は、10〜15に対して、10=A、11=B、12=C、13=D、14=E、15=Fとして表したもので、下位から順に1の位、16の位、256の位、4096の位…となる。

これは、桁数の多い2進数を短く分かりやすく表現するために考え出された方法で、2進数4桁が16進数1桁に対応する。

(下位)

$1 \times 1 = 1$

$1 \times 2 = 2$

$0 \times 4 = 0$

$1 \times 8 = 8$

$1 \times 16 = 16$

$0 \times 32 = 0$

$0 \times 64 = 0$

$1 \times 128 = 128$

(上位)

$1 + 2 + 0 + 8 + 16 + 0 + 0 + 128 = 155$

図6-2 2進数から10進数への変換方法

6.2 ブール代数

2進数を使った代数計算の体系をブール代数と呼ぶ。
ブール代数は1と0の2値しか持たないため、いくつかの特徴的な性質を持つ。

表6-1　ブール代数の性質

基本演算	0＋0＝0 0＋1＝1 1＋0＝1 1＋1＝1 （0を「無」、1を「有」に対応させると、 有＋有＝有となる、ブール代数ならではの性質） 0・0＝0 0・1＝0 1・0＝0 1・1＝1
結合法則	X＋（Y＋Z）＝（X＋Y）＋Z X・（Y・Z）＝（X・Y）・Z
交換法則	X＋Y＝Y＋X X・Y＝Y・X
吸収法則	X・（X＋Y）＝X X＋（X・Y）＝X （実際にXやYに1や0を代入してみると実感できる）
分配法則	X・（Y＋Z）＝（X・Y）＋（X・Z） X＋（Y・Z）＝（X＋Y）・（X＋Z）
補元の存在	$X+\overline{X}=1$ $X\cdot\overline{X}=0$ $X=\overline{\overline{X}}$
ド・モルガンの法則	$\overline{X+Y}=\overline{X}\cdot\overline{Y}$ $\overline{X\cdot Y}=\overline{X}+\overline{Y}$

6.3 ビット演算

我々が普段利用している電子計算機（コンピュータ）は、2進数の0・1を電気信号のある・なしに置き換えて演算を行う。これに使われるのがブール代数の演算であるが、論理和や論理積の他に、「1」の値を右や左に移動させる論理シフト演算なども定義される。2進数の位取りは、桁上がりするごとに2を掛けることになるので、

左に１ビット論理シフト＝値に２を掛ける
右に１ビット論理シフト＝値を２で割る

という演算に対応する。

また、２進数で負の値を表現する場合、一般には**２の補数表現**を用いている。

１の補数…２進数の全ビットを反転する演算
（例）00101101の１の補数→11010010
２の補数…１の補数を取り、その値にさらに１を足す演算
（例）01001101の２の補数→11010011

さらに、符号を考慮した**算術シフト演算**も定義される。

・左に１ビット算術シフト
最上位の符号ビットは固定したまま動かさず、他のビットを左に１ビットずらす。
最下位ビットには「0」を入れる。
（例）01101101の左１ビット算術シフト…01011010
（例）10100110の左１ビット算術シフト…11001100
・右に１ビット算術シフト
最上位の符号ビットは固定したまま動かさず、他のビットを右に１ビットずらす。
ずらしたことで空いた最上位ビットには、符号ビットと同じ値を入れる。
（例）01101101の右１ビット算術シフト…00110110
（例）10100110の右１ビット算術シフト…11010011

例題6-1　令和3年度 1級電気通信工事施工管理技術検定（第一次）問題A（選択）〔No.10〕

「1100」を左へ1ビットの算術シフトを行った結果（ア）と右へ1ビットの算術シフトを行った結果（イ）の組合せとして，**適当なもの**はどれか。
なお，左端の1ビットは符号ビットである。

	（ア）	（イ）
(1)	1001	1010
(2)	1001	1110
(3)	1000	1010
(4)	1000	1110

正解：(4)

解説 「1100」を左に1ビット算術シフトを行う場合、符号を表す先頭ビットは固定のまま全体を左にずらし、最下位ビットには「0」を入れる。したがって「1000」となる。「1100」を右に1ビット算術シフトを行う場合、符号を表す先頭ビットは固定のまま全体を右にずらし、最上位ビットには符号ビットと同じ「1」を入れる。したがって「1110」となる。

6.4 コンピュータ

電気信号と2進数を使って計算処理を行うコンピュータ（電子計算機）は、大きく分けて入力装置・出力装置・記憶装置・制御装置・演算装置に分類できる。

入力装置は、計算を行うための情報を入力する装置であり、出力装置は計算結果を何らかの形で表示する装置である。

演算装置は頭脳、制御装置は入出力やデータのやり取りを調整する部分である。記憶装置は、計算結果を一時的に保持する他、データを蓄積させておき後で使えるようにするなどの機能を持っている。

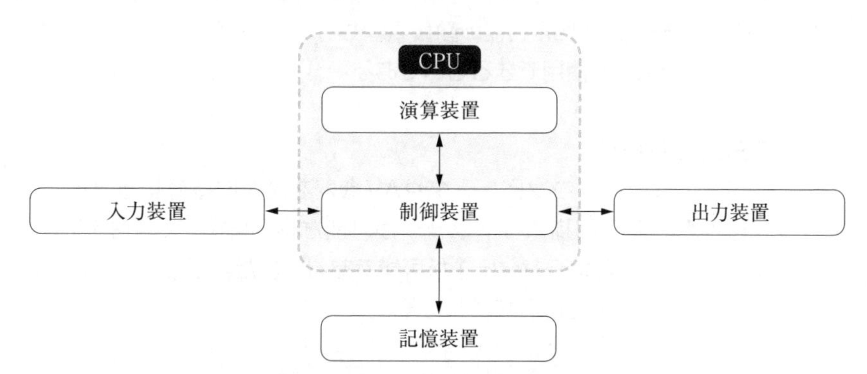

図6-3 コンピュータを構成する要素

(1) バス

バスとは、各種装置間をつなぐデータ線のことであり、データを複数の電線で並列に伝送するパラレルバスと、1本の線上を時間で区切って直列でデータを伝送するシリアルバスに大別される。

高速データ伝送ではシリアル方式が多く使われている。代表的なデータバスには次のようなものがある。

RS232C

8ビットマイコンのころから多く採用されたシリアルインターフェースである。コンピュータとモデムの間の接続に多用された他、現在でもUPSからサーバに電源情報を伝えるデータ線などで使用されている。

物理的インターフェースはDサブ25ピンとDサブ9ピンが存在し、90年代までの国産コンピュータでは多くがDサブ25ピンを使用し、海外製品はDサブ9ピンのコネクタを多く使用した。

SCSI

SCSIはSmall Computer System Interfaceの略で、コンピュータと周辺機器、とりわけハードディスクなどの外部記憶媒体との間のインターフェースとして多用されたものである。方式は8ビットまたは16ビットのパラレルインターフェースである。特徴として、ホストコンピュータからSCSI機器を順々に接続していくデイジーチェーン接続に対応している点がある。

USB

Universal Serial Busの略称で、その名の通り汎用（Universal）シリアルバスの一種である。USB1.0や1.1は最大データ伝送速度12Mbit/sであったが、USB2.0は480Mbit/s、USB3.0は5Gbit/s、USB3.1は10Gbit/s、USB3.2は20Gbit/sと高速化し、2019年に策定されたUSB4は40Ggit/sの超高速転送をサポートする。

USBの特徴は、ホットプラグやセルフパワー・バスパワーの両方式に対応していて使いやすい点が挙げられる。ホットプラグとは、使用するときだけ接続し、不要になったら切断することが可能なものである。セルフパワー方式は、USBデータ線で送られるのはデータのみで、機器の電源は電池や商用電源などで別途用意する方式である。バスパワー方式は、USB機器の動作電源もUSBデータ線で供給し、ホスト装置とケーブル1本で接続して使用できるものである。

IEEE1394

IEEE1394は、コンピュータやAV機器を高速に接続するシリアルインターフェースである。USB同様ホットプラグが可能な他、同時に64台までの機器を接続でき、数百Mbit/sの高速データ伝送が可能である。また、機器から機器へと接続するだけでデータ転送が可能という特徴もある。

IrDA

Infrared Data Associationの略で、赤外線を使用した近距離光無線データ通信の規格である。伝送距離は数十cm～1m程度と短く、携帯電話どうしでの近距離データ通信などで使われることがある。

Bluetooth

Bluetoothは、デジタル機器どうしを接続しデータ伝送を行う近距離無線通信規格の1つで、2.4GHz帯の周波数帯を使用する。2.4GHz帯を79の周波数チャネルに分け、利用する周波数をランダムに変える周波数ホッピングを行いながら、数m～数十m程度の機器と最大3Mbit/s（HSは24Mbit/s）で通信を行う。欠点として、無線LANの2.4GHz帯と電波干渉を起こすおそれがある。

VGA

VGAはアナログでコンピュータとモニタを接続する規格で、通常DSUB15ピンコネクタを使用する。最大出力解像度は2048×1280である。

DVI

Digital Visual Interfaceという名の通り、デジタル画像出力端子である。DVI-DというDigital信号のみの端子と、DVI-Iというアナログ・デジタル兼用の端子がある。

HDMI

DVIを発展させた規格で、大型のDVIコネクタに代わって小型のHDMIコネクタを使用することにより使用しやすくなった他、映像・音声・著作権保護制御信号を流すことができるようバージョンアップされている。

Display Port

DVI端子の後継の1つで、HDMIよりも小型で使用ライセンス料が不要などの利点を持っているため、特にコンピュータと液晶モニタを接続するインターフェースとして使用が広がっている。

例題6-2　令和元年度 2級電気通信工事施工管理技術検定（学科・前期）問題（選択）〔No.25〕 

標準的な入出インターフェースであるUSB 3.0に関する記述として，**適当なもの**はどれか。

(1) ANSI（American National Standards Institute）により規格化され，デイジーチェーン方式で周辺機器を7台まで接続することが可能なパラレルインターフェースである。
(2) 最大データ転送速度が5Gbpsであり，ホットプラグやバスパワー方式に対応しているシリアルインターフェースである。
(3) インターフェース自体に制御機能が付いているため，パソコン等のホスト機器を必要とせず，機器同士を接続しデータ転送が可能なシリアルインターフェースである。
(4) キーボードやマウス，プリンタなどの周辺機器を接続する，2.4GHz帯を利用した無線インターフェースである。

正解：(2)

解説　(1) はSCSI、(3) はIEEE1394、(4) はBluetoothの説明である。

(2) 入出力装置

入力・出力を行う装置は、次のようなものが挙げられる。

- 入力装置：キーボード、マウス、A/D変換回路（A/D変換装置）、各種センサなど。
- 出力装置：モニタ、プリンタ、スピーカ、D/A変換回路（D/A変換装置）など。キーボードやマウスはPS/2やUSBインターフェース、各種センサなどはUSB、モニタはHDMIやDisplay Portなどで接続されることが多い。これらは、インターフェース規格ごとに異なるデータ転送速度やライセンス料、普及度合いなど様々な要因を考慮して製品化されているため。

モニタ（ディスプレイ）は最も広く用いられている出力装置といえる。以前はブラウン管が多用されていたが、現在は液晶や有機ELディスプレイなども登場し、小型化・薄型化し、さらに安価で省電力となるなど、大きな進歩を遂げた。

液晶ディスプレイは、液体と固体の中間的な性質を持っている液晶に電界を与えると分子配列が変化することを利用し、電界によって光の透過を制御することでグラフィックを表現している。有機ELディスプレイは、陽極と陰極の電極間に有機物で作られた発光体と電子輸送層などを構築し、極板間に電圧を掛けることで有機発光体が発光することを利用したものである。

例題6-3　令和元年度２級電気通信工事施工管理技術検定（学科・後期）問題（選択）〔No.31〕 

液晶ディスプレイに関する記述として，**適当でないもの**はどれか。

(1) 液晶を透明電極で挟み，電圧を加えると分子配列が変わり，光が通過したり遮断したりする原理を利用したものである。
(2) 液体と気体の中間の状態をとる有機物分子である液晶の性質を利用したものである。
(3) カラー表示を行うために，画素ごとにカラーフィルタが用いられる。
(4) 液晶ディスプレイのバックライトには，LEDや蛍光管ランプが用いられている。

正解：(2)

解説 (2) 液晶は、液体と固体の中間の状態を取る有機物分子の性質を利用している。

例題6-4　令和元年度１級電気通信工事施工管理技術検定（学科）問題A（選択）〔No.41〕 

有機ELディスプレイに関する記述として，**適当なもの**はどれか。

(1) 陽極と陰極の間に，正孔輸送層，有機物の発光層及び電子輸送層などを積層した構成から成っている。
(2) 有機EL素子が電気的なエネルギーを受け取ると電子が基底状態に移り，励起状態に戻るときにエネルギーの差分が光として放出される現象を利用したものである。
(3) 自発光型であり応答速度は遅いが，液晶ディスプレイよりも軽量化，薄型化が可能である。
(4) 発光体の形状として面光源を有しているが，照明用途には適していない。

正解：(1)

解説 (2) 基底状態と励起状態が逆。
(3) 液晶よりも応答速度は速いという特徴を持つ。
(4) 照明用途に適した有機EL発光パネルも製品化されている。

(3) 記憶装置

記憶装置の概念は幅広く、演算途中の数値を一時的に記憶する内部メモリ、入出力装置からのデータなどをいったん受け取る外部メモリ、大量のデータを保存する外部記憶装置などに大別される。

レジスタ

演算装置が演算途中の計算結果などを一時的に保存するメモリをレジスタと呼ぶ。演算装置と協調して動作するため非常に高速に動作することが求められる。

メモリ

コンピュータシステムにおいて、メモリといえばCPU内部かその近縁に存在するキャッシュメモリと、その外部にあるメインメモリを指す。キャッシュメモリは、CPUの処理速度と同じかそれに近い高速で動作するメモリで、演算装置・内部レジスタと協調して動作する。メインメモリは、キャッシュメモリに比べると低速・大容量で、演算結果の保存・読み込み、入出力データの保存・読み込みなどとして動作する。

キャッシュメモリは、一度メインメモリから読み込んだデータを保存し、次から同じデータを読む場合にメインメモリにアクセスすることなく高速に処理を行うよう働く。このような動作を行う場合にキャッシュヒットと呼ぶが、キャッシュメモリにデータが存在しないか、あるいは前回の処理以降データが更新された場合など、メインメモリから必要なデータをキャッシュメモリ経由で読み込む作業が必要な場合もある。これをキャッシュミスと呼び、コンピュータの動作の高速化のためにはキャッシュヒット率を高くすることが有用である。

外部記憶装置

外部記憶装置は、ハードディスクやSSD、USBメモリなどの記憶媒体を指し、CPUの処理速度に比べると非常に低速ではあるものの、大容量のデータを保存できる媒体である。

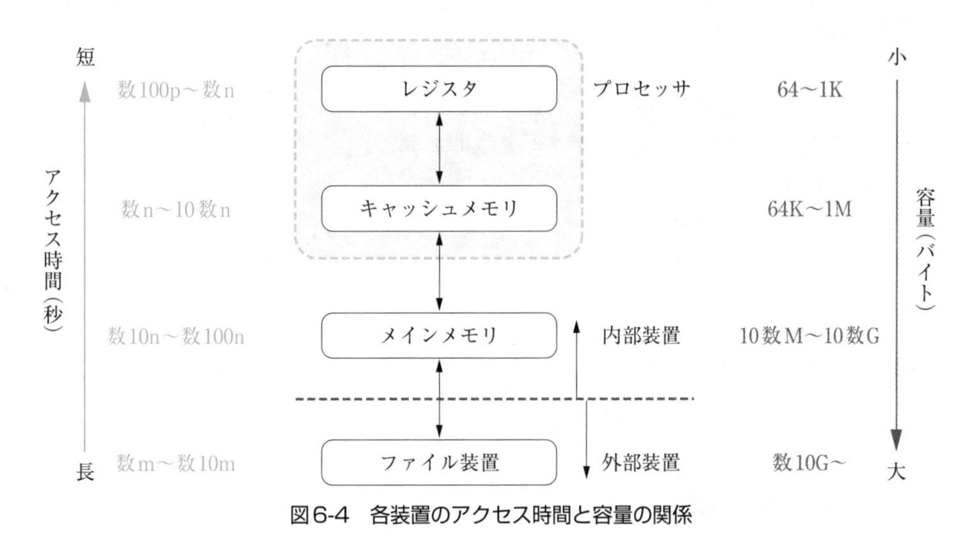

図6-4　各装置のアクセス時間と容量の関係

主な外部記憶装置は次の通りである。

表6-2　主な外部記憶装置

ハードディスク	鏡状の円盤の上に磁気材料を塗布して回転させ、その上を磁気ヘッドが移動することでデータを読み書きするメディアで、現在最も大容量のストレージデバイスとして多用されている。
SSD	ハードディスクに代わるメディアとして急速に普及しているメディアで、不揮発性の半導体メモリにデータを保存するものである。ハードディスクの置き換え用として外形やインターフェースがハードディスクと同じ形状のものが製品化されている。
USBフラッシュメモリ	基本的にはSSDと同じもので、インターフェースをUSBとし使いやすくしたものである。

演算処理中、メモリ容量が不足した場合、メインメモリの内容の一部を外部記憶装置に書き出してメインメモリを確保することで処理を続行することができる。これを仮想記憶と呼んでいる。データを書き出す動作をスワップアウト、スワップアウトしたデータをメモリに読み戻す動作をスワップインと呼び、これらの動作が頻繁に発生してコンピュータの動作が低下する現象をスラッシングと呼ぶ。

スラッシングを防ぐためには、次のような対策を行う必要がある。

- メインメモリを使用しているが動作していないプログラムを停止する。
- メインメモリを物理的に増強する。
- 並列処理（多重処理）を行っているプログラムが存在すれば、その多重度を下げる。

例題6-5　　令和元年度２級電気通信工事施工管理技術検定（学科・前期）問題（選択）〔No.26〕 

仮想記憶システムでスワップイン，スワップアウトが繰り返されることでコンピュータの性能が急激に低下するスラッシングの防止対策に関する記述として，**適当でないもの**はどれか。

(1) プログラム処理の多重度を下げる。
(2) メモリ消費量が大きいプログラムを停止する。
(3) 主記憶容量を増やす。
(4) ハードディスクを増設する。

正解：(4)

解説　(4) スワップイン・スワップアウトはメインメモリの不足で発生する。したがってハードディスクを増設しても効果はない。

(4) 演算装置

演算装置はCPUやマイクロプロセッサとも呼ばれ、レジスタ上のデータに対して加減乗除などの演算処理を行うことで目的の仕事をする。そのための『指令書』がプログラムということになる。

プログラム言語には多種多様のものが存在するが、いずれもCPUに対する命令を人間に分かりやすい文法としたものであるから、「プログラムそのもの」が直接CPUで処理されるわけではない。

CPUそのものが理解できるのは、2進数で書かれたバイナリ命令コードである。したがって、プログラムからバイナリコードに変換する必要があるが、これには基本的に2種類の方式がある。

インタプリタ

インタプリタは、プログラミング言語で書かれたソースコードを、逐次バイナリコードに変換しながらCPUで処理していくタイプのものである。原理は単純であるが、速度が遅い欠点がある。

コンパイラ

ソースコードを実際に実行する前に、コンパイル処理によってバイナリコードに一括変換し、そのバイナリコードをCPUで処理するタイプのものである。この方式の利点は、処理しながら逐次バイナリコードに翻訳する必要がないので高速で処理できるという点が挙げられる。欠点は、ソースコードをバイナリコードに変換するコンパイル処理が必要という点が挙げられる。

長年、インタプリタは初級言語、実用言語はコンパイラ方式という棲み分けがなされていたが、近年はコンピュータ処理（＝CPUの動作）そのものの仮想化、抽象化などにより、インタプリタ言語の柔軟性が見直されている分野もある。

なお、組込み用途のような小規模マイクロプロセッサへの命令を記述する言語として、機械語に対して人間が意味を理解しやすい命令語（ニーモニック）を割り当て、直接的にプログラムを記述するアセンブラ言語もかつては広く使われていたが、現在はコンパイラでも効率のよい機械語を生成できるようになったため、近年はあまり利用されない。

例題6-6　令和2年度2級電気通信工事施工管理技術検定（学科・後期）問題（選択）〔No.8〕

インタプリタに関する記述として，**適当なもの**はどれか。

(1) 機械語を，英文字を組み合わせたニーモニックとよばれる表意記号で記述して，人間に理解しやすくした機械向き言語である。

(2) Cなどの高水準言語で書かれたソースプログラムを，一括して機械語に翻訳するソフトウェアである。

(3) BASICなどの高水準言語のソースプログラムを，1行ずつ読み込んでは解釈して実行することを繰り返すソフトウェアである。

(4) あるプログラム言語で書かれたソースプログラムを，別のプログラム言語のソースプログラムに変換するためのソフトウェアである。

正解：(3)

解説　(1) はアセンブラ、(2) はコンパイラ、(4) はトランスコンパイラに関する記述である。

例題6-7　令和元年度 2級電気通信工事施工管理技術検定（学科・前期）問題（選択）〔No.08〕 

マイクロプロセッサーの誤動作原因として，**適当でないもの**はどれか。

(1) 量子化雑音
(2) 中性子やアルファ線
(3) 静電気放電
(4) 雷等による電源ノイズ

正解：(1)

解説　マイクロプロセッサはCPUのことを指す。CPU内部は微小なトランジスタの集合体であるから、中性子・アルファ線のような電離放射線、静電気や雷などによる雑音の侵入によって異常電圧が発生し、誤動作する可能性がある。(1) の量子化雑音はA/D変換時に発生する雑音であるから、CPUの誤動作原因とは直接関係ない。

(5) パイプライン処理

従来、CPUのコア（演算回路）は1つのみだったが、近年は複数のコアを内蔵するCPUが多く使用されるようになった。これをマルチコアCPUと呼び、パイプライン処理が可能という大きな利点がある。

パイプライン処理は、複数の命令群を同時並列処理することにより、プログラム処理終了までの時間を短縮することができる。パイプライン処理を有効に実行するためには、プログラム内の分岐処理を減らし、先読み処理による無駄を減らすなどの工夫が必要である。

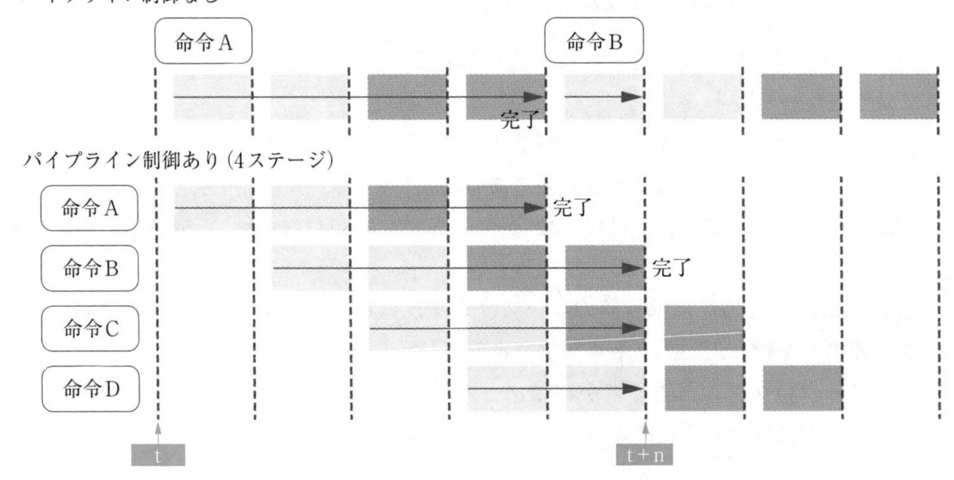

図6-5　パイプライン処理の並列処理

パイプライン処理中のプログラムに分岐処理が存在し、分岐結果により異なるプログラムが実行されるようなコードが存在すると、分岐結果によって途中まで処理した結果を破棄しなければいけなくなり、処理効率が低下する。

6.5 CPUの性能指標

コンピュータの性能を示す指標の1つとして、CPUの処理速度を一定の指標で数値化した値が用いられることがある。代表的な指標として次のようなものがある。

表6-3　代表的な指標

MIPS	Million Instructions Per Secondの頭文字を取ったもので、1秒間に実行可能な命令の数を100万命令単位で表すもの。
FLOPS	Floating point number Operations Per Secondを略したもので、1秒間に何回の浮動小数点演算が実行できるかという指標。浮動小数点演算は、科学技術計算で多用される傾向があるため、このような目的で使用されるコンピュータの場合、MIPSよりもFLOPSを用いた方が適切といえる。
CPI	Cycle Per Instructionの頭文字を取ったもので、1命令当たりの平均クロックサイクル数を表す値である。MIPSやFLOPSは値が大きい方が高性能であるが、CPIは小さい方が高性能といえる。

例題6-8　令和4年度 2級電気通信工事施工管理技術検定（学科・後期）問題（選択）〔No.9〕 

平均命令実行時間が0.5［μs］であるCPUの性能として，**適当なもの**はどれか。

(1) 0.5MIPS
(2) 2MIPS
(3) 5MIPS
(4) 20MIPS

正解：(2)

解説　MIPSを計算するため、1秒間に実行可能な命令数を計算すると、$1 \div (0.5 \times 10^{-9}) = 2 \times 10^{-9}$[回]となり、100万命令単位にすると2MIPSと求めることができる。

(6) バッチ処理

コンピュータに入力する情報を一定時間もしくは一定量蓄えておき、それらをまとめて処理する方法をバッチ処理と呼んでいる。代表的なものとして、株式取引情報や口座入出金情報の夜間一括オンライン処理などが挙げられる。また、個人が使用するパーソナルコンピュータにおいて、複数のプログラム処理をまとめて1つのファイルに記述し一括実行する場合もバッチ処理と呼ぶ。

(7) トランザクション

トランザクションとは、コンピュータにおける一連の処理を意味する用語で、密接に関連していて切り離すことができない複数のデータや、ひとまとめに処理を行わなければいけない単位のことを指す。具体的には、データベースの更新に係る一連の処理指令を指す場合が多い。

例題6-9　令和4年度1級電気通信工事施工管理技術検定（第一次）問題A（選択）〔No.10〕 

コンピュータシステムの利用形態であるバッチ処理に関する記述として，**適当なもの**はどれか。

(1) コンピュータに入力するデータを，一定量又は一定期間蓄えておき，それをひとまとめにして処理する方式である。
(2) 人とコンピュータが，ディスプレイなどを通じて，やり取りをしながら処理を進める方式である。
(3) コンピュータの処理時間をごく短い時間単位に分割し，それを各端末に順次割り当てて実行することで各端末の利用者があたかもコンピュータを独占しているかのように使える方式である。
(4) 処理要求やデータの発生に対して，ただちに処理を行い結果を返す方式である。

正解：(1)

解説　(2) は対話型処理、(3) はタイムシェアリング処理、(4) はリアルタイム処理に関する記述である。

6.6 オペレーティングシステム

コンピュータのハードウェアは、様々なメーカーの種々雑多なCPUやICチップ、メモリ素子などで構成されている。これらは電子回路的な互換性並びに論理演算的な互換性が有るものもあれば無いものもあり、各々の素子に合わせて必要なプログラムを別途に用意すると極めて大きな手間が掛かってしまう。そこで、CPUやICチップなどの差異を吸収し、各種ソフトウェアが同一の内部手続きで稼働できるようにしたものをオペレーティングシステム（OS）と呼んでいる。具体的な例としてはUNIXやWindows、MacOS、Linux、FreeBSDなどが挙げられる。OSの内部にハードウェアの差異を吸収するプログラムを内包することで、我々はコンピュータのハードウェアの違いを気にせず利用することができる。

OSの中心的なプログラムはカーネルと呼ばれる。カーネルはコンピュータの全ハードウェアデバイスの基本的制御を提供している。カーネルが提供する機能は幅広いが、代表的な例を挙げると次のようになる。

表6-4　カーネルが提供する機能

機能	内容
入出力管理	キーボード、プリンタ、マウス、液晶ディスプレイなど入出力装置を管理する機能。
ネットワーク管理	入出力管理の一環であるが、インターネットが広く普及した現代においては、ネットワークを経由したTCP/IP通信は事実上不可欠なものとなっている。これらの規格に則ったネットワーク通信機能もOSが提供する重要な機能の１つといえる。
ファイル管理	機械語プログラムそのものであるバイナリファイルの他、ユーザが作成した文書や表計算データなどのデータファイルを適切に管理する機能。複数のユーザが同一のファイルに対して書き込みを行おうとした際にファイルが壊れてしまうことを防ぐ**排他処理**などが代表的な例である。
メモリ管理	プログラムを実行するために必要なメモリを確保する他、不連続に解放された領域を回収して再利用しやすくするガーベージコレクション、メインメモリが溢れた際に一部の情報を外部記憶装置（ハードディスクなど）に書き出すスワップアウト処理などを提供する。これにより、プログラム側はメモリ確保の心配をせずに必要な機能を実行することができるようになる。
タスク管理	複数のプログラムを並行して実行したりする場合、プログラムタスクに対して優先度を設定して重要なプログラムを優先的に実行したり、プログラムの実行時に必要なリソースを確保、終了時にリソースを解放するなどの管理を行う。
ユーザ管理	複数のユーザアカウントに対して、各々に個別の環境や個別の実行権限を付与したり、リソース配分の制御を行ったり、不要となったユーザ情報の削除を行ったりする機能。当然、ログインパスワードの管理や、場合によっては指紋認証などの機能も持っている。

例題6-10　令和3年度1級電気通信工事施工管理技術検定（第一次）問題A（選択）〔No.34〕

コンピュータのOSの機能に関する記述として，**適当でないもの**はどれか。

(1) タスク管理とは，タスクの生成や消滅，実行するタスクの切り替えなどを行う機能である。
(2) ファイル管理とは，限られた容量の主記憶装置を効果的に利用し，容量の制約をカバーする機能である。
(3) ユーザ管理とは，ユーザアカウントの登録・削除や利用者のファイルへのアクセス権の設定などコンピュータの利用者を管理する機能である。
(4) 入出力管理とは，キーボードやプリンタなどの周辺機器の管理や制御を行い，入出力処理を効率化する機能である。

正解：(2)

解説 「限られた容量の主記憶装置を効果的に利用し、容量の制約をカバーする」ものは、メモリ管理機能である。

6.7 冗長化と信頼性

コンピュータネットワークの発達により、社会の中枢にもコンピュータ処理が当然のように広がると、処理の信頼性が非常に重要となってくる。対策として、各構成部品の信頼性を上げるのも1つであるが、冗長化によって信頼性を高めることも行われている。

具体的には、ハードディスクなどのストレージレベルでの冗長化、ネットワーク装置の故障などに備えて迂回経路を自動的に構成する回線レベルの冗長化などが挙げられる。

(1) 信頼性計算

理論的に、絶対に故障しないシステムというのは存在せず、どんなに堅牢なシステムであってもある一定の確率で故障が発生する。コンピュータシステムで故障が起こった場合、データベースの停止や通信の途絶など大きな影響が発生する可能性が高いため、数学的な信頼性計算を行い、故障率や停止時間などを見積もる必要がある。

MTBF（Mean Time Between Failure）

MTBFは、日本語では平均故障間隔と表現され、故障までに稼働した時間の平均を表す値である。例えば、あるシステムが平均1万時間に1回故障するのであれば、MTBFは1万時間であると表現する。

MTTR（Mean Time To Repair）

MTTRは、システムが故障した場合、その修理に掛かる平均時間を表す値である。例えば、あるシステムが3回故障した場合、修理にそれぞれ6時間・4時間・2時間掛かったとすると、平均修理時間MTTRは4時間であると表現する。

稼働率

稼働率は、システムが運用を開始してからの総時間のうち、正常に稼働している時間の割合を示す値である。MTBFとMTTRを用いると、

$$\text{稼働率} = \frac{\mathrm{MTBF}}{\mathrm{MTBF} + \mathrm{MTTR}}$$

という式で計算することができる。

例題6-11　令和2年度 2級電気通信工事施工管理技術検定（学科・後期）問題（選択）〔No.7〕

コンピュータシステムの信頼性設計の基本的な考え方であるRASIS（Reliability Availability Serviceability Integrity Security）に関する次の記述の[　　]に当てはまる語句の組合せとして，**適当なもの**はどれか。

「信頼性は，システムが障害なく動作することを示す指標で[ア]が用いられ，保守性は，障害発生時の保守のしやすさを示す指標で[イ]が用いられる。」

	（ア）	（イ）
(1)	MTBF	MTTR
(2)	MTBF	MBR
(3)	MTTR	MTBF
(4)	MBR	MTTR

正解：(1)

解説 システムが障害なく動作する時間の目安はMTBFである。また、障害発生時の保守のしやすさはMTTRとして指標化される。

(2) 通信路の誤り検出・訂正

情報通信は、有線回線を伝わる電気信号や光信号、もしくは無線の電波などの形で伝送されるが、これらの伝送媒体上で発生する誤りは理論上完全にゼロにすることができない。そこで、次のような仕組みで誤り検出もしくは誤り訂正を行う。

パリティチェック

一連の塊として伝送されるビット列に対し、冗長ビットとして1ビットを追加するもの。偶数パリティ方式の場合は、全ビット中「1」が必ず偶数に、奇数パリティ方式の場合は必ず奇数になるようにする。これにより、受信側では1ビットの反転に限りその誤りを検出することができる。単純で効果的な手法だが、2ビット以上の反転は検出できない場合があることと、誤りを検出はできても訂正は不可能である（複数ビットのうちどれが反転したか分からない）という欠点がある。オンライン通信の初期のころに利用された。

CRC

巡回符号の理論に基づいた誤り検出符号の一種。元のデータ列に対して送信側は一定の多項式で除算した余りを検査データとして付加して送信し、受信側で同じ多項式を使用してデータを除算後、その余りを比較照合することによって受信データの誤り・破損を検出することができる。パリティに比較して誤り検出機能には優れているが、意図的な改竄の検出、誤り訂正などの高度な機能はない。

ハミング符号

データ列を送信する際、本来のデータ列に一定の手順で計算したチェック用のデータを付加して送信する方式。受信側で受け取ったデータに誤りがないかどうかを検証することが可能なうえ、1ビットの誤りであれば受信側で訂正を行うことができるという特徴を持つ。

例題6-12　令和2年度1級電気通信工事施工管理技術検定（学科）問題A（選択）〔No.11〕 

データ伝送等で使われる誤り検出・訂正に関する記述として，**適当でないもの**はどれか。

(1) パリティチェック方式は，ビット列に誤りがあることが検出できるが，誤りビットの訂正はできない。
(2) CRC方式は，バースト誤りを検出できるが，訂正することはできない。
(3) 水平パリティチェック方式と垂直パリティチェック方式を併用する水平垂直パリティチェック方式は，2ビットの誤り訂正ができる。
(4) ハミング符号方式は，2ビットの誤り訂正ができる。

正解：(3)

解説　送信するデータ列に対し、例えば8ビットごとに区切って行と列を作り、各々に対して水平・垂直方向のパリティを計算することができるが、パリティ方式の場合はあくまでも1ビットの誤り検出を行うことしかできない。

(3) ストレージの冗長化

ハードディスクには膨大なデータが蓄積されるため、故障した際の損失は膨大なものとなる。

ストレージの冗長化はRAID（Redundant Arrays of Inexpensive Disks、通称レイド）と呼ばれる。RAIDにはいくつかの種類があり、求められる性能や信頼性、予算などによって最適なものを選択する。

RAID0

RAID0はデータを分割し、複数台のディスクに分散して書き込むことで高速化するものである。ストライピングとも呼ぶ。複数のディスクのどれか1台でも故障するとデータが消失してしまうため冗長化という点ではむしろマイナスとなり、他のRAID技術と組み合わせて使われている。

RAID1

RAID1は、複数台のディスクに同一のデータを書き込むことで、全てのディスクが同時に故障しない限りデータが守られる構成である。ミラーリングとも呼ばれる。ディスクを増やせば増やすほど信頼性を高めることができる。

全体の信頼性は、ディスク単体の信頼性をx、台数をnとすると、ディスクの故障率は$(1-x)$となるから、これが全部同時に故障する確率は$(1-x)^n$となり、結論として$1-(1-x)^n$と求められる。

RAID01、RAID10

RAID01は、RAID0（ストライピング）された領域をRAID1（ミラーリング）するもの、RAID10は、RAID1（ミラーリング）された領域をRAID0（ストライピング）したものである。RAID0+1、あるいはRAID1+0とも表記される。

ドライブ故障に対する耐性はRAID10の方が高くなる。

RAID5

RAID5は、書き込むデータと、そこから計算された誤り訂正符号データを複数台のディスクに分散して書き込むことで、高速アクセスとディスク故障に対する耐性を高めたものである。

欠点として、ディスク1台故障時はRAID0と同等の信頼性まで落ちてしまい、1台の故障に気が付かないまま2台目のディスクが故障することでデータが復元不可能となってしまうような事態が発生することが挙げられる。

全体の信頼性は、ディスク単体の信頼性をxとすると、同時に2台が故障する確率を1から引いたものであるから、$1-(1-x)^2$で求められる。

RAID6

RAID6はRAID5の欠点を補ったもので、誤り訂正符号の冗長データを2種類作成し2つのディスクに記録するものである。同時に3台以上のディスクが故障すると回復できなくなる。

全体の信頼性は、ディスク単体の信頼性をxとすると、同時に3台が故障する確率を1から引いたものであるから、$1-(1-x)^3$で求められる。

RAIDZ

RAID5やRAID6は、冗長データの更新時に障害が発生すると実データと冗長データの整合性がなくなり、システム上は正常に見えても内部ではクラッシュに陥るという致命的な欠陥がある。これを改良したものがRAIDZで、RAIDZ1、RAIDZ2、RAIDZ3の3レベルが存在する。RAIDZ1はシングルパリティ、RAIDZ2はダブルパリティ、RAIDZ3はトリプルパリティを生成する。RAIDZ1は1台、RAIDZ2は2台、RAIDZ3は3台までのドライブが同時に故障してもデータを失わずに処理を続行できる。

例題6-13　令和元年度２級電気通信工事施工管理技術検定（学科・後期）問題（選択）〔No.26〕 

複数のハードディスクを組み合わせて仮想的な1台の装置として管理する技術であるRAIDに関する次の記述に該当する名称として，**適当なもの**はどれか。

「2台のハードディスクにまったく同じデータを書き込む方式」

(1) RAID 0
(2) RAID 1
(3) RAID 3
(4) RAID 5

正解：(2)

解説 2台のハードディスクに全く同じデータを書き込むことで、1台が故障しても運転を継続する方式をミラーリングと呼び、RAIDレベル1が対応する。

例題6-14 令和元年度1級電気通信工事施工管理技術検定（学科）問題A（選択）〔No.32〕 

2台のハードディスク（HDD）で構成したRAID1（ミラーリング）を2組用いてRAID 0（ストライピング）構成とした場合の稼働率として，**適当なもの**はどれか。
ただし，HDD単体の稼働率は0.8とし，RAIDコントローラなどHDD以外の故障はないものとする。

(1) 0.64
(2) 0.87
(3) 0.92
(4) 0.96

正解：(3)

解説 RAID1の稼働率（＝信頼度）は$1-(1-0.8)^2=0.96$で、これらをRAID0にしたということは$0.96^2=0.9216 \fallingdotseq 0.92$と求められる。

(4) ネットワークの冗長化

現在幅広く使用されているIPネットワークにおいても、耐障害性を高めるために冗長化構成が行われることがある。イーサネットにおける代表的な冗長化構成は次の通りである。

スパニングツリー

スパニングツリーは、LANを点と線で構成されるグラフとみなし、各L2スイッチを点、それらを接続するケーブルを線としてツリー構造を構成する。このツリー構造に当てはまらないループ部分を使用禁止とするものである。

これにより、LAN構成にループが存在しても、データがループを循環することで発生するブロードキャストストーム（ブロードキャスト通信が増幅され、帯域を埋め尽くして正常な通信を阻害する現象）を防ぐことができる。

これを逆手に取り、ネットワーク経路の重要な部分をあえて二重化してループを作成し、通常は片方をスパニングツリープロトコルによって使用禁止にしておき、障害が発生したら他方が通信に使われるようにして結果的に冗長化構成とすることができる。

リンクアグリゲーション

リンクアグリゲーションは、物理的なネットワークアダプタ複数を束ねて仮想的に1個のインターフェースとして使用するものである。これにより帯域幅の増大を図ることができるが、物理回線の一部が何らかの故障や事故で切断されても、帯域幅が減少するだけで接続自体は維持されるから、冗長化構成にもなる。

リンクアグリゲーションはボンディングとも呼ばれる。

チーミング

リンクアグリゲーションのように、複数のポートを束ねて使うことをチーミングとも呼ぶが、チーミングは少し広い概念で、大きく分けると次のように分けられる。

表6-5　チーミングの分類

リンクアグリゲーション	上で説明したリンクアグリゲーションのことである。
フォールトトレランス	片方を通常使用するアクティブ、他方をスタンバイとする。アクティブなリンクに何らかの障害が発生して通信不能となった場合は、スタンバイ側のリンクが動作し通信を継続する。
ロードバランシング	トラフィックの性質や負荷により、複数のインターフェースにトラフィックを割り振ることでスループットを向上させる。

L3レベルの冗長化

IPレベルで経路を複数用意し、経路に障害が発生した場合、残りの生きている経路を使用することで通信継続を図る。経路冗長化を構成するためには、動的に経路を構成するルーティングプロトコルの使用が必須であるため、商用ルータは一般的にRIPやOSPFなどのルーティングプロトコルを実装している。RIPは最も単純なプロトコルで、相手までの最短経路を選択するが、通信経路の回線の太さを考慮しないため、回線品質が高くて遠回りの経路と品質が低くて近い経路が存在する場合、後者を常用してしまう欠点がある。

OSPFは回線帯域幅などを考慮したコスト値をメトリックとして採用するため、ネットワーク管理者が意図した経路を常用させることができ効率的である。

コンピュータシステムとしての冗長化

ハードディスクなどの記録媒体やネットワーク回線レベルでの冗長化の他、コンピュータシステム全体としての冗長化手法も多く採用されている。

表6-6　冗長化の手法

シンプレックスシステム	シンプレックスとは、二重化や多重化を行わず、1系統の処理系で構成されたシステムを意味する。
デュプレックスシステム	主系（現用系）と従系（待機系）の2つのシステムを準備し、通常は主系システムが稼働するものである。もし主系システムにトラブルが発生した場合、待機していた従系システムが処理を引き継ぐ。
デュアルシステム	デュプレックスシステムのように主従を決めるのではなく、複数系統のシステムを用意して負荷分散と冗長化の両方を図るもの。
クラスタシステム	多数のシステムを用意して並列化し、高度な処理分散と冗長化を図ったもの。システムとしての信頼性や性能は飛躍的に高まるものの、当然コストは高くなる。

例題6-15　令和4年度 2級電気通信工事施工管理技術検定（学科・後期）問題（選択）〔No.26〕 

コンピュータシステムのシステム構成に関する記述として，**適当でないもの**はどれか。

(1) デュプレックスシステムとは，複数のCPUで処理を分担することで，処理速度を高めるシステムをいう。
(2) クラスタシステムとは，複数のコンピュータを相互に連携させ，全体を1台の高性能なコンピュータであるかのように利用するシステムをいう。
(3) デュアルシステムとは，2台のコンピュータを並列に接続し，両方のコンピュータで同一の処理を行い，双方の処理結果を照合しながら実行するシステムをいう。
(4) シンプレックスシステムとは，処理装置が二重化されていない，1系統だけのシステムをいう。

正解：(1)

解説　複数のCPUで処理を分担するものは、マルチプロセッサシステムと呼ばれる。

6.8 仮想化技術

クラウドコンピューティング

コンピュータの性能向上とインターネット回線の高速化などにより、データサーバやアプリケーションサーバを自組織内部に設置するのではなく、インターネット回線を経由して**サービスをレンタルする形で利用**する形態が急速に普及した。これを**クラウドコンピューティング**と呼び、次のような利点を持つ。

- 自組織内に物理的なサーバを設置・運用するコストが不要である。
- インターネット回線さえあれば、自社内はもちろん在宅勤務やモバイル時でもサービスを利用することができる。
- 端末のOSに依存しない運用が可能。例えばスマートフォンやタブレット上でドキュメントファイルを編集するような作業が容易に可能である。

一方、クラウドコンピューティングの普及に伴い、次のような欠点も指摘されている。

- 権限設定やアカウント設定などのミスがあった場合、情報流出の危険性が高い。
- データ量増大に伴い、思わぬ高額課金が発生してしまうことがある。
- インターネット回線のトラブルが発生したような場合、サービスが全く使えなくなってしまう。
- 契約更新を怠って契約切れになると、オンライン上の全てのデータが削除されてしまう。

このような利点と欠点を秤に掛け、サーバを組織内に設置するオンプレミス運用に回帰する動きも見られる。

SaaS

Software as a Serviceの略で、ユーザ端末にソフトウェア（例えば表計算ソフトなど）をインストールして使うのではなく、クラウドサーバ上で動くソフトウェアを、インターネット回線を通じて主にブラウザ上から操作する形態のことを指す。

仮想マシン

物理的なコンピュータをソフトウェア上で完全にエミュレートすることで、ホストOSとは別のOSを稼働させる技術のこと。外部から見ると、複数のOSが物理的に1台のコンピュータの上で稼働しているように見える。これを実現する方式は、次のように大別することができる。

ホスト型

物理サーバ上で稼働するホストOSの上で仮想化ソフトウェアを動作させ、その中で複数の仮想化OS（ゲストOS）を稼働させるもの。既にOSが稼働しているコンピュータ上で特別な仕組みを設けることなく仮想化OSを稼働させることができるため比較的容易に仮想環境を構築できる反面、動作のオーバーヘッドが大きいためパフォーマンスはあまり高くないデメリットがある。

ハイパーバイザー型

物理サーバ上でOSを稼働させず、ハイパーバイザーと呼ばれる仮想化に特化した基盤ソフトウェア（一種のOSともいえるが、一般的なOSのように多機能ではなく仮想化に特化している）を動作させ、そのうえで複数のゲストOSを稼働させるもの。ホスト型に比べるとオーバーヘッドを少なくすることができ、効率的に運用を行うことが可能である。

ライブマイグレーション

サーバ仮想化環境下で動作している仮想マシンを、OSやアプリケーションを停止させることなくそのまま別の物理サーバ環境上に移動させること。

スケールアップとスケールアウト

仮想環境を提供しているサーバの処理能力を増強する場合、CPUやメモリなどを高速・大容量なものに変更する方式と、物理的なサーバの台数を増やす方法が考えられる。前者をスケールアップ、後者をスケールアウトと呼ぶ。どちらの手法が適しているかは状況によって異なるため、状況分析を正確に行って適切な判断を行う必要がある。

例題6-16　令和4年度1級電気通信工事施工管理技術検定（第一次）問題A（選択）〔No.33〕 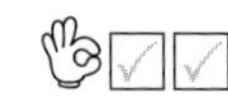

仮想化技術に関する次の記述に該当する名称として，**適当なもの**はどれか。
「仮想サーバで稼働しているOSやソフトウェアを停止することなく，他の物理サーバへ移し替える技術である。」

(1) リンクアグリゲーション
(2) シンプロビジョニング
(3) クラスタリング
(4) ライブマイグレーション

正解：(4)

解説 (1) リンクアグリゲーションは、L2レベルで並列化して伝送容量を増やす技術。(2) シンプロビジョニングは、ストレージリソースを仮想化して割り当てることで、ストレージの物理容量を削減できる技術。(3) クラスタリングは、複数のサーバを並列化して冗長化する技術。

6.9 マークアップ言語

書類などを電子データでやり取りする機会が増加するにあたり、視覚表現や文章構造などを記述するための形式言語として各種のマークアップ言語が作られた。代表的なものとして、Web閲覧時に使用するHTMLが挙げられる。

代表的なマークアップ言語とその特徴は以下の通りである。

SGML

Standard Generalized Markup Languageの頭文字を取ったもので、文書にマークアップを含める構文や、どんなタグがどこで使えるのかなどを記述する構文をDTD（Document Type Definition）として規定することで、多彩な機能と拡張性を持たせたメタ言語である。SGMLを基盤として、各種のマークアップ言語が作成され、活用されることになった。

HTML

HyperText Markup Languageの略で、現在Web上でコンテンツを表現する言語として幅広く利用されている。HTMLはSGMLの構文を利用して作られ、要素として見出し・段落、リンクアンカー、画像などの他、文字の色や大きさなどをタグを用いた簡便な方法で記述できるため幅広く利用されている。

HTML文書では、先頭行で文書型宣言を書く必要がある。これは、HTML文書を文書型定義（DTD）と結びつけるための宣言で、これがないものは正式なHTML文書とはならない。

XML

XMLはExtensible Markup Languageの略で、SGMLをインターネット上の文書に特化して単純化して構築したものである。

XML文書は、XML宣言とXML文書本体からなる。XML文書本体は1つの要素からなる。

HTMLと同様、タグを用いて要素を記述していき、要素の中にさらに要素を入れることができる。例えば、見出しの内側にさらに中見出しや小見出しなどを入れることができる。

XMLはもともとWeb上で利用することを念頭に置き、これを印刷して出版物にする際などにも適したものとして考えられたが、その単純さと柔軟性のバランスがよいため幅広い分野で使用されるようになった。

文書型宣言

文書型宣言は、SGMLやXML文書などを文書型定義（DTD）と結びつけるための宣言で、文書の冒頭に記載される。SGMLやXML文書においては、どのような要素をどのように配置できるかという定義はスキーマ言語であるDTDで主に記載されている。この文書型宣言にはDTDへのアクセス先が記されているため、文書を解析する場合にDTDへアクセスし、そこに記されている定義と文書とを比べることで文書内の記述（主にタグなど）が正当なものであるかを判断することができる仕組みである。

文書型宣言は一般的に次のようなフォーマットで文書冒頭に記されている。

```
<!DOCTYPE ルート要素 PUBLIC "公開識別子" ["URI"] [
<!-- サブセットの宣言 -->
]>

または

<!DOCTYPE ルート要素 SYSTEM "URI" [
<!-- サブセットの宣言 -->
]>
```

例題6-17　令和元年度1級電気通信工事施工管理技術検定（学科）問題A（選択）〔No.11〕 

XML文書に関する記述として，**適当なもの**はどれか。

(1) 前書きに記述できる内容は，XML宣言，文書型宣言，空白，コメント，及び処理命令であり，XML文書ではこの前書き部分を省略することはできない。

(2) ルート要素はXML文書の最初に出てくる要素であり，全てのXML文書に存在するが，テキストだけが含まれる要素である。

(3) 正しいXML文書であるためには，整形式（well-formed）である必要があるが，整形式のXML文書には複数のルート要素が含まれることがある。

(4) 妥当な（valid）XML文書を作成するには，文書の構造や内容を記述した文法である文書型宣言を前書き部分に含める必要がある。

正解：(4)

解説 XML文書の構造がスキーマ言語によって定義され、XML文書の妥当性を検証するソフトウェアによって妥当性が検証されたXML文書のことを「妥当なXML文書」（valid XML document）というが、このためにはスキーマ（文書の構造や内容を記述した文法）を定義した文書型宣言を前書きに含める必要がある。

6.10 文字コード

コンピュータは数値しか扱うことができない。したがって、文字や記号などはそのままでは処理することは不可能である。そこで、文字や符号に対して特定の数値を割り当て、コンピュータ内部では数値の形で処理することで文字や記号なども取り扱えるようにした。この文字と数値とを対応させる規格を文字コードと呼び、文字数が膨大な日本語においては、複数の文字コード規格が存在することで時に文字化けが起こる原因ともなっている。主な文字コードとして次のようなものがある。

(1) EBCDICコード

1963年に制定された古い規格で、IBMが制定した8ビットコード。日本用に平仮名や漢字を含まずカタカナが追加された拡張規格なども存在する。

(2) ASCIIコード

米国規格協会（ANSI）によって制定された7ビットコードで、制御文字の他にアルファベットの大文字・小文字、数字などが定義されている。英語圏で使用するには過不足ないものの、それ以外の語圏においては文字数が不足する。

(3) JIS漢字コード

JIS規格に収録されている日本語コードで、2バイト（16ビット）の値を持つ。第1水準漢字（よく使われるもの）～第4水準漢字（滅多に使われないもの）まで合計1万字強が収録されている他、平仮名・カタカナ・全角数字・各種記号なども定義されている。

(4) 日本語EUCコード

Extended UNIX Code Packed Format for Japaneseの略で、日本語が扱える

ように定義されたものを一般に日本語EUCコードと呼ぶ。同様に、EUC-KR（韓国語）やEUC-CN（簡体中国語）なども存在する。その名の通りUNIX系のシステムで広く採用されてきたが、近年はUTF-8に移行しつつある。JIS漢字コードとの互換性はないため、JIS漢字コードでエンコードされた文章をEUCで表示（あるいはその逆も）すると文字化けが起こる。シフトJISコードなどでも同様。

(5) シフトJISコード

コンピュータ上で日本語を表現するための文字コードの1つで、JIS X 0208の文字集合を分割したうえで8ビット符号空間内にずらして（シフトして）配置して符号化したことから命名されている。

このコード体系では、処理系によっては一部の文字の2バイト目が特殊文字（エスケープシーケンス）として判断される場合があり、意図せず文字化けが発生してしまうという欠点を抱えている。近年では、UnicodeベースであるUTF-8などへの移行が進んでいる。

(6) Unicode

文字コードの標準規格の1つで、世界中の様々な言語の文字を基本的に全て収録することで、単一の（＝Uni）コードで全世界の語圏に通用することを目指したもの。

(7) UTF-8

UTF-8は1バイト（8ビット）～6バイト（48ビット）の可変長でコードを表現する符号化方式で、Unicodeで定義されるコードポイントを示す表現方式の1つ。下位7ビットはASCIIの定義と同じため従来のシステムとの互換性が高い特徴を持っている。日本語などは2バイト以上の領域で定義され、漢字などは3バイトで表現されるものが多い。従来のJIS漢字コード・EUCコード・シフトJISコードのような相互の互換性の心配がなく扱いやすいため、現在移行が進んでいる。

例題6-18　令和3年度1級電気通信工事施工管理技術検定（第一次）問題A（選択）〔No.12〕 

文字コードに関する記述として，**適当でないもの**はどれか。

(1) シフトJISコードは，2バイトコードの第1バイトとASCIIコードなどの1バイトコードとの重なりが生じないように，JIS漢字コードの文字割り当て領域をシフトした文字コードである。
(2) EUCは，UNIX上で様々な文字を扱うために策定された文字コードで，複数バイトからなる各国語の文字コードを定めている。
(3) EBCDICは，アルファベット，数字，記号や制御記号を7ビットで表す米国国家規格協会（ANSI）が制定した文字コードである。
(4) Unicodeは，世界各国の文字を統一的に扱うことを目的に国際標準化機構（ISO）で標準化された文字コードである。

正解：(3)

解説 アルファベット、数字、記号、制御記号などを7ビットで表すANSIが制定した文字コードは、ASCIIコードと呼ばれている。

6.11 アルゴリズム

アルゴリズムは、コンピュータを用いて各種処理を行う際、どのような理論で目標達成するかという考え方を示したものである。

フローチャート

フローチャートは、アルゴリズムを視覚的に表現する方法の１つで、計算や条件判断などの流れを枠や記号、矢印などで表現する。フローチャートの主な部品は次の通りであるが、標準仕様の他に会社による独自ルールなども存在する。

表6-7　フローチャートの要素

端子	円や楕円、角を丸めた長方形などで表現し、「開始」「終了」などが記される。
流れ線と矢印	部品の間を矢印でつなぐことで制御の流れを示す。
処理	長方形で描かれ、中に処理内容を記述する。
入出力	平行四辺形で表現し、中に処理内容、例えば「Nを表示」「人間がYを入力」などと記す。
判断	ひし形で表され、「YES/NO」や「真/偽」で判断を分けて２つの流れ線が出ていく。
合流	黒点で表し、複数の流れが合流する点を示す。
準備	六角形で表し、後続の判断で使用する値を準備する操作を記す。
定義済み処理	長方形の左右を二重線にして表現する。これは、別のフローチャートで表現されたひとかたまりの処理を示す。

一例として、値sに1から10までを順番に足していく処理のフローチャートを示すと図6-6のようになる。

このとき、「終了」の前に「sの値を表示」という処理を加えると、「55」という数値が表示される。

では、有名な探索アルゴリズムの例として２分探索法の考え方を例題を通して見ていくことにする。

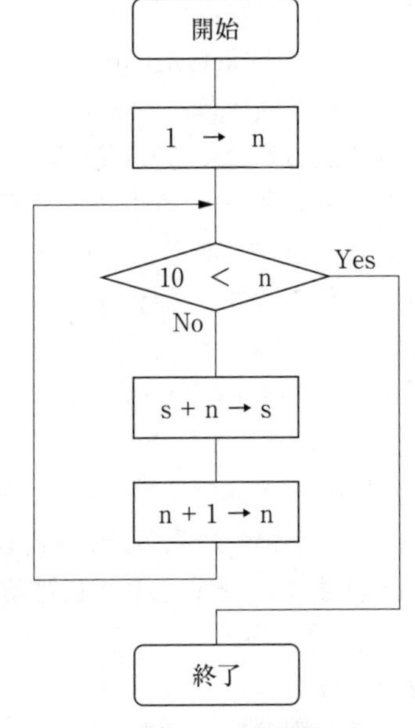

図6-6　値sに1から10までを順番に足していく処理

例題6-19　令和元年度1級電気通信工事施工管理技術検定（学科）問題A（選択）〔No.10〕

下図に示す処理フローは，昇順に整列する配列要素A（1），A（2）・・・A（n）から，A(m) = xとなるmを2分探索法によって見つけるものである。下図の（ア），（イ）に当てはまる操作の組合せとして，**適当なもの**はどれか。

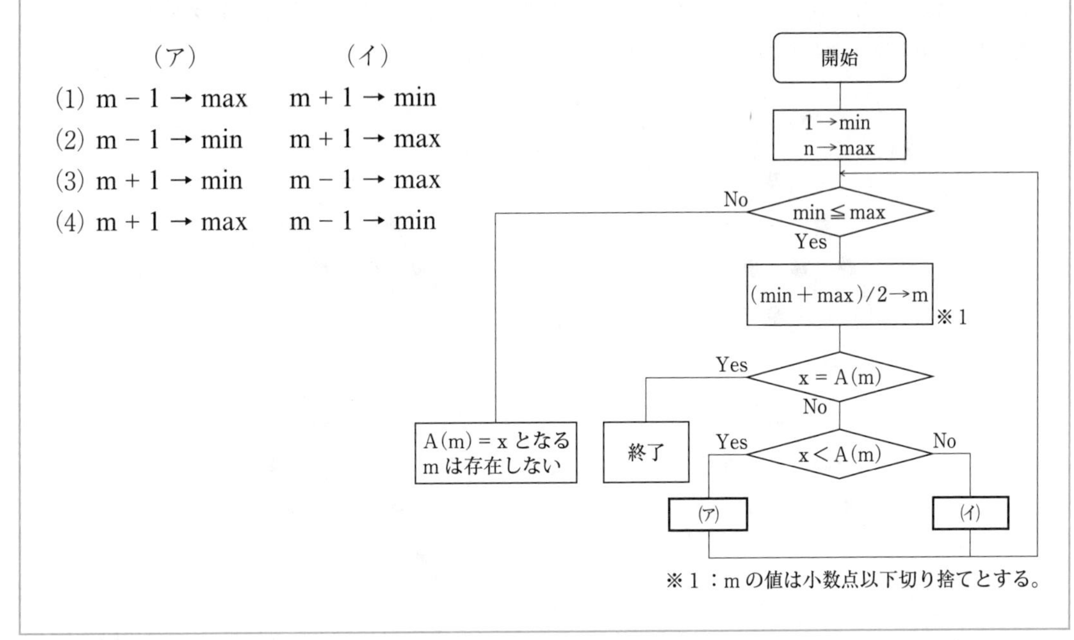

	（ア）	（イ）
(1)	m − 1 → max	m + 1 → min
(2)	m − 1 → min	m + 1 → max
(3)	m + 1 → min	m − 1 → max
(4)	m + 1 → max	m − 1 → min

※1：mの値は小数点以下切り捨てとする。

正解：(1)

解説 2分探索法は、既に昇順に整列してある数字の列から、その中央の値を見て、検索したい値との大小関係を用い、検索したい値が中央の値の右にあるか左にあるかを判断して、存在しない片側を探索列から外して残りの列に対して同様に検索していくことで検索したい値の存在を探索していくものである。

処理の中で「(min+max)/2 → m」は、要素を指し示すポインタを、今対象としている数値列の中心に置く操作である。このときx=A(m)、つまりその中心値がxだった場合は終了するが、そうではない場合、「x＜A(m)」という比較を行う。これに対して「Yes」というのは、中心値よりもxが小さく、中心よりも前半にxが存在する可能性があることを示すから、今見ているm個目から1を減じてそれを検索対象の最大値として再探索する。

もし「No」だった場合は、探索対象の中心よりも後半にxが存在するから、今見ているm個目に1を足してそれを検索対象の最小値として再探索する。

以上のことから、正解は（1）ということになる。

木(ツリー)構造

コンピュータでデータ探索を行う場合、何らかの規則に基づいてデータが並べ替えられていると都合がよい。このようなときに使われるのがツリー構造で、代表的なものに二分探索木がある。

二分探索木は、「左の子の値≦親の値≦右の子の値」という規則に基づいて並べ替えたものである。これも出題の実例を見ることにしよう。

例題6-20　令和元年度2級電気通信工事施工管理技術検定（学科・後期）問題（選択）〔No.7〕 

空の二分探索木に，6，8，3，1，7，4，5の順に値を与えたときにできる二分探索木として，**適当なもの**はどれか。なお，ルートノードは，6である。

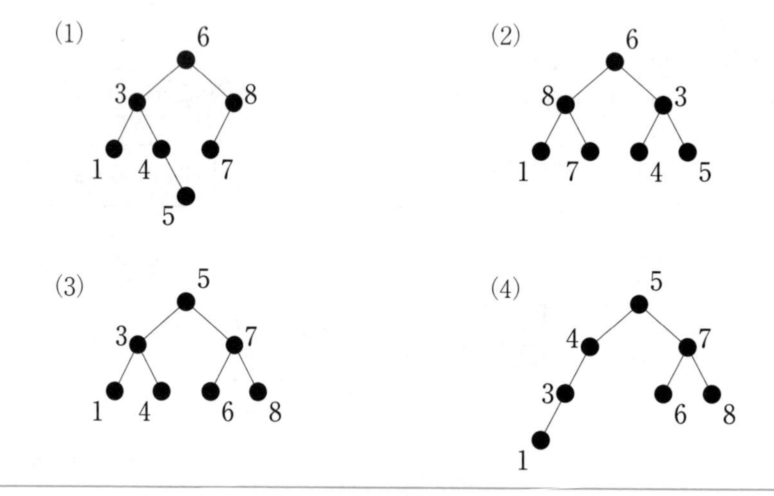

正解：(1)

解説 二分探索木は、最初に与えられた数値をまずルートとし、それより大きな数字なら右側、小さい数字なら左側につなげていく。したがって、「6，8，3」と読み込んだ時点で解答（1）のような形にならなければならない。次の「1」を読み込むと、3より小さいので3の左側に1を配置し、「7」を読み込むと既にノードとなっている「8」より1小さいので8の左下、「4」を読み込むと3より1大きいので3の右下、そして「5」を読み込むと4より1大きいので4の右下に配置する。これで出来上がった図は選択肢（1）である。

6.12 サイバーセキュリティ

あらゆる情報が電子化されネットワークで接続されるようになった現代においては、不正アクセスによる情報流出や情報の改竄、悪用などに対するセキュリティが不可欠となっている。これらサイバーセキュリティ対策は非常に多岐にわたるが、代表的なものを次に挙げる。

(1) ソーシャルエンジニアリング

コンピュータやネットワークではなく、それを取り扱う人間から情報を流出させるもの。例えば、シュレッダーに掛けられた機密文書の復元を試みるトラッシング、正規の利用者の背後に並んでセキュリティゾーンへの侵入を図るピギーバックなどの他、極めてアナログ的な手法として技術部門の担当者を騙った偽電話で情報を聞き出すなどの行為が考えられる。

(2) スパイウェア

有益なフリーソフトに見せかけ、それと知らずにインストールされたコンピュータの内部情報を勝手に外部に送信するもの。

(3) キーロガー

スパイウェアの一種で、入力されたキーボードの文字列を外部に送信するもの。

(4) ワーム

LAN内に接続されたコンピュータのフォルダに自らをコピーして実行することでLANに多大なトラフィックを発生させて業務を妨害するタイプのソフトウェア。

(5) コンピュータウイルス

悪意を持って作られたプログラムで、「第三者のプログラムやデータベースに対して意図的に何らかの被害を及ぼすように作られたプログラムであり、自己伝染機能・潜伏機能・発病機能のうち1つ以上を有するもの」と定義されている。現実的には、スパイウェアやキーロガー、ワームなども広義のコンピュータウイルスとして取り扱われることが多い。

(6) トロイの木馬

一見無害なプログラムを装って侵入し、様々な攻撃を行うソフトウェアで、キーロガーやスパイウェアなどの動作を行う。敵をあざむくため、内部が空洞になった大きな木馬を用いたというギリシャ神話に由来する。

(7) マルウェア

ワーム、スパイウェア、コンピュータウイルスなど悪意を持って作られたソフトウェアを総称してマルウェアと呼ぶこともある。

(8) フィッシング

メールなどで偽の金融機関のページに誘導し、ID・パスワードを入力させて盗み取ることで金融機関の口座から預金などを騙し取るもの。

(9) クラッキング・ハッキング

ネットワーク経由でコンピュータに侵入し、システムやデータを破壊したり、侵入したコンピュータを踏み台として別のコンピュータに攻撃を仕掛けたりする行為。一般に「ハッキング」と呼ばれてしまうことが多いが、悪意を持って侵入や攻撃などを行うことは正しくはクラッキングと呼ぶ。

(10) セッションハイジャック

ネットワーク上で一連の通信を行う際、通信路ごとに個別のセッションIDを付けて通信を管理する仕組みになっているが、第三者がこのセッションIDを推測して通信に割り込み、正規の利用者を騙ることで情報を盗み出すもの。

(11) バッファーオーバーフロー

検索サイトの検索ワード入力ウィンドウのように、サーバが利用者から何らかの語句を受け取って内部処理を行うような仕組みにおいて、プログラマが想定していない長大な語句などを入力することでプログラムの誤作動を引き起こし、サーバに保存されている情報などを盗み取る行為。利用者から受け取った文字列を十分に検査せずプログラムの内部処理に渡す処理を記述したプログラマの責任が大きい。

(12) クロスサイトスクリプティング

ユーザからの入力（例：検索語句）を受けて動的にページを作成するタイプのWebサイトにおいて、その内容に不正な実行コマンドが含まれていてもそれを実行してしまうようになっていると、そのWebサイトの画面上に、悪意を持って用意した別のサイトの内容を表示させることができてしまう。この仕組みを利用して、第三者にそのページを閲覧させてパスワードなどを入力させることで、その第三者は気付かないうちに情報を盗み取られてしまうというもの。

(13) SQLインジェクション

例えば、ユーザからの入力（例：検索語句）を受けて動的にページを作成するタイプのWebサイトにおいて、その入力語句を基としてデータベースに参照命令を送り、データベース内の情報を表示するサイトがあるとする。このとき、入力語句の中にデータベースを操作するSQL命令が含まれている場合、その不正なSQLが実行されてしまうことで意図しないデータベース内情報の漏洩が起こってしまう。これも、利用者から受け取った文字列を十分に検査せずプログラムの内部処理に渡す処理を記述したプログラマの責任が大きい。

(14) DoS攻撃・DDoS攻撃

DoSとは、Denial of Service、つまりサービスを不可能にしてしまうという意味。これは、攻撃先のWebサーバなどに短時間のうちに大量のリクエストを送りつけたり、不正なHTTPリクエストを送信したりするなどの手法によってサーバの資源を枯渇させ、他者のリクエストに対して応答できなくしてしまうというもの。DDoSの頭文字のDはDistributedの略で、あらかじめコンピュータウイルスなどを仕込むことで動作を乗っ取ったコンピュータに一斉に命令を送り、何百・何千ものコンピュータから特定のサイトに対して一気に不正なリクエストを送信するというもの。いずれにしても通常のHTTPリクエストなどと見分けが付かないため、サーバ側での対策をしにくい攻撃方法といえる。

(15) ドメインハイジャック

インターネット上の通信はIPプロトコルで行われるが、利用者がIPアドレスを暗記してサービスを受けることは現実問題として無理である。そこで、IPアドレスとホスト名やドメイン名との対応付けを行うDNSサービスによって、利用者は覚えやすいホスト名を用いてサービスを受けることができる。しかし、何らかの攻撃によってDNSデータを不正に書き換えたり、あるいはドメイン名の契約更新を忘れて失効してしまった組織のドメイン名を即座に契約し、元のサイトの代わりにアダルトサイトなどの不正なサイトにアクセスさせるようにして、元のドメイン保持者に高額でドメインの権利を売り渡そうとする個人や組織も存在している。

(16) ブルートフォースアタック

ID・パスワードを入力して利用するサービスにおいて、ユーザのパスワードを手当たり次第に推測して入力し、合致するパスワードを探し出そうとするもの。

(17) パスワードリスト攻撃

ID・パスワードを入力して利用するサービスにおいて、よく使われるパスワードのリストを用いてパスワードを入力し、合致するパスワードを探し出そうとするもの。

例題6-21 令和4年度2級電気通信工事施工管理技術検定（学科・前期）問題（選択）〔No.28〕 

コンピュータウイルスの感染を予防する対策として，**適当でないもの**はどれか。

(1) ウイルス対策ソフトウェアのウイルス定義ファイルを最新の状態に更新しておく。
(2) OSや使用しているソフトウェアに最新のセキュリティパッチを適用する。
(3) Webブラウザのセキュリティ設定を行う。
(4) インターネットからダウンロードしたファイルは，使用する前に暗号化する。

正解：(4)

解説 使用する前に暗号化ではなく、ウイルスチェック（ウイルススキャン）する、というのが正しい記述である。

例題6-22 令和4年度2級電気通信工事施工管理技術検定（学科・後期）問題（選択）〔No.28〕 

フィッシングに関する記述として，**適当なもの**はどれか。

(1) 実在する金融機関等を装ったメールを送信し，正規のWebサイトに似せたWebサイトに誘導してユーザIDや暗証番号等の情報を盗み取る手法である。
(2) 大量のパケットを送りつけるなどして標的のサーバやシステムが提供しているサービスを妨害する攻撃である。
(3) ソフトウェアのセキュリティホールの修正プログラムが提供される前に，修正の対象となるソフトウェアのセキュリティホールを突く攻撃である。
(4) コンピュータウイルスやスパイウェア等の悪意のあるソフトウェアの総称である。

正解：(1)

解説 (2) はDos攻撃、(3) はゼロデイ攻撃、(4) はマルウェアに関する記述である。

例題6-23 令和元年度2級電気通信工事施工管理技術検定（学科・後期）問題（選択）〔No.9〕 

本人を認証する手法の一つであるバイオメトリクス認証に利用される情報として，**適当でないもの**はどれか。

(1) 声紋
(2) 虹彩
(3) 指紋
(4) 個人番号

正解：(4)

解説 バイトメトリクス認証とは、生体認証のことなので、声紋・虹彩・指紋など人間の体そのものが持っている特徴を指す。したがって個人番号は関係ない。

例題6-24 令和元年度2級電気通信工事施工管理技術検定（学科・後期）問題（選択）〔No.28〕 

情報セキュリティに関する次の記述に該当する名称として，**適当なもの**はどれか。

「盗み見，盗み聴き，廃棄ゴミを調べる等の手段によってセキュリティに関する情報を入手すること。」

(1) ソーシャルエンジニアリング
(2) スパイウエア
(3) ワーム
(4) クラッキング

正解：(1)

解説 ネットワーク上のセキュリティ問題に対し、それを扱う人間に焦点を当てて盗聴やなりすましなどによってデータを盗み出すことをソーシャルエンジニアリングと呼ぶ。
(2) は所有者に断りなく内部データを外部に送信するソフトウェア、(3) は自己増殖を繰り返すことでディスク領域やネットワーク帯域を浪費するソフトウェア、(4) は情報漏洩やコンピュータの破壊など悪意を持ってコンピュータやコンピュータネットワークに侵入する行為を意味する。

例題6-25 令和元年度1級電気通信工事施工管理技術検定（学科）問題A（選択）〔No.35〕 

信頼性設計の考え方であるフェールセーフに関する記述として，**適当なもの**はどれか。

(1) 構成部品の品質を高めたり，十分なテストを行ったりして，故障や障害の原因となる要素を取り除くことで信頼性を向上させることである。
(2) 故障や操作ミス，設計上の不具合などの障害が発生することをあらかじめ予測しておき，障害が生じてもできるだけ安全な状態に移行する仕組みにすることである。
(3) システムの一部に障害が発生しても，予備系統への切り替えなどによりシステムの正常な稼働を維持することである。
(4) 利用者が操作や取り扱い方を誤っても危険が生じない，あるいは，誤った操作や危険な使い方ができないような構造や仕掛けを設計段階で組み込むことである。

正解：(2)

解説 フェールセーフとは、機器の故障や人為的ミスなどが必ず発生することを念頭に置き、障害が発生しても致命的な結果に至らないよう安全側に倒すようにした考え方を指す。

例題6-26　令和元年度1級電気通信工事施工管理技術検定（学科）問題A（選択）〔No.36〕 

仮想化技術に関する次の記述に該当する名称として，**適当なもの**はどれか。
「仮想マシンで稼働しているOSを停止させることなく，別の物理ホストに移動させる技術」

(1) クラスタリング
(2) オペレーティングシステム
(3) ライブマイグレーション
(4) パーティショニング

正解：(3)

解説　(3) マイグレーションは移民を、ライブとは稼働状態を意味する。つまり、仮想マシン上で稼働を続けているOSを停止させることなく物理的に移動（移民）させる技術という意味になる。

6.13 データベース

身の回りのあらゆる情報が電子化されるに伴い、それらの情報を効率よく検索するシステムが求められるようになった。この要求に対して考え出されたものが関係データベース（Relational Data Base Management System：略してRDBMS）と呼ばれる仕組みである。

RDBMSは、SQL言語を用いることで、膨大な情報に対して効率的に更新や抽出を行うことに特化したコンピュータシステムと考えることができる。RDBMSに関する代表的な用語や機能は次の通り。

(1) SQL言語

データベースに対して問い合わせや情報の挿入を行う際に使用する構文を持った操作言語で、おおむね英語表現そのままである部分も多く、比較的なじみやすい特徴がある。

例：データベース「UserData」から、ユーザ名「田中」に関する情報を抽出するSQL文
SELECT 情報 FROM UserData WHERE ユーザ名=’田中’；

例：データベース「UserData」から、性別が男性である情報を抽出するSQL文
SELECT　情報　FROM　UserData　WHERE　性別=’男’；

(2) スキーマ

データの構造や性質、データ操作時の表現方法などの定義のこと。基本的に、外部スキーマ・概念スキーマ・内部スキーマの３層構造に分けられている。

表6-8　スキーマ

外部スキーマ	データベースを操作するユーザから見えるデータの種類や形式などの定義。
概念スキーマ	データベース上の論理的なデータ構造の定義で、デジタル情報としての論理的なフォーマットなどの定義。
内部スキーマ	概念スキーマで定義された論理情報を、具体的にどのような形式で記憶媒体（ハードディスクなど）に格納するかという定義。

(3) 障害回復機能

RDBMSにおいて、内部スキーマによって定義された論理情報は、ハードディスクなどの物理媒体上のデジタルデータとして格納されるが、これらが故障した場合でも可能な限り情報を回復・復元できるように障害回復のための機能が提供されていることが一般的である。

ダンプ/レストア機能

ダンプとは、格納された情報を１つまたは複数のファイルに書き出すことであり、レストア（リストア）とは、ダンプされたデータを取り込む機能を指す。定期的にダンプ情報を保存することにより、障害発生時に失われる情報を少なくすることができる。

ロールバック

障害発生時、最新のダンプファイルをレストアすることで最後にバックアップされた状態にデータベースを回復すること。

ロールフォワード

ロールバックした後に行われた処理について、データベースのログファイルを参照することで最新の状態に復旧させること。

(4) 排他制御

あるユーザがデータベースを操作中、他のユーザが同一のテーブルを同時に操作した場合、データの整合性が取れなくなることが考えられる。そこで排他制御を行うことにより、あるユーザがデータ操作中、他のユーザが同一のテーブルに対して操作することを禁止する機能が実装されている。

例題6-27　令和4年度1級電気通信工事施工管理技術検定（第一次）問題A（選択）〔No.9〕 

リレーショナルデータベースに関する記述として，**適当でないもの**はどれか。

(1) 正規化は，データの重複を排除し，データベースの操作にともなう重複更新や矛盾を防ぐために行う。
(2) リレーショナルデータベースは，データを親子関係を表す木構造により表現する階層モデルに基づき構成したデータベースである。
(3) SQLは，リレーショナルデータベースの操作を行うための言語であり，大きく分けてデータ定義言語，データ制御言語，データ操作言語で構成されている。
(4) E－R図は，エンティティ（実体）と，リレーションシップ（関係），アトリビュート（属性）によって，業務で扱うデータの関係を図式化したものである。

正解：(2)

解説　リレーショナルデータベースは、その名の通り表構造として格納されたデータどうしの数学的なリレーション（関連性）に基づくデータベースであり、木構造ではない。

6.14 シーケンス制御とフィードバック制御

(1) シーケンス制御

シーケンス制御とは、JISによって「あらかじめ定められた順序又は手続に従って制御の各段階を逐次進めていく制御方式」と定義されている。例を挙げると、投入されたコインを計数して品物を販売可能にする自動販売機、定められた加熱・冷却・加工工程などを行う自動加工工場、乗降ボタンの押下によってかごを移動させて扉を開閉し、指定された階まで移動するエレベーターなどが代表例である。

(2) フィードバック制御

エアコンの温度設定や自動車の自動運転機能など、何らかの操作に対して得られた出力を観測し、それを基にして温度や速度などが一定になるように保つ制御機構をフィードバック制御という。フィードバック系の基本的な構造は以下の通りである。

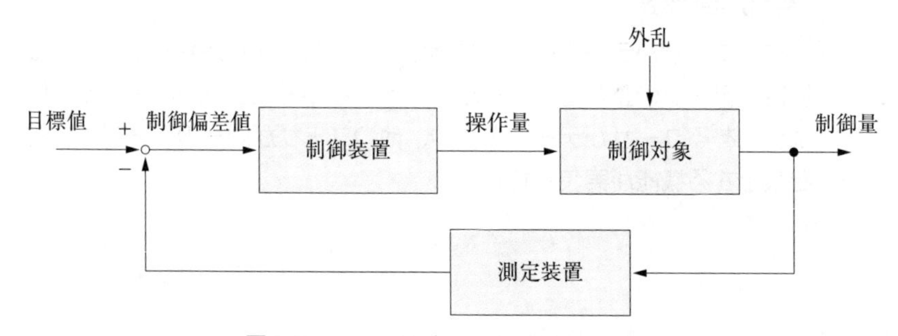

図6-7　フィードバック系の基本的な構造

エアコンを例えに挙げると、各機能は次のように対応する。

- 制御装置 ……… エアコン内部に組み込まれたコンピュータ
- 制御対象 ……… 冷暖房ユニット
- 測定装置 ……… 室温測定回路
- 目標値 …………. 設定室温
- 制御偏差値 …… 室温と設定温度の差情報。制御装置内で演算される。
- 操作量 …………. 冷暖房ユニットに対する動作指令信号
- 外乱 ……………. 扉の開閉、窓や壁からの熱の侵入、室内の人間からの発熱など
- 制御量 …………. 室内の気温

このとき、目標値と制御量の差である制御偏差値に対し、直線的に操作量を制御すると、本来求めている制御量とは異なる値で系が安定化してしまう場合があることが知られている。これをオフセットと呼び、オフセットの解消やその他特性の改善を行うため、PID制御が採用される場合が多い。

P制御（比例制御）

制御偏差値に対して**直線的に操作量を設定する**方式。前述のようにオフセットが発生した状態で安定してしまう場合があり、P制御だけでは不十分であることが多い。

I制御（積分制御）

制御偏差値を時間的に積分し、その値を操作量に反映させるもの。これによってオフセットを解消することが可能である。

D制御（微分制御）

P制御・I制御では、例えば急激に室温が変化した場合、即座に追従することが難しい。このとき、**制御偏差値を微分**することで制御量の急激な変化を敏感に検出し、操作量に反映させることで合理的な制御とすることができる。

機械組立ロボットなどにおいては、求められる動作によりシーケンス制御とフィードバック制御が併用される場合も多い。加工された部分品を搬送する装置はシーケンス制御、組立ロボットのアームの動作はサーボモーター（機械的動作の位置や方向、速度、角度などをあらかじめ設定された値になるように自動追従させる機構を持ったモーター）を使って加工や溶接などの作業を行わせるという例が挙げられる。

例題6-28　令和3年度 1級電気通信工事施工管理技術検定（第一次）問題A（選択）〔No.16〕 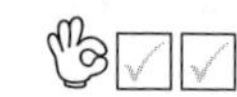

フィードバック制御システムに関する記述として，**適当でないもの**はどれか。

(1) フィードバック制御とは，フィードバックによって制御量を目標値と比較し，それらを一致させるように操作量を生成する制御である。

(2) 伝達関数を四角で囲んだものをブロックといい，ブロックと加算・減算・分岐の記号を組み合わせ，信号の流れを矢印で描いた図をシーケンス図という。

(3) フィードバック制御は制御量により，プロセス制御，サーボ機構，自動調整に分類される。

(4) 目標値が時間的に一定である制御を定値制御，時間的に変化する目標値に追従する制御を追従制御という。

正解：(2)

解説　シーケンス図ではなく、ブロック線図と呼ばれる。

第7章 電子工学

電子工学は、半導体素子を用いたアナログ回路やデジタル回路と、それを構成する技術についての分野であり、情報通信のためのハードウェア技術として極めて重要な分野である。

7.1 半導体の基礎

半導体は、通常、シリコン（ケイ素ともいう）やゲルマニウムなどのⅣ族の元素を指すが、ガリウムヒ素合金などの化合物半導体も使われている。一般に、シリコン単体の半導体よりも、ガリウムヒ素などの化合物半導体の方が半導体中を移動する電子の速度が速くなり、高速に動作するため、超高周波用のトランジスタなどは化合物半導体が多く用いられている。

これらの元素が極めて純粋に精製されたものを真性半導体という。真性半導体は、内部の原子どうしが互いの電子を共有することで結合し、つながりが強固であるため比較的高い抵抗値を示す。真性半導体に外部から熱を加えると、熱運動により自由に動き回れる電子が増加するため、抵抗値が下がる性質を持つ。

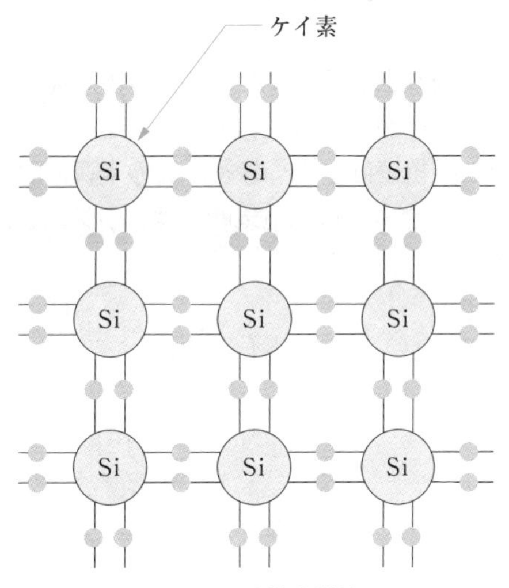

図7-1　真性半導体

このような真性半導体の中に、リンやヒ素などのV族の原子を混ぜると、結合に寄与しない余った電子（自由電子）が存在することになるため、真性半導体に比べて抵抗値が小さくなる。真性半導体に比べて電子が余っていることから、全体として相対的に電気的にマイナス（negative）となるため、これをn形半導体と呼ぶ。

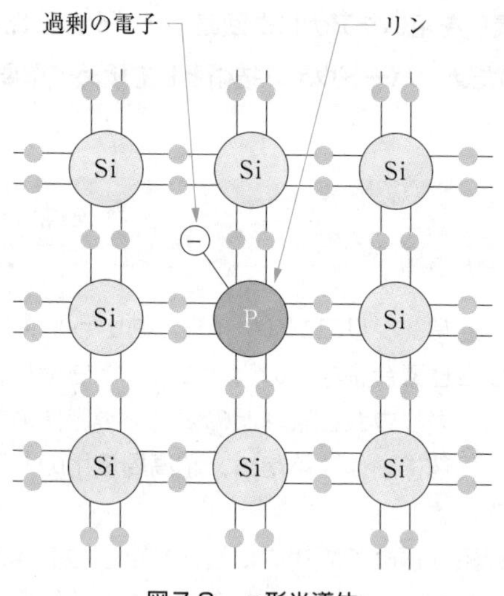

図7-2　n形半導体

同様にして、こんどはホウ素などのⅢ族の原子を混ぜると、電子と結合したくても不足しているため結合できない穴（正孔、ホールともいう）が出現してしまう。正孔は外部から電子を受け入れることで電子と結合しようとするが、電子と結合した瞬間に別の部分から電子が抜け出していくため、いつまで経っても電子は不足したままである。正孔は、等価的に電子を受け入れて運ぶ役割を持っているとみなせるため、やはり真性半導体に比べると抵抗値は小さくなる。この半導体は、真性半導体に比べて電子が不足していることから、全体として電気的にはプラス（positive）となるため、p形半導体と名付けられている。

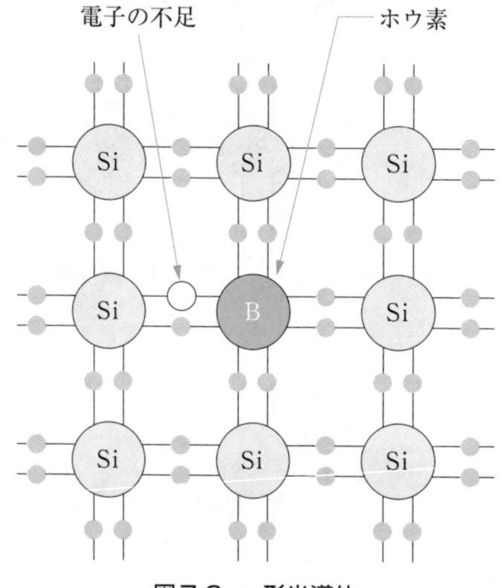

図7-3　p形半導体

例題7-1　令和元年度2級電気通信工事施工管理技術検定（学科・後期）問題（選択）〔No.11〕 

半導体に関する記述として，**適当でないもの**はどれか。

(1) 半導体は，常温で導体と絶縁体の中間の抵抗率を持っている物質である。
(2) n形半導体では，自由電子が多く正孔が少ない。
(3) pn接合面では，キャリアがほとんど存在しない空乏層ができる。
(4) 半導体の抵抗率は，温度が上昇すると増加する。

正解：(4)

解説　(4) 半導体は、共有結合のために抵抗率が比較的大きいという性質を持つが、温度が上昇すると結合の手を離れて飛び出す自由電子が増加するため、抵抗率が低下していく。

(1) ダイオード

ダイオードは、n形半導体とp形半導体を接合した2端子素子である。p形半導体は電子が不足、n形半導体は電子が過剰であるから、接合面付近では互いの利害が一致し、自由電子と正孔が結合して消滅し、自由電子も正孔も存在しない領域が生まれる。この部分を空乏層という。

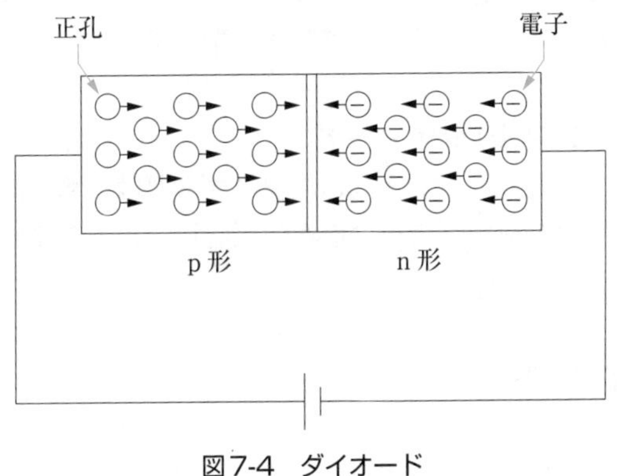

図7-4　ダイオード

ここで、外部の電源を、p形が正、n形が負となるように接続する。すると、電源からn形領域に電子が送り込まれ、押し出された電子は空乏層を超えてp形領域に流れ込む。p形領域は電子が不足しているため、正孔と自由電子が再結合し、その電子は外部電源の正極に戻っていく。つまり、回路電流が流れることになる。外部電源を逆に接続すると、空乏層はより広がってしまい、回路電流は流れない。

このように、pn接合はp→n方向にのみ電流を流す素子として振る舞い、ダイオードという部品として広く用いられている。このようにして製作されるダイオードは、用途に合わせて色々なものが製作されている。

整流用ダイオード

普通のpn接合ダイオードであるが、電源回路で用いるため、大きな順方向電流と大きな逆方向耐圧を持つように作られている。

LED（発光ダイオード）

p形半導体とn形半導体の接合面付近で自由電子と正孔が結合する際、電子が持っていたエネルギーが光となって放出される現象を利用したもので、青色LEDの製造技術が確立されて以来、我々が日常的に使用する光源として爆発的に広まっている。順方向電圧を与えて使用する。

定電圧（ツェナー）ダイオード

ダイオードに逆方向電圧を掛けると電流は流れないが、さらに電圧を上げていくと空乏層での電界が大きくなり、やがて電流が流れるようになってしまう。このときの電圧はほぼ一定となるため、これを利用して定電圧を得るために使用されるダイオードである。

可変容量（バラクタ）ダイオード

定電圧ダイオード同様、逆電圧を加えて使用する。逆電圧を大きくしていくと空乏層が広がることから、これをコンデンサに見立てると極板間距離が広がることに相当する。つまり、与える直流電圧の大きさを変えることで静電容量を変えることができるダイオードとして振る舞うわけである。電子チューナなどで広く使用されている。

エサキ（トンネル）ダイオード

不純物濃度を高くして作成したダイオードは、順方向電圧を上げても電流が減少する負性抵抗特性を持つ。これは増幅作用を持つことを意味し、これを利用して高周波を発振させることができる。

ガンダイオード

ガンダイオードはn形半導体のみで構成される特殊なダイオードで、順方向電流を流した際の負性抵抗特性を利用してマイクロ波を発生するものである。

一般用ダイオードを利用した応用回路として、クリッパ回路、リミッタ回路、スライサ回路が挙げられる。

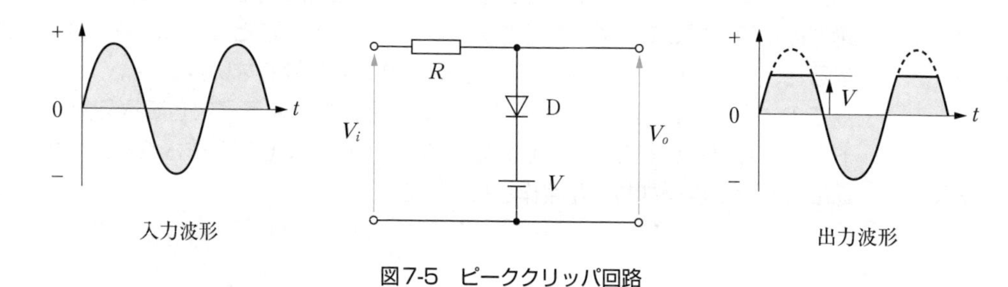

図7-5　ピーククリッパ回路

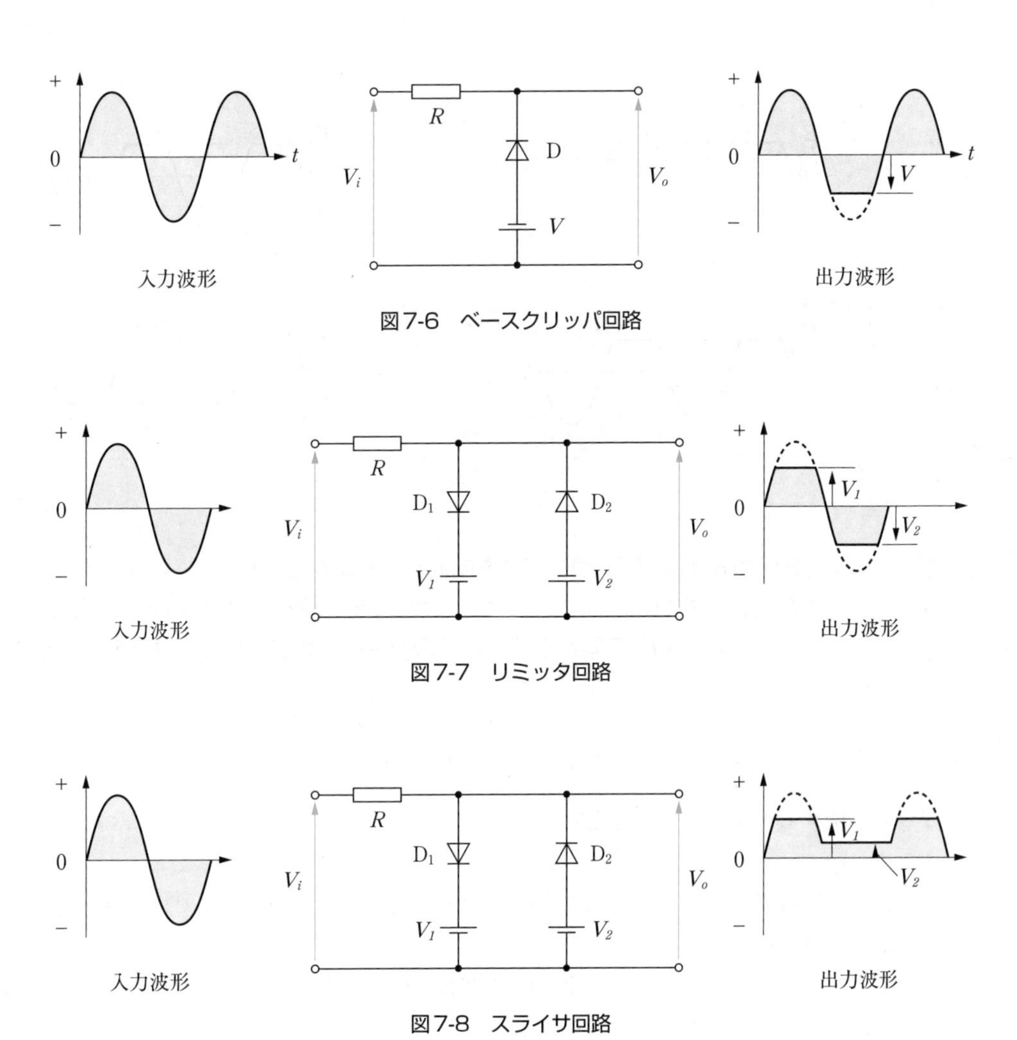

図7-6　ベースクリッパ回路

図7-7　リミッタ回路

図7-8　スライサ回路

これらの回路の動作解析は、ダイオードを、順方向に電圧が掛かるときはただの導線、逆方向に電圧が掛かるときは完全に切り離しとして場合分けして考えることで特性を求めることができる。

例題7-2　　令和元年度1級電気通信工事施工管理技術検定（学科）問題A（選択）〔No.15〕 

下図に示す波形整形回路に正弦波を入力した場合の出力波形として，**適当なもの**はどれか。

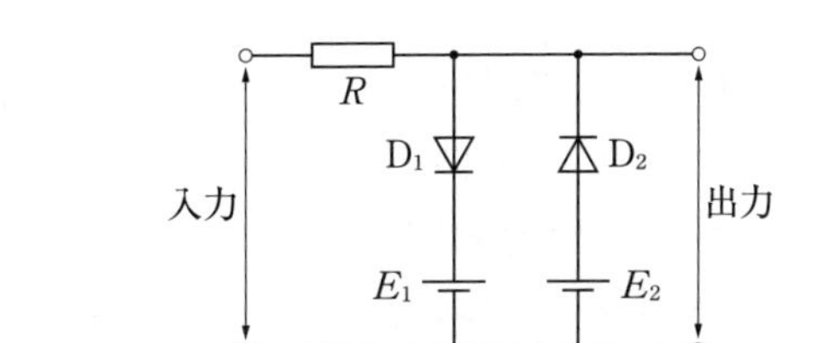

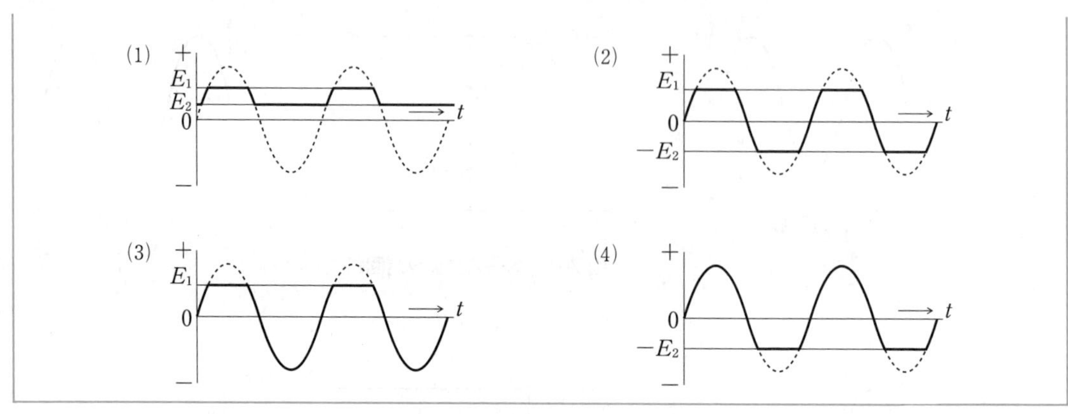

正解：(1)

解説 入力電圧がE_1を超えるとD_1が順方向となって単なる導線とみなせる。すると、出力電圧はE_1で固定される。また、入力電圧がE_2を下回るとD_2が順方向となって導線とみなせ、出力電圧はE_2で固定される。この条件に合致するグラフは（1）と分かる。

例題7-3　令和元年度1級電気通信工事施工管理技術検定（学科）問題A（選択）〔No.14〕 

半導体に関する記述として，**適当でないもの**はどれか。

(1) シリコンの真性半導体にヒ素などのドナーを混入したn形半導体では，自由電子の数が正孔の数より多くなる。
(2) 半導体の電気伝導度は，真性半導体に添加されるドナーやアクセプタとなる不純物の濃度に依存する。
(3) 逆方向電圧を加えたpn接合ダイオードでは，空乏層の領域で正孔と自由電子が結合しにくい状態になり，空乏層が狭くなる。
(4) ガリウムヒ素を用いた化合物半導体では，半導体材料中を移動する電子の速度がシリコン半導体より速くなり，電子回路の高速動作が可能になる。

正解：(3)

解説 (3) 逆方向電圧を加えたpn接合ダイオードは、空乏層が広くなる。

(2) バイポーラトランジスタ

一般に「トランジスタ」というとバイポーラトランジスタのことを指す。

これは、p形半導体とn形半導体をPNPもしくはNPNのサンドイッチ構造とし、間に挟まれた領域を極めて薄く作ることによって電流増幅作用が現れることを利用した素子である。電極はB（ベース）、C（コレクタ）、E（エミッタ）の3本で、B～E間に流す電流とC～E間に流れる電流が比例関係にあることを利用して増幅回路を作る。なお、この比例係数を電流増幅率と呼び、通常βという記号で表す。βの値は、おおむね数十～数百の範囲である場合が多い。

トランジスタを使用した増幅回路は、ベース接地回路、エミッタ接地回路、コレクタ接地回路の3種類があり、それぞれ回路で必要とされる性質に応じて使い分けられる。

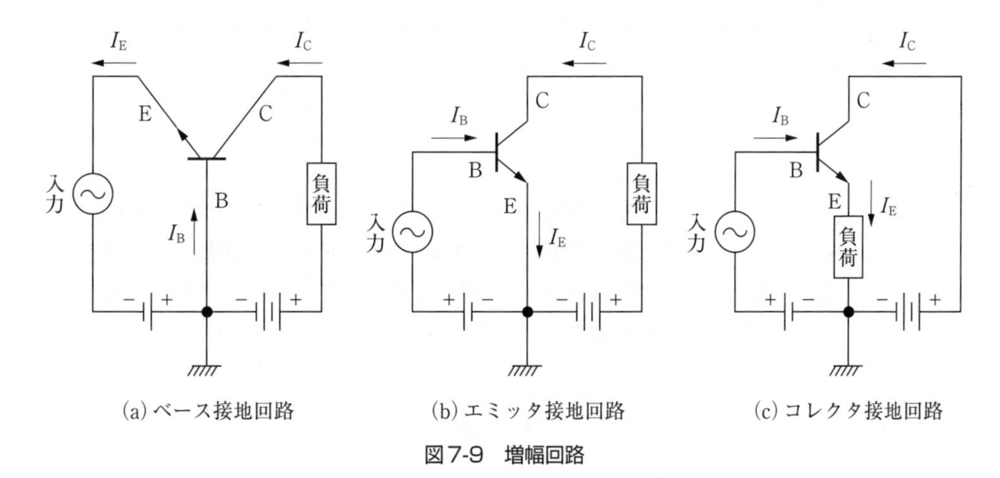

(a) ベース接地回路　(b) エミッタ接地回路　(c) コレクタ接地回路

図7-9　増幅回路

ベース接地回路

入力信号をエミッタ・ベース間に接続し、出力をベース・コレクタ間から取り出す回路である。入力端子と出力端子の間の結合が小さいため高周波特性に優れているうえ、入力インピーダンスが低く同軸ケーブルなどの伝送線路との整合が取りやすいため高周波増幅回路によく使用されている。

エミッタ接地回路

入力信号をエミッタ・ベース間に接続し、出力をエミッタ・コレクタ間から取り出す回路である。入力インピーダンスが高く、高い増幅度が得られるため、多くの増幅回路に使用される基本的な回路である。高い周波数では発振など不安定動作を起こす傾向があり、高周波増幅には不向きである。入力と出力の位相は逆相になる。

コレクタ接地（エミッタフォロワ）回路

入力信号をベース・コレクタ間、出力をエミッタ・コレクタ間から取り出す回路である。この回路は、入力インピーダンスが高く、出力インピーダンスが小さいという特性を持つ。電圧増幅作用はないが、電流増幅作用を持つ。

例題 7-4　令和2年度 2級電気通信工事施工管理技術検定（学科・後期）問題（選択）〔No.11〕 

下図に示すNPNトランジスタ回路の動作に関する記述として，**適当でないもの**はどれか。

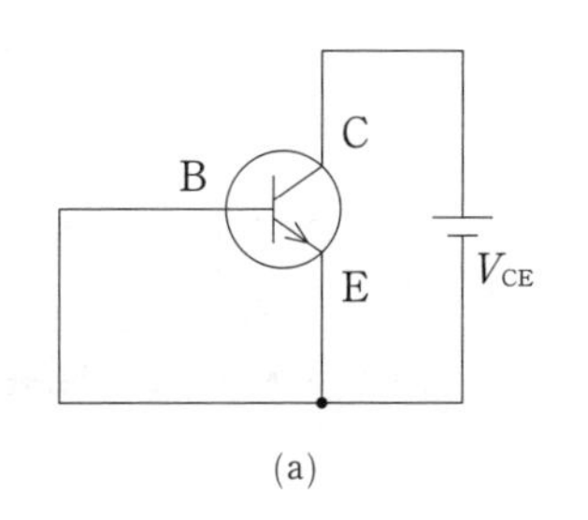

(a)

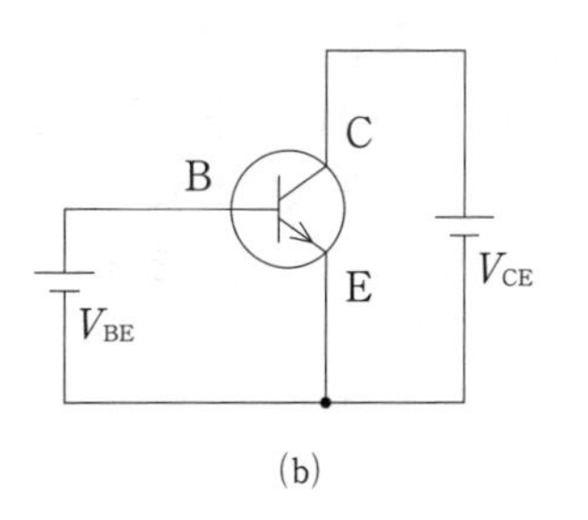

(b)

(1) (a) の回路は，C－B間に逆電圧が加わるためC－B接合面付近の空乏層が広くなる。
(2) (a) の回路は，コレクタに電流が流れない。
(3) (b) の回路は，B－E間に順電圧が加わるためB－E接合面付近の空乏層が広くなる。
(4) (b) の回路は，コレクタに電流が流れる。

正解：(3)

解説 (1) NPN型トランジスタなので、B-C間はP-N接合のダイオードと等価であり、逆電圧となる。(2) B-E間の電圧がゼロなのでバイアス電流が流れず、コレクタ電流は流れない。(3) 順電圧が加わると、空乏層が消滅して順方向電流が流れるようになる。(4) B-E間にV_{BE}の電圧が加わりベース電流が流れるため、コレクタ電流も流れるようになる。

例題7-5　令和3年度 1級電気通信工事施工管理技術検定（第一次）問題A（選択）〔No.14〕 

トランジスタ増幅回路の接地方式に関する記述として，**適当でないもの**はどれか。

(1) エミッタ接地回路の入力信号と出力信号は，同位相である。
(2) ベース接地回路の入力信号と出力信号は，同位相である。
(3) コレクタ接地回路の入力信号と出力信号は，同位相である。
(4) コレクタ接地回路は，エミッタホロワとも呼ばれている。

正解：(1)

解説 エミッタ接地回路は、入力信号と出力信号が逆相になるという特徴を持つ。

(3) 電界効果トランジスタ（FET）

電界効果トランジスタは、FETもしくはユニポーラトランジスタとも呼ばれる。これは、p形半導体もしくはn形半導体の基板上に、直接もしくは絶縁膜を挟んで貼り付けられた電極を設け、電極と基板の間に与えた電圧による電界によって流れる電流を制御するタイプのトランジスタである。電極を直接接合したものを接合形FET、絶縁膜を挟んで設けたものをMOS形FETと称する。電極はG（ゲート）、D（ドレイン）、S（ソース）の3本で、G～S間に与える電圧とD～S間に流れる電流が比例することを利用して増幅回路を作る。n形基板上にp形のゲート電極を設けたものをNチャネル、p形基板上にn形のゲート電極を設けたものをPチャネルといい、Nチャネル型のFETはDに電源の＋を与え、Sを接地してS－G間に負電圧を掛けて制御する。Pチャネル型はその逆である。

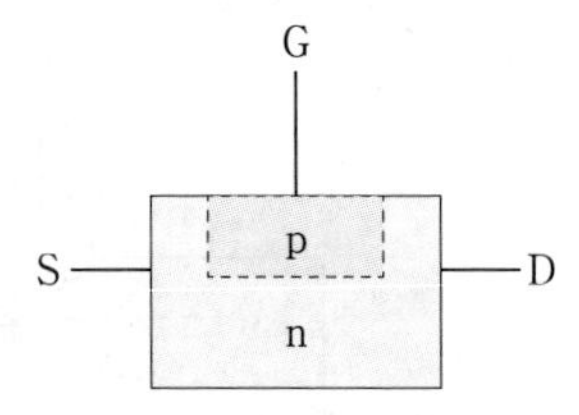

図7-10　Nチャネル接合型FETの内部構造

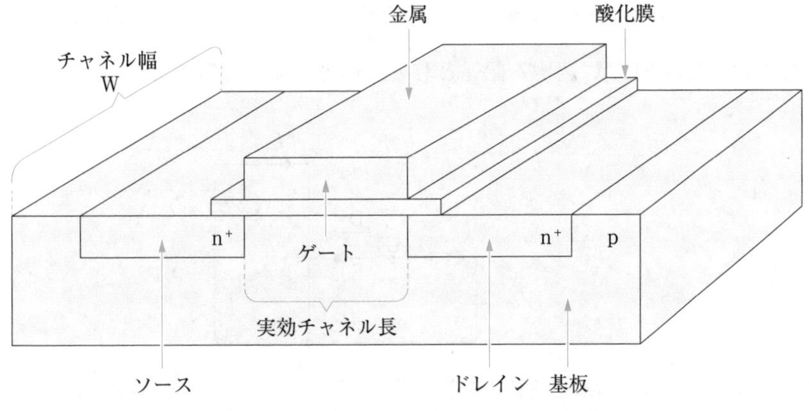

図7-11　NチャネルMOSFETの内部構造

FETは電圧対電流特性の面から、大きく分けるとデプレッション形とエンハンスメント形に大別される。

デプレッション形FET

ゲート・ソース間の電圧が0Vでもドレイン電流が流れるタイプのもので、信号増幅用に用いる。接合型FETは基本的にデプレッション形となり、MOS形についてはデプレッション形もエンハンスメント形も作成することができる。

エンハンスメント形FET

ゲート・ソース間電圧が0Vの場合はドレイン電流が流れず、電圧を掛けると急にドレイン電流が流れだすタイプのFETである。基本的にMOS構造のFETで、小さな電圧で大きな電流を制御する電子スイッチとして活用できるため、身の回りの電源装置などに多用されている。

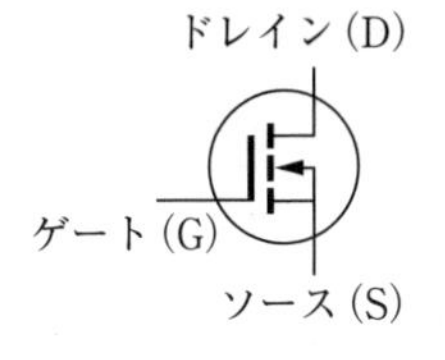

Nチャネル MOSFET
エンハンスメント型の
記号

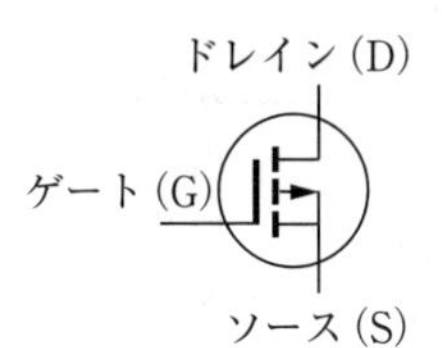

Pチャネル MOSFET
エンハンスメント型の
記号

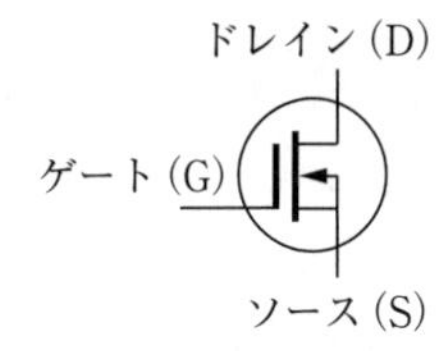

Nチャネル MOSFET
デプレッション型の
記号

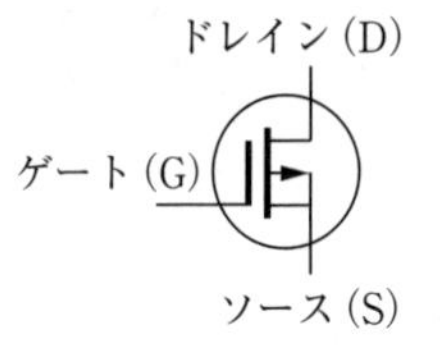

Pチャネル MOSFET
デプレッション型の
記号

図7-12　各種FETの回路記号

例題7-6　令和4年度2級電気通信工事施工管理技術検定（学科・後期）問題（選択）〔No.11〕

下図に示すMOS FETに関する記述として，**適当でないもの**はどれか。

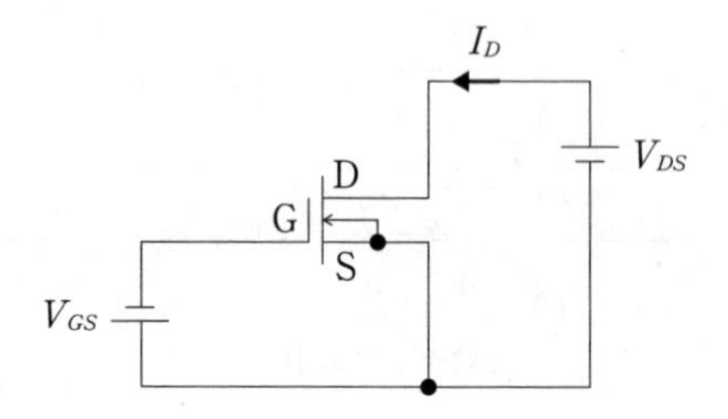

(1) デプレション形のMOS FETである。

(2) p形半導体に電子がキャリアとなる領域であるnチャネルが形成されている。

(3) ゲート電圧V_{GS}の電圧を大きくしていくとドレーン電流I_Dが減少する。

(4) ゲート電圧V_{GS}が0Vのときはドレーン電流I_Dは流れない。

正解：(4)

解説　この記号はMOS形FETのうち、デプレッション形を意味している。したがって、ゲート電圧が0Vのときもドレイン電流が流れる特性を持っている。

(4) トランジスタ応用回路

トランジスタやFET、ダイオードその他の回路素子を多数組み合わせて作る電子回路は、無限ともいえるほど実に様々な回路が存在する。それらを全て取り上げることはできないから、まずは基本的なアナログ応用回路について見ていくことにする。

固定バイアス回路

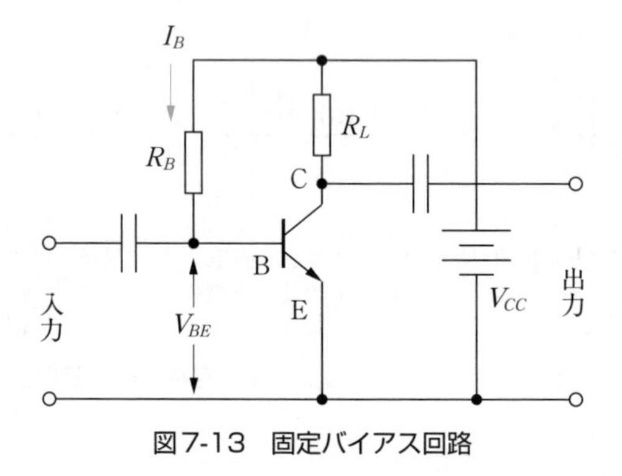

図7-13　固定バイアス回路

トランジスタ増幅回路の最も基本的な回路は、固定バイアス回路である。これは、ベースに与える**バイアス電流を抵抗1本で固定した数値**とし、コレクタに挿入した負荷抵抗R_Lによってコレクタ電流をコレクタ電圧に変換して出力電圧とするものである。回路が非常に簡単であるが、周囲温度などによって動作点が大きく変動するため、簡易的な回路以外では実用にならない。

自己バイアス回路

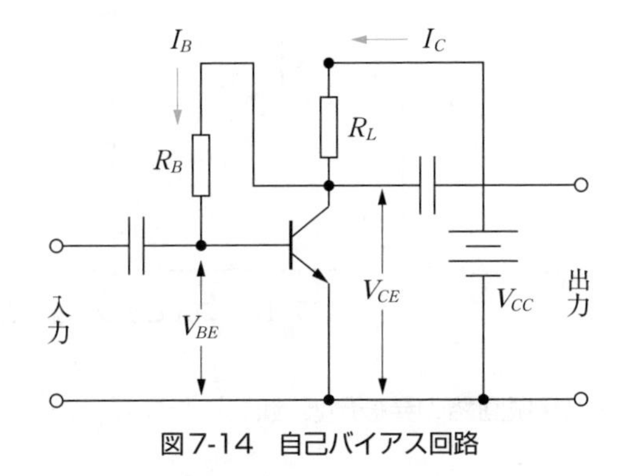

図7-14　自己バイアス回路

固定バイアスと似ているが、ベース抵抗をコレクタから接続している点が異なる。部品点数は固定バイアスと変わりないが、次のような理由で動作が安定化する。

①温度上昇などによりコレクタ電流が増加する。
②R_Lでの電圧降下が大きくなり、V_{CE}が減少する。
③R_Bの両端に掛かる電圧が減少するため、ベース電流I_Bが減少する。
④コレクタ電流が減少する。

この回路は、固定バイアスよりも安定して使える回路ではあるが、抵抗をあと２本追加するだけで電流帰還バイアス回路を構成できるため、あまり使われない。

電流帰還バイアス回路

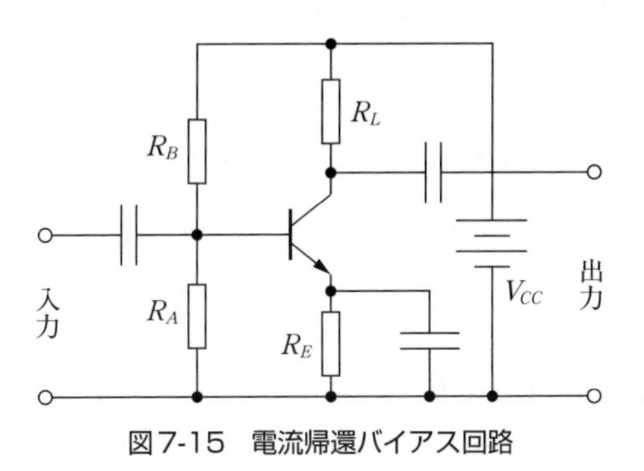

図7-15　電流帰還バイアス回路

電流帰還バイアス回路は、２本のベース抵抗を用いてベース電位を安定に保ち、エミッタ抵抗との兼ね合いで動作点を決定するものである。

この電流帰還バイアス回路は、安定した動作をさせることができ、動作点も設計通りになるため、通常トランジスタ増幅回路といえばこの回路を用いて構成する。

コルピッツ発振回路

トランジスタの応用回路の１つとして、コルピッツ発振回路がある。これは次のような原理回路図で表される。

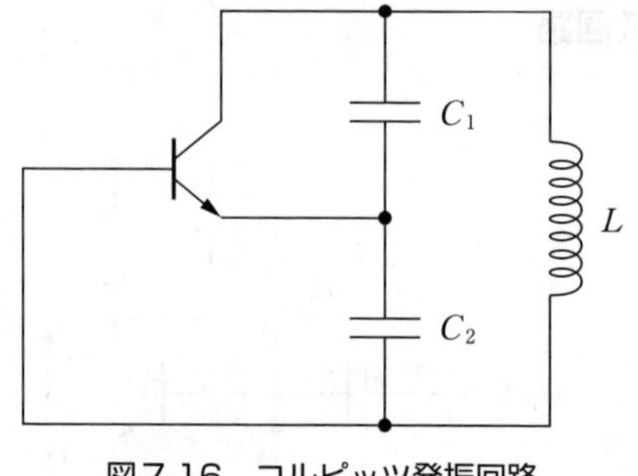

図7-16　コルピッツ発振回路

コルピッツ発振回路の発振周波数は$\dfrac{1}{2\pi\sqrt{L\dfrac{C_1C_2}{C_1+C_2}}}$で表すことができる。

ハートレー発振回路

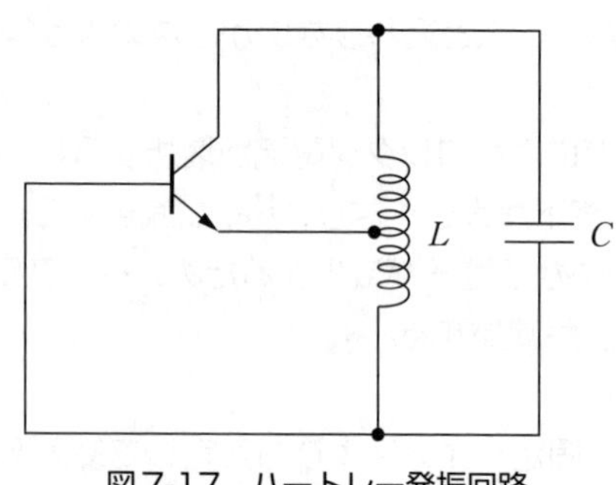

図7-17　ハートレー発振回路

ハートレー発振回路は、コルピッツ発振回路のLとCを逆にしたもので、Lにタップを出したものである。発振周波数は$\dfrac{1}{2\pi\sqrt{LC}}$である。

例題7-7　令和元年度1級電気通信工事施工管理技術検定（学科）問題A（選択）〔No.16〕 

下図のハートレー発振回路の原理図において，発振周波数fが100［Hz］の場合，コンデンサCの静電容量の値を36［%］減少させたときの発振周波数［Hz］の値として，**適当なもの**はどれか。

ただし，発振周波数fは次式で与えるものとし，コイルL_1とL_2及びその相互インダクタンスMの値は変化しないものとする。

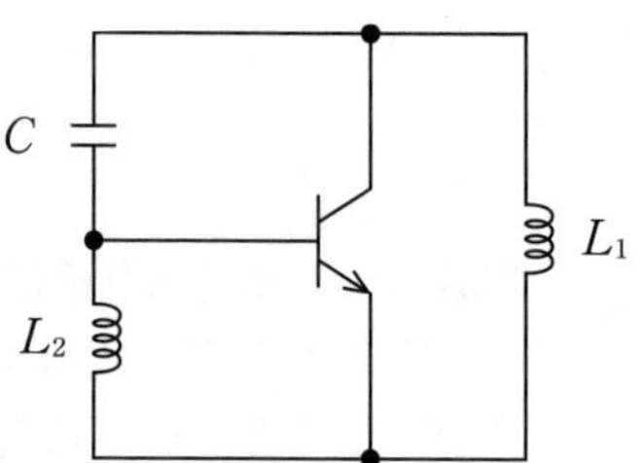

$$f=\frac{1}{2\pi\sqrt{(L_1+L_2+2M)C}}\ \text{[Hz]}$$

(1) 64［Hz］
(2) 80［Hz］
(3) 125［Hz］
(4) 156［Hz］

正解：(3)

解説 発振周波数の式が提示されているので、それに条件を当てはめて計算するだけである。与式でCが36%減少するということは、Cの値はその前に比べて0.64倍になったわけである。したがって、$\sqrt{\ }$の値は0.8倍になることが分かる$(0.8^2=0.64)$。以上より、分母が0.8倍になるから、$100 \div 0.8 = 125$[Hz]と求められる。

7.2 演算増幅回路

演算増幅回路は、トランジスタを多数集積して作られたアナログ増幅用ICで、オペアンプとも呼ばれる。

＋と－の2入力端子、1つの出力端子の合計3端子を持ち、出力信号を入力側に帰還することで安定した増幅作用などを行うことができる。

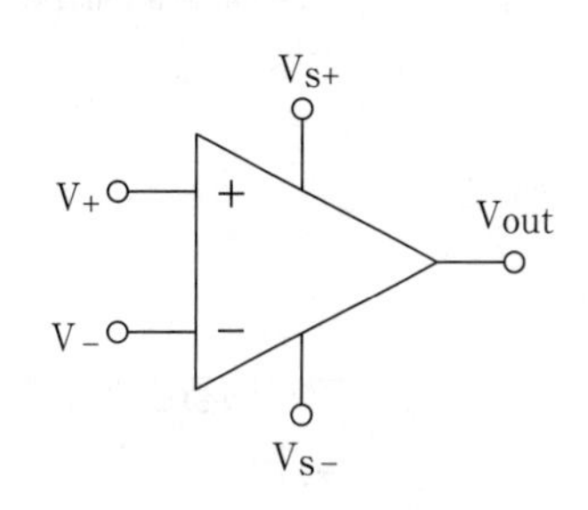

図7-18　演算増幅回路

(1) 非反転増幅回路

非反転増幅回路は、入力信号が反転せず出力されるもので、基本構成は次の通り。

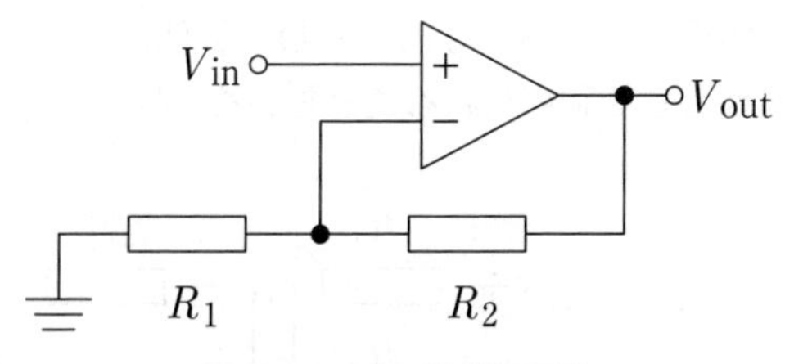

図7-19　非反転増幅回路

この回路の電圧増幅度はR_1とR_2によって決定され、その値は

$$\left(1+\frac{R_2}{R_1}\right)$$

となる。この結果からも分かるように、増幅度は1倍以上にしか設定できない。また、入力インピーダンスが非常に高いという利点を持っている。

(2) 反転増幅回路

反転増幅回路は、次のような回路構成のものである。

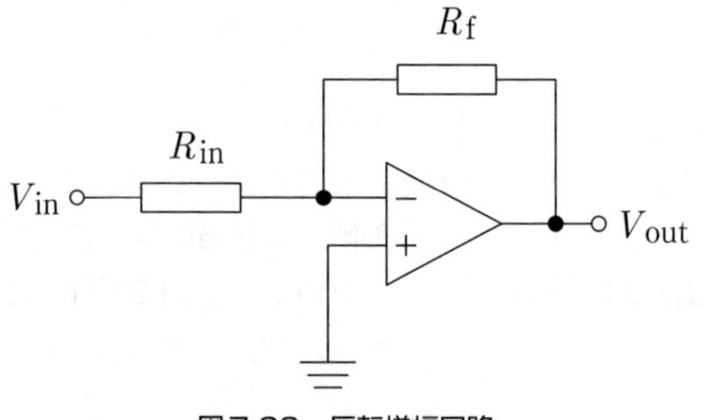

図7-20　反転増幅回路

反転増幅回路は、入力と出力のプラスマイナスが反転する増幅回路で、電圧増幅度の値は

$$-\frac{R_f}{R_{in}}$$

で求めることができる。この回路は正常動作している限り、演算増幅器の一入力端子の電圧は常にゼロ Vに保たれる。これは仮想接地（バーチャルショート）と呼ばれる。

(3) 加算回路

仮想接地効果を利用して複数の信号を加算する回路を作ることができる。複数の入力を、互いに干渉することなく加算し増幅した値が出力として得られる。この回路は、オーディオ信号のミキサーなどに使われる他、入力側の抵抗値に重みを付けることでD/A変換回路として利用されることもある。

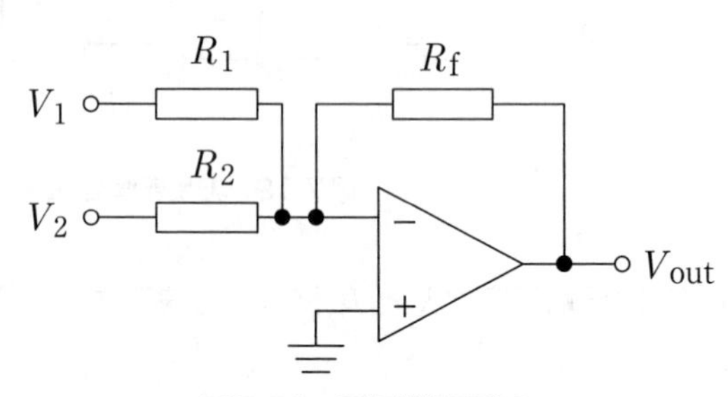

図7-21　反転増幅回路2

(4) ウィーンブリッジ発振回路

オペアンプを利用した発振回路の１つで、図7-22のような回路で発振を行う。

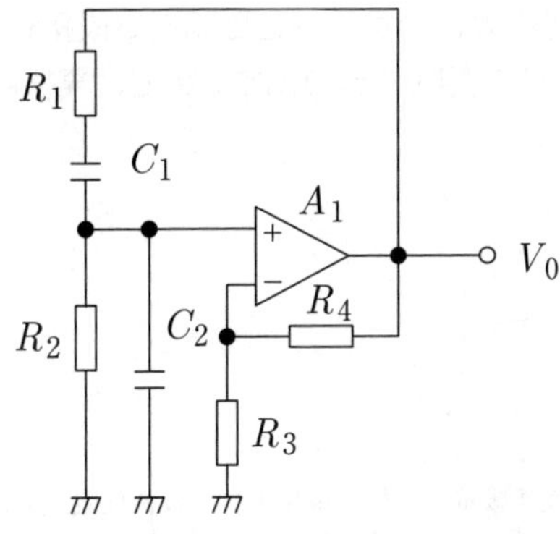

図7-22　ウィーンブリッジ発振回路

この回路は、非反転増幅回路と抵抗・コンデンサによる移相回路を組み合わせたもので、

①信号が一周したときの増幅率が１以上になっていて、
②信号が一周したときの位相が元と同じになっている

という条件で発振する。具体的な式は、

発振条件　$$1+\frac{R_2}{R_1}+\frac{C_1}{C_2}=\frac{R_3+R_4}{R_4}$$

発振周波数　$$f=\frac{1}{2\pi\sqrt{C_1C_2R_1R_2}}$$

という結果になる。

これを発振条件と呼び、増幅回路の場合は条件を満たさないように、発振回路の場合は積極的に条件を満たすように回路を構成しなければならない。

(5) 移相発振回路

オペアンプやトランジスタを利用した発振回路の１つで、次のような構成を取る。

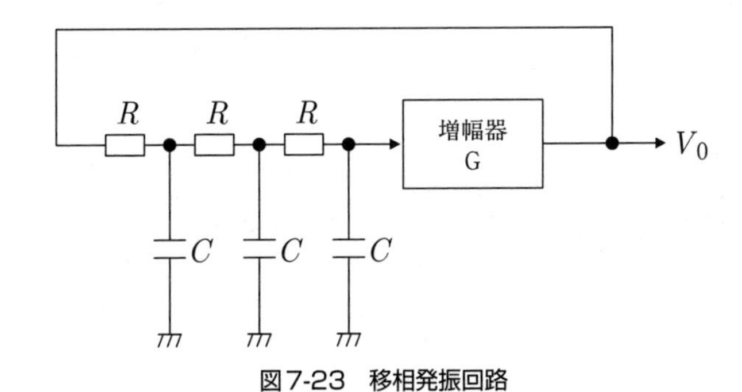

図7-23　移相発振回路

これはRCを組み合わせた移相回路を3段接続し、それぞれ60°ずつ位相を変化させ、合計180°の位相差を作り出すもので、発振周波数は

$$\frac{1}{2\pi\sqrt{6CR}}$$

で求めることができる。

例題7-8　令和4年度1級電気通信工事施工管理技術検定（第一次）問題A（選択）〔No.15〕 

下図に示す重み抵抗を用いたD/A変換器に($D_3 = 1$，$D_2 = 0$，$D_1 = 1$，$D_0 = 0$)のデジタル信号を入力した場合の出力電圧V_Oとして，**適当なもの**はどれか。

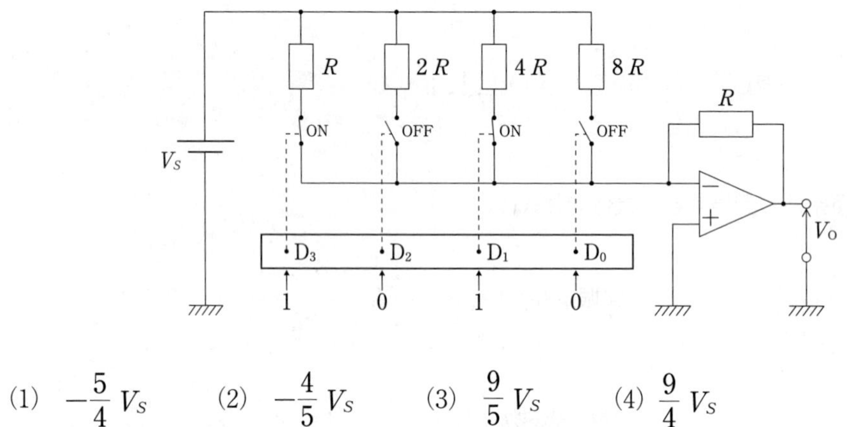

(1) $-\dfrac{5}{4}V_S$　(2) $-\dfrac{4}{5}V_S$　(3) $\dfrac{9}{5}V_S$　(4) $\dfrac{9}{4}V_S$

正解：(1)

解説　回路全体で考えると、入力側の抵抗がRと$4R$の並列、つまり

$$\frac{R\times4R}{R+4R}=\frac{4}{5}R$$

であり、出力からの帰還抵抗がRである反転増幅回路であると考えることができる。したがって、増幅率Aは

$$A=-\frac{R}{\frac{4}{5}R}=-\frac{5}{4}$$

と計算され、正解は（1）であることが求められる。

7.3 微積分回路

電気信号を回路で処理する場合、入力信号を微分・積分したいことがある。このような場合、抵抗とコイル・コンデンサなどの性質を利用することで微積分回路を構成することができる。原理的にはコイルとコンデンサのいずれを用いることもできるが、製作のしやすさから抵抗とコンデンサを使うことが多い。

(1) 微分回路

CRで構成した微分回路は次のようになる。V_iが入力波形、V_oは出力波形であり、ここで示す出力波形は、時定数τが入力パルスの幅よりも十分小さい場合である。

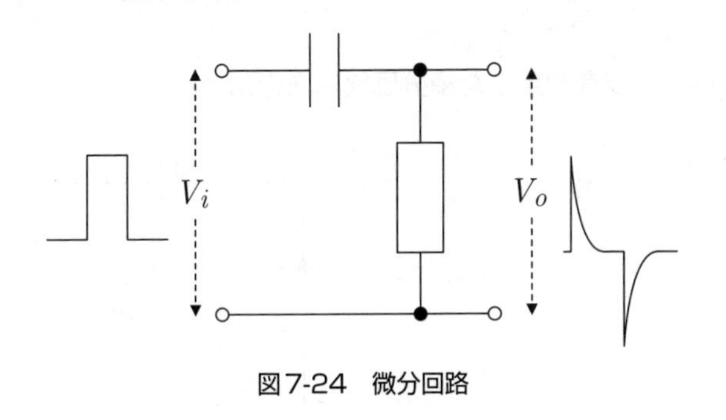

図7-24　微分回路

また、オペアンプを利用した微分回路は次のようになる。

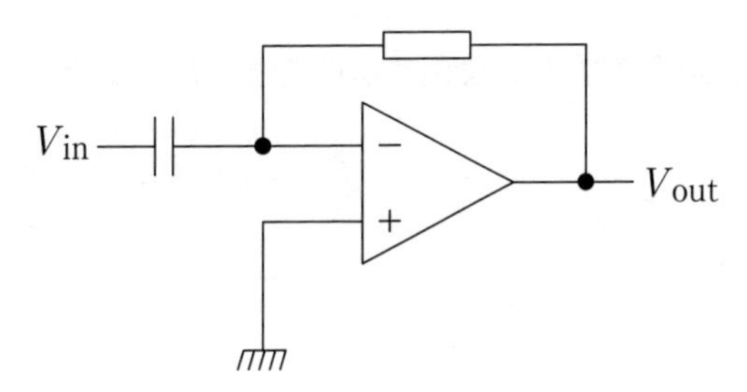

図7-25　オペアンプを利用した微分回路

微分回路の時定数τは、使用する抵抗値をR、コンデンサの静電容量をCとすると、

$$\tau = RC[s]$$

で求められる。

(2)積分回路

積分回路は、微分回路のRとCを入れ替えた形となる。V_iが入力波形、V_oは出力波形であり、ここで示す出力波形は、時定数τが入力パルスの幅よりも十分大きい場合である。

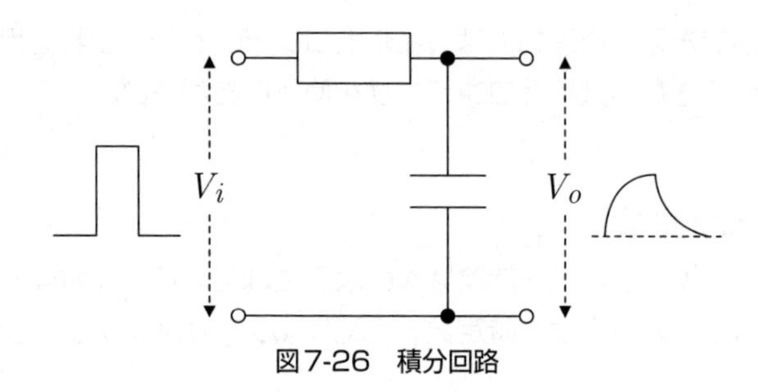

図7-26　積分回路

オペアンプを利用した積分回路は次のようになる。

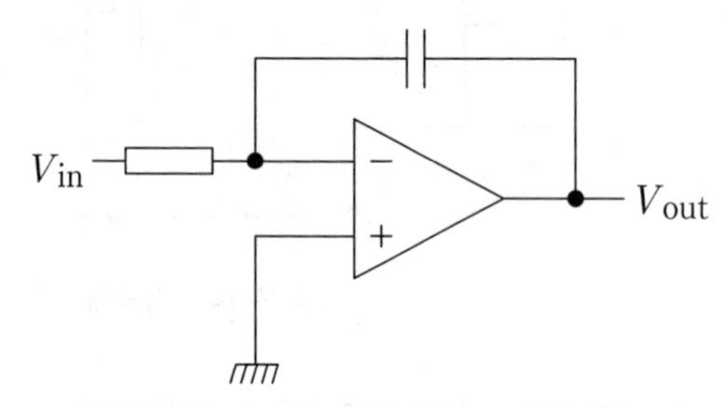

図7-27　オペアンプを利用した積分回路

積分回路の時定数も、使用する抵抗値をR、コンデンサの静電容量をCとすると、

$$\tau = RC[s]$$

で求められる。

例題7-9　　令和3年度 2級電気通信工事施工管理技術検定（学科・前期）問題（選択）〔No.11〕 

下図において，図（a）のような方形パルスを図（b）の回路に入力したときの出力波形v_oとして，**適当なもの**はどれか。ただし，回路の時定数は方形パルスのパルス幅より十分小さいものとする。

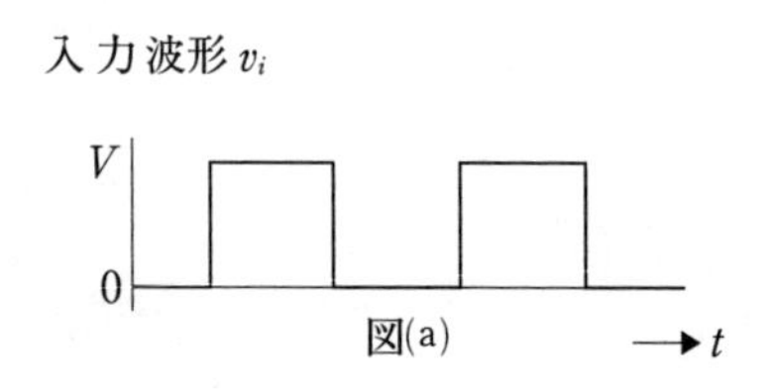

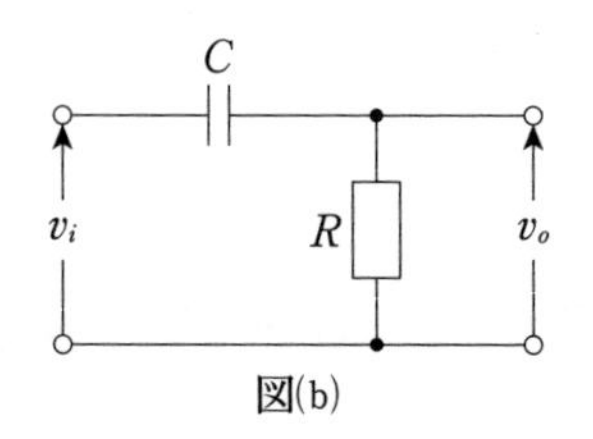

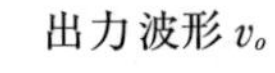

(1)

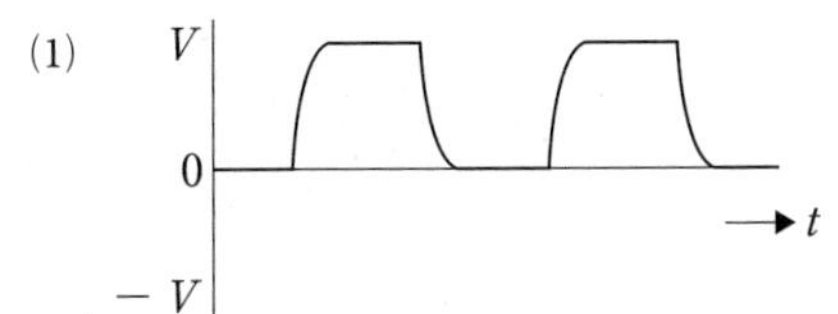

出力波形 v_o

(2)

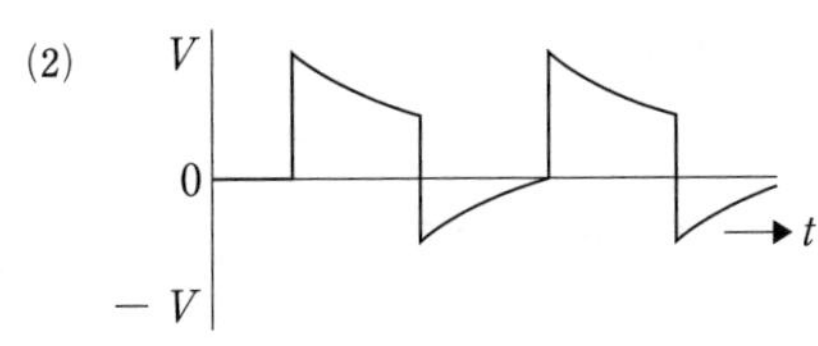

出力波形 v_o

(3)

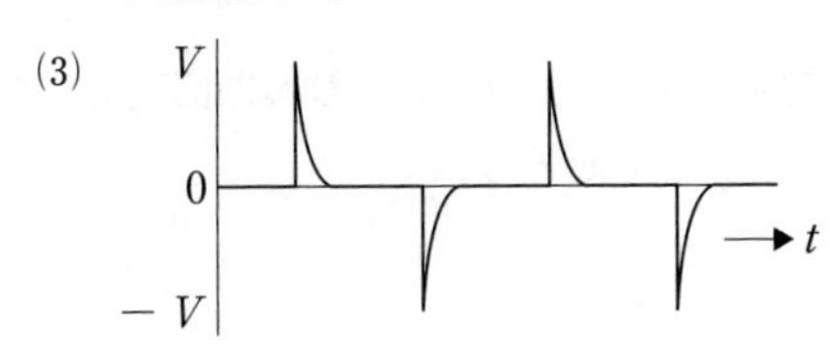

出力波形 v_o

(4)

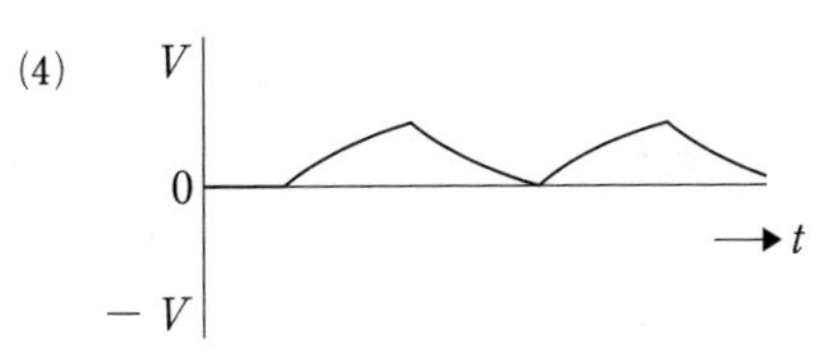

正解：(3)

解説 (1) は時定数が小さい場合の積分波形、(2) は時定数が大きい場合の微分波形、(4) は時定数が大きい場合の積分波形である。

7.4 論理回路

論理回路はコンピュータの中枢を構成する素子で、入力電圧に対して演算した結果の電圧を出力する。

代表的な論理回路としては、次のようなものが挙げられる。

(1) NOT回路

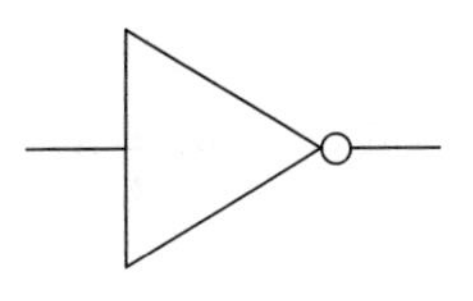

図7-28　NOT回路

2進数は数字が0と1しかないため定義できる演算で、1が入力されたら0、0が入力されたら1を出力する。入力を X とすると、出力は $\overline{X}$ で表す。

(2) OR回路

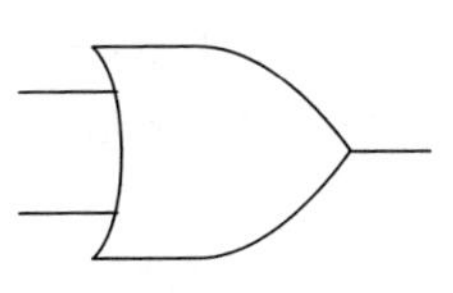

図7-29　OR回路

論理和である。(00) の入力で出力が0+0=0、(10) と (01) の入力で出力は1、そして (11) の入力でも出力は1となる。入力をX、Yとすると、出力は$X+Y$で表す。

(3) AND回路

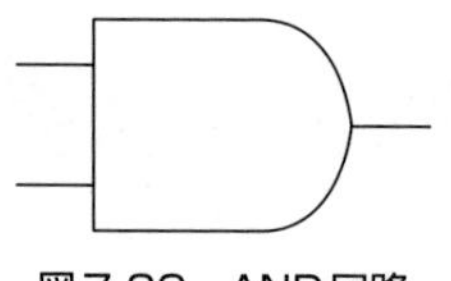

図7-30　AND回路

論理積である。(00) (01) (10) の入力で出力は0、(11) の入力に対してのみ出力が1となる。入力をX、Yとすると、出力は$X \cdot Y$で表す。

(4) NOR回路

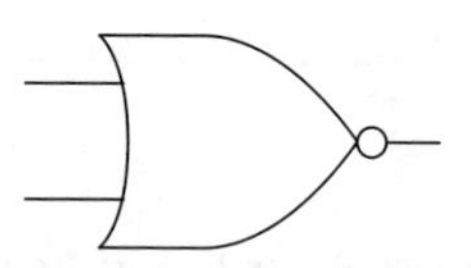

図7-31　NOR回路

OR回路の出力にNOT回路を接続したもので、ORの出力を反転したものが得られる。入力をX、Yとすると、出力は$\overline{X+Y}$で表す。

(5) NAND回路

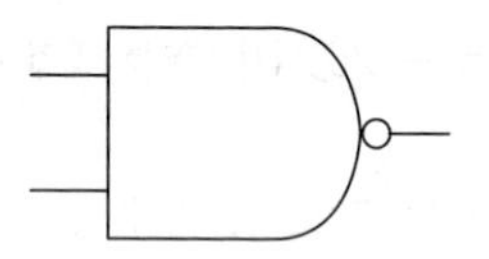

図7-32　NAND回路

AND回路の出力にNOT回路を接続したもので、ANDの出力を反転したものが得られる。入力をX、Yとすると、出力は$\overline{X \cdot Y}$で表す。

(6) XOR (EXOR) 回路

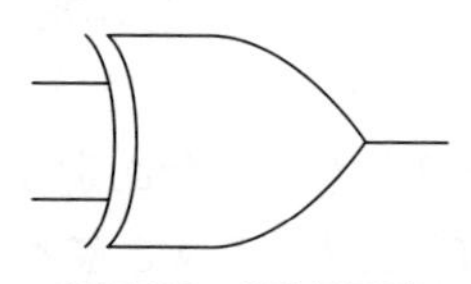

図7-33　XOR回路

エクスクルーシブ・オア、日本語で排他的論理和と訳する。入力が (00) で出力が0、(10) と (01) で出力が1、そして (11) の入力で出力が0となる論理演算である。

(7) 真理値表

論理回路の組み合わせで構成された回路を解析する際、各部の論理を表にして分かりやすくまとめると見通しがよくなる。このような表を真理値表と呼ぶ。

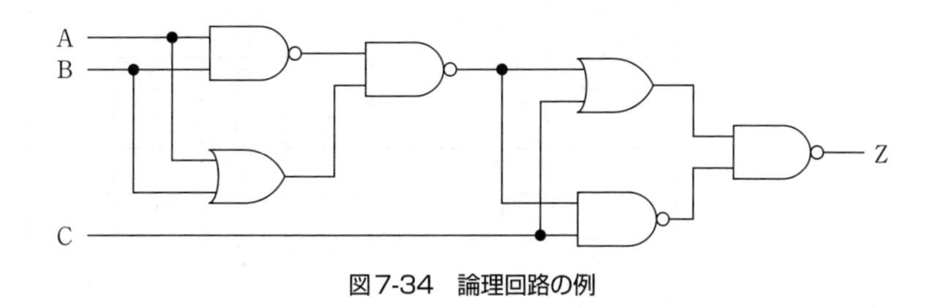

図7-34　論理回路の例

例えば、入力A・B・Cに対して出力Zが存在する、上記のような論理回路群があるとする。この回路の各部の値について真理値表を求めることで、入力に対する出力の挙動を求める。

まず、次の図のように回路各部にD～Hと記号を振る。

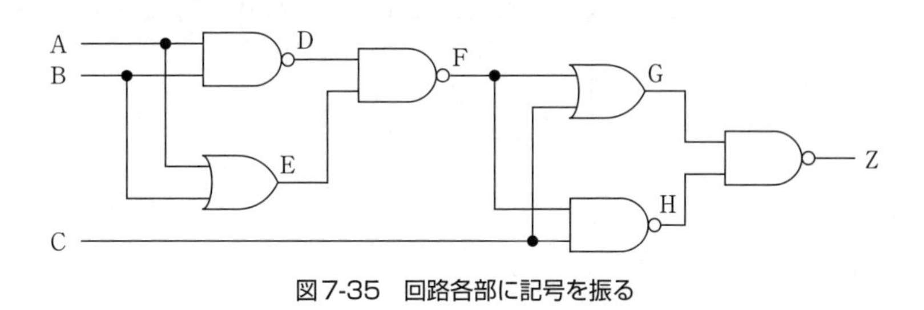

図7-35　回路各部に記号を振る

次に、入力A・B・Cの組み合わせに対して各部の値を順次求める。真理値表の作り方は以下の通りである。

①(ABC) = (000) ～ (111) までの8通りの組み合わせを記入する。
②DはAとBのNANDであるから、(AB) = (11) のときだけ0、それ以外は1を記入する。
③EはAとBのORであるから、(AB) = (00) のときだけ0、それ以外は1を記入する。
④FはDとEのNANDであるから、(DE) = (11) のときだけ0、それ以外は1を記入する。
⑤GはCとFのORであるから、(CF) = (00) のときだけ0、それ以外は1を記入する。
⑥HはCとFのNANDであるから、(CF) = (11) のときだけ0、それ以外は1を記入する。
⑦ZはGとHのNANDであるから、(GH) = (11) のときだけ0、それ以外は1を記入する。

以上より、この回路を解析した真理値表は次の通りである。

表7-1　真理値表

A	B	C	D	E	F	G	H	Z
0	0	0	1	0	1	1	1	0
0	0	1	1	0	1	1	0	1
0	1	0	1	1	0	0	1	1
0	1	1	1	1	0	1	1	0
1	0	0	1	1	0	0	1	1
1	0	1	1	1	0	1	1	0
1	1	0	0	1	1	1	1	0
1	1	1	0	1	1	1	0	1

例題7-10　令和元年度1級電気通信工事施工管理技術検定（学科）問題A（選択）〔No.13〕 

下図に示す論理回路において，出力Cの論理式として，**適当なもの**はどれか。
ただし，論理変数A，Bに対して，A＋Bは論理和を表し，A·Bは論理積を表す。

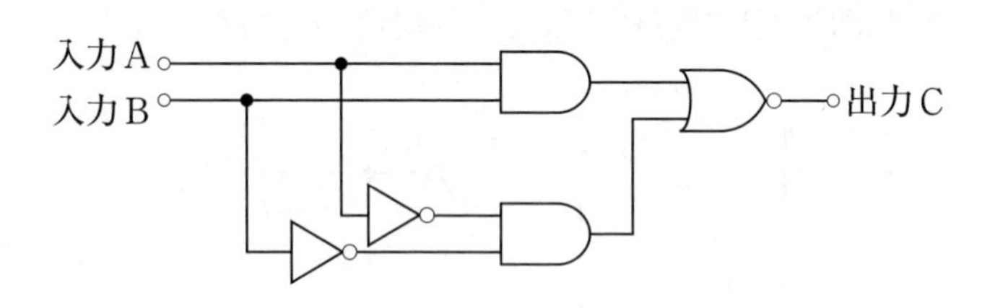

(1) A
(2) $\overline{A}\cdot B+A\cdot\overline{B}$
(3) B
(4) $A\cdot B+\overline{A}\cdot\overline{B}$

正解：(2)

解説　ブール代数の論理演算を用いて解く方法と、真理値表を作成して求める方法がある。

①論理演算から求める方法

回路各部を論理式に変換する。例えば入力A・Bからまっすぐ右につながるANDの出力はA・B、入力A・Bから下に行く部分の途中にあるNOTの出力は$\overline{A}$と$\overline{B}$…のようになるから、出力Cは、

$$C=\overline{(A\cdot B)+(\overline{A}\cdot\overline{B})}=\overline{(A\cdot B)}\cdot\overline{(\overline{A}\cdot\overline{B})}=(\overline{A}+\overline{B})\cdot(\overline{\overline{A}}+\overline{\overline{B}})=(\overline{A}+\overline{B})\cdot(A+B)$$
$$=A\cdot\overline{A}+\overline{A}\cdot B+A\cdot\overline{B}+B\cdot\overline{B}=\overline{A}\cdot B+A\cdot\overline{B}$$

②真理値表を作成する方法

回路各部を次のように置く。

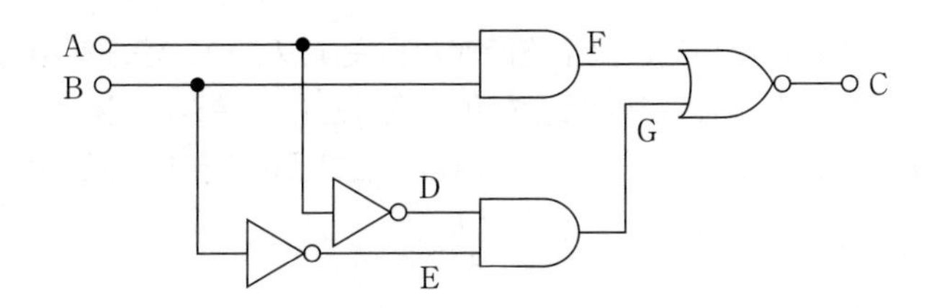

また、入力A・Bに対する解答の選択肢も真理値表に記入する。すると、次のようになる。

A	B	D	E	F	G	C	(1)	(2)	(3)	(4)
0	0									
0	1									
1	0									
1	1									

記入の仕方は次の通りである。

①(AB) に (00) (01) (10) (11) を記入する。
②DとEに、それぞれAとBを反転させた値を記入する。
③Fに、(AB) = (11) のところだけ1、それ以外は0を記入する。
④Gに、(DE) = (11) のところだけ1、それ以外は0を記入する。
⑤CはFとGのNORなので、(FG) = (00) のところだけ1、それ以外は0を記入する。
⑥解答選択肢 (1) ～ (4) に該当する値を記入する。

以上の作業を行った結果の真理値表は次のようになる。

A	B	D	E	F	G	C	(1)	(2)	(3)	(4)
0	0	1	1	0	1	0	0	0	0	1
0	1	1	0	0	0	1	0	1	1	0
1	0	0	1	0	0	1	1	1	0	0
1	1	0	0	1	0	0	1	0	1	1

これより、答えは (2) と求められる。

7.5 電子ディスプレイ

画像表示用として、真空管時代から長年ブラウン管が使用されてきたが、21世紀に入ってから液晶モニタの低価格化・高性能化が進み、現在では事実上全て液晶などの薄型ディスプレイ装置が使われている。これらの特徴は次の通りである。

(1) TN型液晶

液晶は、液体と固体の両方の性質を持つ物質で、電界を掛けると分子配列が一方向に整列するような性質を持っている。これによって光が偏向されることで、電圧のON・OFFを光の透過・非透過に変換することができる。通常、電圧を掛けない状態で光を透過、電圧を掛けた状態で光が遮断するように作られている。液晶単体では発光しないため、蛍光管やLEDなどの光源を用意する必要がある。

カラーを表現する場合、赤・青・緑の三原色ごとに液晶素子を用意し、カラーフィルタを使用することで色彩を表現する。この方式は、駆動電圧とコストが低い反面、視野角による色変化や輝度変化が大きいという欠点を持つ。

(2) VN型液晶

VN型液晶は、従来より広く用いられているTN型を改良したもので、電圧によって液晶分子が垂直・水平に並ぶ方式。TN型に比べ、光を遮断した場合の透過光が小さく、コントラストを大きくしやすいという利点を持っている。

(3) IPS型液晶

従来の液晶は、電界による光透過のON・OFFを、液晶素子をパネルに対して垂直に並べることで実現しているが、これをパネルと水平方向に回転することでバックライトの遮断と透過をコントロールするもの。IPS型液晶ディスプレイは、視野角が広いことが特長である。

(4) プラズマディスプレイ

気体の分子がプラスイオンとマイナスイオンに分離している状態がプラズマで、これに電界を掛けると発光するという現象を利用したもの。これに赤・緑・青の蛍光体を組み合わせることでカラーディスプレイを構成することができる。従来の液晶に比べ、バックライトが不要で自ら発光するため色純度が高いなどの利点がある。

(5) 有機ELディスプレイ

プラズマディスプレイ同様、直接発光する有機EL素子を用いて構成されるディスプレイ。プラズマディスプレイは紫外線を発するため蛍光体と組み合わせて三原色を作り出していたが、有機ELは直接赤・緑・青の三原色を発光させることができるため、明るさ・効率・形状（薄さ）などで**多くの利点を持つ**。

このデバイスは、有機EL素子内の電子が外部からのエネルギーにより励起状態となり、そのエネルギーを放出して基底状態に戻る際に発光する現象を利用している。

例題7-11　令和2年度1級電気通信工事施工管理技術検定（学科）問題A（選択）〔No.41〕 

液晶ディスプレイに関する記述として，**適当でないもの**はどれか。

(1) 液晶ディスプレイは，液晶を透明電極で挟み，電圧を加えると液晶の分子配列が変わり，光が通過したり遮断されたりする原理を利用している。

(2) カラー表示は，透明電極の外側に取り付けたカラーフィルタにより，画素ごとにRGBの三原色を作ることで行う。

(3) IPS方式は，電圧をかけない状態では液晶分子はねじれているが電圧をかけると液晶分子のねじれが無くなることを利用するものであるが視野角が狭い。

(4) 液晶自体は発光しないため，LEDや蛍光管によるバックライトから放出された光が液晶を通過することで文字や画像を表示させる。

正解：(3)

解説　(3) はIPS方式ではなく、従来のTN方式の液晶に関する記述である。

第I編 基礎編

第8章 有線電気通信設備

この章では、実際の設備を挙げてその概要と働きなどについて見ていく。有線電気通信設備令において、線路とは「送信の場所と受信の場所との間に設置されている電線及びこれに係る中継器その他の機器（これらを支持し、又は保蔵するための工作物を含む。)」と定義されている。

8.1 電線

電線は、電気を伝送するための線状の部材を指す。材質は良導体である必要があるので、銅（硬銅・軟銅）やアルミニウム、それらの合金などが主に使われている。

銅とアルミニウムを比べると銅の方が電気伝導率は高いが、比重はアルミニウムの方が軽いため、高圧送電鉄塔などでは鋼心アルミより線が主に使われている。

図8-1　電線の種類

(1)絶縁電線

感電・漏電・短絡などの危険を防止するため、裸電線を絶縁性の外被で覆ったものを指す。外被は、成形しやすいポリ塩化ビニル（PVC）が多く使われ、これは耐熱温度が60℃までとされている。これより高温にさらされる場合や耐蝕性などを求める場合には、PVC耐熱電線の他、架橋ポリエチレン、シリコンゴム、フッ素樹脂などの材料で絶縁した電線を用いることもある。

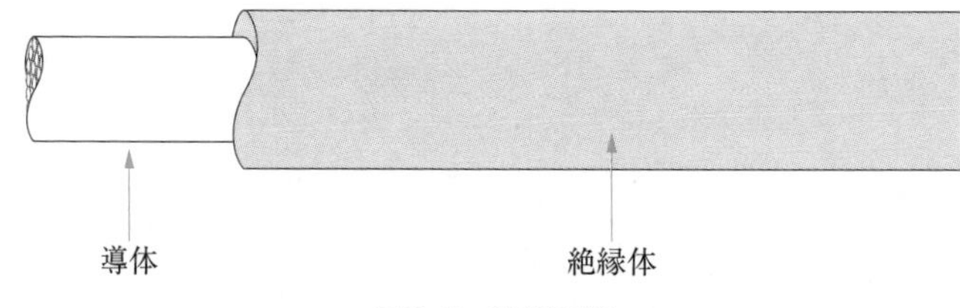

図8-2　絶縁電線

8.2 ケーブル

ケーブルは、絶縁電線をさらに保護皮膜で覆った電線を指す。また、光ファイバを保護皮膜の他、テンションを受け持つテンションメンバなどと一体化したものもケーブル（光ファイバケーブル）と呼んでいる。

ケーブルは機械的ストレスにも強く、使いやすい性質を持っているので、幅広く使用されている。有線電気通信設備令では「光ファイバ並びに光ファイバ以外の絶縁物及び保護物で被覆されている電線」と定義される。

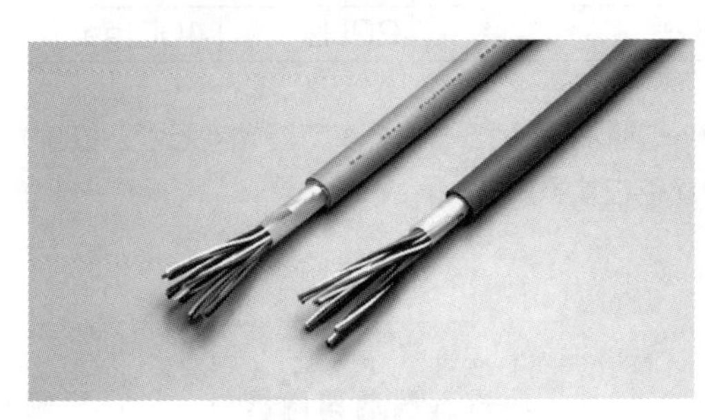

図8-3　ケーブル

例題8-1　令和元年度２級電気通信工事施工管理技術検定（学科・前期）問題（選択）〔No.21〕 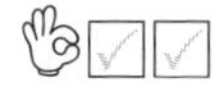

LANに使用されるケーブルに関する記述として，**適当でないもの**はどれか。

(1) UTPケーブルは，ツイストペアケーブルで曲げに強く集線接続が容易である。
(2) STPケーブルは，UTPケーブルにシールドを施したもので外部ノイズの影響を受けにくい。
(3) 同軸ケーブルは，10BASE5や10BASE2の配線に使用される。
(4) 光ファイバケーブルは，電磁誘導の影響を受けやすい。

正解：(4)

解説　(4) 光ファイバケーブルは、光を伝送するため、電磁誘導の影響は受けない。

(1) UTPケーブル

いわゆる「LANケーブル」と呼ばれるもので、Unshielded Twist Pair cableの略。ルータやスイッチ（ハブ）、端末間を接続するケーブルとして広く用いられている。Unshieldedの名の通り、外部からの雑音を遮断する金属外被（シールド）が省略されているため雑音には弱いが、通常の使用ではほとんど問題とならないため、最も広く普及している。

UTPケーブルは４組８線が基本構造で、100BASE-TXや1000BASE-Tではそのうち２組４線を用いて通信を行う。残りの２組４線は未使用だが、この未使用線を用いて電源供給も行う規格がPoE（Power on Ethernet）である。

UTPケーブルはカテゴリ１～８に分類されている。

表8-1　UTPケーブルのカテゴリ

カテゴリ	最大周波数	主な用途
カテゴリ5e （エンハンストカテゴリ５）	100MHz	Gigabit Ethernet（1000BASE-T）
カテゴリ6	250MHz	Gigabit Ethernet（1000BASE-T/TX） ATM（622Mbps） ATM（1.2Gbps）
カテゴリ7	600MHz	10Gigabit Ethernet（10GBASE-T）
カテゴリ8	2GHz	40Gigabit Ethernet

UTPケーブルはRJ45コネクタで終端するが、接続方法にはEIA/TIA568Aと568Bの２種類が存在する。

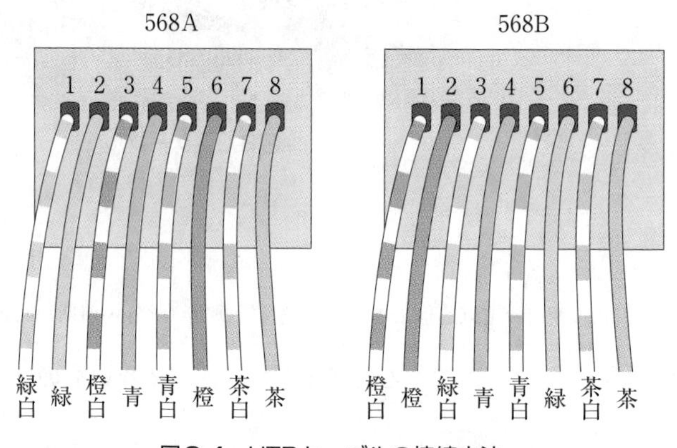

図8-4　UTPケーブルの接続方法

- 568Aは、端子面左から緑白・緑・橙白・青・青白・橙・茶白・茶
- 568Bは、端子面左から橙白・橙・緑白・青・青白・緑・茶白・茶

という順に接続する。

片方を568A、他方を568Bで成端したものをクロスケーブル、両端を同じ結線で成端したものをストレートケーブルと呼ぶ。端末やルータとハブ間を接続する場合にはストレートケーブル、端末どうしを直接接続したり、ハブを従続接続する場合などはクロスケーブルを使用する。

(2) STPケーブル

Unshielded Twist Pair cableに対して、Shielded Twist Pair cable、つまり外部からの雑音などを低減するため、ケーブル４組８本の電線の外にシールド用アルミ箔を巻き、その上をPVCで保護したものである。

568A/B結線などに関してはUTPケーブルと同様。

(3) 光ファイバケーブル

非常に細いガラス繊維の中心部と外周部で屈折率を変え、その中心部（コア）に光を通すことで長距離伝送を可能にしたケーブル。光ファイバを大きく分類すると、シングルモード型とマルチモード型に分類され、シングルモード型はコアが細く光の伝搬モードが単一で長距離向き、マルチモード型は光の伝搬モードが複数存在し、近距離接続に向いている。

光ファイバを接続する場合、次のような要素が原因で損失が発生する。

- 軸ずれ：接続する光ファイバ間に光軸のずれがあると損失になる。
- 角度ずれ：接続する光ファイバどうしが一直線にならず角度差があると、これも光損失になる。
- 隙間（間隙）: 光ファイバの端面間に隙間が存在すると、反射による損失や雑音（位相雑音など）の原因になる。

例題8-2　令和元年度 2級電気通信工事施工管理技術検定（学科・後期）問題（選択）〔No.14〕 

光ファイバの光損失に関する記述として，**適当でないもの**はどれか。

(1) 吸収損失とは，光ファイバ中を伝わる光が光ファイバ材料自身によって吸収され電流に変換されることにより生じる損失である。
(2) レイリー散乱損失とは，光ファイバ中の屈折率のゆらぎによって光が散乱するために生じる損失である。
(3) 構造不均一性による損失とは，光ファイバのコアとクラッドの境界面の凹凸により光が乱反射され，光ファイバ外に放射されることにより生じる損失である。
(4) 接続損失とは，光ファイバを接続する場合に，軸ずれ，光ファイバ端面の分離等によって生じる損失である。

正解：(1)

解説　(1)「電流に変換」という部分が誤っている。正しくは熱に変換されることになる。

(4) 光ファイバの接続方法

光ファイバは次のような器具を用いて接続する。

- 光ファイバコネクタ：電線接続用の電気コネクタと同様、光ファイバコネクタも規格化されて製品化されている。

表8-2　光ファイバコネクタの種類

コネクタ	心数	規格（適合、準拠）	イメージ
SC	単心 (Simplex)	JIS C 5973（F04） IEC 61754-4 IEC 60874-14（APC）	
DSC	2連 (2心： Duplex SC)	JIS C 5973（F04） IEC 61754-4	
FC	単心 (Simplex)	JIS C 5970（F01） IEC 61754-13	
ST	単心 (Simplex)	JIS C 5978（F09） IEC 60874-10	
MU	単心 (Simplex)	JIS C 5983（F14） IEC 61754-6	
MPO (MTP)	12心	JIS C 5982（F13） IEC 61754-7	
MT	12心	JIS C 5981（F12） IEC 61754-5	
LC	単心 (Simplex)	TIA/EIA-604-10 IEC 61754-20	

コネクタ	心数	規格（適合、準拠）	イメージ
DLC	2連 （2心： Duplex LC）	TIA/EIA-604-10準拠 IEC 61754-20準拠	
MTRJ	2心	JIS C 5988（F19） IEC 61754-18	
ESCON	2心	IBM	

これらのコネクタは、スイッチやルータのインターフェースとして使用されることも多く、機器に合わせたコネクタを使用して接続を行う。

永久接続

光ファイバどうしを（着脱式コネクタではなく永久的に）接続する場合は、双方を融着して接続する方式と、機械的に接続する方法がある。

融着方式は、次の2種類に大別される。

- コア調心方式：顕微鏡で光ファイバのコアを観察しながら、画像を見ながら調整することでコアの中心軸が一致するように位置決めを行い、その後放電によって融着する方式。
- 固定V溝調心方式：高精度に作られたV字型の溝に双方の光ファイバを整列し、光ファイバどうしを融着させた際の表面張力で中心が揃うことを応用した方式。

機械的に接続する方式は、メカニカルスプライスという器具を用いて接続するものである。メカニカルスプライスは、その素子に口出しされた光ファイバを挿入して光ファイバどうしを突き当て、機械的に押さえる部材によって固定する方式である。利点として、融着用の熱源が不要なため接続の現場で電源がいらず、また短時間に接続可能という点が挙げられる。欠点は、精密に行ったコア調心方式などに比べると損失が大きいという点が挙げられるが、メカニカルスプライスを正常に使用し丁寧に加工を行えば接続損失は0.1dB以下程度に抑えることができるため、簡便な方法として多く使用されている。

例題8-3　令和元年度2級電気通信工事施工管理技術検定（学科・後期）問題（選択）〔No.15〕 

光ファイバ接続に関する次の記述に該当する接続方法として，**適当なもの**はどれか。

「接続部品のV溝に光ファイバを両側から挿入し，押さえ込んで接続する方法で，押え部材により光ファイバ同士を固定する。」

(1) 融着接続　(2) メカニカルスプライス　(3) 接着接続　(4) 光コネクタ接続

正解：(2)

解説　これはメカニカルスプライスの説明である。

(5) 光アクセスネットワーク技術

アクセスネットワークは、末端のノード（ユーザ宅）のアクセス線路で、SS方式、PON方式、ADS/PDS方式などが採用されている。通信事業者側の光加入者線端局装置をOLT（Optical Line Terminal)、加入者側の線終端装置をONU（Optical Network Unit）と呼んでいる。

SS（シングルスター）方式

電話局などの収容局から直接ユーザ宅に1：1で光ファイバを敷設するもので、収容局を中心としたシンプルなスター形状を取る。

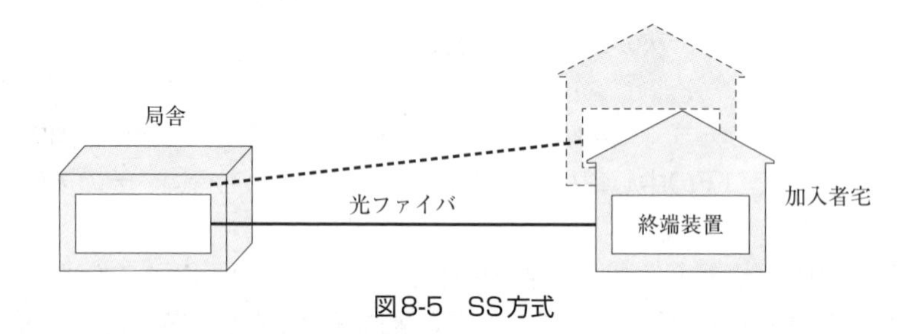

図8-5　SS方式

PON（Passive Optical Network）またはPDS（Passive Double Star）方式

PON（PDS）方式は、受動的に光を分岐させる光分岐器をユーザ宅近所に設置する方式。人口密度の高い地域に適し、光スプリッタは受動的に信号を分岐するのでコストも安いという利点がある。各加入者は、時分割多重（TDM）によって途中までの1本の回線を分割して利用する。

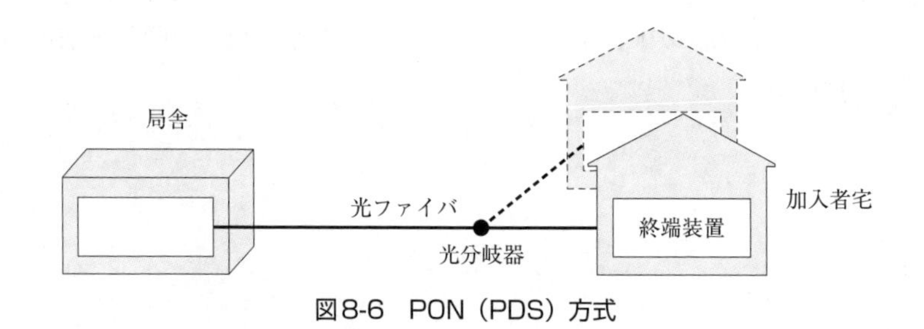

図8-6　PON（PDS）方式

ADS(Active Double Star)方式

構成はPON方式と似ているが、ユーザ宅近隣に設置する光スイッチが能動的に動作するデバイスである点が異なる。

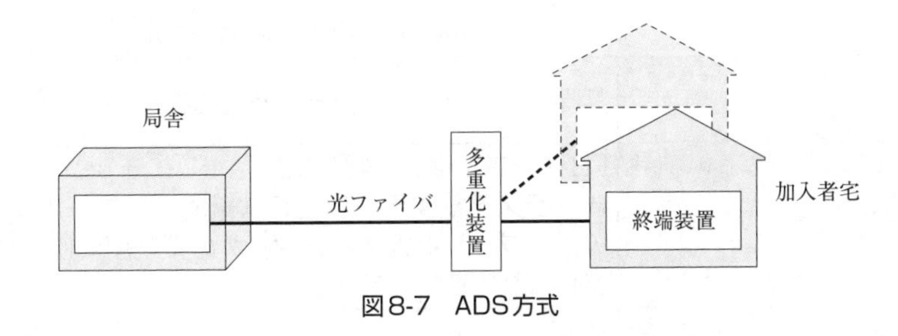

図8-7　ADS方式

(6)同軸ケーブル

同軸ケーブルは、中心部に導体を配し、その周囲を絶縁体で覆い、さらに外側に同心円状に導体を配することで、長い距離にわたって線路インピーダンスが一定になるように作られた不平衡線路で、TVのアンテナ線などで多く使われている。

同軸ケーブルの規格の例は次の通り。

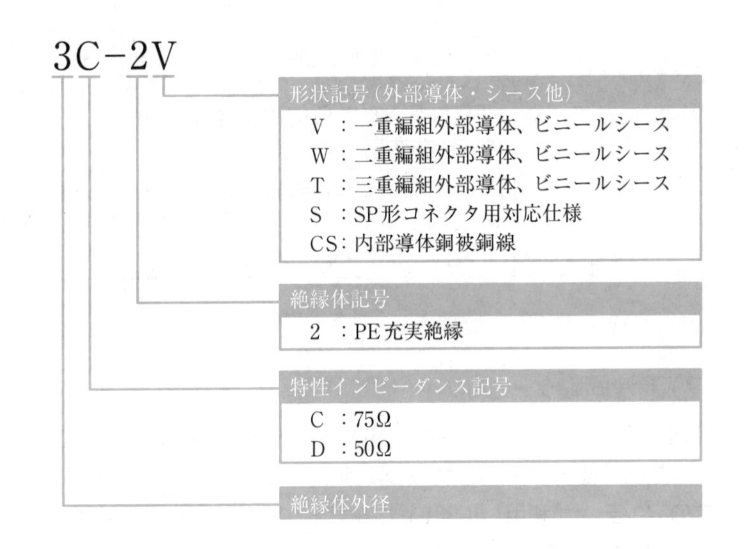

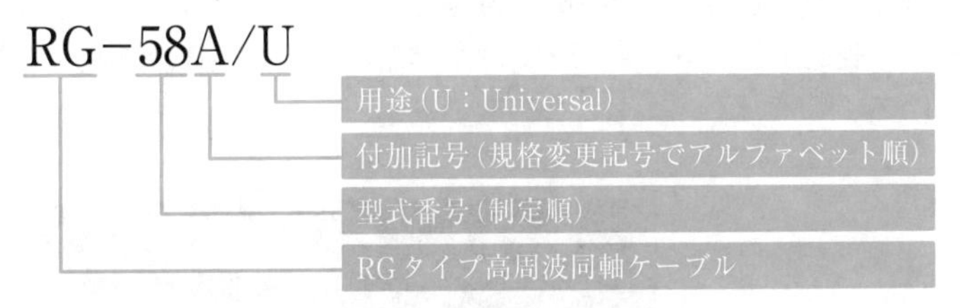

RG＝Radio frequency coaxial cable General purpose

図8-8　同軸ケーブルの規格の例

近年、衛星放送などの高い周波数（BS/CSの2.6GHz帯など）を伝送する局面も多くなったことから、衛星放送対応同軸ケーブルなど様々な種類が使用されるようになった。そこで、現在使用されている同軸ケーブルについて主なものを挙げる。

表8-3　現在使用されている主な同軸ケーブル

3D-2V・5D-2V・8D-2V（10D-2Vなどもあり）	無線機とアンテナを接続するための50Ω系同軸ケーブル。
5D-FB・8D-FB・10D-FB	FBケーブルは、絶縁体に発泡ポリエチレンを使用し、アルミ箔付きプラスチックテープと導体編組、ビニールシースで覆った構造のケーブル。無線機とアンテナの接続用に使用されるが、2Vケーブルよりも低損失である。
RG-58/U・RG-58A/U・RG-58B/U・RG-58C/U	RG-58系の同軸ケーブルは、インピーダンスが約50Ωでアマチュア無線に使いやすいことから、3D-2Vの代用として使用されることがある他、10BASE-2のメディアとしても使用されてきた。
3C-2V・4C-2V・5C-2V	75Ω系同軸ケーブルで、TVのアンテナ線として使われてきた。以前のVHFアナログTV放送の時代は周波数が低かったため、比較的損失が大きい3C-2Vでも事実上問題ない場合が多かったのに対し、現在のUHF帯を使用した地上デジタルTV放送やBS/CS放送には不向き。
3C-FV・5C-FV・7C-FV	TVのアンテナ線として使われる75Ω系同軸ケーブルで、BS放送に対応した低損失特性のもの。
S-4C-FB・S-5C-HFB・S-7C-HFB	接頭の「S-」は、地上波・BS・CS放送の全てに対応させるため、2.6GHzという高い周波数までの特性が保証されているタイプ。HFBはFBのさらに高性能なタイプで、絶縁体に高発泡プラスチックを使用している。
1.5C-2VS・3C-2VS・5C-2VS	「VS」は、心線が単線ではなく編み込み線構造のため、柔軟性が高く屈曲が多い場所に対応したタイプで。特性自体は1.5C-2V・3C-2V・5C-2Vとほぼ同様。

(7) 漏洩同軸ケーブル

漏洩同軸ケーブルはLCXと略される特殊な同軸ケーブルで、外部導体に穴が開いているため、信号を伝送させつつ電波を漏れ出させることができるようになっている。通常のアンテナが利用しにくい鉄道線路・トンネル・地下街などに敷設し、業務無線・ラジオ放送・携帯電話・無線LANなどの送受信アンテナとして使用されている。1620kHzの道路交通情報ラジオも、道路に沿って漏洩同軸ケーブルを使用して送信されている。

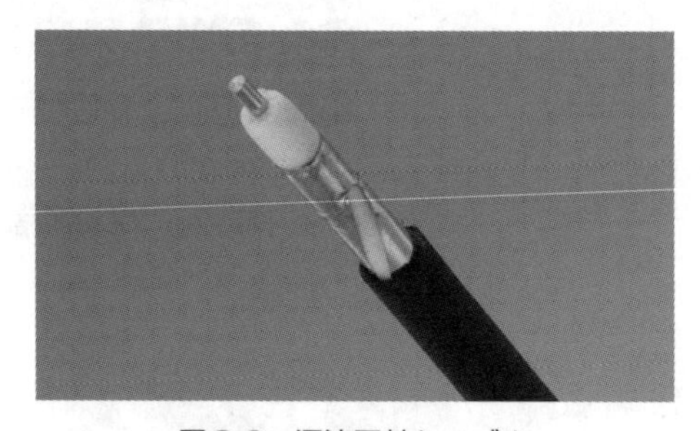

図8-9　漏洩同軸ケーブル

(8) 導波管

導波管は、内部に電波を閉じ込めることで伝送する金属管。原理的に、物理的な長辺の長さを1/2波長とする周波数より下の周波数は伝搬できないので、周波数が低くなると大型化する。したがって、現実的にはGHzオーダーのマイクロ波伝送用として使われる。導波管の特徴として、損失が非常に小さい他、機械的に頑丈に作ることができることなどが挙げられる。

図8-10　導波管

(9) 離隔距離

有線電気通信設備は、強風や大雨・豪雪などによって損壊するなどして他者に迷惑を掛けるおそれがある。したがって、有線電気通信法に次のように規定されている。

> 第五条　有線電気通信設備は、政令で定める技術基準に適合するものでなければならない。
> 2　前項の技術基準は、これにより次の事項が確保されるものとして定められなければならない。
> 一　有線電気通信設備は、他人の設置する有線電気通信設備に妨害を与えないようにすること。
> 二　有線電気通信設備は、人体に危害を及ぼし、又は物件に損傷を与えないようにすること。

また、有線電気通信設備令には次のように規定されている。

> 第五条　架空電線の支持物は、その架空電線が他人の設置した架空電線又は架空強電流電線と交差し、又は接近するときは、次の各号により設置しなければならない。ただし、その他人の承諾を得たとき、又は人体に危害を及ぼし、若しくは物件に損傷を与えないように必要な設備をしたときは、この限りでない。
> 一　他人の設置した架空電線又は架空強電流電線を挟み、又はこれらの間を通ることがないようにすること。
> 二　架空強電流電線との間の離隔距離は、総務省令で定める値以上とすること。

電気通信事業法第52条に規定される端末設備の技術基準は、電気通信設備の損壊防止の観点から定められているものだが、有線電気通信設備の技術基準は、安全性の観点から定められているものである。

8.3 支持物

有線電気通信設備令において、支持物とは「電柱、支線、つり線その他電線又は強電流電線を支持するための工作物」とされている。これに用いられる代表的なものは次の通り。

(1) 地中電線路

近年、外観の美化及び電線路の防護などのために、地中に電線路を設けることが多くなっている。地中電線路とは、その名の通り地面の中に電線を通す施工方法だが、これには次のような種類がある。

表8-4　地中電線路

方式	説明	図
直接埋設式	地中にコンクリート製のトラフ（上にふたが付いているU字型の溝）を埋設し、その中にケーブルを敷設する方式。工事が簡便で費用が安い利点はあるが、ケーブルの老朽化や事故に伴う修理などでケーブルの張替えが必要な場合の手間は大きくなる。	地中 ケーブル コンクリートトラフ
管路式	直接埋設式に似ているが、もう少し大きなケーブル管路を埋設し、その途中途中にマンホールを設けた施工方法。ケーブル張替えの際は、隣接したマンホールで順々にケーブルを送り出したり引き出したりして行う。	地中 ケーブル 管路
暗きょ式	地中に、中に人間が通れるほどの暗きょ（コンクリート製トンネル）を埋設し、その中にケーブルを敷設するもの。工事費用は最も高くなるが、あとからの増線や張替えが容易なうえ高圧電線と通信電線、さらには水道やガス管なども集合させることができるというメリットがある。	地中 ケーブル

電柱

電柱は、空中に張った電線やケーブル類などを支持するための柱状の工作物で、コンクリート柱、鋼管柱などがある。電柱はその長さの6分の1程度を地中に埋設して設置され、作業用の足場ボルトが取り付けられている。

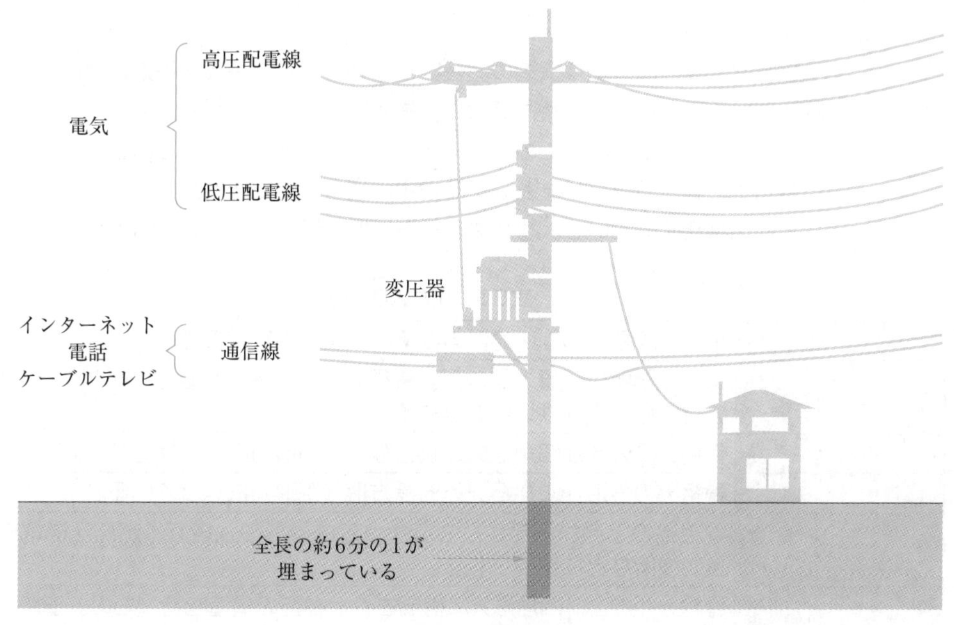

図8-11　電柱の構造

例題8-4　　令和元年度1級電気通信工事施工管理技術検定（学科）問題A（選択）〔No.19〕 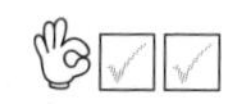

架空通信路の外径15［mm］の通信線において，通信線1条1mあたりの風圧荷重［Pa］の値として，**適当なもの**はどれか。
なお，風圧荷重の計算は，「有線電気通信設備令施行規則に定める甲種風圧荷重」を適用し，その場合の風圧は980［Pa］とする。
また，架線及びラッシング等の風圧荷重は対象としないものとする。

(1) 7.4［Pa］
(2) 13.2［Pa］
(3) 14.7［Pa］
(4) 29.4［Pa］

正解：(3)

解説　風圧荷重は、電線の長さ1m当たりに受ける等価的な圧力であるから、風圧そのものと、その中に置かれる電線の断面積を掛ければ求めることができる。
電線を横から見たときの断面積は、外径×長さであるから、

$$15 \times 10^{-3} \times 1 \times 980 = 14.7 \text{ [Pa]}$$

(2) 鉄塔

鉄塔は、鉄製の骨組み構造の細長い建造物を指す。特に送電鉄塔では、トラス構造となっていることが大きな特徴である。構造は、等辺山形鋼や鋼管をボルトなどで接合した構造であり、錆を防ぐために溶融亜鉛メッキなどが施されている。

鉄塔下部は、コンクリートなどを地中に埋め込んで作った基礎に支持され、横圧などによる倒壊を防いでいる。鉄塔は、設置形態や形状によって次のように分類できる。

表8-5 主な鉄塔の種類

標準鉄塔	平坦で障害物のない通常の場所に設置する鉄塔のこと。
特殊鉄塔	特殊な場所に設置する鉄塔。長径間鉄塔、海峡越鉄塔・川越鉄塔、撚架鉄塔、分岐鉄塔、引回鉄塔などがある。
四角鉄塔	骨組みの外形が四角錐の形状となっているもので、最も多く見られる。
矩形鉄塔	骨組みの外形が上から見ると長方形（矩形）になっている。
烏帽子型鉄塔	骨組みの上部が下部よりも広がっている形の鉄塔で、超高圧送電線や積雪の多い場所などに用いられる。
門型鉄塔（ガントリー鉄塔）	骨組みが門型（四角形）に構成され、中空の構造を持つもの。道路、鉄道、水路上などに送電線を設置する際に用いられる。
環境調和型鉄塔（美化鉄柱）	周囲の景観に配慮して建設された鉄塔で、様々な鋼材が使用されている他、場合によっては景観に合わせた塗色を施す場合もある。美化鉄柱とも呼ばれる。

(3) 通信鉄塔

通信鉄塔については、ラーメン構造、トラス構造などの構造と、三角鉄塔、四角鉄塔などの形状についても出題されている。ラーメン構造とは柱状の部材と梁状の部材で構成された構造をいう。トラス構造は三角形を基本構造とした構造をいう。三角鉄塔、四角鉄塔は上から見た平面形状に由来する名称である。

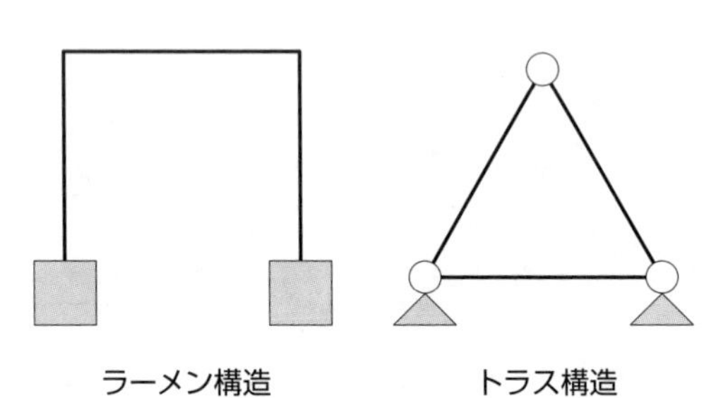

図8-12 通信鉄塔の構造

例題8-5　令和元年度 2級電気通信工事施工管理技術検定（学科・前期）問題（選択）〔No.52〕

下図に示す通信鉄塔の構造及び形状の名称の組合せとして，**適当なもの**はどれか。

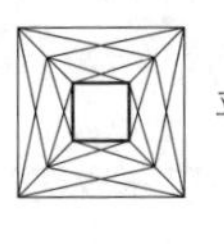
平面図

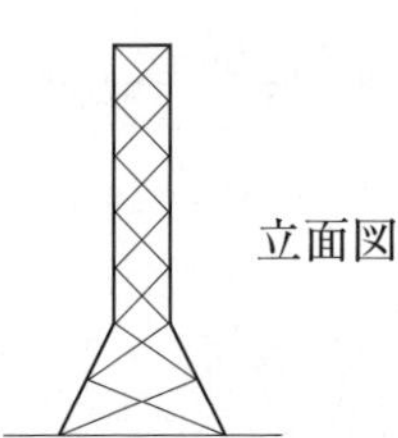
立面図

	（構造）	（形状）
(1)	ラーメン	三角鉄塔
(2)	トラス	四角鉄塔
(3)	ラーメン	四角鉄塔
(4)	シリンダー	多角形鉄塔

正解：(2)

解説　構造を見るとトラス構造、そして平面図を見ると四角鉄塔であることが見て取れる。

例題8-6　令和元年度 1級電気通信工事施工管理技術検定（学科）問題A（選択）〔No.25〕

通信鉄塔に関する記述として，**適当でないもの**はどれか。

(1) 設計荷重は，過去の台風や地震，積雪等の経験による適切な荷重と将来計画を考慮した積載物等の荷重により設計する。
(2) 鉛直荷重は，固定荷重や積載荷重，雪荷重など通信鉄塔に対して鉛直方向に作用する荷重である。
(3) 水平荷重は，風荷重や地震荷重など通信鉄塔に対して水平方向に作用する荷重である。
(4) 長期荷重は，暴風時，地震時の外力を想定して算定される荷重である。

正解：(4)

解説　(4) 長期荷重とは、鉄塔が存在している間に掛かり続ける固定荷重・積載荷重・積雪荷重など、長期間にわたって掛かる荷重を指す。暴風や地震時の外力による荷重は短時間のうちに解消されるから、短期荷重に分類される。

第9章 情報設備

インターネットをはじめとした情報通信ネットワークの普及により、色々なものがネットワークに接続されIoT（Internet of Things）化される時代となった。また、旧来から存在する市町村の防災行政無線なども情報設備の1つである。

9.1 テレメータ

テレメータは、観測対象から離れた場所から様々な観測を行い、そのデータを取得する技術やそのための装置を指す。実際に活用されている例を挙げると、次の通りである。

(1) 電気スマートメータ

スマートメータは、電力使用量を計測するだけでなくリアルタイムな使用状況を細かく把握できる計測器で、電力自由化に伴い設置されるようになった。これにより、検針員がメータを確認して回る手間が省ける他、契約アンペア数も遠隔操作で設定できるようになり、契約アンペア数変更の工事すら不要化された。

図9-1　スマートメータ

(2) ガステレメータ

電気のスマートメータ同様、一般家庭（ガス使用場所）と販売店などを通信回線で結び、24時間365日の安全監視を行うものである。例えばガス漏れやガスの消し忘れの際に遠隔操作でガスを遮断したり、LPガスボンベの残量を通知することでガス切れを防止したりという応用が可能となった。これにより、特にLPガスを使っている場合の保安が向上し、安心して使えるようになった。

(3) 河川水位等監視システム

台風などの災害時、遠隔から河川の水位などを監視することで、警戒水位を超えたら避難勧告を発している。近年は、携帯電話・スマートフォンとも連携することで、緊急地震速報などと合わせて該当地域に居住している住民に直接警戒メールを送るシステムも稼働している。また、河川だけではなく各地の雨量も同様にデータ収集を行う。

図9-2　水位観測所

水位や雨量の代表的な測定装置としては次のようなものがある。

転倒ます型雨量計

水受け部分が左右に設けられたシーソー状のますに雨水を流し込み、水の重さで左右に転倒した回数を数えることで雨量を測定する装置。

超音波式水位計

河川水面に対して鉛直上方に超音波のスピーカとマイクを取り付け、スピーカから送信した超音波が水面で反射し戻ってくるまでの時間から水位を求める装置。

フロート式水位計

水面に浮かべた浮き（フロート）の位置を、浮きに取り付けられたワイヤの長さで検出することで水位を求める装置。

水圧式水位計

一端を封止し他端を河川水の中に挿入した管内の圧力が水深に比例することを利用し、圧力計の値から水深を求める装置。

水位監視や雨量計は、観測データの定時性が重要である。したがって、次のような手法を用いてデータを収集する。

- 観測局呼出方式：データを収集・蓄積する監視局から観測局を一括呼び出しし、データを収集する方式。観測局は、センサからのデータを呼び出し制御に対して自動的に返送する。
- 観測局自律送信方式：観測局が定時に観測データを監視局に向けて自動送信する方式。観測局が精度の高い時刻を保持し、毎時正確な時間にデータを送信することが重要である。

以上は一般観測動作の場合だが、異常値起動動作もある。これは、観測局がセンサからの異常観測情報を受け、自動的に異常値起動し、異常値起動信号を監視局に対して送り出す。監視局は、異常値起動信号を受信すると、異常値起動ロック信号を送出した後で全観測局を呼び出してデータ収集を行う。これにより、極めて局所的なゲリラ豪雨などが発生した際にもいち早くそれを知ることができるようになり、住民への警報や対策立案などに役立てることができる。

(4)監視カメラ

河川水位等監視システムの他、防犯目的で設置される監視カメラや野生動物の生態観察用カメラなども情報設備の一種。近年は暗闇でも明るく映る超高性能カメラなども登場している。

(5)地震計(震度計)

全国各地に設置された震度計からのデータを即座に集計し、地震が来る前に可能な限り早くそれを知らせる緊急地震速報が運用されている。これも全国各地の震度データをリアルタイムで集計するテレメータ技術の賜物に他ならない。

(6)ダム管理システム

河川水位と並び、ダムの水位監視や放流指示なども遠隔操作システムで行われるものが多い。ダム管理システムは、次のような要素で構成されている。

- **放流警報装置**

  ダム放流に際して河川流域住民などに警報を発するものである。ダム制御所にある制御監視局装置と警報局装置で構成されるが、場合によっては途中に中継局装置を挟むこともある。

- **警報局装置**

  ダム放流時などに警報を発する装置で、警報装置、スピーカ、サイレンなどの他、無線中継を行う場合は無線装置やアンテナ(空中線)なども備えている。信号を無線で中継する場合は、VHF帯やUHF帯の電波が用いられる。

- **放流設備**

  豪雨による満水時など必要な場合に放流を行う装置である。制御所などにある遠方手動操作盤に入力される信号によって操作され、基本的に自動操作・半自動操作・開度設定値1回限り操作によって操作される。

例題9-1　令和2年度1級電気通信工事施工管理技術検定（学科）問題A（選択）〔No.44〕

雨量，水位等の水文観測に使用されるテレメータのセンサーとして利用されている雨量計や水位計に関する記述として，**適当でないもの**はどれか。

(1) 転倒ます型雨量計は，雨水は受水器から漏斗を通して転倒ますに導かれ，一定量の雨水が入ると転倒ますが転倒し，この転倒により発生したパルスから雨量を計測する。
(2) 水圧式水位計は，水圧が水深に比例することを利用して，計測した水圧から水位を計測する。
(3) 超音波式水位計は，超音波送受波器を河川水面の鉛直上方に取り付け，超音波パルスを発し，その超音波が水面から反射して戻ってきた超音波の信号強度を計測することで水位を計測する。
(4) フロート式水位計は，水位の変化に対するフロートの上下動をワイヤを介してプーリーを回転させ，その回転角から水位を計測する。

正解：(3)

解説　超音波式水位計は、反射した超音波の信号強度ではなくパルスの遅延時間から水位を求めている。

例題9-2　令和元年度1級電気通信工事施工管理技術検定（学科）問題A（選択）〔No.42〕

ダムなどの放流警報設備に関する記述として，**適当でないもの**はどれか。

(1) 放流警報設備は，制御監視局装置，中継局装置，警報局装置から構成されるが，回線構成により中継局装置を配置しない場合もある。
(2) 警報局装置は，警報を伝達すべき地域に警報音の不感地帯が生じないよう配置されるが，音の伝達は伝搬経路の環境や気象条件によっても影響を受けるため，悪天候時での警報も考慮することが求められる。
(3) 警報局装置は，警報装置，無線装置，空中線，スピーカ，サイレン及び集音マイク等により構成されており，ダム管理所等からの制御監視によりサイレン吹鳴，疑似音吹鳴及び音声放送等で警報を発する。
(4) 放流警報操作で使用する無線周波数帯は，警報局装置までの伝送経路として渓谷や山間部など地形的に見通せない場所も多いため，一般的に短波帯（HF）が使用される。

正解：(4)

解説　(4) 短波帯の電波は、電離層の揺らぎなどにより伝搬状態が大きく変化するので、放流警報設備のような信頼性が重要な通信に使うことは不適当である。地形的に見通せない場所が多い場合、山頂付近に中継局を建設するなどして電波伝搬を確保したうえでVHF帯やUHF帯の周波数の電波を利用する。

例題9-3　令和元年度1級電気通信工事施工管理技術検定（学科）問題A（選択）〔No.44〕 

雨量，水位等の水文観測に使用されるテレメータのデータ収集方式に関する記述として，**適当でないもの**はどれか。

(1) 観測局呼出方式のテレメータのデータ収集は，監視局から観測局を一括又は個別に呼出して観測データを収集する方式である。
(2) 観測局自律送信方式のテレメータのデータ収集は，観測局自らが正定時に観測データを自動送信し，監視局でデータ収集する方式である。
(3) 観測局呼出方式のテレメータの一括呼出方式は，通常，監視局から呼出信号を観測局に送信し，呼出信号を受信した観測局が観測データを取り込み，即座に監視局に観測データを送信する方式である。
(4) 観測局自律送信方式のテレメータは，精度の高い時刻管理の下で単純な送受信動作を行うため収集時間の短縮，データの正時性確保，IP対応等のメリットはあるが，再呼出機能がないため，伝送回線の品質確保や欠測補填対策等が必要となる。

正解：(3)

解説　(3) 一括呼出信号を受信した観測局は、観測局（子局）ごとに定めた順序及び時間間隔でデータの返送を行う。即座に観測データを送信してしまうと、複数の観測局どうしで信号が衝突してしまい、正常にデータが伝送できなくなってしまうおそれがある。

(7) 監視カメラ設備

防犯のために設置されている各種監視カメラも情報設備の一種であり、概要が出題されている。設備の概略は次の通りである。

- **カメラ**

  CCDやCMOS素子で構成されるデジタルカメラが使用される。用途により白黒カメラやカラーカメラが使用される。

- **単板式カメラ**

  1枚のCCDで撮像を行うカメラで、CCDの画素の一つ一つに色分解用の補色フィルタをモザイク状に付けることによって色信号を取り出し、回路処理によって輝度信号と色信号を得ている。小型化には有利な反面、色再現性はあまりよくない。

- **3板式カメラ**

  3板式はRGB各1枚ずつ、計3枚のCCDを使用してカラー画像を作り出すもので、三原色それぞれで専用CCDを使うため色再現性や解像度に優れる特徴を持っている。

- **通信機能**
  防犯カメラで撮影した画像を遠隔収集するために、有線や無線の通信路を使ってデータを転送している。アナログ方式・デジタル方式ともに考えられるが、近年は光ファイバを用いたIP通信を行うことでデータ転送を行う事例が多い。

- **ホームポジション機能**
  遠隔操作で監視方向を変えられる監視カメラにおいて、定位置への戻し忘れを防ぐためにホームポジション機能を持った製品も存在している。これは、操作終了後一定時間経過後や停電などのトラブル後、自動的に通常監視位置にカメラを向ける機能である。

例題9-4　令和元年度 2級電気通信工事施工管理技術検定（学科・前期）問題（選択）〔No.27〕 

施設監視や防犯などで使われる監視カメラに関する記述として，**適当なもの**はどれか。

(1) 単板式カメラの撮像センサでは，CCDを用いることができないためCMOSが用いられている。
(2) 3板式カメラは，光の3原色に応じた3つの撮像センサを持ち，色分解プリズムにより入射光を3原色の成分に分けて撮像する。
(3) 単板式カメラは，白黒撮影用であり，3板式カメラはカラー撮影用である。
(4) レンズのズーム・フォーカス位置，旋回台の位置などを記憶する機能をホームポジション機能という。

正解：(2)

解説　単板式カメラは、CCDにRGBまたはCMYのフィルタを掛けて色を取り出す方式である。したがって（1）（3）の記述は誤り。また、(4) のホームポジション機能は、オンライン監視などで手動操作した後、自動的に常時監視方向にカメラを戻す機能のことを指す。

9.2 防災行政無線

防災行政無線は、県及び市町村が地域防災計画に基づき、各々の地域における防災・災害復旧・応援救助などの業務に使用することを主目的とし、平常時には一般行政事務にも使用できるようにした無線局のこと。

近年はデジタル化が進んだことで、伝達内容の秘匿化が図れる他、混信や悪戯にも強くなったうえ、従来の役所・拡声器間だけではなく、各戸に配られる個別受信機やテレメータ回線との統合も図ることができ、合理化・高性能化を図っている。

第10章 放送機械設備

放送を大きく分けるとTV放送とラジオ放送に分けられるが、いずれも制作スタジオでコンテンツを作成し、それを有線または無線で送信所へ送り、送信所から電波で視聴者・聴取者に伝えるという仕組みは同じである。これにかかわる設備を見ていく。

10.1 演奏所（スタジオ）

放送局のスタジオは、収録室、制作室の他、保存室などで構成される。

スタジオで制作された番組は、高い送信塔や山頂付近に設けた鉄塔などから送信する必要がある。また、AMラジオ放送の場合、川沿いの低湿地に送信所を設けることが多く、それらとの間を無線または有線で結んでいる。

10.2 STL

STLはStudio to Transmitter Linkの略で、放送内容を演奏所から送信所へ送るための回線を意味する。STLは主に無線回線で、使用される電波の周波数は短波からマイクロ波まで、電波形式もアナログ・デジタルそれぞれ多種多様なものが使われている。また、光ファイバケーブルや専用線などをバックアップ用に用意している場合がほとんどである。

STL回線で送信される内容は放送内容の他、送信設備の起動・停止信号などの制御信号も含まれ、送信所の無人化・省力化を行う場合もある。

STLとは反対に、送信所からスタジオへ、送信設備の動作監視情報などを伝送するものをTSL、また複数の送信所間で放送を送る中継回線をTTLと呼んでいる。

10.3 中継車

スタジオ以外の場所から放送を行う場合、番組制作に必要な機器や電源装置などを搭載した中継車を現地に派遣して放送を行う。大型のバスを改造した車両などが主に使用される。報道番組における現場中継の場合は、小型で狭い道にも入っていける報道中継車が多く使われる。

これらの他、常時移動する移動中継車、コンサートなどの音楽中継を行う音声中継車、大容量発電機を搭載し中継車などに電力を供給する電源車、映像の収録のみを行うVTR車などが活躍している。

10.4 送信所

送信所は、VHF帯やUHF帯のようにアンテナ高がサービスエリアに直結する場合は高さのある鉄塔などを利用し、一般に数～数十kWもの大電力で送信を行う。1つの鉄塔などを複数の放送局で共用することが一般的で、例を挙げると東京のスカイツリー(昔は東京タワー)、瀬戸デジタルタワー(以前は名古屋テレビ塔)、さっぽろテレビ塔などが稼働している。

中波ラジオ送信所は、1/4波長接地型アンテナが使われるため、良好なアースが確保できる川沿いの湿地帯などに建設される。いずれも、大規模停電などの災害発生時に備え、予備発電機を設置するなどの対策が施されている。

10.5 受信アンテナ

地上デジタルTVの受信アンテナは、居住地域の電波塔方向に向けた八木アンテナが多く使用されている。八木アンテナは、素子数(エレメント数)が多いほど一方向に鋭い指向性を持つようになり利得が上昇するため、送信アンテナから遠いほど多素子のアンテナが必要になる。目安は次の通り。

- 強電界地域(80dBμV/m以上)………… 10～14素子程度(利得:～5dB)
- 中電界地域(70dBμV/m以上)………… 14～20素子程度(利得:5～10dB)
- 弱電界地域(60dBμV/m以上)………… 20～30素子程度(利得:7～14dB)
- 地域外(60dBμV/m以下)………………… 30素子以上(利得:10～18dB)

図10-1 UHFアンテナ

送信所に近く、十分な電界強度が確保できる地域の場合は、簡易型の平面アンテナや室内アンテナでも十分なアンテナ出力が確保できる場合もある。

図10-2 UHFアンテナの図記号

図面記号上はT字型の図を用いるが、八木アンテナを模した記号なども多く用いられる。下図はUHF20エレメント八木アンテナの例。

図10-3　UHF20エレメント八木アンテナの図記号

BSやCS放送は、主にオフセットパラボラアンテナで受信する。パラボラアンテナのような反射鏡アンテナは、一方向に極めて鋭利な指向性を持つため、衛星放送受信用に多用されている。

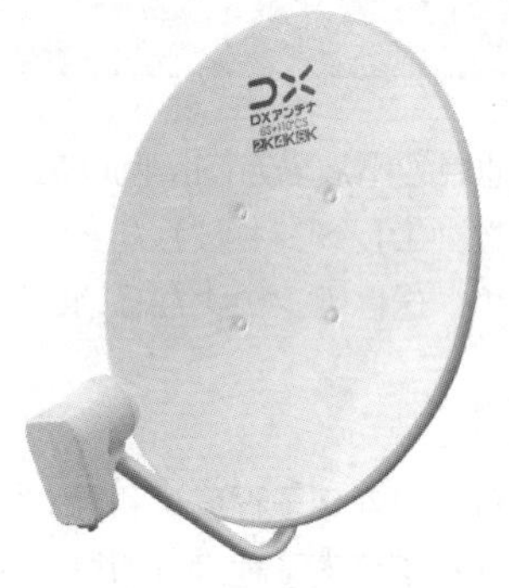

図10-4　パラボラアンテナ

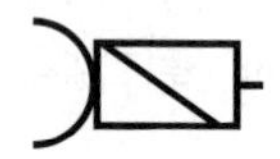

（※図面上、傍注としてBSやCSと記すこともある）
図10-5　衛星放送用のパラボラアンテナの図記号

衛星放送用のパラボラアンテナは、BS・CSともに図10-6のような記号で表す。

10.6　増幅器（ブースタ）

増幅器は、入力信号を増幅するための装置で、同軸ケーブルの途中に簡単に挿入できる小型の製品から、FM・VHF・UHF・BS・CSまで対応し、増幅度も設定できる高機能増幅器まで様々な種類が市販されている。増幅器を使用する上での注意点は、もともと十分なC/N比が得られず、BERやMERが悪化している状況で信号を増幅しても、信号品質が悪いためきれいに受信できるようにはならないことである。正しい使い方は、共聴設備において分岐・分配した末端での信号レベルを確保するために必要十分な量だけ増幅するという点である。増幅し過ぎで信号レベルが強くなり過ぎても受信機が飽和してしまい正常に受信できない。

共聴システムのレベル設計においては、最も信号強度が弱くなる場所に合わせると、最も信号強度が強い点が飽和してしまう場合がある。その際は、増幅した後に減衰器（アッテネータ）を挿入することで受信機の規格範囲内に信号強度を設定する。

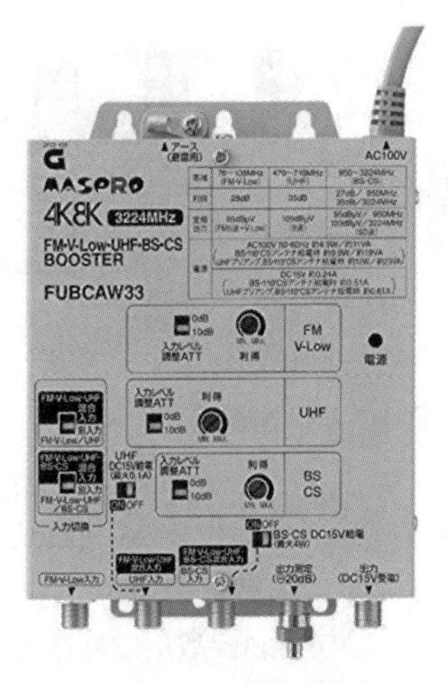

図10-6　増幅器

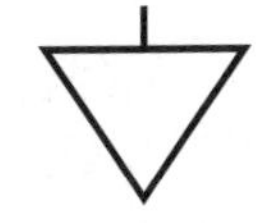
図10-7　増幅器の図記号

増幅器は、図面上では図10-8のように三角で表す。

10.7 混合器

混合器は、FM放送とUHF帯域の地上デジタルTV、さらにはBSやCSなど周波数帯域が異なる複数の信号を1本の同軸ケーブルに載せるために使用するものである。内部構造はLPF・HPFやBPFを組み合わせた回路で、フィルタごとの設計周波数を個別に取り出せるようになっている。

外観は金属ダイキャストフレーム内に収められている構造が一般的で、入出力用のコネクタが必要数だけ付いている。

図10-8　混合器

図10-9　混合器の図記号

混合器の図記号は図10-10の通り。

10.8 分配器

分配器は、入力信号を各ポートに平等に分配する装置である。2分配器・4分配器・8分配器などがあり、共聴設備において信号の分配に用いる。

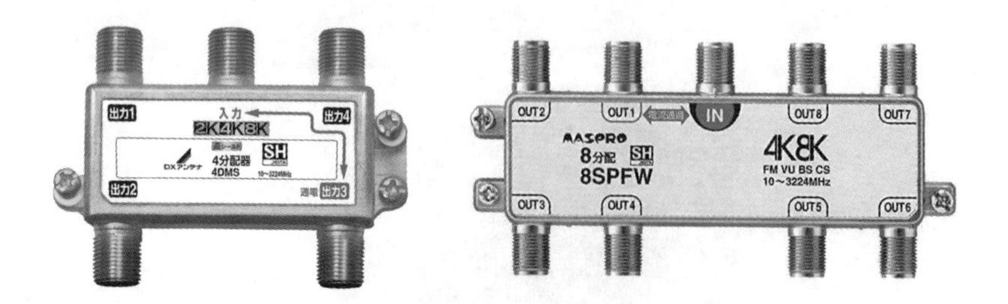

図10-10　分配器

外観上は、混合器と同様、金属ダイキャストフレームに収められた製品が多く、そのため製品表面の表記をよく確認して使用する必要がある。

図記号は図10-12のようなもので、○から必要数だけ線が出ていくように描く。

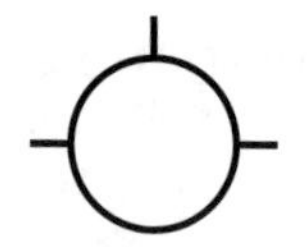

図10-11　分配器の図記号

10.9 分岐器

分配器と大変よく似たものに分岐器がある。分配器は各ポートに信号を等分して出力していたのに対し、分岐器は幹線から信号を減衰させて分岐させる。使い方として、数階建てのような大きな建物の共聴設備を設計する際、まずフロアごとに低損失同軸ケーブルで幹線を引き通し、各戸へは分岐器で分岐させた信号をさらに分配器で分配させることで、アンテナに近い場所と遠い場所での信号レベル差を小さくすることができる。

外観はやはり分配器などと全く同じで、製品本体に記してある仕様をよく確認して使用する必要がある。

図10-12　分岐器

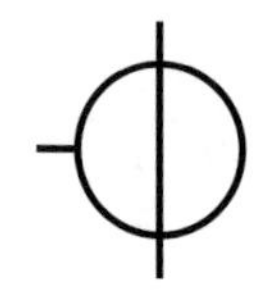

図10-13　分岐器の図記号

図記号は分配器とよく似ているが、幹線となるラインが円の中を通過していくように描く。

例題10-1　令和元年度2級電気通信工事施工管理技術検定（学科・前期）問題（選択）〔No.29〕 

テレビ共同受信設備に関する記述として，**適当でないもの**はどれか。

(1) テレビ共同受信設備は，受信アンテナ，増幅器，混合器（分波器），分岐器，分配器，同軸ケーブルなどで構成される。
(2) 増幅器は，受信した信号の伝送上の損失を補完し信号の強さを必要なレベルまで増幅するものである。
(3) 混合器は，UHF，BS・CSの信号を混合するものである。
(4) 分配器は，幹線の同軸ケーブルから信号の一部を取り出すものである。

正解：(4)

解説 (4) 分配器は複数の端子に等しく信号を分配するのに対し、幹線から一部の信号を取り出すものを分岐器と呼んでいる。

10.10 TVコンセント

各戸に設置される**同軸ケーブル接続端子**。コネクタはF型コネクタが使われ、ねじ込み式コネクタだけではなく簡易的な差込式コネクタを使用して接続することもできる。

TVコンセントは種々の製品があり、単なる末端の出力だけではなく、そこからさらに分岐させて先のコンセントに接続できる送り配線対応の製品もある。

図10-14　TVコンセント

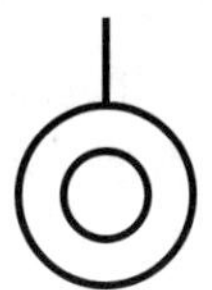

図10-15　TVコンセントの図記号

TVコンセントは図記号では二重丸で表記する。

第11章 その他の設備

直接電気通信設備でないものの、現場において関係してくる各種設備がある。これらについての基本的な知識も出題されているので、簡潔に紹介する。

11.1 空気調和設備

空気調和設備、略して空調設備。人間は暑過ぎても寒過ぎてもダメであり、湿度が高過ぎても低過ぎても不快である。さらに、呼吸によって発生した二酸化炭素濃度が上昇すると、頭がボーっとしたりするなど業務効率も低下する。したがって、労働安全衛生法の観点からも、一定の作業環境を維持しなければならないと定められている。

空調設備は、換気・温度調整・湿度調整（加湿器・除湿器）・配管に大別される。

(1) 換気設備

いわゆる換気扇を用いて室内の空気を排出し、外気を取り入れることで換気を行う。このとき、換気量が少ないと換気効果が低くなってしまい、換気量が多過ぎても熱エネルギーの無駄が発生してしまう。したがって、次の公式を用いて必要換気量を求める。

$$\text{必要換気量}\,[\mathrm{m^3/h}] = \frac{20\,[\mathrm{m^3/h}\cdot\text{人}] \times \text{居室の床面積}\,[\mathrm{m^2}]}{1\text{人当たりの占有面積}\,[\mathrm{m^2}]}$$

１人当たりの占有面積は、レストラン・喫茶店・店舗・マーケットなどでは3m^2、旅館やホテルでは10m^2、事務所では5m^{2}などの数値を使う。

換気方式を大きく分けると、次の３種類になる。

表11-1　主な換気の方式

押込み換気	換気扇などによって外気を室内に押し込み、室内の空気は隙間などから外部に放出するもの。第２種換気ともいう。
誘引換気	換気扇などによって室内の空気を室外に押し出し、隙間などから外気を室内に取り入れる方式。第３種換気ともいう。
プッシュプル換気	押込み・誘引を両用するもの。第１種換気ともいう。

オフィスビルや工場などでは、換気効果を高めるためにプッシュプル換気を使うことが多いが、一般家庭のトイレや台所などでは誘引換気を使用する。

- 換気方式には自然換気方式と機械換気方式がある。
- 自然換気方式は、動力が不要であるが、自然環境に左右され換気量が一定ではない。
- 自然換気の原動力は建物内外空気の温度差及び風である。

- 機械換気方式は、機械力を用いた換気方式で、第１～３種の種別がある。
- 第１種機械換気方式は、吸気機と排気機による機械換気方式である。
- 第２種機械換気方式は、吸気機と排気口による機械換気方式で、室内は正圧（大気圧より高い気圧）になる。
- 第３種機械換気方式は、給気口と排気機による機械換気方式で、室内は負圧（大気圧より低い気圧）になる。
- 換気回数は、換気量を室の容積で除したもので、換気回数が多いほど室の空気の入れ替わりが多い。

例題 11-1　令和４年度２級電気通信工事施工管理技術検定（第一次・後期）問題（選択）〔No.50〕 

換気方式に関する記述として，**適当でないもの**はどれか。

(1) 自然換気の原動力は，建物内外空気の温度差及び風である。
(2) 第１種機械換気は，給気側と排気側にそれぞれ専用の送風機を設ける換気方式である。
(3) 第２種機械換気は，室内を正圧に保ち，排気口などから自然に室内空気を排出する。
(4) 第３種機械換気は，給気側にだけ送風機を設ける換気方式である。

正解：(4)

解説　給気側だけに送風機を設ける換気方式は、第２種機械換気方式である。

(2) 温度調整設備

オフィスビルや工場など大規模な建造物において、室内の温度調整は、暖房はボイラー、冷房は冷凍機による水循環式が長く使われてきたが、近年は高効率なインバータエアコンによるヒートポンプシステムも広く使われるようになった。それらの設備の名前と概要は次の通り。

ボイラー

重油などを燃焼させて得た熱で水（ボイラー水）を加熱し、建物を循環させてラジエターで熱交換を行う仕組み。

冷凍機

冷媒を高圧に圧縮し、これを膨張させるときに周囲から気化熱を奪うことで低温熱源を作り出す装置。ボイラーの代わりに夏場はこれを稼働させ、冷却水を建物に循環させてラジエターで熱交換を行うことで冷房することができる。

ヒートポンプ

ヒートポンプは、いわゆるエアコンとして一般家庭でも広く使われている。これは、代替フロンなどの冷媒を循環させることで室内の温度を調整する。冷房時は、圧縮して高温・高圧になった液体冷媒から外気に熱を放出し、その後急激に膨張させることで気化させ、そのときに奪う気化熱（潜熱）によって室内の熱を吸収させる。その後コンプレッサで高温・高圧にして液化して室外機に戻し、この相変化サイクルを循環させる。暖房時は、室外機と室内機の役割を逆転させる。

ヒートポンプでは、消費した電力よりも大きな熱効果を得ることができる。COP値はこの比率を示す値で、消費電力量を1としたときに得られた熱効果を5とすると、COP=5と表現する。また、通年エネルギー消費効率をAPFといい、この値が大きいほどエネルギー効率が高いことを示す。

例題 11-2　令和元年度2級電気通信工事施工管理技術検定（学科・前期）問題（選択）〔No.49〕 

空気調和設備に関する記述として，**適当でないもの**はどれか。

(1) ヒートポンプ式の空気調和設備では，冷房と暖房を切り替えるために，四方弁が設けられている。
(2) ヒートポンプによる熱の移動は，特定の物質を介して行われており，その物質を冷媒という。
(3) ヒートポンプで使う電力は，冷媒の圧縮及び電熱に利用されている。
(4) 通年エネルギー消費効率（APF）は，1年間を通して，日本工業規格（JIS）に定められた一定条件のもとに機器を運転したときの消費電力量1kW・h当たりの冷房・暖房能力を表す。

正解：(3)

解説　(3) ヒートポンプで使う電力は、冷媒の圧縮に利用される。電熱には利用されない。

(3) 湿度調整設備

人間にとって、快適か否かは、室温だけではなく湿度も重要である。湿度が高過ぎる場合は除湿を行い、逆の場合は加湿を行う。

除湿は、エアコンで冷房を行う際に凝集する水を排出できることを利用し、室温を冷やし過ぎない程度に弱く冷房を行う（空気流量を絞る）方式の他、冷房後再加熱して冷え過ぎを防止する再熱除湿方式などがある。

加湿の場合は、加湿量に応じた加湿器を使用するのが一般的である。

例題11-3　令和4年度 2級電気通信工事施工管理技術検定（学科・前期）問題（選択）〔No.49〕

下図に示すヒートポンプの原理図において，［　　］に当てはまる語句の組合せとして，**適当なもの**はどれか。

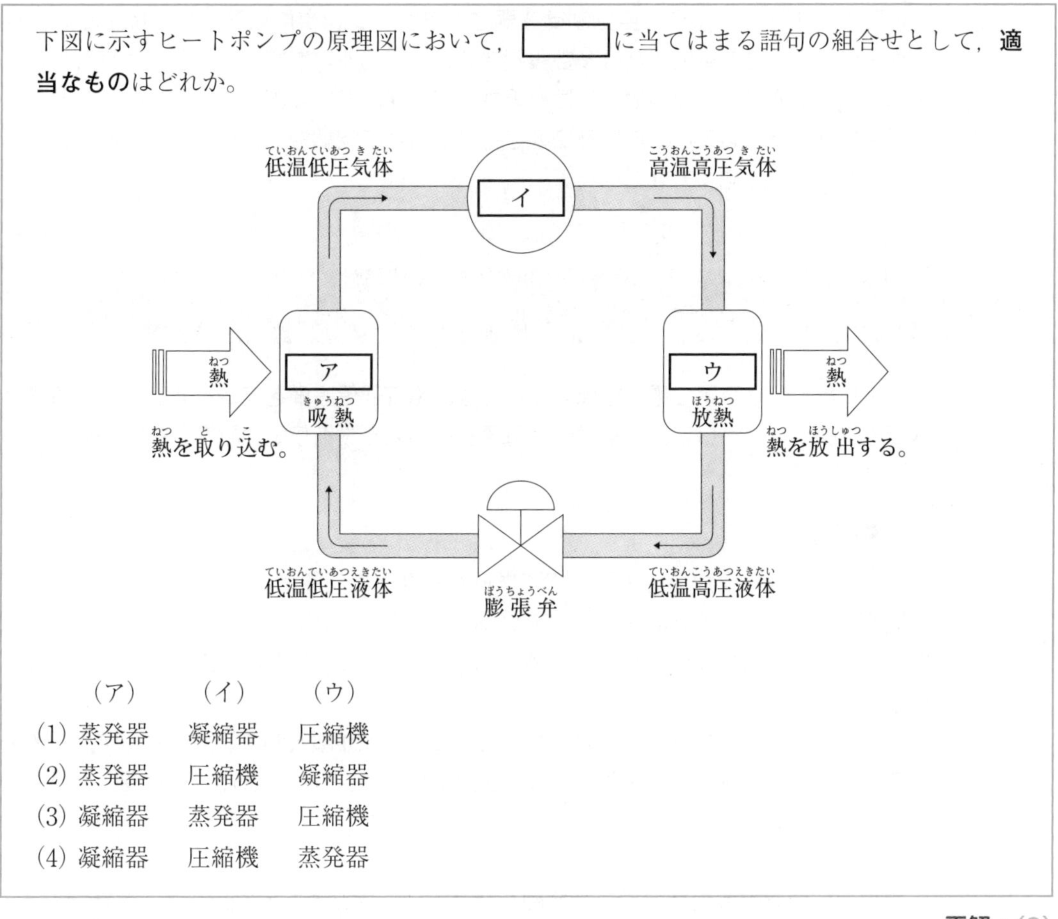

	（ア）	（イ）	（ウ）
(1)	蒸発器	凝縮器	圧縮機
(2)	蒸発器	圧縮機	凝縮器
(3)	凝縮器	蒸発器	圧縮機
(4)	凝縮器	圧縮機	蒸発器

正解：(2)

解説　（ア）は蒸発器、（イ）は圧縮機、（ウ）は凝縮器である。

(4) 空気調和方式

- 空気調和方式には、空気方式、水方式、冷媒方式などがある。
- 空気方式はダクトを介して空気で熱を搬送する方式である。
- 水方式は配管を介して水で熱を搬送する方式である。
- 冷媒方式は配管を介して冷媒で熱を搬送する方式である。
- 空気―水方式は、空気方式と水方式を併用する方式である。
- 定風量単一ダクト方式は、空調機で作り出された調和空気をダクトを通して各室へ一定風量で送風する方式である。空気方式に分類される。
- 変風量単一ダクト方式は、空調機で作り出された調和空気をダクトを通して各室へ熱負荷に応じて風量を変えて送風する方式である。空気方式に分類される。
- ファンコイルユニット方式は、冷却兼加熱コイル及び送風機などを内蔵したファンコイルと呼ばれる室内用小型空調機を各室に設置して、それに中央機械室より冷水または温水を供給し、送風機で室内空気を循環させる方式である。水方式に分類される。

- パッケージユニット方式は、圧縮機・凝縮器・蒸発器などの冷凍サイクル系機器及び送風機・エアフィルタ・自動制御機器などをケーシングに収納した工場生産のパッケージ型空調機を単独または多数設置する方式である。冷媒方式に分類される。
- 放射冷暖房方式（ダクト併用）は、天井、壁、床などに設置した放射パネルなどを冷却または加熱することで放射熱交換を行い、併せて空調機で作り出された調和空気をダクトを通して送る方式である。

11.2 電源設備

安定した十分な容量の電源設備なくしては、電気通信設備を安定して稼働させることはできない。したがって、ある意味最重要ともいえる設備が電源設備ともいえる。

(1) 変圧器

変圧器は、発電所から変電所を経て送られてきた高圧電気を低圧の100Vや200Vに変換するもので、鉄心に一次側と二次側の巻線を巻いた構造となっている。一般的には、一次側が6600Vの三相交流をΔ結線し、二次側の単相巻線から100Vや200Vを取り出す。

変圧器の故障で最も重大なのは一次側と二次側巻線が電気的に接触してしまう混触事故で、万が一の事故でも二次側に高電圧が発生しないよう、二次側にはB種接地が施される。

- 単相変圧器を複数台用いて三相結線を行う方法には、Δ—Δ結線、Δ—Y結線、Y—Δ結線などがある。
- Δ—Y結線は、送電線の送電端などの電圧を高くする場合に用いられる。
- Y—Δ結線は、送電線の受電端などの電圧を低くする場合に用いられる。
- 変圧器の損失には負荷損と無負荷損がある。
- 負荷損は負荷電流の２乗に比例する損失で、大部分が銅損である。
- 無負荷損は負荷に関係なく無負荷でも発生する損失で、大部分が鉄損である。
- 変圧器の巻き線には極性があり、極性には加極性と減極性がある。
- 日本産業規格では減極性が標準である。
- 油入変圧器の絶縁油は、絶縁性能の確保と温度上昇の抑制のために使用される。

(2) 遮断器

遮断器は、短絡や地絡その他の事故が発生した場合に、回路を流れている電流を遮断する装置である。性質によって次のように大別される。

過電流遮断器

定格以上の電流が流れると電流を遮断するもので、一般家庭においても「ブレーカー」としておなじみのものである。

地絡遮断器

地絡とは、地面に対して短絡すること、すなわち漏電を意味する。漏電が発生すると直接人体に危険が及ぶ可能性が高いので、基本的に地絡遮断器を設けなければいけない。

漏電遮断器は、本体に漏電機能テスト用のボタンが付いていることから判別することができる。

図11-1　過電流遮断器

図11-2　地絡遮断器

(3) 断路器

断路器も、遮断器同様に回路を切り離すスイッチであるが、断路器は負荷電流が流れているときに切ることはできない。では何のためにあるかというと、設備の点検時などにおいて確実に回路を切り離す用途で使う。

図11-3　断路器

(4) 避雷器 (アレスタ)

避雷器は、誘導雷などによる雷サージ電圧が誘起された際、その高電圧を地中に逃がすことで設備を保護する装置である。また、サージ防護デバイス（Surge Protective Device、略してSPD）とも呼ばれる。

例題11-4　令和元年度2級電気通信工事施工管理技術検定（学科・後期）問題（選択）〔No.27〕 

雷サージ電流が電源ラインや通信ラインに侵入した時に，雷サージ電流をアースにバイパスし情報機器を保護する避雷器として，**適当なもの**はどれか。

(1) UVR
(2) UPS
(3) SPD
(4) OCR

正解：(3)

解説　(1) は不足電圧継電器、(2) は無停電電源装置、(4) は過電流継電器の略称である。

(5) UPS

UPSは、Uninterruptible Power Supplyの略で、無停電電源装置のことである。これは、商用電源から電力の供給を受ける装置において、停電が発生した際に内蔵しているバッテリから負荷に電力を供給することで電源を維持する装置である。

半導体電力変換装置、スイッチ及びエネルギー蓄積装置を組み合わせ、交流入力電源異常のときに負荷電力の連続性を確保できるようにした電源装置。代表的な基本構成は図11-3の通り。

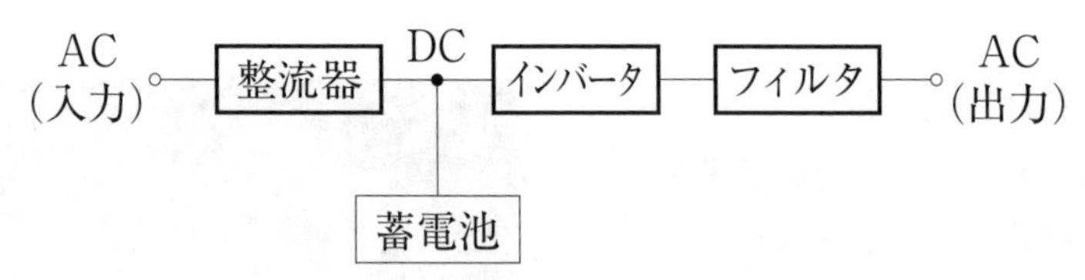

図11-3　代表的なUPSの基本構成

内部構造は、商用電源から電力を受ける回路、電力を蓄積する回路（リチウムイオンバッテリ、鉛蓄電池など）、そしてそれらのいずれかから負荷に電力を供給する回路によって構成される。負荷となる装置は一般的に交流100Vまたは200Vで動作するため、直流電源であるバッテリから交流を作り出すインバータ回路が搭載される。

給電方式は、大きく分けると次のように大別できる。

常時インバータ給電方式

- 常時インバータ給電方式のUPSは、主に整流器、インバータ、バッテリから構成されているUPS（無停電電源装置）をいう。
- 商用電源が停電していない平常時は、整流器からの直流によりバッテリを充電するとともに、インバータにより交流に変換して負荷に電力を供給している。
- 商用電源が停電したときは、バッテリからの直流を交流に変換して負荷に電力を供給するもので、停電時の切替において瞬断が発生しないようにすることで、負荷への電力の供給の連続性を確保している。

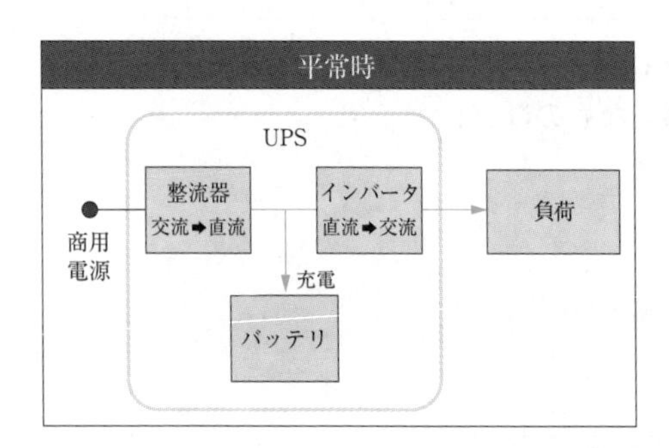

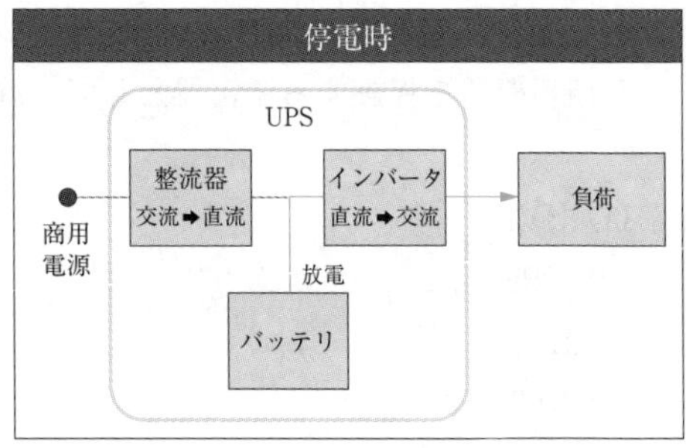

図11-4　常時インバータ給電方式

常時商用給電方式

- 常時商用給電方式のUPSは、平常時は、**整流器からの直流**によりバッテリを充電するとともに、**商用電源からの交流**を負荷に電力を供給する。
- 停電時は、**バッテリからの直流を交流に変換**して負荷に電力を供給する方式である。この方式では、停電時の切替において**瞬断が発生する**。

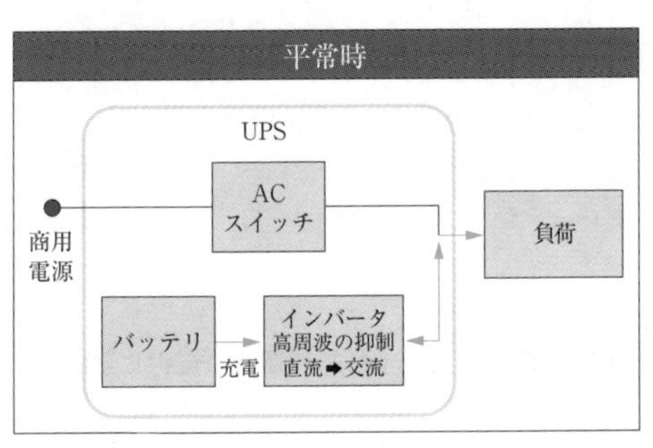

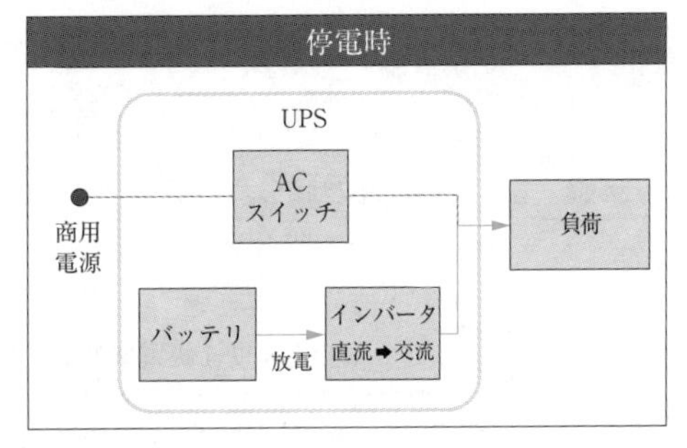

図11-5　常時商用給電方式

- **ラインインタラクティブ方式**

常時商用給電方式と基本的には同じだが、通常時の電圧安定化機能（電圧安定化回路）が追加されたもの。

- **パラレルプロセッシング方式**

双方向インバータ回路を備え、通常はインバータ回路をバッテリの充電に用いるもの。停電時はインバータを逆方向に切り替え、バッテリから作り出した交流電力を負荷に供給する。

- **待機冗長UPS**

常用UPSの故障に備えて、1台以上のUPSユニットを**待機**させておくシステムである。

- **並列冗長UPS**

複数のUPSユニットで負荷分担して**並列運転**を行い、1台以上のUPSが故障したとき、残りのUPSユニットで全負荷を負うシステムである。

例題11-5　令和元年度2級電気通信工事施工管理技術検定（学科・後期）問題（選択）〔No.47〕

無停電電源装置（UPS）に関する次の記述の［　　］に当てはまる語句の組み合わせとして，**適当なもの**はどれか。

「常時インバータ給電方式のUPSは，主に［ア］，インバータ，バッテリから構成されている。平常時は，［ア］からの直流によりバッテリを充電すると共にインバータにより交流に変換して負荷に電力を供給するが，停電時は，バッテリからの直流を交流に変換して負荷に電力を供給する方式であり，停電時の切替において［イ］。」

	（ア）	（イ）
(1)	整流器	瞬断が発生しない
(2)	整流器	瞬断が発生する
(3)	電圧調整用トランス	瞬断が発生しない
(4)	電圧調整用トランス	瞬断が発生する

正解：(1)

解説 本文記載の通り。

例題 11-6　令和元年度1級電気通信工事施工管理技術検定（学科）問題A（選択）〔No.34〕 

無停電電源装置の給電方式であるパラレルプロセッシング給電方式に関する記述として，**適当なもの**はどれか。

(1) 通常運転時は，負荷に商用電源をそのまま供給するが，停電時にはバッテリからインバータを介して交流電源を供給する方式であり，バッテリ給電への切替時に瞬断が発生する。
(2) 通常運転時は，商用電源を整流器でいったん直流に変換した後，インバータを介して再び交流に変換して負荷に供給する方式であり，停電時は無瞬断でバッテリ給電を行う。
(3) 通常運転時は，負荷に商用電源をそのまま供給し，並列運転する双方向インバータによりバッテリを充電するが，停電時にはインバータがバッテリ充電モードからバッテリ放電モードに移行し，負荷へ給電を行う。
(4) 通常運転時は，電圧安定化機能を介して商用電源を負荷に供給するが，停電時にはバッテリからインバータを介して交流電源を供給する方式であり，バッテリ給電への切替時に瞬断が発生する。

正解：(3)

解説 (1) は常時商用給電方式、(2) は常時インバータ給電方式、(4) はラインインタラクティブ方式の説明である。

(6) 非常用自家発電装置

大規模災害発生などで長時間の停電が発生した際、公衆通信回線など重要インフラを稼働させるために予備電源として非常用自家発電装置が設置されている。これは基本的にエンジン発電機で、ディーゼルエンジンやガスタービンなどによって発電機を駆動し電力を得ている。

ディーゼルエンジン

自動車のトラックなどに使われているディーゼルエンジンと基本的には同じ構造である。燃料は軽油や重油を使用し、ピストンによって圧縮されて高温となった空気中に燃料を噴射して爆発させ、その力でピストンを押し下げることで力を得ている。ピストンの往復運動はクランクシャフトで回転運動に変換され、発電機を駆動する。

ディーゼルエンジンの主な特徴は次の通り。

- ガソリン機関に比べると圧縮比が大きく、効率がよい。
- 低回転数で強力なトルクが得られる。
- エンジン本体が大きく重くなり、頑丈な代わりに製作コストは高い。
- 点火方式は、ガソリンエンジンのような点火プラグによる火花点火ではなく、圧縮着火方式であり点火プラグが不要である。

ガスタービン

ガスタービンは、圧縮して高温高圧になった空気中に燃料を噴射して燃焼させ、高温高圧となった燃焼ガスによってタービン羽を駆動し回転出力を得る。

軸出力ガスタービンは、1軸式と2軸式に分けられる。

1軸式ガスタービン

出力を回転力として取り出すガスタービンで、タービンと圧縮機までが1軸に結合されている。タービン出力の一部が圧縮機駆動用に使われる。定速回転を得るのに向いていることから、発電機駆動用に適している。

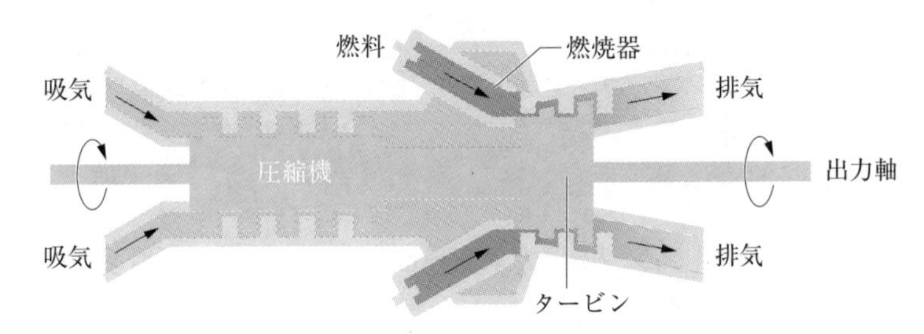

図11-6　1軸式ガスタービン

2軸式ガスタービン

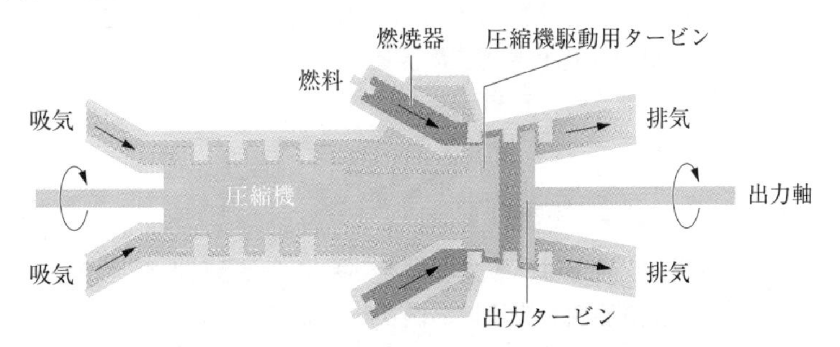

図11-7　2軸式ガスタービン

圧縮機駆動用タービンと出力タービンが分離されているもので、出力軸の回転数を任意に設定することができる。したがって発電用には不向きで、ヘリコプタのエンジンやポンプ・コンプレッサ、船用エンジンなどに使われている。

ディーゼルエンジンと比べたガスタービンの特徴は次の通り。

- 構造が簡単で部品が少なく、小型軽量。
- 廃熱にはまだ十分の余熱があるため、これを廃熱回収ボイラーなどで使用することでシステム全体の効率を上げることができるが、そのような工夫をしない限り燃費が悪く効率が悪い。
- 燃料は軽油の他灯油やA重油などを使用する。ガス燃料も使用できる。

以上のような特徴を持つため、現在のところ非常用自家発電装置の駆動用としてはディーゼルエンジンが多く使用されている。

例題 11-7　令和元年度 2級電気通信工事施工管理技術検定（学科・後期）問題（選択）〔No.48〕 

予備電源の原動機に関する記述として，**適当でないもの**はどれか。

(1) ガスタービンは，燃料として，軽油，灯油，A重油及び都市ガスが使用できる。
(2) ディーゼルエンジンは，燃焼ガスのエネルギーをいったんピストンの往復運動に変換し，それをクランク軸で回転運動に変換する。
(3) ガスタービンは，ディーゼルエンジンと比べ，構成部品が少なく，寸法，重量とも小さく軽い。
(4) ディーゼルエンジンは，ガスタービンと比べ，燃料消費率が高い。

正解：(4)

解説　(4) ディーゼルエンジンはガスタービンと比べて燃料消費率が小さく、燃費がよいという利点がある。

(7) キュービクル式高圧受電設備

- キュービクル式高圧受電設備は、主遮断装置の種類によりCB形とPF・S形がある。
- CB形は、主遮断装置に高圧交流遮断器 (CB) を用いるものである。
- PF・S形は、主遮断装置に限流ヒューズ（PF）と高圧交流負荷開閉器（LBS) を組み合わせて用いるものである。

(8) スイッチング電源

- スイッチング電源は、電力変換を効率よく行うことができる。
- インバータは直流を交流に変換するのに使われる。
- 直流チョッパは直流電源を高頻度でオンオフ動作を行うことで他の大きさの直流電圧に変換する。

- 直流チョッパには、出力が電源電圧に比べて低くなる直流降圧チョッパと、出力が電源電圧よりも高くなる直流昇圧チョッパがある。

例題11-8　令和4年度1級電気通信工事施工管理技術検定（第一次）問題B（選択）〔No.5〕 

スイッチング電源に関する記述として，**適当でないもの**はどれか。

(1) スイッチング電源は，電力変換を効率よく行うことができる。
(2) 直流チョッパは，直流電源を高頻度でオンオフ動作を行うことでほかの大きさの直流電圧に変換する。
(3) インバータは，直流を交流に変換するのに使われる。
(4) 直流昇圧チョッパの平均出力電圧は，0Vから電源電圧まで変えることができる。

正解：(4)

解説　(4) 直流の平均出力電圧を、電源以下の電圧である0Vから電源電圧まで変えるものは直流降圧チョッパである。

(9) 二次電池

二次電池とは、蓄電池ともいい、充電と放電を繰り返して使用できる電池をいう。

- 蓄電池には、鉛蓄電池、アルカリ蓄電池、リチウムイオン二次電池などがある。
- アルカリ蓄電池には、ニッケルカドミウム電池、ニッケル水素電池などがある。
- セルとは蓄電池の最小単位である1組の電極の組み合わせをいう。
- 1セル当たりの公称電圧は蓄電池の種類によって異なる。
- 鉛蓄電池の1セル当たりの公称電圧は2.0Vである。
- アルカリ蓄電池の1セル当たりの公称電圧は1.2Vである。
- リチウムイオン二次電池の1セル当たりの公称電圧は3.6Vである。

例題11-9　令和4年度2級電気通信工事施工管理技術検定（第一次・前期）問題（選択）〔No.47〕 

二次電池に関する記述として，**適当でないもの**はどれか。

(1) 鉛蓄電池の1セル当たりの公称電圧は2.0Vである。
(2) ニッケルカドミウム電池の1セル当たりの公称電圧は1.2Vである。
(3) ニッケル水素電池の1セル当たりの公称電圧は1.2Vである。
(4) リチウムイオン二次電池の1セル当たりの公称電圧は1.5Vである。

正解：(4)

解説　(4) リチウムイオン二次電池の1セル当たりの公称電圧は約3.6Vである。

11.3 消防用設備等

電気通信設備に限らず、万が一火災が発生した際に人命を守るための消火設備や消防設備はインフラを支える重要な設備である。

防火対象物には、火災が発生したときに備えて各種の消防用設備を設置しなければならない。身近な例では、いわゆる火災報知器や消火器などがある。消防用設備等は、「消防の用に供する設備」「消防用水」「消火活動上必要な施設」の3つに区分され、次のように規定されている。

表11-2 消防用設備の種類

消防の用に供する設備	消火設備	消火器、簡易消火用具（水バケツ、水槽、乾燥砂、膨張ひる石、膨張真珠岩）、屋内消火栓設備、スプリンクラー設備、水噴霧消火設備、泡消火設備、不活性ガス消火設備、ハロゲン化物消火設備、粉末消火設備、屋外消火栓設備、動力消防ポンプ設備
	警報設備	自動火災報知設備、ガス漏れ火災警報設備、漏電火災警報器、消防機関へ通報する火災報知設備、非常警報器具（警鐘、携帯用拡声器、手動式サイレンなど）、非常警報設備（非常ベル、自動式サイレン、放送設備）
	避難設備	滑り台、避難はしご、避難階段、救助袋、緩降機、避難橋など、誘導灯、非常用照明器具
消防用水		防火水槽またはこれに代わる貯水池など
消火活動上必要な施設		排煙設備、連結散水設備、連結送水管、非常コンセント設備、無線通信補助設備

(1) 消火設備

消火設備は、燃焼の3要素である温度・酸素・可燃物のうちいずれかを取り除くことで消火するための設備である。設備の概要と原理について解説する。

消火器

消火器は初期消火に対応した可搬型あるいは車載型の機器で、次のような種類に分かれる。

表11-3 消火器の種類

水消火器	炎に水を噴霧することで冷却効果により消火を行う。
泡消火器	水に界面活性剤などを加えた水溶液で泡を発生させ、対象の可燃物を冷却すると同時に覆ってしまう。この冷却効果と窒息効果を用いて消火を行う。
強化液消火器	強化液とは、水に炭酸カリウムなどを溶かした水溶液である。冷却効果とともに可燃物を強力な泡で覆ってしまうことで除去効果を発揮して消火を行う。
二酸化炭素消火器	炎に対して二酸化炭素を噴射し、炎の周囲の酸素を取り除くことで消火を行う。水や粉末系の消化器に比べ、消火の際の周囲汚染が起こらないという利点を持つため、コンピュータルームなど電気機器類の存在する場所の消火に適している。

ハロゲン化物消火器	ハロゲン化物とは、ハロン1301やハロン2402といったハロゲン化物を使用したものである。二酸化炭素と同様の窒息効果の他、除去効果も利用して消火する。
粉末消火器	炭酸水素ナトリウムや炭酸水素カリウムなどの粉末薬剤を使用した消火器である。窒息効果の他、除去効果を使って消火を行う。

簡易消火用具（水バケツ、水槽、乾燥砂、膨張ひる石、膨張真珠岩）

消火器には及ばないもののごく初期の消火に対応した消火用具で、水は冷却効果、乾燥砂や乾燥ひる石などは液体可燃物を覆ってしまうことで除去効果を狙ったものである。

屋内消火栓設備、屋外消火栓設備、動力消防ポンプ設備、スプリンクラー設備、水噴霧消火設備

これらはいずれも水による冷却効果を用いて消火を行う設備である。大量の消火用水源を保持し、自然発火性物質や禁水性物質など水消火が不向きな火災ではない場合、適切に稼働することで大きな消火効果を得ることができる。

泡消火設備、不活性ガス消火設備、ハロゲン化物消火設備、粉末消火設備

これらはいずれも泡消火器・不活性ガス消火器・ハロゲン化物消火器・粉末消火器と同様の原理で消火を行うものである。

スプリンクラー設備

- スプリンクラーヘッドには開放型と閉鎖型がある。
- 開放型スプリンクラーヘッドは、散水口が常に開放された構造のスプリンクラーヘッドである。
- 閉鎖型スプリンクラーヘッドは、散水口が閉鎖されており、一定の温度に達すると感熱部が作動することによって散水口が開放するスプリンクラーヘッドである。
- スプリンクラー設備には、湿式、乾式、予作動式、開放式がある。
- 湿式は、ヘッドまでの配管が充水されている方式である。
- 乾式は、寒冷地における凍結防止のため、ヘッドまでの配管を空気で加圧充てんする方式である。
- 予作動式は、ヘッドまで空気を加圧充てんし、ヘッドの開放と感知器の連動により散水を開始する方式である。
- 予作動式は、感知器の作動と閉鎖型スプリンクラーヘッドの作動の2つの作動により放水する方式であり、閉鎖型スプリンクラーヘッドの破損などの誤作動による放水で甚大な被害が予想されるコンピュータ室や通信機械室などで使われる。
- 開放式は、開放型スプリンクラーヘッドを用いる方式で、一斉開放弁を開放することで散水する方式である。

例題11-10　令和4年度2級電気通信工事施工管理技術検定（第一次・前期）問題（選択）〔No.50〕 

スプリンクラー設備に関する次の記述に該当する名称として，**適当なもの**はどれか。
「感知器の作動と閉鎖型スプリンクラーヘッドの作動の2つの作動により放水する方式であり，閉鎖型スプリンクラーヘッドの破損等の誤作動による放水で甚大な被害が予想されるコンピュータ室や通信機械室等で使われる。」

(1) 予作動式スプリンクラー設備
(2) 開放型スプリンクラー設備
(3) 湿式スプリンクラー設備
(4) 乾式スプリンクラー設備

正解：(1)

解説　記述の内容は予作動式スプリンクラー設備である。

粉末消火設備

- 粉末消火設備は粉末消火剤が火災時に熱分解を起こし、発生した二酸化炭素と水蒸気による窒息作用と熱分解による冷却作用により消火する設備である。
- 粉末消火設備は、全域放出方式と局所放出方式がある。
- 全域放出方式は、一定の防護区画内（室内）の全域に消火剤を放出する方式である。
- 局所放出方式は、防護対象物に直接、消火剤を放射する方式である。
- 粉末消火設備は、移動式と固定式がある。
- 移動式は、粉末消火剤の貯蔵容器などは固定されており、人がホースを持って火災場所まで移動しノズルを操作することで粉末消火剤を放射する方式である。
- 固定式は、貯蔵容器、配管、ノズルなどが固定されている方式である。
- 固定式の粉末消火設備の起動方式には、自動式と手動式がある。
- 粉末消火設備は、第１～４種の種別があり、第１種粉末、第２種粉末及び第４種粉末は油火災及び電気火災に適応し、第３種粉末は普通火災、油火災及び電気火災に適応する。

例題11-11　令和4年度1級電気通信工事施工管理技術検定（第一次）問題B（選択）〔No.8〕 

粉末消火設備に関する記述として，**適当でないもの**はどれか。

(1) 全域放出方式は，防護対象物の火災消火を目的に，粉末消火剤を防護対象物に直接放射して消火する方式である。
(2) 移動式は，粉末消火剤の貯蔵容器等は固定されており，人がホースを持って火災場所まで移動しノズルを操作することで粉末消火剤を放射する方式である。
(3) 第1種粉末，第2種粉末及び第4種粉末は油火災及び電気火災に適応し，第3種粉末は普通火災，油火災及び電気火災に適応する。
(4) 固定式の粉末消火設備の起動方式には，自動式と手動式がある。

正解：(1)

解説　防護対象物に直接放射する方式は局所放出方式である。

不活性ガス消火設備

- 不活性ガス消火設備は、二酸化炭素、窒素、アルゴンガスなどを消火剤とし、主に空気中の酸素濃度を希釈する窒息消火で消火する設備である。
- 水で消火することが不適切な油火災や電気火災、または散水による二次被害が予想される室に設置される。
- 常時人がいない部分以外の部分（要するに人がいるときがある部分）には、全域放出方式又は局所放出方式の不活性ガス消火設備を設けてはならない（消防法施行規則第19条）。

例題 11-12　令和元年度１級電気通信工事施工管理技術検定（学科）問題Ｂ（選択）〔No.08〕

消火設備に関する記述として，**適当でないもの**はどれか。

(1) 不活性ガス消火設備は，二酸化炭素，窒素，あるいはこれらのガスとアルゴンとの混合ガスを放射することで，不活性ガスによる窒息効果により消火する。
(2) スプリンクラー設備は，建築物の天井面などに設けたスプリンクラーヘッドが火災時の熱を感知して感熱分解部を破壊することで，自動的に散水を開始して消火する。
(3) 屋内消火栓設備は，人が操作することによって消火を行う固定式の消火設備であり，泡の放出により消火する。
(4) 粉末消火設備は，噴射ヘッドまたはノズルから粉末消火剤を放出し，火炎の熱により，粉末消火剤が分解して発生する二酸化炭素による窒息効果により消火する。

正解：(3)

解説　(3) 屋内消火栓設備は、水の放出によって消火する設備をいう。泡の放出により消火する設備は泡消火設備といい、ガソリンなどの油火災の消火に用いられ、駐車場などに設置される。

例題 11-13　令和元年度２級電気通信工事施工管理技術検定（学科・前期）問題（選択）〔No.50〕

消火設備に関する記述として，**適当でないもの**はどれか。

(1) 屋内消火栓設備は，人が操作し，ホースから放水することにより消火する設備である。
(2) 粉末消火設備は，ハロン1301の放射により消火する設備である。
(3) 不活性ガス消火設備は，二酸化炭素，窒素，あるいはこれらのガスとアルゴンとの混合ガスの放射により消火する設備である。
(4) スプリンクラー設備は，スプリンクラーヘッドから散水することにより消火する設備である。

正解：(2)

解説　(2) 粉末消火設備は、粉末消火剤の放射により消火する設備である。ハロン1301の放射により消火する設備は、ハロン消火設備である。

(2) 警報設備

警報設備は、いわゆる「非常ベル」と呼ばれる自動火災報知設備の他、ガス漏れ火災警報設備、漏電火災警報器などがある。概要は次の通り。

自動火災報知設備

各部屋や廊下の天井などに設置された火災感知器（熱感知器、煙感知器、炎感知器）からの電気信号を受信機で受信し、火災が確認できた場合は非常ベルを鳴動して避難を促す設備。

- 受信機とは、火災発生の信号、情報又は消火設備などの作動信号を受信し、火災の発生もしくは消火設備などの作動を関係者などに報知するものである。
- 感知器とは、火災が発生すると、火災の熱・煙・炎を自動的に感知し、火災発生の信号・情報等を受信機、中継器、消火設備などに発信するものである。
- 発信機とは、火災の発生を手動で受信機に発信するものである。
- 音響装置とは受信機が火災信号を受信した場合、ベル、ブザー、スピーカなどの音響または音声で火災の発生を報知するものである。
- 中継器とは、感知器や発信機からの火災信号を受信機に中継する機器である。

例題 11-14　令和4年度 1級電気通信工事施工管理技術検定（第一次）問題B（選択）〔No.10〕 

自動火災報知設備に関する記述として，**適当でないもの**はどれか。

(1) 受信機とは，火災発生の信号，情報又は消火設備等の作動信号を受信し，火災の発生もしくは消火設備等の作動を関係者等に報知するものである。
(2) 中継器とは，受信機が火災信号を受信した場合，ベル，ブザー，スピーカ等の音響又は音声で火災の発生を報知するものである。
(3) 感知器とは，火災が発生すると，火災の熱・煙・炎を自動的に感知し，火災発生の信号・情報等を受信機，中継器，消火設備等に発信するものである。
(4) 発信機とは，火災の発生を手動で受信機に発信するものである。

正解：(2)

解説　(2) 中継器とは、感知器や発信機からの火災信号を受信機に中継する機器である。記述は音響装置である。

ガス漏れ火災警報設備

地下街や温泉施設などでは、可燃性のガスが充満して引火・爆発すると大変な人的被害が発生する。そこでガス感知器を配置し、一定濃度以上の可燃ガスが滞留している場合は警報を出すのがこの設備である。

漏電火災警報器

木造建築物においては、漏電が発生すると、建材である木材が加熱・発火し火災となるおそれがある。そこで一定以上の漏電が認められた場合、火災に至る危険性があるとして警報を発するのがこの設備である。

消防機関へ通報する火災報知設備

老人介護施設やホテルなどでは、火災発生時に速やかに避難することが難しく、人的被害が広がってしまう可能性が高くなる。そこで消防機関へ直接通報する装置を設け、火災が認められた際にはいち早く通報を行うのがこの設備である。

(3) 避難設備

火災発生時、消火活動は大変重要だが、速やかな避難も大切であることはいうまでもない。そこで火災発生時の避難のための設備が用意されている。

表11-4 避難設備の種類

設備	説明
滑り台	遊具用ではなく避難用の滑り台で、建物に造り付けられているものである。幼稚園や保育園などで多く設置されている。
避難はしご	普段は収納されていて、避難の際はハッチを開けることで自動的にはしごが展開し、階下のベランダなどへ逃れることができる設備である。
避難階段	建物に設けられた避難用の階段で、火災時のような緊急時に多数の人が安全に避難できるように満たされるべき基準が規定されている。一般には非常階段とも呼ばれている。
救助袋	建物の屋上などから地面に向けて展開する繊維状の滑り台。避難の際は折りたたまれている救助袋を地上に放り投げ、地上で人が展開・固定し、その中を人が滑り降りる。地上に必ず取り扱いに慣れた人員が必要であるなどの欠点がある。
緩降機	ベルト状の器具の中に体を通し、リール状の器具がゆっくりと回転することで左右順番に交互に人が降りることができる器具。取り扱いに慣れていないと咄嗟のときに操作できない欠点がある。
避難橋など	建物の間を接続する避難用のタラップ。
誘導灯、非常用照明器具	暗闇や煙などで視界が悪い場合に、避難する人を誘導するための器具や照明。

（4）排煙設備

排煙方式

- 排煙方式には自然排煙方式と機械排煙方式がある。
- 自然排煙方式は、煙の浮力を利用して外気に直接面している排煙口より煙を外部へ排出する方法である。
- 自然排煙方式は、天井が高く、排煙口を高い位置に設ければ排煙能力が上がる。
- 機械排煙方式は、排煙機により排煙しようとする部分の煙を引き出すことにより、煙を外部に排煙する方法である。
- 機械排煙方式は、外部に面していない室でも排煙が可能である。
- 加圧排煙方式は、避難経路となる廊下や付室を加圧ファンで加圧して煙の侵入を防ぐ方法である。

例題11-15　令和4年度1級電気通信工事施工管理技術検定（第一次）問題B（選択）〔No.7〕 

排煙方式に関する記述として，**適当でないもの**はどれか。

(1) 機械排煙方式は，特別避難階段の付室や非常用エレベータ乗降ロビー等に外気を送り込んで加圧することにより避難経路へ煙が侵入することを防ぐ方法である。
(2) 機械排煙方式は，外部に面していない室でも排煙が可能である。
(3) 自然排煙方式は，煙の浮力を利用して外気に直接面している排煙口より煙を外部へ排出する方法である。
(4) 自然排煙方式は，天井が高く，排煙口を高い位置に設ければ排煙能力が上がる。

正解：(1)

解説　(1) 機械排煙方式は、排煙機により排煙しようとする部分の煙を引き出すことにより、煙を外部に排煙する方法をいう。記述は加圧排煙方式である。

（5）非常照明

- 照明器具は、耐熱性及び即時点灯性を有するものとして、次のイからハまでのいずれかに掲げるものとしなければならない（非常用の照明装置の構造方法を定める件）。
  イ 白熱灯
  ロ 蛍光灯
  ハ LEDランプ
- 照明器具（照明カバーその他照明器具に付属するものを含む。）のうち主要な部分は、難燃材料で造り、または覆うこと（非常用の照明装置の構造方法を定める件）。
- 電線は600V2種ビニル絶縁電線その他これと同等以上の耐熱性を有するものとしなければならない（非常用の照明装置の構造方法を定める件）。
- 予備電源は、常用の電源が断たれた場合に自動的に切り替えられて接続され、かつ、常用の電源が復旧した場合に自動的に切り替えられて復帰するものとしなければならない（非常用の照明装置の構造方法を定める件）。

第1章 施工管理

施工管理の分野からは、施工計画、工程管理、品質管理、安全管理、廃棄物管理に関する事項が出題される。

1.1 施工計画

(1) 施工計画全般

施工計画全般の分野からは、施工計画書の記載事項や設計図書の優先順位などの事項が出題される。

- 施工計画書とは、工事目的物を完成させるために必要な手順や工法を示したものをいう。例えば、下記のことが記載されている。
  1. 工事目的物を完成するために必要な手順や工法等。
  2. 工事の内容に応じた安全教育及び安全訓練等の具体的な計画。
- 工事の着手に先立ち、工事の総合的な計画をまとめた施工計画書（総合施工計画書）を作成し、監督職員に提出する。[公共建築工事標準仕様書（電気設備工事編） 1.2.2 (1)]
- 施工計画作成の留意事項：基本方針を十分に把握し施工性を検討するとともに、生産性の向上や環境保全に関しても検討を行う。
  1. 工事の目的・内容・契約条件、現場条件、全体工法、施工方法といった基本方針を考慮する。
  2. 仮設、工法の工事目的物を完成するために必要な一切の手段について、過去の実績や経験を生かしつつ、新工法、新技術を採用する。
  3. 現場条件は、施工計画を立てる上で極めて重要な要素であるので、現地調査は必ず行い、諸条件をチェックする。
- 施工計画書の記載事項
  1. 施工管理計画
  2. 計画工程表
  3. 主要資材
- 施工計画書を提出した際、監督職員から指示された事項については、さらに詳細な施工計画書を提出する。
- 施工計画書の内容に重要な変更が生じた場合には、施工する前に監督職員に報告するとともに、施工等に支障がないように適切な措置を講ずる。[公共建築工事標準仕様書（電気設備工事編） 1.2.2 (5)]
- 設計図書間に相違がある場合の優先順位は、次の（ア）から（オ）までの順番のとおりとし、これにより難い場合は協議による。[公共建築工事標準仕様書（電気設備工事編） 1.1.1 適用 (2)]

（ア）質問回答書（（イ）から（オ）までに対するもの）
（イ）現場説明書
（ウ）特記仕様書
（エ）図面
（オ）標準仕様書

- 設計図書に定められた内容に疑義が生じた場合又は現場の納まり、取合い等の関係で、設計図書によることが困難若しくは不都合が生じた場合は、監督職員と協議する。[公共建築工事標準仕様書（電気設備工事編） 1.1.8（1）]
- 特記仕様書は、共通仕様書より優先するが、両仕様書を対比検討して、施工方法等を決定する必要がある。
- 機器製作設計図は、一般に、工事目的物を完成させるために必要な手順や工法を示した施工計画書に記載するものとして、関係が少ない。
- 施工計画書の記載事項には、施工管理計画、施工方法、主要資材等がある。請負者の予算計画は施工計画書には記載しない。
- 発注者の要求品質や施工上の安全を最優先に、請負者の利益を確保した計画を策定する。
- 事前調査には、工事内容や契約条件を把握するための契約条件の確認と現場の諸条件を把握するための現場条件の調査がある。
- 契約書、発注図面及び工事仕様書の情報だけではなく、現地調査を行って現場条件を把握して施工計画を作成する。
- 現場条件の調査は漏れがないようにチェックリストを作成し、精度を高めるため複数人・複数回実施する。
- 現地調査では、施工上不利な自然条件、近隣環境、現場搬入路等に対する調査を実施する。
- 不可抗力による損害の取扱い、工事代金の支払い条件、資材費・労務費の変動に基づく請負代金の変更の取扱いの確認は、契約条件の確認に該当する。
- 工程管理計画：工期内に完成させるための工事の工程に関する計画。
- 品質管理計画：要求性能を満たすための工事の品質に関する計画。
- 安全管理計画：労働災害、公衆災害の防止のため工事の安全に関する計画。
- 労務計画：作業人員の準備・計画。
- 環境管理計画：公害防止や近隣環境への影響を抑制する計画。
- 仮設備計画：足場や仮設防護施設（立入防止柵等）の仮設備に関する計画。
- 機械計画：工事実施のための最適な機械の使用計画。
- 予算管理計画：工事予算、工事代金の収支、資金調達、利益の把握。

例題 1-1　令和4年度1級電気通信工事施工管理技術検定（第一次）問題B（選択）〔No.15〕

施工計画の作成にあたっての留意事項に関する記述として，**適当なもの**はどれか。

(1) 施工計画は確実に施工できるものでなければならず，新工法や新技術の採用は検討に加えずに過去の実績や経験で作成する。
(2) 発注者から示された工程が最適であるため経済性や安全性，品質の検討は行わずに，その工程で施工計画を作成する。
(3) 施工計画は，個人の考えや技術水準により計画することから企業内の関係組織の活用や全社的な技術水準による検討は望ましくない。
(4) 施工計画は，1つの計画のみでなく，複数の代替案を作成しそれらを比較検討のうえ最適案を採用する。

正解：(4)

解説
(1) 施工計画の作成にあたっては、新工法や新技術の採用も検討する。
(2) 発注者の要求品質や施工上の安全を最優先に、請負者の利益を確保した計画を策定する。
(3) 施工計画は、企業内の関係組織の活用や全社的な技術水準による検討が望ましい。

例題 1-2　令和4年度1級電気通信工事施工管理技術検定（第一次）問題B（選択）〔No.16〕

施工計画立案時の事前調査に関する記述として，**適当でないもの**はどれか。

(1) 事前調査には，工事内容や契約条件を把握するための契約条件の確認と現場の諸条件を把握するための現場条件の調査がある。
(2) 資材費，労務費の変動に基づく請負代金の変更の取扱いの確認は，現場条件の調査に該当する。
(3) 現場条件の調査は，調査項目が多いので，脱落がないようにするためチェックリストを作成しておくのがよい。
(4) 現場条件の調査の精度を高めるためには，複数の人で調査したり，調査回数を重ねるなどにより，個人的偶発的な要因による錯誤や調査漏れを取り除くことが必要である。

正解：(2)

解説
資材費・労務費の変動に基づく請負代金の変更の取扱いの確認は、契約条件の確認に該当する。

(2) 仮設防護施設

仮設備として計画する防護施設とは、建設工事に際し、公衆や工事関係者の安全を確保するために、工事中の必要な期間設置される施設のことである。

- 立入防止柵：資材、機械等の置き場や作業場に公衆が誤って立ち入らないようにするための柵。
- 固定柵：風圧により転倒しないように十分安定した構造を有する必要がある。
- 移動柵：連続して設置する場合には、間隔を開けないようにする。

例題 1-3　　令和元年度 2級電気通信工事施工管理技術検定（学科・後期）問題（必須）〔No.57〕 

仮設備として計画する防護施設に関する記述として，**適当でないもの**はどれか。

(1) 立入防止柵は，資材，機械等の置き場や作業場に公衆が誤って立ち入らないようにするためのものである。
(2) 移動柵を連続して設置する場合には，移動柵の長さを超える間隔を開ける。
(3) 固定柵は，風による転倒に対して十分安定した構造を有するものでなければならない。
(4) 防護施設とは，建設工事に際し，公衆や工事関係者の安全を確保するために，工事中の必要な期間設置される施設である。

正解：(2)

解説　(2) 移動柵の長さを超える間隔を開けるのではなく、間隔を開けないようにする。

(3) 施工体制台帳の記載上の留意事項

特定建設業者は、発注者から直接建設工事を請け負った場合、当該建設工事を施工するために締結した下請契約の請負代金の額（2つ以上ある場合はその総額）が政令で定める金額以上になるときは、施工体制台帳を作成し、工事現場ごとに備え置かなければならないとされている（建設業法第24条7）。

- 建設工事の下請負人は、その請け負った建設工事を他の建設業を営む者に請け負わせたときは、特定建設業者に対して通知しなければならない。
- 施工体制台帳の備置き及び施工体系図の掲示は、建設工事の目的物の引渡しをするまで行わなければならない。（建設業法施行規則第14条の7）
- 特定建設業者は、発注者から請求があったときは、備え置かれた施工体制台帳を閲覧させなければならない。
- 特定建設業者は、当該建設工事における各下請負人の施工の分担関係を表示した施工体系図を作成し、これを見やすい場所に掲げなければならない。

年　月　日

施工体制台帳（作成例）

［会社名］

［事業所名］

建設業の許可	許可業種		許可番号	許可（更新）年月日
	工事業	大臣 特定 知事 一般	第　号	年　月　日
	工事業	大臣 特定 知事 一般	第　号	年　月　日

工事名称及び工事内容			
発注者名及び住所			
工期	自　年　月　日 至　年　月　日	契約日	年　月　日

契約営業所	区分	名称	住所
	元請契約		
	下請契約		

健康保険等の加入状況	保険加入の有無	健康保険	厚生年金保険	雇用保険
		加入　未加入 適用除外	加入　未加入 適用除外	加入　未加入 適用除外
	事業所整理記号等	区分	営業所の名称	健康保険	厚生年金保険	雇用保険
		元請契約				
		下請契約				

発注者の監督員名		権限及び意見申出方法	
監督員名		権限及び意見申出方法	
現場代理人名		権限及び意見申出方法	
監理技術者名 主任技術者名	専任 非専任	資格内容	
専門技術者名		専門技術者名	
資格内容		資格内容	
担当工事内容		担当工事内容	

一号特定技能外国人の従事の状況（有無）	有　無	外国人建設就労者の従事の状況（有無）	有　無	外国人技能実習生の従事の状況（有無）	有　無

《下請負人に関する事項》

会社名		代表者名	
住所			
工事名称及び工事内容			
工期	自　年　月　日 至　年　月　日	契約日	年　月　日

建設業の許可	施工に必要な許可業種		許可番号	許可（更新）年月日
	工事業	大臣 特定 知事 一般	第　号	年　月　日
	工事業	大臣 特定 知事 一般	第　号	年　月　日

健康保険等の加入状況	保険加入の有無	健康保険	厚生年金保険	雇用保険
		加入　未加入 適用除外	加入　未加入 適用除外	加入　未加入 適用除外
	事業所整理記号等	営業所の名称	健康保険	厚生年金保険	雇用保険

現場代理人名		安全衛生責任者名	
権限及び意見申出方法		安全衛生推進者名	
主任技術者名	専任 非専任	雇用管理責任者名	
資格内容		専門技術者名	
		資格内容	
		担当工事内容	

一号特定技能外国人の従事の状況（有無）	有　無	外国人建設就労者の従事の状況（有無）	有　無	外国人技能実習生の従事の状況（有無）	有　無

※施工体制台帳の添付書類（建設業法施行規則第14条の2第2項）

・発注者と作成建設業者の請負契約及び作成建設業者と下請負人の下請契約に係る当初契約及び変更契約の契約書面の写し（公共工事以外の建設工事について締結されるものに係るものは、請負代金の額に係る部分を除く）
・主任技術者又は監理技術者が主任技術者資格又は監理技術者資格を有する事を証する書面及び当該主任技術者又は監理技術者が作成建設業者に雇用期間を特に限定することなく雇用されている者であることを証する書面又はこれらの写し
・専門技術者をおく場合は、その者が主任技術者資格を有することを証する書面及びその者が作成建設業者に雇用期間を特に限定することなく雇用されている者であることを証する書面又はこれらの写し

図 1-1　施工体制台帳（作成例）

- 下請負人が、自ら他の下請負人と建設工事の請負契約をした場合は、下請負人に関する事項を記載した**再下請負通知書**を作成し、**元請負人に提出**しなければならない。［建設省経建発第 147 号「施工体制台帳の作成等について（通知）」］

年　月　日

再下請負通知書（作成例）

直近上位注文者名

【報告下請負業者】

住所

会社名

代表者名

元請名称	

《自社に関する事項》

工事名称及び工事内容			
工期	自　年　月　日 至　年　月　日	注文者との契約日	年　月　日

建設業の許可	施工に必要な許可業種		許可番号	許可（更新）年月日
	工事業	大臣 特定 知事 一般	第　号	年　月　日
	工事業	大臣 特定 知事 一般	第　号	年　月　日

健康保険等の加入状況	保険加入の有無	健康保険	厚生年金保険	雇用保険
		加入　未加入 適用除外	加入　未加入 適用除外	加入　未加入 適用除外
	事業所整理記号等	営業所の名称	健康保険	厚生年金保険	雇用保険

監督員名		安全衛生責任者名	
権限及び意見申出方法		安全衛生推進者名	
現場代理人名		雇用管理責任者名	
権限及び意見申出方法		専門技術者名	
主任技術者名	専任 非専任	資格内容	
資格内容		担当工事内容	

一号特定技能外国人の従事の状況（有無）	有　無	外国人建設就労者の従事の状況（有無）	有　無	外国人技能実習生の従事の状況（有無）	有　無

《再下請負関係》　再下請負業者及び再下請負契約関係について次の通り報告いたします。

会社名		代表者名	
住所 電話番号			
工事名称及び工事内容			
工期	自　年　月　日 至　年　月　日	契約日	年　月　日

建設業の許可	施工に必要な許可業種		許可番号	許可（更新）年月日
	工事業	大臣 特定 知事 一般	第　号	年　月　日
	工事業	大臣 特定 知事 一般	第　号	年　月　日

健康保険等の加入状況	保険加入の有無	健康保険	厚生年金保険	雇用保険
		加入　未加入 適用除外	加入　未加入 適用除外	加入　未加入 適用除外
	事業所整理記号等	営業所の名称	健康保険	厚生年金保険	雇用保険

現場代理人名		安全衛生責任者名	
権限及び意見申出方法		安全衛生推進者名	
主任技術者名	専任 非専任	雇用管理責任者名	
資格内容		専門技術者名	
		資格内容	
		担当工事内容	

一号特定技能外国人の従事の状況（有無）	有　無	外国人建設就労者の従事の状況（有無）	有　無	外国人技能実習生の従事の状況（有無）	有　無

※再下請通知書の添付書類（建設業法施行規則第14条の4第3項）

・再下請通知人が再下請人と締結した当初契約及び変更契約の契約書面の写し（公共工事以外の建設工事について締結されるものに係るものは、請負代金の額に係る部分を除く）

図 1-2　再下請負通知書（作成例）

- 作成建設業者の建設業の種類は、請け負った建設工事にかかる建設業の種類に関わることなく、その全てについて特定建設業の許可か一般建設業の許可かの別を明示して記載する。
- 「健康保険等の加入状況」は、健康保険、厚生年金保険及び雇用保険の加入状況についてそれぞれ記載する。
- 記載事項について変更があったときは、遅滞なく、当該変更があった年月日を付記して、既に記載されている事項に加えて変更後の事項を記載しなければならない。

例題 1-4　令和元年度１級電気通信工事施工管理技術検定（学科）問題B（選択）〔No.17〕 

施工体制台帳の記載上の留意事項に関する記述として，**適当でないもの**はどれか。

(1) 施工体制台帳の作成にあたっては，下請負人に関する事項も必ず作成建設業者が自ら記載しなければならない。
(2) 作成建設業者の建設業の種類は，請け負った建設工事にかかる建設業の種類に関わることなく，その全てについて特定建設業の許可か一般建設業の許可かの別を明示して記載する。
(3)「健康保険等の加入状況」は，健康保険，厚生年金保険及び雇用保険の加入状況についてそれぞれ記載する。
(4) 記載事項について変更があったときは，遅滞なく，当該変更があった年月日を付記して，既に記載されている事項に加えて変更後の事項を記載しなければならない。

正解：(1)

解説　(1) 建設省経建発第147号「施工体制台帳の作成等について（通知）」の通り、必ずしも全て作成業者が自ら記載しなければならないわけではない。

(4) 法令に基づく届出書類

工事に際して必要となる主な法令に基づく届出書類と提出先は、次の通り。

表 1-1　主な届出書類の名称と提出先

届出書等の名称	提出先
高層建築物等予定工事届	総務大臣
無線局免許申請書	総務大臣
航空障害灯の設置について（届出）	地方航空局長
自家用電気工作物使用開始届出書	経済産業大臣又は産業保安監督部長
保安規程届出書	経済産業大臣又は産業保安監督部長
工事整備対象設備等着工届出書	消防長又は消防署長
消防用設備等設置届出先	消防長又は消防署長
危険物貯蔵所設置許可申請書	市町村長又は都道府県知事
少量危険物貯蔵取扱所設置届出書	消防長又は消防署長

届出書等の名称	提出先
道路占用許可申請書	道路管理者
道路使用許可申請書	所轄の警察署長
特殊車両通行許可申請書	道路管理者
騒音規制法の特定施設設置届出書	市町村長
騒音規制法の特定施設作業実施届出書	市町村長
確認申請に基づく工事完了届	建築主事又は指定確認検査機関
適用事業報告	所轄労働基準監督署長
労働者死傷病報告	所轄労働基準監督署長
機械等設置届	所轄労働基準監督署長
建設工事計画届	所轄労働基準監督署長
特別地域内木竹の伐採許可申請書	都道府県知事

(5) 各種許可

道路の使用許可

- 道路において工事若しくは作業をしようとする者又は請負人は、それをする場所の所轄警察署長の許可を受けなければならない（道路交通法第77条第1項）
- 道路の使用許可を受けようとする者は、定められた事項を記載した申請書を所轄警察署長に提出しなければならない（道路交通法第78条第1項）。

道路の占有許可

- 道路に特定の工作物、物件又は施設を設け、継続して道路を使用しようとする場合においては、道路管理者の許可を受けなければならない（道路法第32条第1項）。

立木の伐採許可

- 保安林においては、原則として都道府県知事の許可を受けなければ、立木を伐採してはならない（森林法第34条第1項）。
- 保安林とは、水源の涵養、土砂の崩壊その他の災害の防備、生活環境の保全・形成等、特定の公益目的を達成するため、農林水産大臣又は都道府県知事によって指定される森林をいい、国定公園の特別地域内の森林などがある。
- 伐採の許可については、定められた期日までに都道府県知事に伐採許可申請書を提出しなければならない（森林法施行令第4条の2）。

特定建設作業の許可

- 特定建設作業を伴う建設工事を施工する者は、期限までに市町村長に届け出なければならない（振動規制法第14条）

限度超過車両の通行許可

- 道路管理者は、車両の構造又は車両に積載する貨物が特殊であるためやむを得ないと認めるときは、限度超過車両の通行を許可することができる（道路法第47条第1項）。

- 車両制限令の車両とは、自動車、原動機付自転車、軽車両及びトロリーバスをいい、人が乗車し、又は貨物が積載されている場合にあつてはその状態におけるもの、他の車両をけん引している場合にあつては当該けん引されている車両を含む。
- 車両制限令には、道路の構造を保全し又は交通の危険を防止するために、車両の幅、重量、高さ、長さ及び最小回転半径の最高限度が定められている。
- 限度超過車両（特殊車両）の通行の許可証の交付を受けた者は，当該許可に係る通行中は当該許可証を当該車両に備え付けていなければならない。
- 限度超過車両（特殊車両）を通行させようとする者は、通行する国道及び都道府県の道路管理者が2以上となる場合、いずれかの道路管理者に通行許可の申請を行わなければならない。

例題 1-5　令和元年度 1級電気通信工事施工管理技術検定（学科）問題B（選択）〔No.18〕 

法令に基づく申請書等とその提出先に関する記述として，**適当でないもの**はどれか。

(1) 道路において工事を行うため，道路使用許可申請書を所轄警察署長に提出する。
(2) 騒音規制法の指定地域内で，特定建設作業を伴う建設工事を施工するため，特定建設作業実施届出書を都道府県知事に届け出る。
(3) 国定公園の特別地域内に，木を伐採して工事用の資材置き場を確保するため，特別地域内木竹の伐採許可申請書を都道府県知事に提出する。
(4) 一定期間以上つり足場を設置するため，機械等設置届を所轄労働基準監督署長に届け出る。

正解：(2)

解説　(2) 騒音規制法の指定地域内で、特定建設作業を伴う建設工事を施工するためには、特定建設作業実施届出書を市町村長に届け出る必要がある（騒音規制法第14条）。

(6) 工事整備対象設備等着工届出書

工事整備対象設備等着工届出書とは、消防設備工事を開始する前に消防長または消防署長に提出する届出書をいう。概要は次の通りである。

- 甲種消防設備士は、工事に着手しようとする日の10日前までに工事整備対象設備等着工届出書を消防長又は消防署長に届け出なければならない（消防法第17条の14）。
- 工事整備対象設備等着工届出書の届出が必要な消防設備（消防設備工でなければ行ってはならない工事又は設備）は下記の通り（消防法施行令第36条の2）。
  1. 屋内消火栓設備
  2. スプリンクラー設備
  3. 水噴霧消火設備
  4. 泡消火設備
  5. 不活性ガス消火設備

6. ハロゲン化物消火設備
7. 粉末消火設備
8. 屋外消火栓設備
9. 自動火災報知設備
10. ガス漏れ火災警報設備
11. 消防機関へ通報する火災報知設備
12. 金属製避難はしご（固定式のものに限る。）
13. 救助袋
14. 緩降機

例題 1-6　令和元年度 2級電気通信工事施工管理技術検定（学科・前期）問題（必須）〔No.58〕 

工事に着手する前に消防長又は消防署長に届け出なければならない消防用設備等として，「消防法令」上，**適当なもの**はどれか。

(1) 消火器
(2) 自動火災報知設備
(3) 防火水槽
(4) 誘導灯

正解：(2)

解説　(2) 消防法施行令第36条の2により、自動火災報知設備は届け出が必要。

(7) 機械等設置届が必要な仮設物

機械等設置届とは、労働安全衛生法に基づき、労働基準監督署に届け出る必要のある書類である。この届が必要な仮設物は次の通りである。

- 型枠支保工：支柱の高さが3.5m以上のものに限る。
- 架設通路：高さ及び長さがそれぞれ10m以上のものに限る。
- 足場
  1. つり足場、張出し足場は高さに関係なく届出が必要。
  2. 上記以外の足場については、高さが10m以上の構造のものに限る。
- 計画の届出を必要としない仮設物
  つり足場、張出し足場、高さが10m以上の構造足場にあっては、組立開始日から解体完了日までの期間が60日未満のもの。

(8) 建設工事計画届が必要な仕事

建設工事計画届とは、労働安全衛生法に基づき、労働基準監督署に届け出る必要のある書類で、この届が必要な仕事は次の通りである。

- 高さ31mを超える建築物又は工作物（橋梁を除く）の建設、改造、解体又は破壊の仕事。
- 最大支間50m以上の橋梁の建設等の仕事。
- 最大支間30m以上50m未満の橋梁の上部構造の建設等の仕事。
- ずい道等の建設等の仕事（ずい道等の内部に労働者が立ち入らないものを除く）。
- 掘削の高さ又は深さが10m以上である地山の掘削（ずい道等の掘削及び岩石の採取のための掘削を除く）の作業（掘削機械を用いる作業で、掘削面の下方に労働者が立ち入らないものを除く）を行う仕事。
- 圧気工法による作業を行う仕事。
  耐火建築物又は準耐火建築物で、石綿等が吹き付けられているものにおける石綿等の除去の作業を行う仕事。
- ダイオキシン類対策特別措置法令に掲げる廃棄物焼却炉（火格子面積が2m^{2}以上又は焼却能力が1時間当たり200kg以上のものに限る）を有する廃棄物の焼却施設に設置された廃棄物焼却炉、集じん機等の設備の解体等の仕事。
- 掘削の高さ又は深さが10m以上の土石の採取のための掘削の作業を行う仕事。
- 坑内掘りによる土石の採取のための掘削の作業を行う仕事。

例題 1-7　令和元年度 1級電気通信工事施工管理技術検定（学科）問題B（選択）〔No.28〕 

工事開始前に労働基準監督署長に対して計画を届け出る必要のないものとして，「労働安全衛生法令」上，**正しいもの**はどれか。

(1) 高さ35mの建築物を建設する場合
(2) 組立から解体までの期間が60日間で，高さ10m，長さ10mの架設通路を設置する場合
(3) 組立から解体までの期間が30日間で，つり足場を設置する場合
(4) 掘削の深さが10mとなる地山の掘削を行う場合

正解：(3)

解説　(3) 労働安全衛生規則第85条により、組立から解体までの期間が60日間未満で、つり足場を設置する場合は、計画を届け出る必要はない。

1.2　工程管理

(1) 各種工程表

工程表には、バーチャート工程表、ガントチャート工程表、グラフ式工程表、斜線式工程表、タクト工程表などがある。概要は次の通りである。

- 工程表とは、工事の施工順序と所要の日数を分かりやすく図表化したものをいう。

- バーチャート工程表
  1. 縦軸に作業項目（部分工事）を取り、横軸に暦日を取って、横棒で各工事に必要な日数を示した工程表である。
  2. 各工事の工期が分かりやすく総合工程表で使用される。
  3. 図表の作成が容易であるが、各部分工事の工期に対する影響の度合いは把握できない。

日程	1 土	2 日	3 月	4 火	5 水	6 木	7 金
A工事							
B工事							
C工事							
D工事							
E工事							
F工事							

図1-3　バーチャート工程表

- ガントチャート工程表
  1. 縦軸に作業項目（部分工事）を取り、横軸に出来高比率を取って、各作業項目（各部分工事）の出来高比率を横棒で表す工程表である。
  2. 各部分工事の進捗度合いはよく分かるが、それ以外の項目、各部分工事の工期や工期に影響する部分工事がどれであるかなどは不明である。

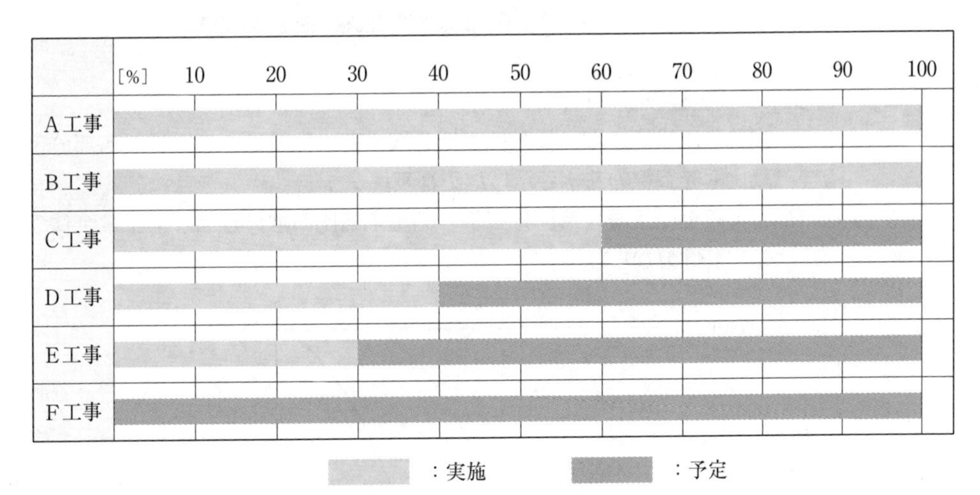

図1-4　ガントチャート工程表

- 出来高累計曲線（曲線式工程表）
  1. 縦軸に出来高比率、横軸に工期を取って全体工事の出来高比率の累計を曲線で示した工程表。

2. 工事全体の出来高比率の累計は分かるが、全体工事と部分工事の関係を明確に表現することはできない。
3. 上方許容限界曲線、下方許容限界曲線はバナナ曲線と呼ばれる。
4. バナナ曲線の上方許容限界曲線や下方許容限界曲線は、過去の工事実績データから作成される。
5. 予定工程曲線がバナナ曲線の上方許容限界曲線と下方許容限界曲線の範囲内に入らない場合は、一般的に不合理な工程計画と考えられる。
6. 実施工程曲線が上方許容限界曲線より下にくる場合は、工程遅延により突貫工事を必要とする場合が多い。
7. 実施工程曲線が上方許容限界曲線より上にくる場合は、人員や機械の配置が多過ぎるなど計画に誤りがあることが考えられる。

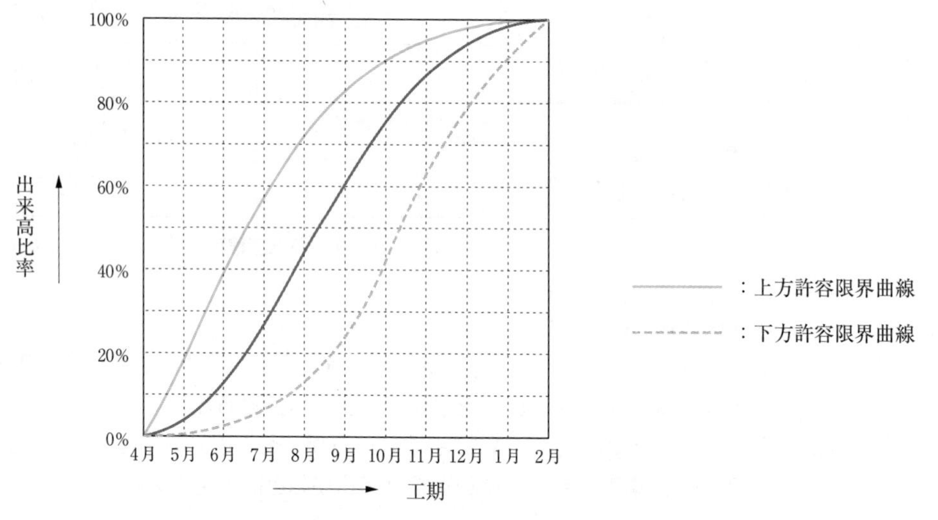

図1-5　出来高累計曲線（曲線式工程表）

- グラフ式工程表
  1. 縦軸に出来高比率、横軸に工期を取って、工種ごとの工程（各部分工事）の出来高比率を斜線の曲線で示した工程表。
  2. 工種ごとの工程（各部分工事）の出来高比率は分かるが、工事全体の出来高比率の累計は分からない。

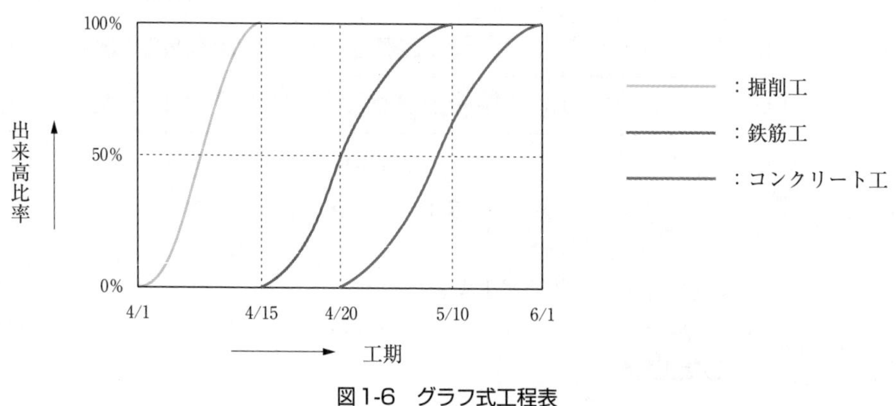

図1-6　グラフ式工程表

・斜線式工程表

1. 道路工事やトンネル工事のように工事区間が線状に長く、しかも一定の方向にしか進行できない工事に用いられることが多い。
2. クリティカルパスを求めることはできない。

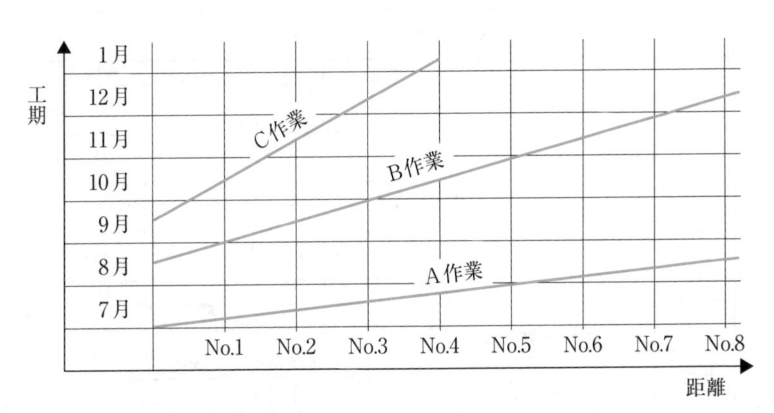

図 1-7　斜線式工程表

例題 1-8　令和4年度2級電気通信工事施工管理技術検定（第一次・前期）問題（必須）〔No.64〕 

建設工事で使用される斜線式工程表に関する記述として，**適当なもの**はいくつあるか。

① 横線式工程表に分類される。

② クリティカルパスを求めることができる。

③ 実施工程曲線が上方許容限界曲線と下方許容限界曲線の間になるように工程管理を行う。

④ トンネル工事のように工事区間が線状に長く，しかも一定の方向にしか進行できない工事に用いられる事が多い。

(1) 1つ
(2) 2つ
(3) 3つ
(4) 4つ

正解：(1)

解説　① 横線式工程表には分類されない。
② クリティカルパスを求めることはできない。
③ 出来高累計曲線の記述である。

・タクト工程表

1. 縦軸にその建物の階層などを取り、横軸に暦日を取った工程表である。
2. 高層ビルの基準階などの繰り返し行われる作業の工程管理に適している。
3. 全体の稼働人数の把握が容易で、工期の遅れなどによる変化への対応が容易である。

4. バーチャート工程表に比べ、他の作業との関連性が理解しやすい。
5. クリティカルパスを求めることはできない。

○○ビル新築電気設備工事工程表							工 期	年 月 日 年 月 日		作成日	年 月 日	
	12月	1月	2月	3月	4月	5月	6月	7月	8月	9月	10月	11月	12月
R F													
5 F													
4 F													
3 F													
2 F													
1 F													
B 1 F													
備 考									重量機器搬入		受電		

準備
CON 打ち
接地極埋設
コンクリート埋設配管
天井内配管・通線
EPS 配管
幹線・動力配管
機器取付
動力配管
通線
幹線・動力通線
電気室組立
調整
竣工

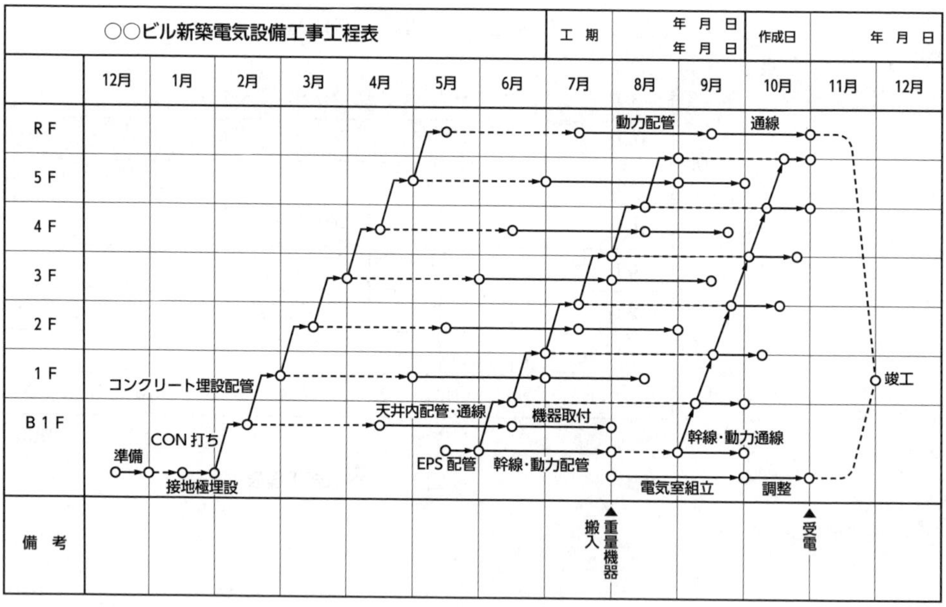

図 1-8 タクト工程表

例題 1-9　令和4年度 2級電気通信工事施工管理技術検定（第一次・後期）問題（必須）〔No.64〕 

タクト工程表に関する記述として，次の①～④のうち**適当なもののみ**を全て挙げているものはどれか。

① 高層ビルの基準階などの繰り返し行われる作業の工程管理に適している。
② 全体の稼働人数の把握が容易で，工期の遅れなどによる変化への対応が容易である。
③ 縦軸にその建物の階層を取り，横軸に出来高比率を取った工程表である。
④ クリティカルパスを求めることができる。

(1) ①②
(2) ①③
(3) ②④
(4) ③④

正解：(1)

解説　③ 縦軸にその建物の階層などを取り、横軸に暦日を取った工程表である。
④ クリティカルパスを求めることはできない。

(2) 工程管理

工程計画と工程管理に関する事項は、次の通りである。

- 工程計画
  1. 工事全体が無駄なく順序通り円滑に進むように計画することをいう。
  2. 一般的に、全体工程計画を基に月間工程が計画され、次にその月における週間工程が順次計画される。
  3. 工程計画と実施工程の間に生じた差は、労務・機械・資材・作業日数など、あらゆる方面から検討し、調整し、是正していく必要がある。
- 工程管理
  1. 実際に進行している工事が工程計画の通りに進行するように調整することをいう。
  2. P（plan：計画）→D（do：実施）→C（check：検討）→A（action：改善）のPDCAサイクルの手順で実施される。
  3. 工程管理、品質管理、原価管理は、互いに密接な関連性があるため、品質や原価を考慮して工程管理が行われる。
  4. 工程の進行状況を全作業員に周知徹底させ、作業能率を高めるように努力させることが求められる。
- ハインリッヒの法則

1件の重大事故の背後に、29件の軽微な事故があり、さらに300件のヒヤリ・ハットがあるという経験則で、安全管理に用いられる。

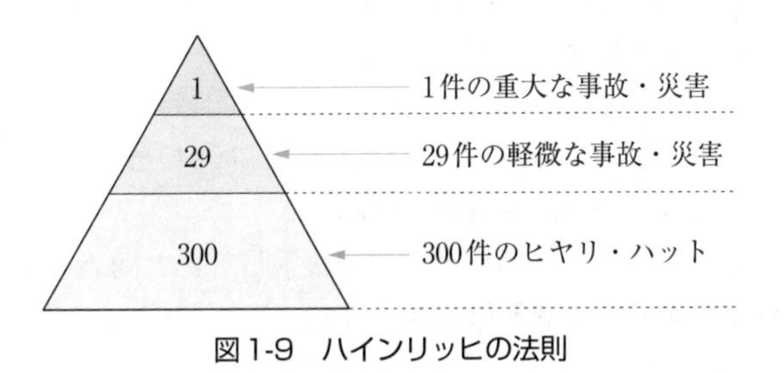

図1-9　ハインリッヒの法則

- KY活動

危険予知活動のことを指し、作業に潜む危険を予知するために実施される。

例題 1-10　令和元年度 1 級電気通信工事施工管理技術検定（学科）問題B（選択）〔No.20〕 

建設工事の工程管理に関する記述として，**適当でないもの**はどれか。

(1) 工程管理とは，実際に進行している工事が工程計画のとおりに進行するように調整することである。
(2) 工程管理は，PDCA サイクルの手順で実施される。
(3) 工程管理，品質管理，原価管理は，お互いに関連性がないため，品質や原価を考慮せずに工程管理が行われる。
(4) 工程管理に際しては，工程の進行状況を全作業員に周知徹底させ，作業能率を高めるように努力させることが重要である。

正解：(3)

解説　(3) 工程管理、品質管理、原価管理は、互いに密接な関連性があるため、品質や原価を考慮して工程管理が行われる。

(3) ネットワーク工程表

ネットワーク工程表とは矢線で示された工程表をいう。概要は次の通りである。

- ネットワーク工程表は、図 1-10 のような→と○で表される。
- →をアクティビティ（作業）、○をイベント（結合点）という。
- →の上に作業名、→の下に作業時間を明記し、○は→の結合点を示し、通し番号（イベント番号）がふられる。図 1-10 では⓪から⑥がイベント番号、A から G は作業名、○日は作業日数を表している。
- 各→は、上流側の→の作業が全て終了しないと開始することができない。
- 各作業の順序関係を明確に図示することが可能。
- 点線の矢線はダミーといい、作業の要素の意味を持たず、作業間の順序関係のみを示している。
- 作業は矢線で表し、矢線の尾端が作業の開始、先端が作業の終了を示す。
- 矢線の長さは作業時間と無関係であり、作業時間は矢線の下の数値で表す。
- 作業 A→作業 B→作業 C→作業 A などのサイクルは禁止。

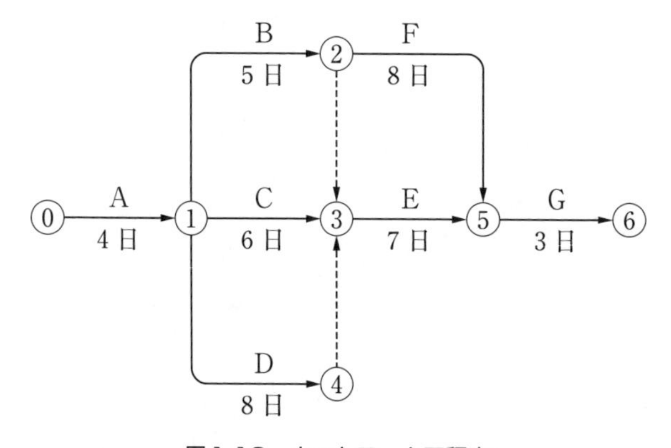

図 1-10　ネットワーク工程表
（令和元年度 2 級電気通信工事施工管理技術検定（学科・前期）問題問題61（必須）〔No.61〕より）

例題 1-11　令和4年度1級電気通信工事施工管理技術検定（第一次）問題B（選択）〔No.19〕 

ネットワーク工程表に関する記述として，**適当なもの**はどれか。

(1) 作業は矢線で表し，矢線の尾端が作業の開始，先端が作業の終了を示し，矢線の長さは作業時間を表す。
(2) 作業の流れは先行作業，並行作業，サイクルの3つがあり，これにダミーを加えた4つの作業に分類して作業相互間の関連性を表す。
(3) 作業の始めや終わりを意味する結合点は○で示し，○の中に結合点番号として正整数を記入し結合点番号は重複することができる。
(4) ある結合点に入ってくるすべての作業が完了しないと，その結合点から出る作業には着手することができない。

正解：(4)

解説
(1) 矢線の長さは作業時間に関係しない。
(2) 作業の流れは先行作業、並行作業、後続作業の３つがある。サイクルは禁止されている。
(3) 結合点番号（イベント番号）は重複することはできない。

ネットワーク工程表の計算

- 最早開始時刻と所要工期の計算
  1. 始点イベントの最早開始時刻を0とし、各アクティビティの作業時刻を順次加算して、各イベントにおける最早開始時刻を求める。
  2. 各イベントに至るアクティビティが複数ある場合は、加算した数字の大きい方を採用する。
  3. そして終点イベントの最早開始時刻が所要工期になる。
- 最遅完了時刻の計算
  1. 所要工期を終点イベントの最遅完了時刻とし、各アクティビティの作業時刻を順次減算して、各イベントにおける最遅完了時刻を求める。
  2. 各イベントに戻るアクティビティが複数ある場合は、減算した数字の小さい方を採用する。
- フロート（余裕時間）の計算
  1. トータルフロート
     ＝当該作業の最遅完了時刻－（当該作業の最早開始時刻＋当該作業の作業時間）
  2. フリーフロート
     ＝後続作業の最早開始時刻－（当該作業の最早開始時刻＋当該作業の作業時間）
  3. ディペンデントフロート
     ＝当該作業のトータルフロート－当該作業のフリーフロート
- 先行作業でトータルフロートを消費すると、後続作業のトータルフロートは、その消費した日数分だけ減少する。

表1-2　ネットワーク工程表の用語

用語	説明
イベント(結合点)	作業と作業を結合する点
アクティビティ	結合点と結合点をつなぐ矢線
ダミー	作業の順序を示す点線の矢線
最早開始時刻	作業を最も早く開始できる時刻
最遅開始時刻	全体工期内に完了させるためには、遅くとも開始しなければならない時刻
最早完了時刻	作業を最も早く完了できる時刻
最遅完了時刻	全体工期内に完了させるためには、遅くとも完了しなければならない時刻
クリティカルパス	工程表上、最も時間のかかる経路
トータルフロート	最早開始時刻で開始してもなお、後続作業の最遅開始時刻に影響を与えない余裕時間
フリーフロート	最早開始時刻で開始してもなお、後続作業の最早開始時刻に影響を与えない余裕時間

クリティカルパス

クリティカルパスとは、ネットワーク工程表上の開始時点から終了時点までの全ての経路のうち、最も日数の長い経路をいう。図1-10のネットワーク工程表の各経路の所要日数とクリティカルパスは表1-3の通りである。

表1-3　所要日数とクリティカルパス

ルート	イベント番号	作業名	所要日数	クリティカルパス
1	⓪①②⑤⑥	ABFG	4日+5日+8日+3日=20日	
2	⓪①②③⑤⑥	ABEG	4日+5日+7日+3日=19日	
3	⓪①③⑤⑥	ACEG	4日＋6日＋7日＋3日＝20日	
4	⓪①④③⑤⑥	ADEG	4日+8日+7日+3日=22日	○

- クリティカルパスの求め方
  1. 全ての経路の所要時間を求め、最も時間のかかる経路を特定する。
  2. 最早開始時刻を求め、終点イベントから逆に最早開始時刻に採用された経路を始点イベントまでたどると、求めることができる。
- クリティカルパスの性質
  1. 工程短縮の手順として、クリティカルパスに着目する。
  2. クリティカルパスは、必ずしも1本になるとは限らない。
  3. クリティカルパス以外の作業でも、フロート（余裕時間）を使ってしまうとクリティカルパスになる可能性がある。

例題 1-12　令和元年度 2級電気通信工事施工管理技術検定（学科・前期）問題（必須）〔No.61〕 

下図のネットワーク工程表のクリティカルパスにおける所要日数として，**適当なもの**はどれか。

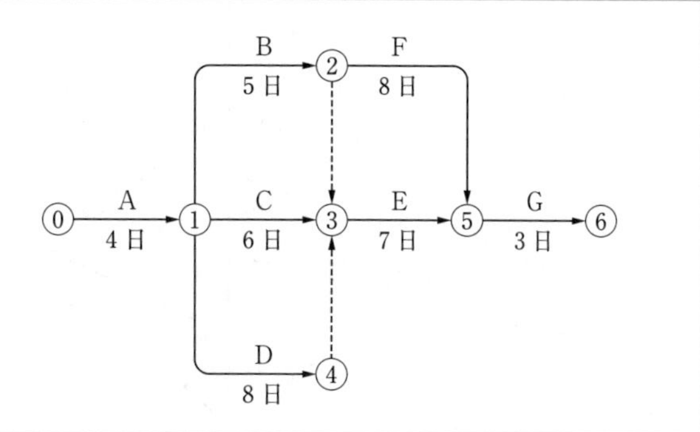

(1) 19日
(2) 20日
(3) 21日
(4) 22日

正解：(4)

解説　各イベント番号の最早開始時刻は表1-4の通りである。

表1-4　各イベント番号の最早開始時刻

イベント番号	最早開始時刻
⓪	• 0日
①	• ⓪ ⟶ A ⟶ ①　0+4＝4日
②	• ① ⟶ B ⟶ ②　4+5＝9日
④	• ① ⟶ D ⟶ ④　4+8＝12日
③	• ① ⟶ C ⟶ ③　4+6＝10日 • ② ┈▶ ③　9+0＝9日 • ④ ┈▶ ③　12+0＝12日 • 12日　∵ 12＞10＞9
⑤	• ② ⟶ F ⟶ ⑤　9+8＝17日 • ③ ⟶ E ⟶ ⑤　12+7＝19 • 19日　∵ 19＞17
⑥	• ⑤ ⟶ G ⟶ ⑥　19+3＝22日

最終イベント⑥の最早開始時刻、すなわちクリティカルパスにおける所要日数は、22日である。

(4) 利益図表

利益図表に関する事項は次の通りである。

- 利益図表とは、横軸に施工出来高、縦軸に工事原価を取った図表。
- 工事原価は、固定原価と変動原価で構成される。
- 固定原価には、減価償却される自社所有の建設用機械のコストなどの固定費が該当する。
- 変動原価には材料費や労務費などの変動費が該当する。
- 施工出来高が損益分岐点を超えていない領域では損失が生じる。
- 施工出来高が損益分岐点を超えている領域では利益が生じる。

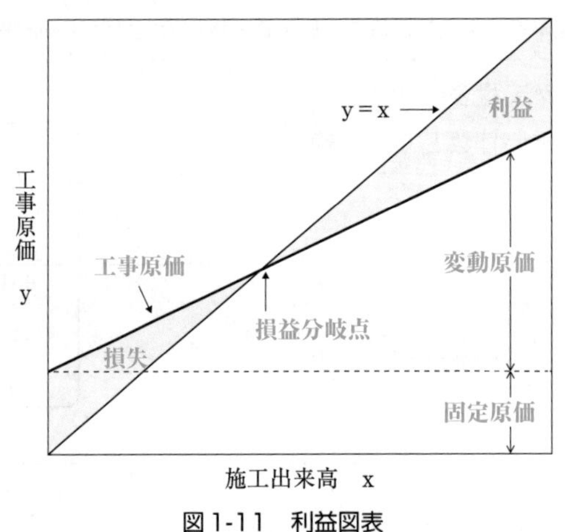

図1-11　利益図表

例題1-13　　令和元年度1級電気通信工事施工管理技術検定（学科）問題B（選択）〔No.22〕 

下図に示す利益図表に関する記述として，**適当なもの**はどれか。

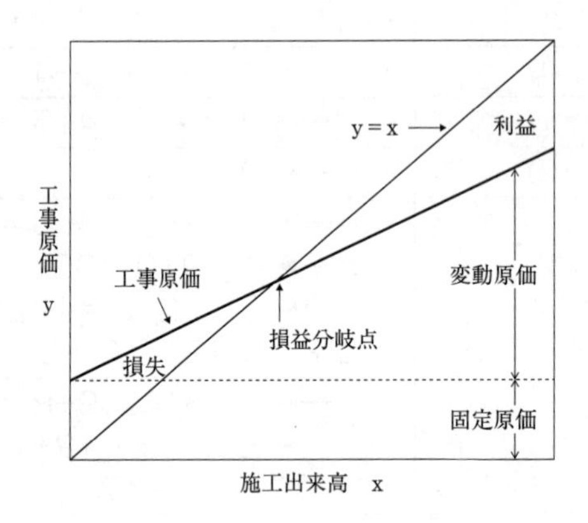

(1) 減価償却される自社所有の建設用機械のコストは，固定費であるため固定原価に該当する。
(2) 工事原価は，固定原価，変動原価，利益に区分される。
(3) 労務費は，固定費であるため固定原価に該当する。
(4) 施工出来高が増え損益分岐点を超えると利益が出なくなる。

正解：(1)

解説　(2) 工事原価は、固定原価、変動原価に区分される。
(3) 労務費は、変動費であるため変動原価に該当する。
(4) 施工出来高が増え損益分岐点を超えると利益が生じる。

(5) 最適工期

- 直接工事費とは、材料費や労務費などの工事に直接かかる費用である。
  直接工事費は、施工速度を速くすると増加する。
- 間接工事費とは、仮設費や管理費などの直接工事費以外の工事費である。
  間接工事費は、施工速度を速くすると減少する。
- 総費用とは、直接工事費と間接工事費の合計の費用である。
- 最適工期とは、直接工事費と間接工事費の合計額である総費用が最少となる工期である。
  最適工期のときの施工速度を、経済速度という。
- 経済速度に対して、施工速度を上げても下げても総費用は増加する。

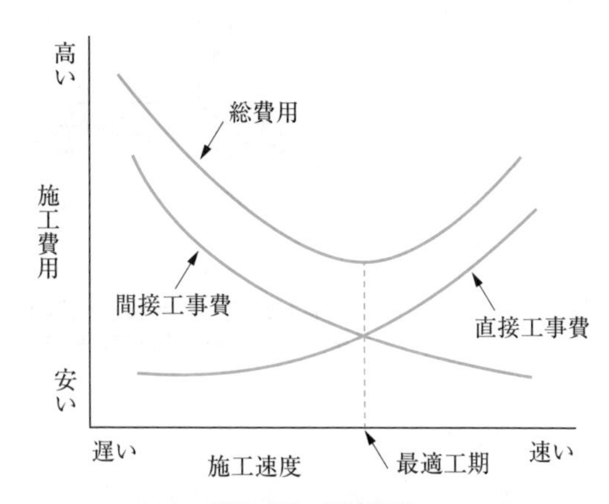

図1-12　最適工期
平成25年1級電気工事施工管理技士試験学科試験問題

例題1-14　令和4年度1級電気通信工事施工管理技術検定（第一次）問題B（選択）〔No.18〕 

工程管理に関する記述として，**適当でないもの**はどれか。

(1) 工程管理では，作業の手順，作業の進度，作業の期間などの要素を図表化して，用途に応じて各種の工程表を作成し実施とその検討のための基準として使用する。
(2) 工程管理では，経済性の確保，品質の確保や安全の確保よりも施工速度を優先し，機械の使用台数や作業員の動員数を増やしてでも最も短い工期で施工が行える工程計画を作成する。
(3) 工程管理とは，初めに計画した工程と実際に進行している工程を比較検討して，差があるときは，その原因を追及，改善し工事が工程計画どおりに進むように調整を図ることである。
(4) 最適工期とは，直接工事費と間接工事費の合計額が最小となる工期である。

正解：(2)

解説　工程管理では、安全の確保を最優先し、経済性・品質・施工速度を確保して工程計画を作成する。

(6) 工程、品質、原価の関係

- 品質と原価：品質がよいと原価が高く、品質が悪いと原価が安くなる。
- 品質と工程：品質のよいものを得ようとすると工程は遅くなる。工程が速いと品質が低下する。
- 工程と原価：施工速度を遅らせて施工量を少なくすると原価が高くなる。極端に施工速度を速めると突貫工事となり原価が高くなる。

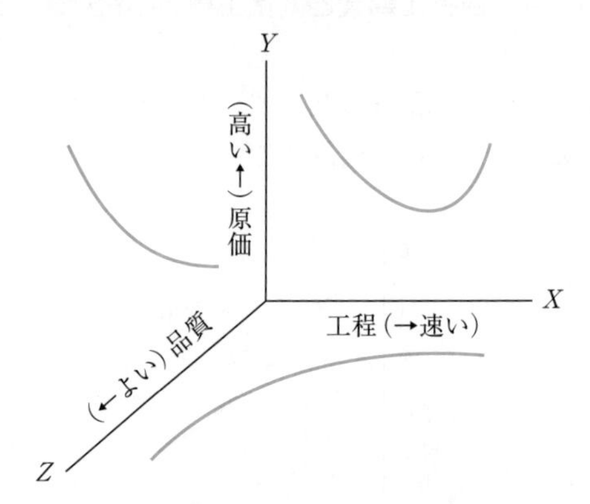

図1-13　工程、品質、原価の関係
平成23年2級土木施工管理技士試験

1.3 品質管理

品質管理の分野からは、ISO（国際標準化機構）、ヒストグラム、管理図、パレート図、特性要因図、散布図などの事項が出題される。

(1) ISO（国際標準化機構）マネジメントシステム

ISO9001は、ISO9000シリーズの1つである。ISO9000シリーズは、国際標準化機構（ISO）による品質マネジメントシステムに関する規格の総称である。ISO（国際標準化機構）の各種マネジメントシステムは次の通りである。

1. 品質マネジメントシステム：ISO9000シリーズ
2. 環境マネジメントシステム：ISO14000シリーズ
3. 情報セキュリティマネジメントシステム：ISO27000シリーズ
4. 労働安全衛生マネジメントシステム：ISO45000シリーズ

- ISO（国際標準化機構）　品質マネジメントの原則
  1. 顧客重視
  2. リーダーシップ
  3. 人々の積極的参加

4. プロセスアプローチ
5. 改善
6. 客観的事実に基づく意思決定
7. 関係性管理

- ISO9000ファミリー規格の品質マネジメントシステム「リーダーシップ及びコミットメント」に関する記述の要約
  1. 品質マネジメントシステムの有効性に説明責任を負う。
  2. 品質マネジメントシステムに関する品質方針及び品質目標を確立し、それらが組織の戦略的な方向性及び組織の状況と両立することを確実にする。
  3. 品質方針が組織内に伝達され、理解され、適用されていることを確実にする。
  4. 組織の事業プロセスへの品質マネジメントシステム要求事項の統合を確実にする。
  5. プロセスアプローチに対する認識を高める。
  6. 品質マネジメントシステムに必要な資源が利用可能であることを確実にする。
  7. 有効な品質マネジメント及び品質マネジメントシステム要求事項への適合の重要性を伝達する。
  8. 品質マネジメントシステムがその意図した成果を達成することを確実にする。
  9. 品質マネジメントシステムの有効性に寄与するよう人々を積極的に参加させ、指揮し、支援する。
  10. 改善を促進する。
  11. その他の関連する管理層がその責任の領域においてリーダーシップを実証するよう、管理層の役割を支援する。

- JIS Q9000：2015　品質マネジメントシステム－基本用語
  1. 品質：対象に本来備わっている特性の集まりが、要求事項を満たす程度。
  2. 品質管理：品質要求事項を満たすことに焦点を合わせた品質マネジメントの一部。
  3. 特性：特徴付けている性質。
  4. 品質特性：要求事項に関連する、対象に本来備わっている特性。
  5. 計量特性：測定結果に影響を与え得る特性。

例題 1-15　令和元年度 1級電気通信工事施工管理技術検定（学科）問題B（選択）〔No.23〕

ISO9000ファミリー規格の品質マネジメントシステムのリーダシップ及びコミットメントに関する記述として，**適当でないもの**はどれか。

(1) 組織の事業プロセスへの品質マネジメントシステム要求事項の統合を確実にする。
(2) 品質マネジメントシステムがその意図した結果を達成することを確実にする。
(3) 品質マネジメントシステムに必要な資源が利用可能であることを確実にする。
(4) 品質マネジメントシステムのリスクに説明責任を負う。

正解：(4)

解説　(4) 品質マネジメントシステムの有効性に説明責任を負う。

(2) ヒストグラム

データの存在する範囲をいくつかの区間に分け、それぞれの区間に入るデータの数を度数として高さに表した柱状図をヒストグラムという。

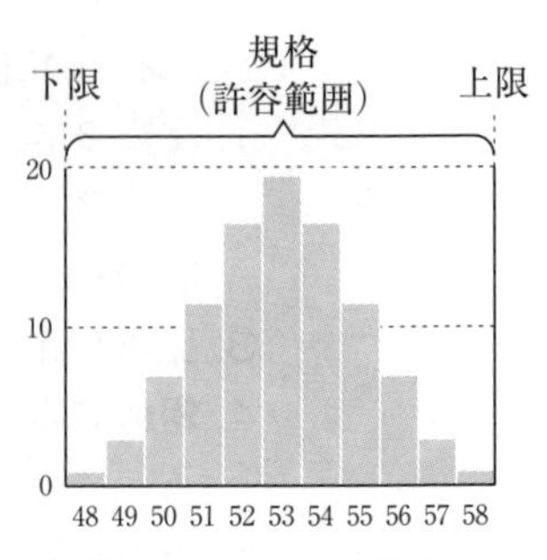

図1-14　ヒストグラム

・ヒストグラムの評価

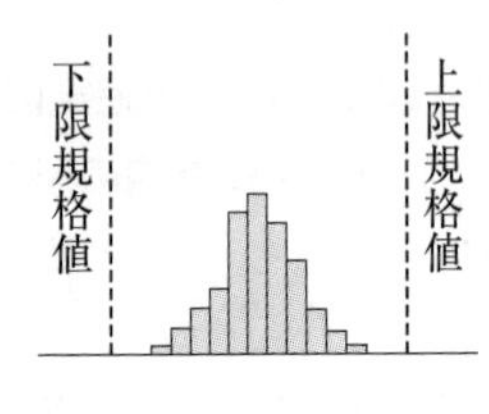

規格値に対するバラツキが良く余裕もあり、平均値も規格値の中央にあるので、理想的な状態である。

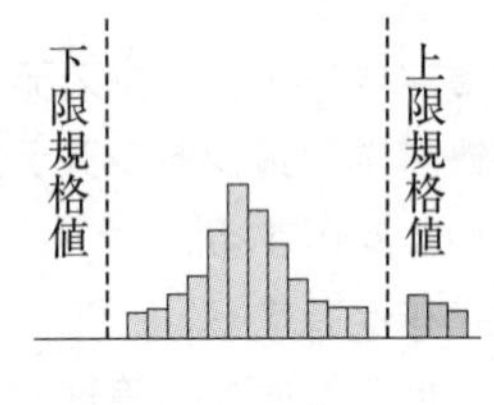

上限規格値を超過しているものが分離して存在しており、工程に時折異常がある場合や測定に誤りがある場合に現れ、検討を要する状態である。

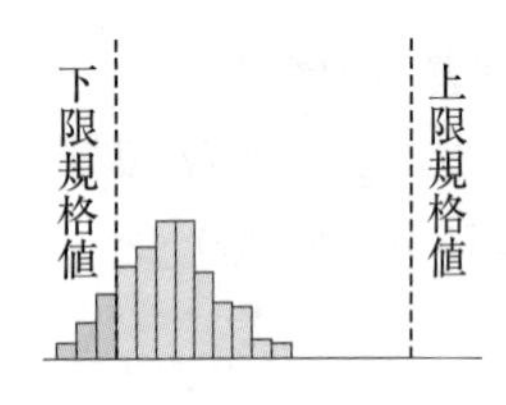

分布全体が下振れし下限規格値を下回るものもあり、平均値を大きい方にずらすよう処置する必要がある。

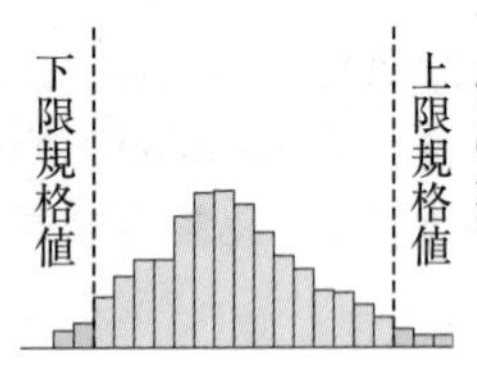

下限規格値も上限規格値も満たしていないものがあるので、検討を要する状態である。

図1-15　ヒストグラムの評価

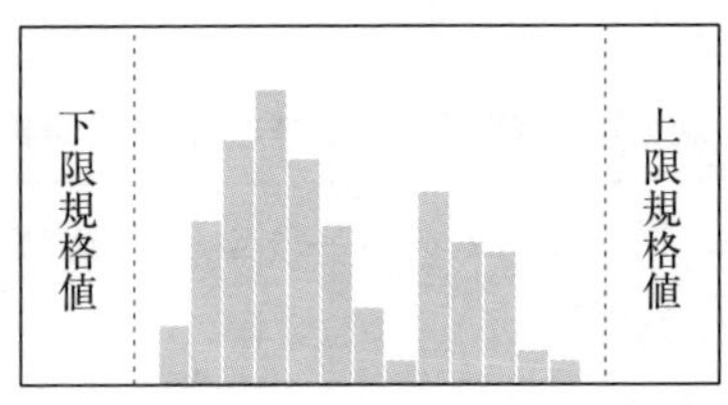

山が2つあるような場合は、他の母集団のデータが入っていることが考えられるので、全データを再確認する必要がある。

図1-16　山が2つあるヒストグラム

例題 1-16　令和元年度 2級電気通信工事施工管理技術検定（学科・後期）問題（必須）〔No.63〕

下図に示すヒストグラムの形状に関する記述として，**適当でないもの**はどれか。

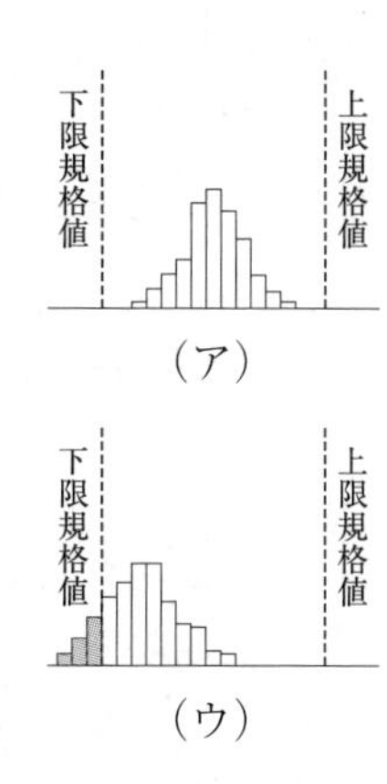

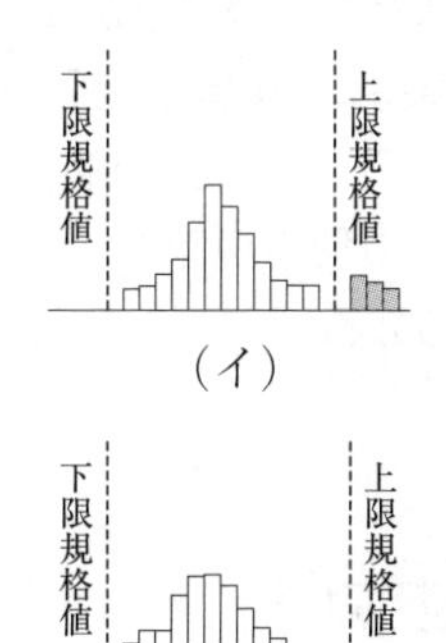

下限規格値　上限規格値
（エ）

(1)（ア）は，規格値に対するバラツキが良くゆとりもあり，平均値が規格値の中央にあり理想的である。
(2)（イ）は，工程に時折異常がある場合や測定に誤りがある場合に現れる。
(3)（ウ）は，平均値を大きい方にずらすよう処置する必要がある。
(4)（エ）は，他の母集団のデータが入っていることが考えられるので，全データを再確認する必要がある。

正解：(4)

解説　(4) 他の母集団のデータが入っていることが考えられるのは、山が2つある場合である。

(3) 管理図

管理図とは、図1-17のように基準となる中心線と、上方管理限界、下方管理限界を記したグラフ上に特性値をプロットした点を**折れ線**で結んだ図をいう。品質特性が良好に管理されているか否かの判断、評価に用いられる。

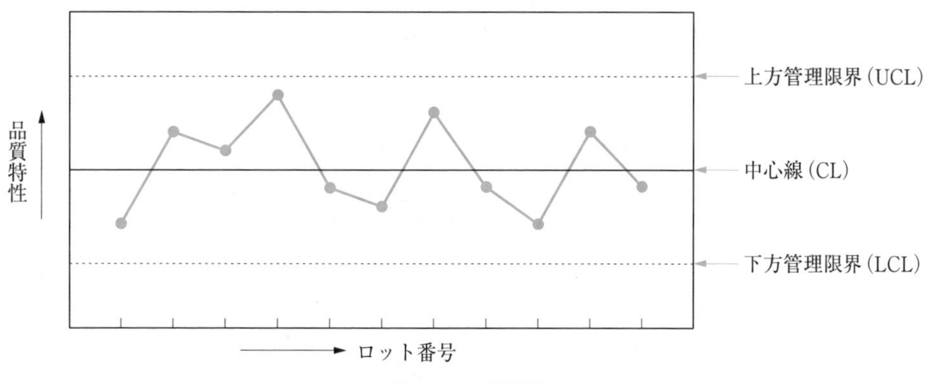

図1-17　管理図

(4) パレート図

パレート図とは、不良、クレーム、故障、事故などの問題の解決にあたり、原因別、結果別に分類した図をいう。不良項目を不良件数の多い順に並べた棒グラフと、累積不良率を示した折れ線グラフからなる。

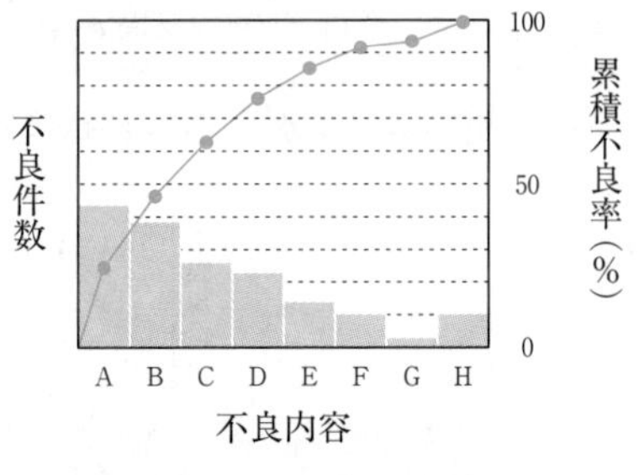

図 1-18 パレート図

(5) 特性要因図

問題となる特性（結果）とそれに影響を与える要因（原因）の因果関係が視覚的に理解できるように体系的に整理した図をいう。形状から「魚の骨」と呼ばれている。

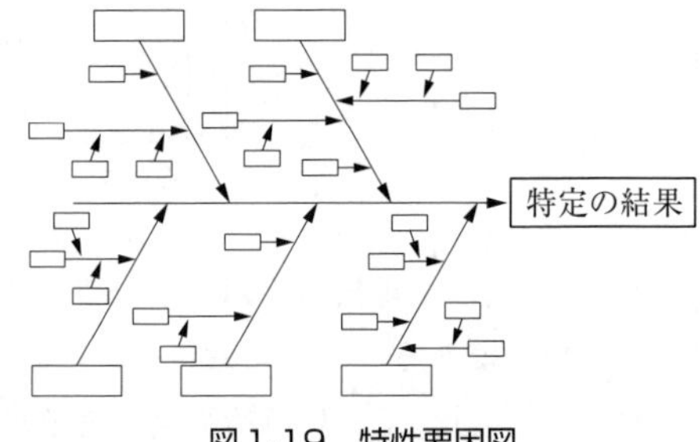

図 1-19 特性要因図

(6) 散布図

2つの対になったデータの1つを縦軸に、もう1つを横軸に取り、両者の対応する点をグラフ上にプロットした図。対になったデータの関係性を知ることができる。

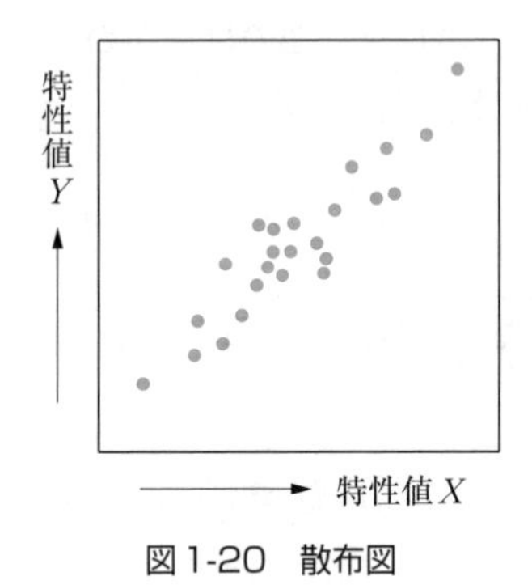

図 1-20 散布図

例題 1-17　令和元年度 2級電気通信工事施工管理技術検定（学科・前期）問題（必須）〔No.63〕

品質管理に用いる図表のうち，問題となっている結果とそれに与える原因との関係を一目で分かるように体系的に整理する目的で作成される下図の名称として，**適当なもの**はどれか。

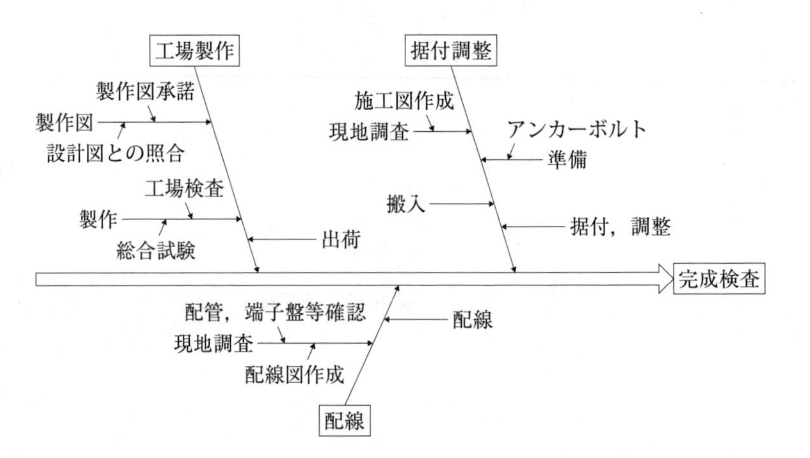

(1) パレート図
(2) 管理図
(3) 散布図
(4) 特性要因図

正解：(4)

解説　問題となっている結果とそれに与える原因との関係を一目で分かるように体系的に整理する目的で作成されるのは、特性要因図である。

(7) 工場立会検査

工場立会検査とは、製造会社の製造工場に出向き、製品が設計図書通りに製作されているか確認する検査をいう。概要は次の通りである。

- 発注者が、設計図書で要求される機器の品質・性能を満足していることを確認するために行う。
- 検査対象機器及び検査方法については、検査要領書にて発注者の承認を得る。
- 工場立会検査の結果、設計図書で要求される品質・性能を満たさない場合は、受注者に手直しをさせる。
- 工場立会検査の結果、手直しが必要となった場合、その手直しについては、工事全体工程を考慮して行う。

例題 1-18　令和元年度 1級電気通信工事施工管理技術検定（学科）問題B（選択）〔No.25〕 

工場立会検査に関する記述として，**適当でないもの**はどれか。

(1) 発注者が，設計図書で要求される機器の品質・性能を満足していることを確認するために行う。
(2) 検査対象機器及び検査方法については，検査要領書にて発注者の承認を得る。
(3) 工場立会検査の結果，設計図書で要求される品質・性能を満たさない場合は，受注者に手直しをさせる。
(4) 工場立会検査の結果，手直しが必要となった場合，その手直しについては，工事全体工程を考慮しなくてもよい。

正解：(4)

解説　(4) 工事全体工程を考慮する必要がある。

(8) 測定器と測定対象

電気通信設備工事の品質検査・試験において使用される主な測定器と測定対象として、ポイントは次の通りである。

- 周波数計により送信周波数を測定し、規格値を満足していることを確認する。
- BER測定器により受信感度を測定し、規格値を満足していることを確認する。
- SWR計により反射電力を測定し、規格値を満足していることを確認する。
- 電力計により送信出力を測定し、規格値を満足していることを確認する。
- オシロスコープにより、電気信号の時間的変化を波形として表示し測定する。
- スペクトラムアナライザとは、信号に含まれている周波数成分の大きさを調べる測定器であり、横軸を周波数、縦軸に信号の強度として表示する。
  スペクトラムアナライザにより、無線機のスプリアス発射の強度やテレビ電波の受信状況（受信機入力端子電圧）を測定する。
- クランプメータにより、電線に流れる電流を測定する。
- 光パワーメータにより、光ファイバケーブルの光損失を測定する。
- OTDR法とは、光ファイバの片端から光パルスを入射し、反射光の強度から光ファイバの損失を測定するもので、片端から測定できる。
- LANテスターにより、UTPケーブルの挿入損失を測定する。
- ツイストペアケーブルの挿入損失試験とは、送信端に信号を入力し、受信端で信号の減衰量を測定する試験である。
  ツイストペアケーブルの挿入損失は、送信信号レベルと受信信号レベルの比をデシベルで表したものである。
  ツイストペアケーブルの挿入損失は、ツイストペアケーブルが長くなるほど、温度が高くなるほど、電気信号の周波数が高くなるほど大きくなる。
  ツイストペアケーブルの伝搬遅延試験とは、信号が一端から他端への伝搬時間を測定する試験である。
  ツイストペアケーブルのワイヤマップ試験とは、ケーブル両端の接続状態を確認する試験である。
  ツイストペアケーブルの近端漏話減衰量試験とは、1対の送信回線から残りの1対の受信回線に漏れてくる近端側の受信レベルを測定する試験である。
- pingコマンドは、IPネットワークに接続されたコンピュータにIPパケットが正しく届いて返答が行われるか確認するコマンドで、IPネットワークの端末機器間の疎通確認ができる。
- tracerouteコマンドは、コマンドを入力したパソコンから相手先のコンピュータまでの間を通過する各ルータのIPアドレスと応答時間が確認できる。
- telnetコマンドは、IPネットワークを通じて遠隔地にあるコンピュータに安全にログインしたり、ファイルを転送したりすることができる。
- ipconfigコマンドは、IPアドレスやサブネットマスクの設定値、デフォルトゲートウェイとして設定されているIPアドレスなど自端末のネットワーク設定の確認ができる。
- routeコマンドは、自端末のルーティングテーブルの確認ができる。

例題 1-19　令和4年度1級電気通信工事施工管理技術検定（第一次）問題B（選択）〔No.20〕 

ツイストペアケーブルの測定試験項目である挿入損失に関する記述として，**適当でないもの**はどれか。

(1) 挿入損失は，ツイストペアケーブルが長くなるほど大きくなる。
(2) 挿入損失は，送信信号レベルと反射信号レベルの比をデシベルで表したものである。
(3) 挿入損失は，ツイストペアケーブルの温度が高くなるほど大きくなる。
(4) 挿入損失は，電気信号の周波数が高くなるほど大きくなる。

正解：(2)

解説 ツイストペアケーブルの挿入損失は、送信信号レベルと受信信号レベルの比をデシベルで表したものである。

例題 1-20　令和4年度1級電気通信工事施工管理技術検定（第一次）問題B（選択）〔No.22〕 

LAN工事施工後にネットワークの確認のために使用するtracerouteコマンド（Windowsの場合はtracertコマンド）に関する記述として，**適当なもの**はどれか。

(1) コマンドを入力したパソコンから相手先のコンピュータまでの間を通過する各ルータのIPアドレスと応答時間が確認できる。
(2) IPネットワークを通じて遠隔地にあるコンピュータに安全にログインしたり，ファイルを転送したりすることができる。
(3) IPアドレスやサブネットマスクの設定値，デフォルトゲートウェイとして設定されているIPアドレスなど自端末のネットワーク設定が確認ができる。
(4) 自端末のルーティングテーブルの確認ができる。

正解：(1)

解説
(2) telnetコマンドの記述である。
(3) ipconfigコマンドの記述である。
(4) routeコマンドの記述である。

(9) 全数検査と抜取検査

- 全数検査が適用される場合。
  1. わずかな不良品の混入も許されない場合。
  2. 容易に行うことができる場合。
  3. 検査費用に対して高額な機器。
- 抜取検査が適用される場合。
  1. わずかな不良品の混入が許される場合。
  2. 製品の破壊検査が必要な場合。

3. 製品の数量が非常に多い場合。

4. 製品が連続体の場合。

1.4 安全管理

(1) 安全管理に関する用語

安全管理に関する主な用語は次の通りである。

- 安全施工サイクル

  工事現場において、安全に施工を行うための管理サイクルで、周期により、日常、週間、月間のサイクルがある。

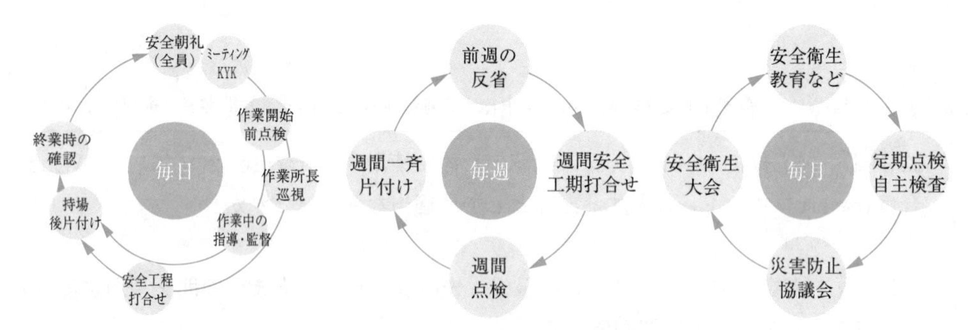

図1-21　安全施工サイクルの例

- ヒヤリ・ハット

  事故には至らなかったものの、ひやりとしたり、はっとしたりした事例。

- 危険予知活動

  KY活動ともいい、現場や作業に潜む危険性、有害性を予知し、災害発生の防止につなげる活動。

- 指差し呼称

  指差呼称ともいい、操作時や確認時などにおいて、目標物を指で差し、声に出すことで、誤操作などを防止し、作業の確実性を高める手法。

- 4S活動

  「整理・整頓・清掃・清潔」の頭文字を取ったもので、作業現場の規律保持、危険有害要因の排除の基本となる活動。4Sに「しつけ」を加えたものを、5S活動という。

- ツールボックスミーティング

  作業開始前に、作業単位で、作業内容・注意事項などの確認を行うミーティング。道具箱（ツールボックス）のそばで行われることが多いので、ツールボックスミーティングという。

• 労働災害
就業時の業務に起因して、労働者が負傷し、疾病にかかり、または死亡すること。労働者の人的災害であり、労働災害には、物的災害は含まれない。

• 重大災害
一度に3人以上の労働者が業務上死傷または罹病した災害。

• 年千人率

$$年千人率 = \frac{年間労働災害による死傷者数}{1年間の平均労働者数} \times 1{,}000$$

• 度数率

$$度数率 = \frac{労働災害による死傷者数}{延べ労働時間数} \times 1{,}000{,}000$$

• 強度率

$$強度率 = \frac{延べ労働損失日数}{延べ労働時間数} \times 1{,}000$$

(2) 労働安全衛生法上の安全基準

労働安全衛生法上の安全基準として、足場、高所作業、移動式クレーン作業、酸素欠乏場所作業、停電作業に関する事項が出題される。概要は次の通りである。

足場

- 足場における高さ2m以上の作業場所には、幅が40cm以上の作業床を設けなければならない（労働安全衛生規則第563条第1項）。
- つり足場を除き、作業床の幅は、40cm以上とすることまた床材間の隙間は、3cm以下とすること（労働安全衛生規則第563条第1項第2号）。
- 足場については、丈夫な構造のものでなければ、使用してはならない（労働安全衛生規則第561条）。
- 足場の構造及び材料に応じて、作業床の最大積載荷重を定め、かつ、これを超えて積載してはならない（労働安全衛生規則第562条第1項）。
- 床材と建地との隙間は、12cm未満とする（労働安全衛生規則第563条第1項第2号）。
- つり足場の場合を除き、床材は、転位し、又は脱落しないように2以上の支持物に取り付ける（労働安全衛生規則第563条第1項第5号）。
- 移動式足場に労働者を乗せて移動してはならない。
- おうとつ又は傾斜が著しい場所で移動式足場を使用するときは、ジャッキなどの使用により作業床の水平を保持する。
- 移動式足場の上では、移動はしご、脚立などを使用しない。
- わく組構造部の外側空間を昇降路とする構造の移動式足場にあっては、転倒を防止するため、同一面より同時に2名以上の者が昇降しない。

例題 1-21　令和4年度 1級電気通信工事施工管理技術検定（第一次）問題B（選択）〔No.26〕 

高さ2m以上の足場（一側足場及びつり足場を除く。）の作業床に関する記述として「労働安全衛生法令」上，**誤っているもの**はどれか。

(1) 床材と建地との隙間を15cmとする。
(2) 床材間の隙間を2cmとする。
(3) 床材を3つの支持物に取り付ける。
(4) 作業床の幅を40cmとする。

正解：(1)

解説 床材と建地との隙間は、12cm未満とする。

照度（則第604条）

事業者は、労働者を常時就業させる場所の作業面の照度を、次の表の上欄に掲げる作業の区分に応じて、同表の下欄に掲げる基準に適合させなければならない。ただし、感光材料を取り扱う作業場、坑内の作業場その他特殊な作業を行う作業場については、この限りでない。

作業の区分	基 準
精密な作業	300ルクス以上
普通の作業	150ルクス以上
粗な作業	70ルクス以上

- 精密な作業：300ルクス以上
- 普通の作業：150ルクス以上
- 粗な作業：70ルクス以上

採光及び照明（則第605条）

事業者は、採光及び照明については、明暗の対照が著しくなく、かつ、まぶしさを生じさせない方法によらなければならない。

2　事業者は、労働者を常時就業させる場所の照明設備について、6月以内ごとに1回、定期に、点検しなければならない。

例題 1-22　令和3年度2級電気通信工事施工管理技術検定（学科・後期）問題（選択）〔No.39〕

労働者が常時就業する場所の照明設備の点検に関する次の記述の［　　］に当てはまる数値の組合せとして，「労働安全衛生法令」上，**正しいもの**はどれか。
「事業者は，労働者を常時就業させる場所の照明設備について，［ア］月以内ごとに［イ］回，定期に，点検しなければならない。」

	（ア）	（イ）
(1)	6	1
(2)	7	2
(3)	8	1
(4)	9	2

正解：(1)

解説　事業者は、労働者を常時就業させる場所の照明設備について、6月以内ごとに1回、定期に、点検しなければならない。

高所作業車

- 高所作業車の転倒又は転落による労働者の危険を防止するため、アウトリガーを張り出すこと等、必要な措置を講じなければならない（労働安全衛生規則第194条の11）。
- 高所作業車を用いて作業を行うときは、その日の作業を開始する前に、制動装置、操作装置及び作業装置の機能について点検を行わなければならない（労働安全衛生規則第194条の27）。
- 高所作業車については、積載荷重その他の能力を超えて使用してはならない（労働安全衛生規則第194条の16）。
- 高所作業車を用いて作業を行うときは、乗車席及び作業床以外の箇所に労働者を乗せてはならない（労働安全衛生規則第194条の15）。
- 高所作業車については1年以内ごとに1回、定期に次の事項について自主検査を行わなければならない（労働安全衛生規則第194条の23）。
  1. 圧縮圧力、弁すき間その他原動機の異常の有無。
  2. クラッチ、トランスミッション、プロペラシャフト、デファレンシャルその他動力伝達装置の異常の有無。
  3. 起動輪、遊動輪、上下転輪、履帯、タイヤ、ホイールベアリングその他走行装置の異常の有無。
  4. かじ取り車輪の左右の回転角度、ナックル、ロッド、アームその他操縦装置の異常の有無。
  5. 制動能力、ブレーキドラム、ブレーキシューその他制動装置の異常の有無。
  6. ブーム、昇降装置、屈折装置、平衡装置、作業床その他作業装置の異常の有無。
  7. 油圧ポンプ、油圧モーター、シリンダー、安全弁その他油圧装置の異常の有無。
  8. 電圧、電流その他電気系統の異常の有無。

9. 車体、操作装置、安全装置、ロック装置、警報装置、方向指示器、燈火装置及び計器の異常の有無。

- 高所作業車について1月以内ごとに1回、定期に、次の事項について自主検査を行わなければならない（労働安全衛生規則第194条の24）。
  1. 制動装置、クラッチ及び操作装置の異常の有無。
  2. 作業装置及び油圧装置の異常の有無。
  3. 安全装置の異常の有無。

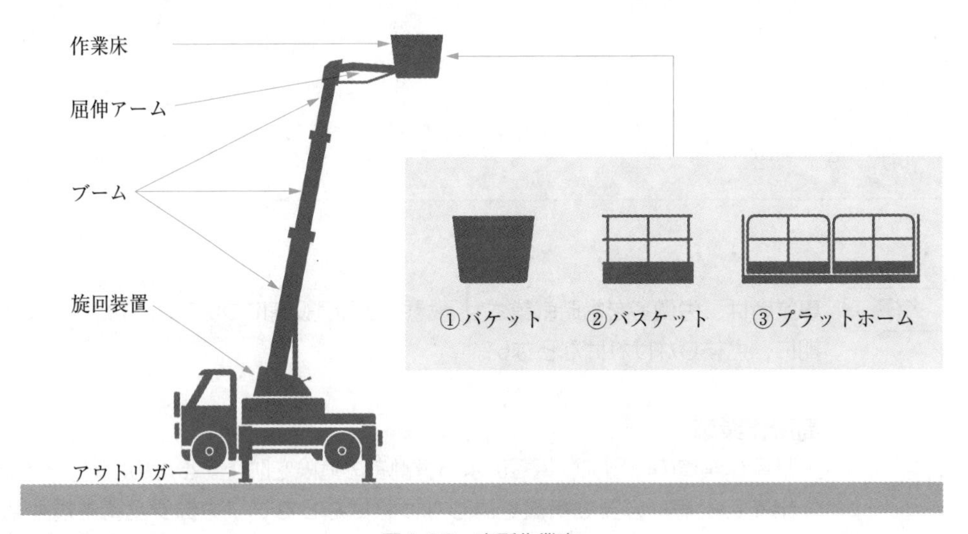

図1-22　高所作業車

例題 1-23　令和元年度2級電気通信工事施工管理技術検定（学科・前期）問題（必須）〔No.65〕 

高所作業車に関する記述として，「労働安全衛生法令」上，**誤っているもの**はどれか。

(1) 事業者は，高所作業車を用いて作業を行うときは，高所作業車の転倒又は転落による労働者の危険を防止するため，アウトリガーを張り出すこと等，必要な措置を講じなければならない。
(2) 事業者は，高所作業車を用いて作業を行ったときは，その日の作業が終了した後に，制動装置，操作装置及び作業装置の機能について点検を行わなければならない。
(3) 事業者は，高所作業車については，積載荷重その他の能力を超えて使用してはならない。
(4) 事業者は，高所作業車を用いて作業を行うときは，乗車席及び作業床以外の箇所に労働者を乗せてはならない。

正解：(2)

解説　(2) その日の作業を開始する前に、制動装置、操作装置及び作業装置の機能について点検を行わなければならない。

移動式クレーン

移動式クレーンの作業の方法等の決定等について、クレーン等安全規則に次のように規定されている。

- 移動式クレーンを用いて作業を行うときは、移動式クレーンの転倒等による労働者の危険を防止するため、作業場所の広さ、地形及び地質の状態、荷の重量、使用する移動式クレーンの種類及び能力等を考慮して、次の事項を定めなければならない（クレーン等安全規則第66条の2）。
  1. 移動式クレーンによる作業の方法
  2. 移動式クレーンの転倒を防止するための方法
  3. 移動式クレーンによる作業に係る労働者の配置及び指揮の系統
- 事業者は、クレーンにその定格荷重をこえる荷重をかけて使用してはならない。
- 事業者は、クレーンに係る作業を行う場合であって、ハッカーを用いて玉掛けをした荷がつり上げられているときなどは、つり上げられている荷の下に労働者を立ち入らせてはならない。
- 事業者は、移動式クレーンを用いて荷をつり上げるときは、外れ止め装置を使用しなければならない。
- 事業者は、移動式クレーンについては、ジブの傾斜角の範囲をこえて使用してはならない。
- 事業者は、移動式クレーンを用いて作業を行うときは、移動式クレーンの運転者及び玉掛けをする者が当該移動式クレーンの定格荷重を常時知ることができるよう、表示その他の措置を講じなければならない。
- 事業者は、移動式クレーンの運転者を、荷をつったままで、運転位置から離れさせてはならない。運転者は、荷をつったままで、運転位置を離れてはならない。
- 移動式クレーン運転と就業制限

区分	免許	技能講習	特別教育
つり上げ荷重5t以上	○	×	×
つり上げ荷重1t以上5t未満	○	○	×
つり上げ荷重1t未満	○	○	○

○：運転可　×運転不可

例題 1-24　令和3年度 2級電気通信工事施工管理技術検定（第一次・前期）問題（選択）〔No.39〕 

小型移動式クレーン運転技能講習を修了した者が運転（道路上を走行させる運転を除く。）できる移動式クレーンとして，「労働安全衛生法令」上，**正しいもの**はどれか。

(1) つり上げ荷重が1t以上5t未満の移動式クレーン
(2) つり上げ荷重が5t以上の移動式クレーン
(3) つり上げ荷重が5t以上10t未満の移動式クレーン
(4) つり上げ荷重が7t以上12t未満の移動式クレーン

正解：(1)

解説 技能講習修了者が運転できる移動式クレーンのつり上げ荷重は5t未満である。

酸素欠乏危険場所における作業

酸素欠乏危険作業に関しては、酸素欠乏症等防止規則、労働安全衛生法施行令に次のように規定されている。

- 酸素欠乏とは、空気中の酸素濃度が18%未満の状態。
- 酸素欠乏危険作業を行うときには、酸素欠乏危険作業主任者の選任が必要。
- 地下マンホール内の作業は酸素欠乏危険場所における作業に該当する。
- 酸素濃度測定は、その日の作業を開始する前に測定しなければならない。
- 作業場所に特に指名した者以外の者が立ち入ることを禁止し、かつ、その旨を見やすい箇所に表示する。
- 作業を行うにあたり、都道府県労働局長の登録を受けたものが行う技能講習の修了者のうちから酸素欠乏危険作業主任者を選任し、かつ、作業員に特別の教育を行う。
- 酸素欠乏危険作業に労働者を従事させる場合で、酸素欠乏などのおそれが生じたときは、直ちに作業を中止し、作業に従事する者をその場所から退避させなければならない。

例題 1-25　令和4年度 1級電気通信工事施工管理技術検定（第一次）問題B（必須）〔No.32〕 

酸素欠乏危険作業に関する記述として，次の①～④のうち「労働安全衛生法令」上，**正しいもののみ**を全て挙げているものはどれか。

① 酸素欠乏危険場所における空気中の酸素濃度測定は，午前，午後の各1回測定しなければならない。
② 作業を行うにあたり，当該現場で行う特別の教育を受けた者のうちから，酸素欠乏危険作業主任者を選任する。
③ 地下に埋設されたケーブルを収容するマンホール内部での作業は，酸素欠乏危険作業である。
④ 空気中の酸素の濃度が18%未満の状態は，酸素欠乏である。

(1) ①②
(2) ①③
(3) ②④
(4) ③④

正解：(4)

解説 ① 作業場について、その日の作業を開始する前に、空気中の酸素の濃度を測定しなければならない。
② 作業を行うにあたり、都道府県労働局長の登録を受けたものが行う技能講習の修了者のうちから酸素欠乏危険作業主任者を選任しなければならない。

停電作業等

停電作業を行う場合の措置については、労働安全衛生規則に次のように規定されている。

- 開路に用いた開閉器に、作業中、施錠し、若しくは通電禁止に関する所要事項を表示し、又は監視人を置く。
- 開路した電路がケーブル、コンデンサなどを有する電路で、残留電荷のおそれのあるものについては、安全な方法により放電させる。
- 開路した電路が高圧又は特別高圧のものについては、検電器具により停電を確認し、かつ、短絡接地器具を用いて短絡接地すること。
- 開路した電路に通電しようとするときは、あらかじめ、感電の危険がないこと及び短絡接地器具を取りはずしたことを確認する。
- 架空電線などの充電電路に近接する場所で、工作物の建設などの作業を行う場合において、感電の危険が生ずるおそれのあるときは、次のいずれかに該当する措置を講じなければならない。
  1. 充電電路を移設すること。
  2. 感電の危険を防止するための囲いを設けること。
  3. 充電電路に絶縁用防護具を装着すること。
  4. 前三号に該当する措置を講ずることが著しく困難なときは、監視人を置き、作業を監視させること。
- 感電の危険を防止するための囲い及び絶縁覆いについて、毎月１回以上、その損傷の有無を点検し、異常を認めたときは、直ちに補修しなければならない。

例題 1-26　令和元年度１級電気通信工事施工管理技術検定（学科）問題B（選択）〔No.31〕 

停電作業に関する記述として，「労働安全衛生法令」上，**誤っているもの**はどれか。

(1) 100V の分電盤の電路を開放し，その電路の修理を行っている間は，その電路の開放に使用した開閉器に「通電禁止」の札を下げ，分電盤を施錠した。
(2) 200V の電路を開放し，その電路の点検を行う場合，残留電荷による危険があったため，短絡接地器具を用いて，開放した電路の残留電荷を放電させた。
(3) 6,600V の電路を開放し，開放電路の停電を検電器具により確認後，直ちにその電路の点検を行った。
(4) 停電作業が終了したので，当該作業の従事者が感電の危険のないこと及び短絡接地器具を取りはずしたことを確認してから通電した。

正解：(3)

解説　(3) 6,600 Vの電路を開放し、開放電路の停電を検電器具により確認し、かつ、短絡接地器具により短絡接地した後、その電路の点検などの作業を行う。

その他設備

- 折りたたみ式脚立には、脚と水平面との角度が75°以下で、その角度を保つための金具を備えたものを使用する。
- 踏み抜きの危険性のある屋根の上では、幅30cm以上の歩み板を設け、防網を張る。
- 移動はしごは、幅が30cm以上のものとし、すべり止め装置を取り付ける。
- 枠組構造部の外側空間を昇降路とするローリングタワーでは、同一面より同時に2名以上昇降させないようにする。
- 高さが2m以上の作業床の開口部には囲いと覆いを設置し、作業床の端には高さ85cm以上の手すりを設置する。
- 高さまたは深さが1.5mを超える作業には昇降設備を設ける。
- 高さが2m以上の箇所で作業を行う場合において、労働者に要求性能墜落制止用器具等を使用させるときは、要求性能墜落制止用器具等を安全に取り付けるための設備等を設けなければならない。
- 作業のため物体が落下することにより労働者に危険を及ぼすおそれがあるため、防網の設備を設け立入区域を設定する。
- 他の労働者がその上方で作業を行っているところで作業を行うときは、物体の飛来又は落下による労働者の危険を防止するため、労働者に保護帽を着用させる。
- 作業のため物体が飛来することにより労働者に危険を及ぼすおそれがあるため、飛来防止の設備を設け労働者に保護具を使用させる。
- 3m以上の高所から物体を投下するときは、投下設備を設け、監視人を置かなければならない。

例題 1-27　令和4年度 1級電気通信工事施工管理技術検定（第一次）問題B（選択）〔No.25〕 

飛来・落下防止対策に関する記述として，「労働安全衛生法令」上，**誤っているもの**はどれか。

(1) 作業のため物体が落下することにより労働者に危険を及ぼすおそれがあるため，防網の設備を設け立入区域を設定する。
(2) 他の労働者がその上方で作業を行っているところで作業を行うときは，物体の飛来又は落下による労働者の危険を防止するため，労働者に保護帽を着用させる。
(3) 作業のため物体が飛来することにより労働者に危険を及ぼすおそれがあるため，飛来防止の設備を設け労働者に保護具を使用させる。
(4) 2mの高所から物体を投下するときは，投下設備を設け，監視人を置かなければならない。

正解：(4)

解説　3m以上の高所から物体を投下するときは、投下設備を設け、監視人を置かなければならない。

例題 1-28　令和4年度 2級電気通信工事施工管理技術検定（第一次・前期）問題（必須）〔No.65〕 

飛来又は落下災害防止の為の安全管理に関する記述として，次の①～④のうち「労働安全衛生法令」上，**正しいもののみ**を全て挙げているものはどれか。

① 上方において他の労働者が作業を行っているところで作業を行うときは，物体の飛来又は落下による労働者の危険を防止するため，合図者を置く。

② 作業のため物体が落下することにより労働者に危険を及ぼすおそれがあるため，防網の設備を設け立入区域を設定する。

③ 3mの高所から物体を投下するときは，投下設備の設置や監視人の配置等の措置を講じなくてよい。

④ 作業のため物体が飛来することにより労働者に危険を及ぼすおそれがあるため，飛来防止の設備を設け労働者に保護具を使用させる。

(1) ①②　　(2) ①③　　(3) ②④　　(4) ③④

正解：(3)

解説

① 他の労働者がその上方で作業を行っているところで作業を行うときは、物体の飛来又は落下による労働者の危険を防止するため、労働者に保護帽を着用させる。

③ 3m以上の高所から物体を投下するときは、投下設備を設け、監視人を置かなければならない。

1.5 廃棄物管理

廃棄物管理の分野からは、事業活動に伴って排出される産業廃棄物と、産業廃棄物以外の一般廃棄物など、廃棄物処理法に基づく、廃棄物の定義に関する事項などが出題される。

- 廃棄物の定義
  1. 産業廃棄物：事業活動に伴って生じた廃棄物のうち、燃え殻、汚泥、廃油、廃酸、廃アルカリ、廃プラスチック類その他政令で定める廃棄物
  2. 一般廃棄物：産業廃棄物以外の廃棄物
  3. 特別管理産業廃棄物：産業廃棄物のうち、爆発性、毒性、感染性その他の人の健康又は生活環境に係る被害を生ずるおそれがある性状を有するもの
  4. 特別管理一般廃棄物：一般廃棄物のうち、爆発性、毒性、感染性その他の人の健康又は生活環境に係る被害を生ずるおそれがある性状を有するもの
- 工作物の新築、改築又は除去に伴って生じた紙くず、木くず、繊維くず、金属くず、コンクリートの破片は産業廃棄物である。

事業者の処理（法第12条）

事業者は、その産業廃棄物が運搬されるまでの間、環境省令で定める技術上の基準（以下「産業廃棄物保管基準」という。）に従い、生活環境の保全上支障のないようにこれを保管しなければならない。

産業廃棄物管理票（法第12条の3）

事業活動に伴い産業廃棄物を生ずる事業者（中間処理業者を含む。）は、その産業廃棄物（中間処理産業廃棄物を含む。）の運搬又は処分を他人に委託する場合（環境省令で定める場合を除く。）には、環境省令で定めるところにより、当該委託に係る産業廃棄物の引渡しと同時に当該産業廃棄物の運搬を受託した者に対し、当該委託に係る産業廃棄物の種類及び数量、運搬又は処分を受託した者の氏名又は名称その他環境省令で定める事項を記載した産業廃棄物管理票（以下単に「管理票」という。）を交付しなければならない。

例題 1-29　令和2年度 1級電気通信工事施工管理技術検定（学科）問題A（選択）〔No.58〕

廃棄物に関する記述について，「廃棄物の処理及び清掃に関する法令」上，**誤っているもの**はどれか。

(1) ごみ，粗大ごみ，燃え殻，汚泥，ふん尿，廃油，廃酸，廃アルカリ，動物の死体その他の汚物又は不要物であって，固形状又は液状のものは，廃棄物である。
(2) 建設業に係るもので，工作物の新築，改築又は除去に伴って生じた木くずは，一般廃棄物である。
(3) 産業廃棄物を生ずる事業者は，産業廃棄物の運搬又は処分を他人に委託する場合には，当該委託に係る産業廃棄物の引渡しと同時に当該産業廃棄物の運搬を受託した者に対し，産業廃棄物管理票を交付しなければならない。
(4) 事業者は，産業廃棄物が運搬されるまでの間，環境省令で定める技術上の基準に従い，生活環境の保全上支障のないように産業廃棄物を保管しなければならない。

正解：(2)

解説　一般廃棄物ではなく産業廃棄物である。

例題 1-30　令和3年度 2級電気通信工事施工管理技術検定（第一次・前期）問題（選択）〔No.44〕

建設現場で発生する廃棄物の種類に関する記述として，「廃棄物の処理及び清掃に関する法令」上，**正しいもの**はどれか。

(1) 工作物の除去に伴って生じた紙くずは，一般廃棄物である。
(2) 工作物の除去に伴って生じた木くずは，一般廃棄物である。
(3) 工作物の除去に伴って生じた繊維くずは，産業廃棄物である。
(4) 工作物の除去に伴って生じたコンクリート破片は，特別管理一般廃棄物である。

正解：(3)

解説　工事の除却に伴って生じたコンクリート破片は、産業廃棄物であるが特別管理産業廃棄物には該当しない。(1)～(4)は、全て産業廃棄物である。

第2章 工事施工

工事施工の分野からは、光ファイバの施工、UTPケーブルの施工、低圧配線の施工、導波管の施工、ハンドホールの施工、さらに施工アンカーの施工などが出題される。

2.1 光ファイバの施工

(1)光ファイバの施工

- 光ファイバケーブルは、ねじれ、よじれなどで心線破断のおそれがあるため敷設状態を監視して施工する。
- 光ケーブルの敷設作業中は、光ケーブルが傷まないように行い、延線時の許容曲げ半径は、仕上り外径の20倍以上とする。また、固定時の曲げ半径は、仕上り外径の10倍以上とする(電気通信設備工事共通仕様書)。
- ハンドホール内で光ファイバケーブルには余長を確保する。これは、地震などで光ファイバケーブルが管路内に引き込まれても、接続部やケーブルに過大な張力がかかることを防いだり、将来、分岐が必要となった場合に接続したりするためである。

図2-1 ハンドホール(FK式ハンドホール:株式会社ケイコン)

- 光ファイバケーブルは、クロージャ内で鋼線テンションメンバ(張力を負担する鋼線)、LAPシース(ポリエチレンの内面にアルミラミネートテープを接着した外装)のアルミテープをお互いに連結金具を介して電気的に接続し、光成端箱で片端接地を施して接続する。
- メタリック光ファイバケーブルを使用する場合は、誘導雷サージ対策として、テンションメンバを接地する。
- 一定方向への延線が困難な場合や敷設張力が光ファイバケーブルの許容張力を超えるおそれがある場合には、敷設ルートの中間で光ファイバケーブルの8の字取りを行う。
- 融着接続は、アーク放電により光ファイバを加熱して溶かすことで接続する。

- メカニカルスプライスは、光ファイバの端面どうしをV溝上や精密パイプ内などで突き合わせて機械的に保持固定する接続方法である。
- 融着接続、メカニカルスプライスは永久接続であるのに対し、コネクタ接続は、コネクタによる接続で、頻繁に接続替えする箇所に使用される脱着可能な接続である。
- 光ファイバをけん引するときは、許容張力を超えないように、引き通し部で外傷を発生させないように、けん引用ロープをより返し金物を介してテンションメンバに取り付けて行う。
- 光ファイバを地中管路内に敷設する前に、管路清掃とテストケーブルなどによる通線試験を行う。
- クロージャ（接続箱）は気密試験を行ってからハンドホールに固定する。
- 光ファイバケーブルの引張り端は防水処理を施す。

例題2-1　令和4年度 1級電気通信工事施工管理技術検定（第一次）問題B（選択）〔No.11〕 

光ファイバケーブルの施工に関する記述として，**適当でないもの**はどれか。

(1) 一定方向への延線が困難な場合や敷設張力が光ファイバケーブルの許容張力を超える恐れがある場合には，敷設ルートの中間で光ファイバケーブルの8の字取りを行う。
(2) 光ファイバケーブルの引張り端は，テンションメンバに張力がかかるようにし，ケーブル端面から浸水しないように防水処置を施す。
(3) ノンメタリック光ファイバケーブルを使用する場合は，誘導雷サージ対策として，テンションメンバを接地する。
(4) 光ファイバケーブルの許容曲げ半径を超えて曲げないように敷設する。

正解：(3)

解説　メタリック光ファイバケーブルを使用する場合は、誘導雷サージ対策として、テンションメンバを接地する。

例題2-2　令和3年度 2級電気通信工事施工管理技術検定（第一次・前期）問題（必須）〔No.54〕 

光ファイバケーブルの施工に関する記述として，**適当でないもの**はどれか。

(1) ハンドホール等の引き通し部では，光ファイバケーブルに外傷を発生させないよう施工する。
(2) 光ファイバケーブルの接続点では，圧着端子で心線接続を行いクロージャ内に収容する。
(3) 鋼線のテンションメンバは，接地を施す。
(4) 光ファイバケーブルの許容張力を超えないように光ファイバケーブルをけん引する。

正解：(2)

解説　圧着端子による接続は、UTPケーブルなどのメタルケーブルに用いられる。

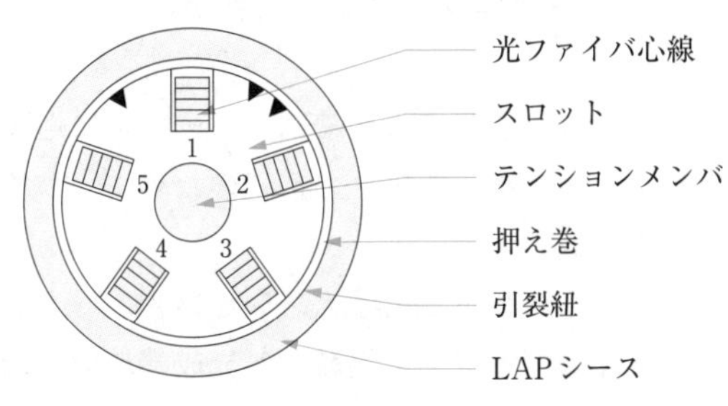

図2-2　LAPタイプ光ファイバケーブル断面図

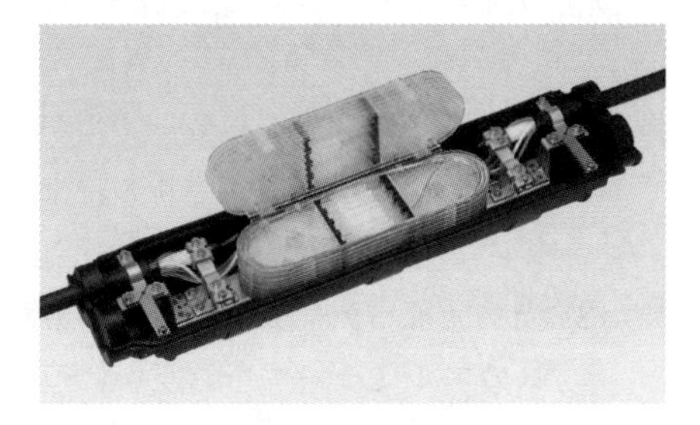

図2-3　クロージャ
（S-MC-02形：株式会社サンコーシャ）

- クロージャ内の防水のため、気圧を高めて密封された器内の気密が十分か、確認の試験を行うものとする（電気通信設備工事共通仕様書）。
- 心線の接続は、接続するファイバ心線の残線を利用して、ファイバ心線被覆除去、切断、融着接続までを一度行い、あらかじめ良好な融着接続結果が得られることを確認する。
- 光ファイバケーブルは、複数の心線を撚り合わせて構成されており、撚りの種類にはS撚り、Z撚り、S撚りとZ撚りを合わせたSZ撚りがある。

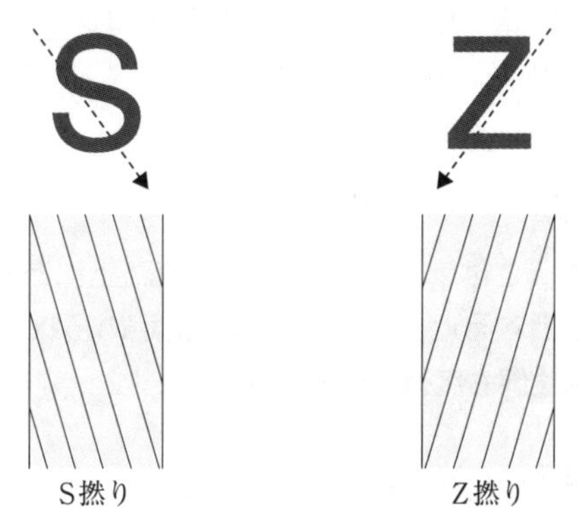

図2-4　撚りの種類

- SZ撚りケーブルは、図2-5のようにケーブルを切断せずに、光ファイバ心線を外部に出して中間分岐できる特徴を有している。

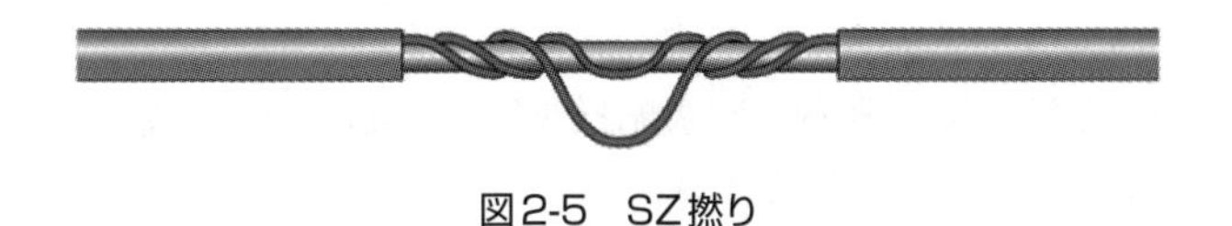

図2-5　SZ撚り

例題2-3　令和元年度1級電気通信工事施工管理技術検定（学科）問題B（選択）〔No.11〕 

光ファイバケーブルの施工に関する記述として，**適当でないもの**はどれか。

(1) 地震等で光ファイバケーブルが管路内に引き込まれても接続部やケーブルに過大な張力がかかることを防いだり，将来，分岐が必要となった場合の接続のために，ハンドホール内で光ファイバケーブルの余長を確保する。
(2) 光ファイバケーブルを接続するため，クロージャ内で鋼線テンションメンバ，LAPシースのアルミテープをお互いに連結金具を介して電気的に接続し，光成端箱で片端接地を施す。
(3) 光ファイバ心線の接続前に，接続するファイバ心線の残線を利用して，ファイバ心線被覆除去，切断，融着接続までを一度行い，良好な融着接続結果が得られることを確認する。
(4) 光ファイバケーブルの後分岐として，SZ型撚りでないテープスロット型光ファイバケーブルの途中でシースを剥ぎ取り，分岐しない光ファイバ心線及びスロット（テンションメンバを含む。）を切断せずに必要な光ファイバ心線だけを取り出して分岐する。

正解：(4)

解説　(4) SZ型撚りであるテープスロット型光ファイバケーブルの途中でシースを剥ぎ取り、分岐しない光ファイバ心線及びスロットを切断せずに必要な光ファイバ心線だけを取り出して分岐する。

(2) 架空電線

架空電線の高さは、その架空電線が道路上にあるとき、鉄道又は軌道を横断するとき、河川を横断するときは、次のように定められている（有線電気通信設備令第8条、有線電気通信設備令施行規則第7条）。

- 道路の縦断方向に架空配線を行うにあたり、路面からの高さは5m以上としなければならない。
- 横断歩道橋の上方に架空配線を行うにあたり、横断歩道橋の路面からの高さは3m以上としなければならない
- 電柱に設置されている他人の既設通信ケーブルと同じルートに光ファイバケーブルを設置するにあたり、その既設通信ケーブルとの離隔距離は30cm以上としなければならない。
- 他人の建造物の側方に架空配線を行うにあたり、その建造物との離隔距離は30cm以上としなければならない。
- 有線電気通法令では、架空通信ケーブルと他人の架空通信ケーブルとの離隔距離は30cm以下としてはならない。
- 有線電気通法令では、架空通信ケーブルと高圧ケーブルとの離隔距離は40cm以上としなければならない。

- 有線電気通法令では、架空通信ケーブルと他人の建造物との離隔距離は30cm以下としてはならない。
- 有線電気通法令では、共架する場合、架空通信ケーブルと高圧ケーブルとの離隔距離は50cm以上としなければならない。

例題2-4　令和元年度 2級電気通信工事施工管理技術検定（学科・後期）問題（必須）〔No.53〕 

光ファイバケーブルの架空配線に関する記述として，「有線電気通信法令」上，**誤っているもの**はどれか。

(1) 道路の縦断方向に架空配線を行うにあたり，路面からの高さを4mとする。
(2) 横断歩道橋の上方に架空配線を行うにあたり，横断歩道橋の路面からの高さを3.5mとする。
(3) 電柱に設置されている他人の既設通信ケーブルと同じルートに光ファイバケーブルを設置するにあたり，その既設通信ケーブルとの離隔距離を40cmとする。
(4) 他人の建造物の側方に架空配線を行うにあたり，その建造物との離隔距離を50cmとする。

正解：(1)

解説　(1) 路面からの高さは5m以上としなければならない。

2.2 低圧配線の施工

低圧配線に関する決まりは、主に電気設備の技術基準の解釈に規定されている。

- 低圧幹線のケーブルは、損傷を受けるおそれがない場所に施設する。
- 低圧幹線のケーブルの許容電流は、接続される負荷の定格電流を合計した値以上にする。
- 低圧幹線の電源側電路に保護用として過電流遮断器を施設する。
- 低圧幹線のケーブルを保護する過電流遮断器の定格電流は、ケーブルの許容電流以下とする。
- ケーブルが防火区画を貫通する場合は、国土交通大臣による認定を受けた工法をその貫通部に適用する。
- 低圧ケーブルと通信ケーブルは接触しないように配線する。
- 低圧ケーブルの使用電圧が300Vを超える場合は、接触防護措置を施す場合を除き、ケーブルを収める防護装置の金属製部分には、C種接地工事を施す必要がある。

表2-1　主な接地工事

接地工事	機械器具の使用電圧の区分	
D種接地工事	低圧	300V以下
C種接地工事		300V超過
A種接地工事	高圧又は特別高圧	

- 低圧ケーブルを曲げる場合は、被覆を損傷しないようにし、その屈曲部の内側半径はケーブル仕上がり外径の6倍以上とする（内線規程）。なお、内線規程とは、電気需要場所における電気設備の保安を確保することを目的として作成されたもので、設計、施工についての技術的な事項を全て包含し、これをわかりやすく記述した民間規格である。
- 金属管工事においては、電磁誘導による金属管の発熱を防止するため、単相2線式回路は電線2条、三相3線式回路は電線3条を、1本の金属管にまとめて敷設する。
- 金属管工事、合成樹脂管工事においては、電線の接続は管内で行ってはならない。電線は、アウトレットボックス内などで接続する。
- 低圧電路の絶縁抵抗値は表2-2のとおり。

表2-2　低圧電路の絶縁抵抗値（電気設備に関する技術基準を定める省令第58条より）

電路の使用電圧の区分		絶縁抵抗値
300V以下	対地電圧（接地式電路においては電線と大地間の電圧、非接地式電路においては電線間の電圧をいう）が150V以下の場合	0.1MΩ以上
	その他の場合	0.2MΩ以上
300Vを超えるもの		0.4MΩ以上

- 合成樹脂管（硬質ビニル管）を曲げるときは、その内側の半径を管内径の6倍以上とする。
- 合成樹脂可とう電線管（PF管、CD管）相互の接続は、適合するカップリングを介して接続し、直接接続しない。
- 合成樹脂可とう電線管（PF管、CD管）の支持点間の距離を1.0m以下とする。
- 合成樹脂可とう電線管（CD管）等をコンクリートに埋込む場合には、管をバインド線で鉄筋に結束し、コンクリート打設時に移動しないようにする。
- アルミ製ケーブルラックは、鋼製部材と接触させないようにし、異種金属接触腐食を起こさないように措置をする。
- 温度変化の大きな箇所の長いケーブルラックには、伸縮継手金具を使用して、温度変化による伸縮を吸収する。
- 使用電圧300Vを超える低圧ケーブル用のケーブルラックには、C種接地工事を施す。
- 使用電圧300V以下の低圧ケーブル用のケーブルラックには、D種接地工事を施す。
- 低圧ケーブル本体相互は、ボルト等により機械的かつ電気的に接続する。
- 低圧ケーブルの支持点間隔は2m以下（垂直の場合は6m以下）とする。
- ケーブルラック配線において、ケーブルを垂直に配線するときは、特定の子げたに重量が集中しないようにする。
- 接続部分における電線の電気抵抗は、増加させてはならない。
- 電線の引張強さを20%以上減少させない。
- 接続部分に接続管を使用する。
- 接続部分をその部分の絶縁電線の絶縁物と同等以上の絶縁効力のあるもので十分に被覆する。

- 金属製線ぴには、幅が4cm未満の1種金属製線ぴと、幅が4cm以上5cm以下の2種金属製線ぴがある。
- 金属製ダクト、2種金属製線ぴに収める電線本数は、電線の被覆絶縁物を含む断面積の総和が当該ダクト、線ぴの内断面積の20%以下とする。1種金属製線ぴに収める電線本数は10本以下とする。
- 金属製タクト、金属製線ぴ内では、原則、電線に接続点を設けない。
- 金属製タクトとボックスその他附属品及び、金属製線ぴとボックスその他附属品とは、堅ろうに、かつ、電気的に完全に接続する。

例題2-5　令和4年度1級電気通信工事施工管理技術検定（第一次）問題B（選択）〔No.12〕

屋内配線に使用する合成樹脂管の施工に関する記述として，**適当でないもの**はどれか。

(1) CD管相互の接続は，適合するカップリングにより接続する。
(2) 太さ28mmの硬質ビニル管を曲げるときは，その内側の半径を管内径の6倍以上とする。
(3) PF管の露出配管において管を支持する場合，サドルの支持点間の距離を2m以下とする。
(4) コンクリートに埋込みとなる配管は，管をバインド線で鉄筋に結束し，コンクリート打設時に移動しないようにする。

正解：(3)

解説　合成樹脂可とう電線管（PF管、CD管）の支持点間の距離を1.0m以下とする。

例題2-6　令和4年度2級電気通信工事施工管理技術検定（第一次・後期）問題（必須）〔No.53〕

低圧屋内配線における絶縁電線の相互接続に関する記述として，**適当でないもの**はどれか。

(1) 接続部分における電線の電気抵抗は，増加させてもよい。
(2) 電線の引張強さを，20%以上減少させない。
(3) 接続部分に接続管を使用する。
(4) 接続部分をその部分の絶縁電線の絶縁物と同等以上の絶縁効力のあるもので十分に被覆する。

正解：(1)

解説　接続部分における電線の電気抵抗は、増加させてはならない。

例題2-7　令和4年度 2級電気通信工事施工管理技術検定（第一次・前期）問題（選択）〔No.53〕 

金属線ぴ工事に関する記述として，**適当でないもの**はどれか。

(1) 1種金属製線ぴ内では，電線に接続点を設けない。
(2) 金属線ぴとボックスその他付属品とは，堅牢に，かつ，電気的に完全に接続する。
(3) 2種金属製線ぴに収める電線本数は，電線の被覆絶縁物を含む断面積の総和が当該線ぴの内断面積の40％以下とする。
(4) 1種金属製線ぴに収める電線本数は，10本以下とする。

正解：(3)

解説　2種金属製線ぴに収める電線本数は、電線の被覆絶縁物を含む断面積の総和が当該線ぴの内断面積の20%以下とする。

2.3 その他の施工

その他の施工の分野からは、導波管の施工、UTPケーブルの施工、あと施工アンカーの施工、架空配線の弛度（たるみ）、ハンドホールの施工などについて出題される。

(1) 導波管の施工

導波管とは、電磁波の伝送に用いられる構造体のことをいい、マイクロ波通信などに用いられる。導波管の施工の決まりは、主に電気通信設備工事共通仕様書に規定されている。

- 長尺可とう導波管、楕円導波管及びまゆ形導波管などを使用する範囲は、空中線端子から気密窓導波管までとする。また、長尺可とう導波管は、直線部だけでなく曲がり部にも使用される。

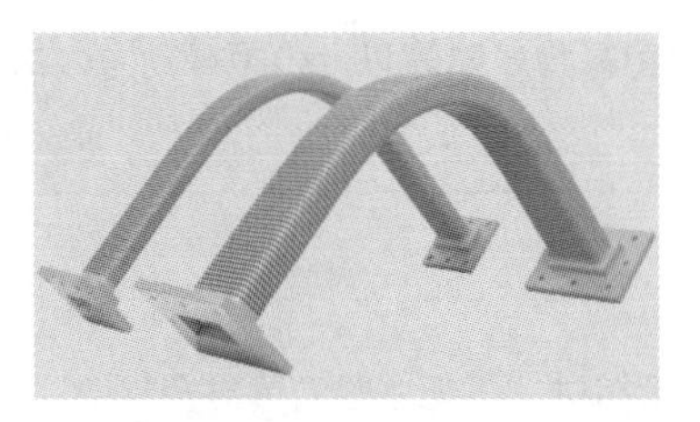

図2-6　長尺可とう導波管

図2-7　気密窓導波管

- 導波管のフランジ接続は、ノックピンを使用し、ズレが起らないようにして正確に接続すること。なお、結合用ねじは、真ちゅう又はステンレス製とする。なお、真ちゅうとは、銅と亜鉛の合金をいう。

- 導波管のフランジは、無線機から気密窓導波管までは非気密形を、気密窓導波管から空中線までは、気密形またはチョーク気密形とし、それぞれ敷設場所に適合したものを使用する。
- 導波管を屋内に引込む場合は、適合する引込口金具を使用し、屋内に雨水が侵入しないように、防水処置を施すものとする。また、引込口付近には必要に応じて、導波管に接地工事を施すものとする。
- 導波管内の防湿のため、乾燥空気充填用及び気密試験用として、通信機械室内の引込口付近に気密窓導波管を使用する。
- 空中線の振動吸収、温度膨張による収縮及び角度補正のために可とう導波管やフレキシブル導波管を使用する。

例題2-8　令和4年度1級電気通信工事施工管理技術検定（第一次）問題B（選択）〔No.13〕 

マイクロ波多重無線設備で使用される導波管の施工に関する記述として，**適当でないもの**はどれか。

(1) 導波管内の防湿のため，乾燥空気充填用及び気密試験用として，通信機械室内の引込口付近にテーパー導波管を使用する。
(2) 導波管のフランジ接続は，ノックピンを使用してズレが起こらないように正確に接続し，その結合用ねじには，ステンレス製を使用する。
(3) 空中線の振動吸収，温度膨張による収縮及び角度補正のために可とう導波管やフレキシブル導波管を使用する。
(4) 導波管を通信機械室に引き込むため，適合する引込口金具を使用し，室内に雨水が浸入しないように防水処置を施す。

正解：(1)

解説　導波管内の防湿のため、乾燥空気充填用及び気密試験用として、通信機械室内の引込口付近に気密窓導波管を使用する。なお、テーパー導波管とは、異なる寸法の導波管間を伝送させるための導波管である。

(2) UTPケーブルの施工

UTPケーブルの施工については、電気通信設備工事共通仕様書に規定されているケーブルの施工と端末処理に関して出題される。

- UTPケーブルの敷設作業中は、ケーブルに損傷を与えないように行い、延線時及び固定時の許容曲げ半径は、仕上り外径の4倍以上とする。
- UTPケーブルを支持または固定する場合には、UTPケーブルに過度の外圧または張力が加わらないよう施工する。
- 外圧または衝撃を受けるおそれのある部分は、防護処置を施すものとする。
- UTPケーブルの敷設時には、張力の変動や衝撃を与えないように施工する。

- UTPケーブルを電線管より引き出す部分には、ブッシングなどを取付け、引き出し部で損傷しないように、スパイラルチューブなどにより保護すること。
- UTPケーブルの敷設の要所では、ケーブルに合成樹脂製またはファイバ製などの名札を取付け、ケーブルの種別、行先などを表示すること。
- UTPケーブルの総長はパッチコード等も含め100m以内とする。
- 屋外で使用する場合は、外装被覆付ケーブルを使用するものとする。
- UTPケーブルの端末処理は、専用コネクタによる圧着接続とする。
- 圧着接続は、UTPケーブルに適した材料及び工具を用いて行うものとする。
- UTPケーブルは全ての対を成端する。
- ケーブルの成端作業時、対のより戻し長は最小とする。
- 対の割り当ては、JIS X 5150（構内情報配線システム）による。
- 通信アウトレットには、接続先が認識できるよう表示を行う。
- フロア配線盤から通信アウトレットまでのリンク性能は、要求されるクラスにおけるJIS X 5150（構内情報配線システム）のパーマネントリンクの性能を満足するものとする。
- UTPケーブルを結束するときは、外被が変形するほど強く締め付けない。
- UTPケーブル等のメタル通信ケーブルと低圧ケーブルは直接接触しないように施工する。
- 管内配線において、通線前に管内清掃し、ケーブルを損傷しないように通線する。
- ケーブルラック配線において、ケーブルを垂直に配線するときは、特定の子げたに重量が集中しないようにする。
- 床上配線では、ワイヤープロテクタ等を使用して配線し、ワイヤープロテクタから通信ケーブルを引出す箇所には、ケーブルの被覆が損傷しないように防護する。
- 高圧電力ケーブルが敷設されている地中管路内にUTPケーブル等のメタル通信ケーブルを一緒に敷設しない。分けて敷設する。
- 地中管路内にメタル通信ケーブルを敷設する場合は、引き入れに先立ち地中管路内を清掃し、ケーブルが損傷しないように管端口を保護したあと、ていねいに引き入れる。
- ハンドホール内でメタル通信ケーブルを接続する場合は、合成樹脂モールド工法等の防水性能を有する工法とする。
- 導通試験器などの試験器を使って、ワイヤマップ（結線状況）を確認する。

例題2-9　令和4年度 2級電気通信工事施工管理技術検定（第一次・前期）問題（必須）〔No.54〕 

UTPケーブルの施工に関する記述として，**適当でないもの**はどれか。

(1) 許容張力を超える張力を加えないように敷設する。
(2) UTPケーブルと低圧電力ケーブルを一緒に束ねて整然と敷設する。
(3) UTPケーブルの成端作業時の対のより戻し長は，最小とする。
(4) 導通試験器などの試験器を使って，ワイヤマップを確認する。

正解：(2)

解説　UTPケーブルと低圧電力ケーブルは接触させないように施工する。

例題2-10　令和4年度２級電気通信工事施工管理技術検定（第一次・後期）問題（必須）〔No.62〕 

メタル通信ケーブルの地中管路内配線に関する記述として，次の①～④のうち**適当なもののみ**を全て挙げているものはどれか。

① メタル通信ケーブルを曲げる場合，その曲げ半径は許容曲げ半径より小さくなるようにする。
② 高圧電力ケーブルが敷設されている地中管路内にメタル通信ケーブルを敷設する。
③ 地中管路内にメタル通信ケーブルを敷設する場合は，引き入れに先立ち地中管路内を清掃し，ケーブルが損傷しないよう管端口を保護した後，丁寧に引き入れる。
④ ハンドホール内でメタル通信ケーブルを接続する場合は，合成樹脂モールド工法等の防水性能を有する工法とする。

(1) ①②
(2) ①④
(3) ②③
(4) ③④

正解：(4)

解説　① メタル通信ケーブルを曲げる場合、その曲げ半径は許容曲げ半径より大きくなるようにする。
② 高圧電力ケーブルが敷設されている地中管路内に通信ケーブルを敷設しない。分けて敷設する。

(3) あと施工アンカーの施工

あと施工アンカーとはコンクリート打設・硬化後にコンクリートに施工するアンカー(母材に錨のように固定される部材）をいう。なお、アンカーとは、コンクリート面に機器などを取り付けるためにコンクリートに設置される部材のことである。

- 墨出しとは、施工の対象物に施工の基準となる線を記すことをいい、施工図に基づき、鉄筋などの干渉物がないことを確認したうえで、母材に穿孔を満足する厚みがあることを確認したのちに実施する。
- あと施工アンカーの施工のための母材の穿孔は、墨出しした位置に、施工面に対し垂直方向に、仕様に合った適正なドリルによる穴あけにより実施する。
- 金属拡張アンカーとは穿孔した穴の内部で金属が拡張することにより、母材に固定されるアンカーのことで、打ち込み方式と締付け方式がある。
- 打ち込み方式：専用打ち込み棒を用いて拡張部を拡張する。施工終了後、拡張子が所定の位置まで打込まれていることを目視によって確認する。

- 締め付け方式：締め付け工具で拡張部を拡張する。施工終了後、ダイヤル型トルクレンチによりトルク値を確認する。
- 打込み方式の金属拡張アンカーは、施工修了後に目視または打診でアンカーが固着しているか確認する。
- カプセル方式の接着系アンカーの打込み型は、カプセルを孔内に挿入し、その上からアンカー筋をハンマーなどで打ち込んで施工する。
- カプセル方式の接着系アンカーは、アンカー筋の埋め込み後は、接着剤が硬化するまで、アンカー筋が動かないように養生する。

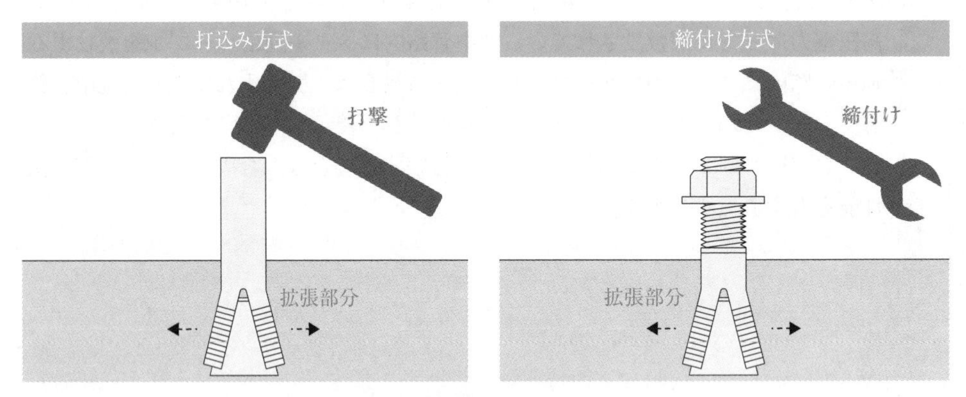

図2-8　金属拡張アンカー

例題2-11　令和元年度1級電気通信工事施工管理技術検定（学科）問題B（選択）〔No.15〕 

あと施工アンカーの施工に関する記述として，**適当でないもの**はどれか。

(1) 墨出しは，施工図に基づき，鉄筋等の干渉物がないことを確認したうえで，母材に穿孔を満足する厚みがあることを確認したのちに行う。
(2) 母材の穿孔は，墨出し位置に施工面に対し垂直方向に，仕様に合った適正なドリルで穴あけを行う。
(3) 金属拡張アンカーと母材との固着は，打ち込み方式の場合は専用打ち込み棒を用いて拡張部を拡張し，締め付け方式の場合は適切な締め付け工具で拡張部を拡張する。
(4) 芯棒打込み式金属拡張アンカーの施工終了後，ダイヤル型トルクレンチによりトルク値を確認する。

正解：(4)

解説　(4) 打ち込み方式金属拡張アンカーは、施工終了後、拡張子が所定の位置まで打込まれていることを目視によって確認する。施工終了後、ダイヤル型トルクレンチによりトルク値を確認するのは、締め付け方式金属拡張アンカー。

(4) 架空配線の弛度(たるみ)

架空配線の弛度(たるみ)に関する要点と例題は次の通りである。

- 弛度と張力他の関係式は次式で表される。弛度と張力は、合成荷重と径間が一定の場合、反比例の関係にある。したがって、弛度を小さくするほど張力が増加する。

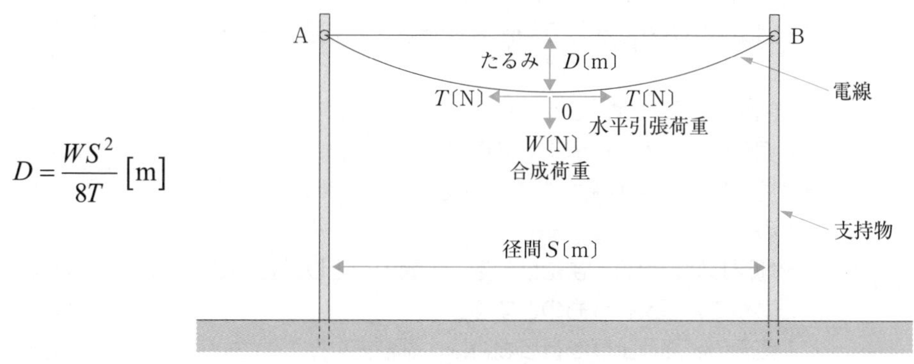

図2-9　弛度と張力他の関係

- 多数の電線を架設する場合、1つの径間に架設される電線は、太さにかかわらず弛度が一定になるようにする。
- 電線の弛度を必要以上に大きくすると、電線の地表上の高さを規定値以上に保つために、支持物を高くする必要があるので、工事費が増加して不経済である。
- 電線の着氷雪の多い地方では、着氷雪の実態に合った荷重を考慮して弛度を決める。

例題2-12　令和元年度 2級電気通信工事施工管理技術検定(学科・前期)問題(必須)〔No.55〕 

架空配線のたるみである弛度(ちど)に関する記述として，**適当でないもの**はどれか。

(1) 電線の着氷雪の多い地方にあっては，着氷雪の実態に合った荷重を考慮した弛度とする。
(2) 弛度を大きくするほど張力が増加する。
(3) 多数の電線を架設する場合，一つの径間に架設される電線は，太さにかかわらず一定の弛度になるようにする。
(4) 電線の弛度を必要以上に大きくすると電線の地表上の高さを規定値以上に保つために支持物を高くする必要が生じ，不経済となる。

正解：(2)

解説　(2) 弛度を小さくするほど張力が増加する。

(5) ハンドホールの施工

ハンドホールとは、埋設管路に電線を引き入れたり引き出したりするために設けられる開口空間部分をいう。ハンドホールの施工に関しては、電気通信設備工事共通仕様書の内容について出題される。

- 掘削幅は、ハンドホールなどの施工が可能な最小幅とする。
- 道路沿いの掘削を行う場合は、交通安全施設を設置し、保安を確保しなければならない。
- 舗装の切取りは、コンクリートカッタにより行い、周囲に損傷を与えないこと。
- 掘削は、他の地中埋設物に損傷を与えないように、注意して行うものとする。
- 掘削は、所定の深さまで行った後、石や突起物を取り除き、突固めを行うものとする。
- 埋戻しは、良質土または砂を、1層の仕上げ厚さが0.3m以下となるように均一に締固めて、順次行うものとする。
- 路面の表面仕上げを行う場合は、掘削前の路面高さと同じにし、十分締固めなければならない。なお、舗装路面などの場合は、掘削前の材料で仕上げるものとする。

例題2-13　令和元年度２級電気通信工事施工管理技術検定（学科・後期）問題（必須）〔No.55〕 

ハンドホールの工事に関する記述として，**適当でないもの**はどれか。

(1) 掘削幅は，ハンドホールの施工が可能な最小幅とする。
(2) 舗装の切り取りは，コンクリートカッタにより，周囲に損傷を与えないようにする。
(3) 所定の深さまで掘削した後，石や突起物を取り除き，底を突き固める。
(4) ハンドホールに通信管を接続した後，掘削土を全て埋め戻してから，締め固める。

正解：(4)

解説　(4) 埋戻しは、掘削土を全て埋め戻してから、締め固めるのではなく、良質土または砂を、1層の仕上げ厚さが0.3m以下となるように均一に締固めて、順次行う。

(6) 同軸ケーブルの施工

- 屋内配線において、同軸ケーブルと低圧ケーブルが接触しないように敷設する。
- 同軸ケーブルを曲げる場合は、被覆が損傷しないように、許容曲げ半径より小さくならないように行う。
- 同軸ケーブルと機器の接続、同軸ケーブル相互の接続は、同軸ケーブルの種類に適合したコネクタを用いる。
- 3C-2Vの同軸ケーブルはVHF/UHF帯体に使用される。
- 新4K8K衛星放送用の同軸ケーブルにはS-5C-FBやS-7C-FBなどが使用される。

例題2-14　令和3年度 1級電気通信工事施工管理技術検定（学科）問題B（選択）〔No.11〕 

同軸ケーブルの施工に関する記述として，**適当でないもの**はどれか。

(1) 屋内配線において，同軸ケーブルが低圧ケーブルと交差する場合は，同軸ケーブルと低圧ケーブルが接触しないように敷設する。
(2) 同軸ケーブルを曲げる場合は，被覆が傷まないように行い，その曲げ半径は使用する同軸ケーブルの許容曲げ半径より小さくならないようにする。
(3) 同軸ケーブルと機器との接続，同軸ケーブル相互の接続は，同軸ケーブルの種類に対応したコネクタを用いて行う。
(4) 新4K8K衛星放送に対応した衛星放送用受信アンテナからテレビ受像機までの給電線として使用する同軸ケーブルには3C-2Vが適している。

正解：(4)

解説　3C-2Vの同軸ケーブルはVHF/UHF帯体に使用される。4K8K衛星放送用の同軸ケーブルにはS-5C-FBやS-7C-FBなどが使用される。

(7) アンテナの施工

- 地上デジタルテレビ放送のUHFアンテナの調整については、BER（Bit Error Rate）、MER（Modulation Error Ratio）及びUHFアンテナからの出力レベルなどを確認しながら、高さ及び方向などを調整する。
- BSデジタル放送や110度CSデジタル放送は、円偏波を使用しているため、受信アンテナの偏波角の調整が不要である。受信アンテナは衛星の方向にまっすぐ向ける。
- 地上デジタルテレビ放送の受信品質劣化の軽減や受信レベル向上のために、アンテナを水平方向または垂直方向に並べて取り付ける方法がある。
- 衛星放送の受信点での調査項目には、電波到来方向の仰角付近及び方位角付近の障害物の有無、障害物がある場合の障害物と受信アンテナとの離隔、降雨減衰量がある。

例題2-15　令和2年度1級電気通信工事施工管理技術検定（学科）問題B（選択）〔No.15〕 

CATV施設のテレビ放送等の受信アンテナの施工に関する記述として，**適当でないもの**はどれか。

(1) 地上デジタルテレビ放送のUHFアンテナの調整については，BER（Bit Error Rate），MER（Modulation Error Ratio）及びUHFアンテナからの出力レベルなどを確認しながら，高さ及び方向などを調整する。
(2) BSデジタル放送や110度CSデジタル放送は，直線偏波を使用しているため，受信アンテナの偏波角の調整が必要である。
(3) 地上デジタルテレビ放送の受信品質劣化の軽減や受信レベル向上のために，アンテナを水平方向又は垂直方向に並べて取り付ける方法がある。
(4) 衛星放送の受信点での調査項目には，電波到来方向の仰角付近及び方位角付近の障害物の有無，障害物がある場合の障害物と受信アンテナとの離隔，降雨減衰量がある。

正解：(2)

解説 BSデジタル放送や110度CSデジタル放送は円偏波を使用しているため、受信アンテナの偏波角の調整が必要ない。

(8) 波付硬質ポリエチレン管（FEP）の地中埋設管路の施工

- 管路には、管頂と地表面（舗装がある場合は舗装下面）のほぼ中間に埋設表示テープを連続して施設する。
- 地中配管終了後、管路径に合ったマンドリル（通過試験器）により通過試験を行い、管路の状態を確認する。
- FEPの接続部では、FEP管に挿入されている双方のパイロットワイヤ（案内用ワイヤ）を接続する。
- ハンドホールの壁面にFEPを取り付ける場合は、壁面の孔とFEPとの隙間にはシーリング材や防水モルタルなどを充填する。

例題2-16　令和3年度2級電気通信工事施工管理技術検定（学科・前期）問題（必須）〔No.62〕 

FEPの地中埋設管路の施工に関する記述として，次の①～④のうち**適当なもの**のみを全て挙げているものはどれか。

① 管路には，管頂と地表面（舗装がある場合は舗装下面）のほぼ中間に防食テープを連続して施設する。
② 地中配管終了後，管路径に合ったマンドリルにより通過試験を行い，管路の状態を確認する。
③ FEPの接続部では，FEP管に挿入されている双方のパイロットワイヤを接続する。
④ ハンドホールの壁面にFEPを取り付ける場合は，壁面の孔とFEPとの隙間に砂を充填する。

(1) ①②
(2) ①④
(3) ②③
(4) ③④

正解：(3)

解説 ① 管路には、管頂と地表面（舗装がある場合は舗装下面）のほぼ中間に埋設表示テープを連続して施設する。
④ ハンドホールの壁面にFEPを取り付ける場合は、壁面の孔とFEPとの隙間にはシーリング材や防水モルタルなどを充填する。

(9) 電気通信機器の耐震施工

- 機器を建築物の床に固定するアンカーボルトは、一般的に地震の揺れが下層階より上層階の方が大きいため、上層階ほど強度の高いものを使う。
- 機器の設置は、可能な限り床置きとし、天井つり及び壁掛けは極力避ける。
- 機器の頂部を固定する頂部支持材は、構造体に固定する。
- 卓上装置は、地震時に水平移動または卓上から落下しないように、耐震用品で固定する。
- 据付面積に対して高さのある機器は、壁、柱などから頂部揺れ止め支持が施せる場所に設置する。

例題2-17　令和4年度 1級電気通信工事施工管理技術検定（第一次）問題B（選択）〔No.14〕 

建物内での電気通信機器等の耐震施工に関する記述として，**適当でないもの**はどれか。

(1) 機器を建築物の床に固定するアンカーボルトは，一般的に地震の揺れが下層階より上層階の方が大きいため，上層階ほど強度の高いものを使う。
(2) 機器の設置は，可能な限り床置きとし，天井つり及び壁掛けは極力さける。
(3) 機器の頂部を固定する頂部支持材は，軽量間仕切壁に固定する。
(4) 卓上装置は，地震時に水平移動または卓上から落下しないように，耐震用品で固定する。

正解：(3)

解説 機器の頂部を固定する頂部支持材は、非構造体の軽量鉄骨壁ではなく、コンクリート壁などの構造体に固定する。

第3章 関連分野

関連分野としては、低圧配線、電気工事士、電気用品安全法、非常用予備発電装置、土木、雷保護、接地などの分野について出題される。

3.1 低圧配線

低圧配線については、電気設備の技術基準の解釈（電技解釈）などから出題される。この分野の要点と例題は次の通りである。

低圧幹線の施設（電気設備の技術基準の解釈第148条）

- 低圧幹線の電線は、供給される負荷である電気使用機械器具の定格電流の合計値以上の許容電流のものを施設しなければならない。
- 低圧幹線の電源側電路に設置する過電流遮断器は、当該低圧幹線に使用する電線の許容電流よりも低い値の定格電流のものを施設しなければならない。
- 低圧分岐回路の電線の許容電流が、その電線に接続する低圧幹線を保護する過電流遮断器の定格電流の35%未満の場合、低圧幹線の分岐点から3m以下の箇所に分岐回路を保護する過電流遮断器を施設しなければならない。

低圧分岐回路等の施設（電気設備の技術基準の解釈第149条）

- 原則として、低圧幹線との分岐点から電線の長さが3m以下の箇所に、過電流遮断器を施設しなければならない。
- 例外として、電線の許容電流が、その電線に接続する低圧幹線を保護する過電流遮断器の定格電流の55%以上である場合は３mを超える箇所に施設することができる。
- ただし、電線の許容電流が、その電線に接続する低圧幹線を保護する過電流遮断器の定格電流の35%以上55%未満である場合には、低圧幹線との分岐点から電線の長さが8m以下の箇所に施設することができる。

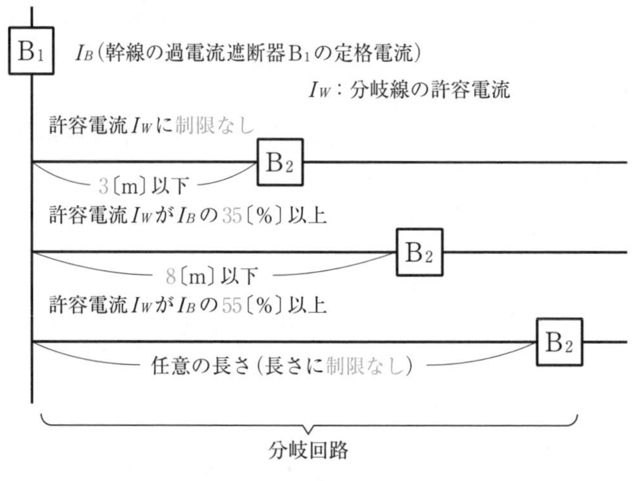

図3-1 低圧分岐回路

表3-1 低圧分岐回路

過電流遮断器の定格電流	電線の太さ（軟銅線）	接続できるコンセントの定格電流
15A分岐回路	直径1.6mm以上	15A以下
20A分岐回路（配線用遮断器）	直径1.6mm以上	20A以下
20A分岐回路（ヒューズ）	直径2.0mm以上	20A以下
30A分岐回路	直径2.6mm以上	20A～30A
40A分岐回路	断面積8mm^{2}以上	30A～40A
50A分岐回路	断面積14mm^{2}以上	40A～50A

例題3-1　令和4年度1級電気通信工事施工管理技術検定（第一次）問題B（必須）〔No.3〕 

事務室におけるコンセント専用の低圧分岐回路に関する記述として，「電気設備の技術基準の解釈」上，**誤っているもの**はどれか。
ただし，電線は軟銅線のものを使用し，その長さは，分岐点から配線用遮断器までは2m，配線用遮断器からコンセントまでは7mとする。

(1) 定格電流15Aの配線用遮断器に直径1.6mmの電線を配線し，定格電流20Aのコンセントを1個取り付ける。
(2) 定格電流20Aの配線用遮断器に直径1.6mmの電線を配線し，定格電流15Aのコンセントを1個取り付ける。
(3) 定格電流30Aの配線用遮断器に直径2.6mmの電線を配線し，定格電流30Aのコンセントを1個取り付ける。
(4) 定格電流40Aの配線用遮断器に断面積8m㎡の電線を配線し，定格電流30Aのコンセントを1個取り付ける。

正解：(1)

解説　15Aの配線用遮断器に20Aのコンセントを取り付けるのは不適当である。

低圧屋内配線の施設場所による工事の種類（電技解釈第156条）

- 低圧屋内配線は、原則として、表3-2に規定する工事のいずれかにより施設することとされている。

表3-2　低圧屋内配線（「電気設備の技術基準の解釈第156条156-1表」）

施設場所の区分		使用電圧の区分	工事の種類											
			がいし引き工事	合成樹脂管工事	金属管工事	金属可とう電線管工事	金属線ぴ工事	金属ダクト工事	バスダクト工事	ケーブル工事	フロアダクト工事	セルラダクト工事	ライティングダクト工事	平形保護層工事
展開した場所	乾燥した場所	300V以下	○	○	○	○	○	○	○	○				
		300V超過	○	○	○	○		○	○	○				
	湿気の多い場所又は水気のある場所	300V以下	○	○	○	○			○	○				
		300V超過	○	○	○	○				○				
点検できる隠ぺい場所	乾燥した場所	300V以下	○	○	○	○	○	○	○	○		○	○	○
		300V超過	○	○	○	○		○	○	○				
	湿気の多い場所又は水気のある場所	－	○	○	○	○				○				
点検できない隠ぺい場所	乾燥した場所	300V以下		○	○	○				○	○	○		
		300V超過		○	○	○				○				
	湿気の多い場所又は水気のある場所	－		○	○	○				○				

（備考）○は、使用できることを示す。

例題3-2　令和元年度1級電気通信工事施工管理技術検定（学科）問題B（選択）〔No.03〕

電気設備において，低圧の幹線及び配線に関する記述として，「電気設備の技術基準の解釈」上，**誤っているもの**はどれか。
ただし，負荷には電動機又はこれに類する起動電流が大きい電気機械器具は接続されていないものとする。

(1) 低圧幹線の電線は，供給される負荷である電気使用機械器具の定格電流の合計値以上の許容電流のものを施設した。
(2) 低圧分岐回路の電線の許容電流が，その電線に接続する低圧幹線を保護する過電流遮断器の定格電流の35%であるため，低圧幹線の分岐点から9mの箇所に分岐回路を保護する過電流遮断器を施設した。
(3) 低圧幹線の電源側電路に設置する過電流遮断器は，当該低圧幹線に使用する電線の許容電流よりも低い値の定格電流のものを施設した。
(4) 低圧分岐回路の電線の許容電流が，その電線に接続する低圧幹線を保護する過電流遮断器の定格電流の30%であるため，低圧幹線の分岐点から3mの箇所に分岐回路を保護する過電流遮断器を施設した。

正解：(2)

解説

(2) 低圧分岐回路の電線の許容電流が、その電線に接続する低圧幹線を保護する過電流遮断器の定格電流の35%以上である場合、低圧幹線の分岐点から8m以下の箇所に分岐回路を保護する過電流遮断器を施設しなければならない。

誘導電動機

- 誘導電動機の同期速度とは回転磁界の速度をいい、次式で表される。

$$同期速度=\frac{120\times 周波数}{磁極数}\ [\mathrm{min}^{-1}]$$

- 誘導電動機の回転速度は同期速度より遅く、すべりは次式で表される。

$$すべり=\frac{同期速度-回転速度}{同期速度}\times 100\ [\%]$$

- 誘導電動機は、すべり、電源周波数、磁極数を変えれば、回転速度を変えることができる。
- 電源周波数を変えて回転速度を変える方法では、トルクを一定にするために入力電圧Vと電源周波数fの比であるV/fを一定にするV/f一定制御が用いられる。
- 固定子巻線の接続を変えて磁極数を変えて速度制御する極数制御では、回転速度の制御は段階的になる。
- 巻線形誘導電動機では、スリップリングを介して接続した2次抵抗の大きさを変えることにより速度制御をすることができる。
- かご形誘導電動機では、2次抵抗による速度制御を適用することはできない。
- 三相誘導電動機の始動法には、全電圧始動、スターデルタ始動法などがある。
- 単相誘導電動機は始動法により、分相始動形、コンデンサ始動形、くま取りコイル形などがある。

シーケンス制御

- 産業機器などのシーケンス制御などを行うためのPLC (Programmable Logic Controller) のグラフィック言語として、ラダー図が用いられる。

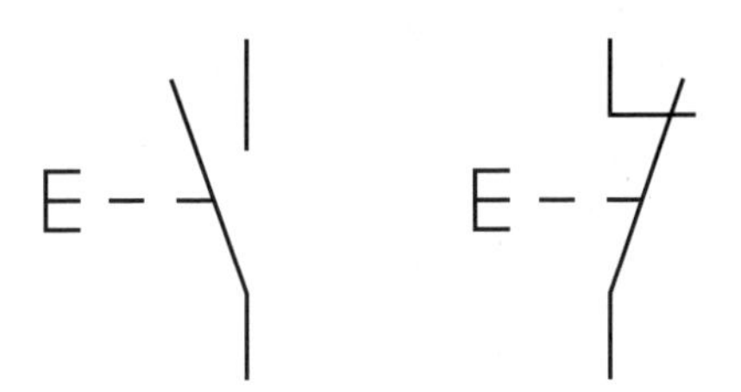

左：押しボタンスイッチ（メーク接点）　右：押しボタンスイッチ（ブレーク接点）

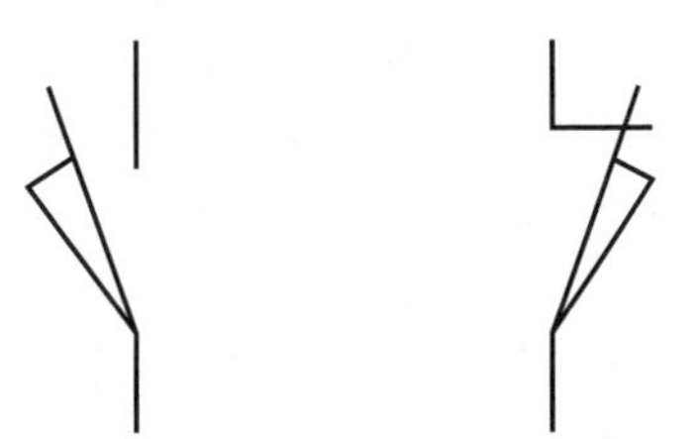

左：リミットスイッチ（メーク接点）　右：リミットスイッチ（ブレーク接点）

図3-2　代表的なシーケンス回路の図記号

例題3-3　　令和4年度 2級電気通信工事施工管理技術検定（学科・後期）問題（選択）〔No.48〕

PLC（Programmable Logic Controller）を用いて産業機器等のシーケンス制御を行うためのプログラミングに使われるグラフィック言語の名称として，**適当なもの**はどれか。

(1) シーケンス図
(2) ラダー図
(3) ブロック線図
(4) ボード線図

正解：(2)

解説　記述の名称はラダー図である。ラダー図とは、はしご（ラダー）状の形状をしたグラフィック言語である。

例題3-4　　令和4年度 2級電気通信工事施工管理技術検定（第一次・前期）（選択）〔No.48〕

下図に示すシーケンス制御回路の図記号の名称として，**適当なもの**はどれか。

(1) リミットスイッチ（メーク接点）
(2) リミットスイッチ（ブレーク接点）
(3) 押しボタンスイッチ（メーク接点）
(4) 押しボタンスイッチ（ブレーク接点）

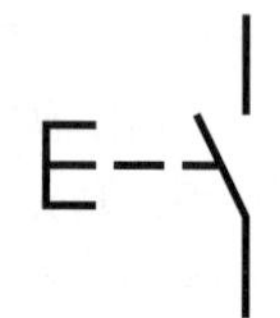

正解：(3)

解説　設問の図記号は（3）押しボタンスイッチ（メーク接点）である。

3.2 電気工事士

電気工事士の分野からは、電気工事士法に規定された内容について出題される。要点と例題は次の通りである。

- 電気工事士免状には、第一種電気工事士免状及び第二種電気工事士免状の2種類がある。
- 電気工事士免状は、都道府県知事が交付する。
- 都道府県知事は、電気工事士免状の返納を命ずることができる。
- 第一種電気工事士：特殊電気工事を除く、一般用電気工作物及び自家用電気工作物に係る電気工事の作業に従事できる。
- 第二種電気工事士：一般用電気工作物に係る電気工事の作業に従事できる。自家用電気工作物に係る電気工事の作業には従事できない。

- 電気工事に従事する者の資格としてその他に、認定電気工事従事者と特種電気工事資格者（ネオン、非常用予備発電装置）がある。
- 認定電気工事従事者：自家用電気工作物に係る電気工事のうち簡易電気工事の作業に従事できる。
- 非常用予備発電装置工事の特種電気工事資格者：非常用予備発電装置として設置される原動機、発電機、配電盤（他の需要設備との間の電線との接続部分を除く）及びこれらの附属設備に係る電気工事に従事できる。
- 特種電気工事資格者認定証及び認定電気工事従事者認定証は、経済産業大臣が交付する。
- 経済産業大臣は、特種電気工事資格者認定証又は認定電気工事従事者認定証の返納を命ずることができる。

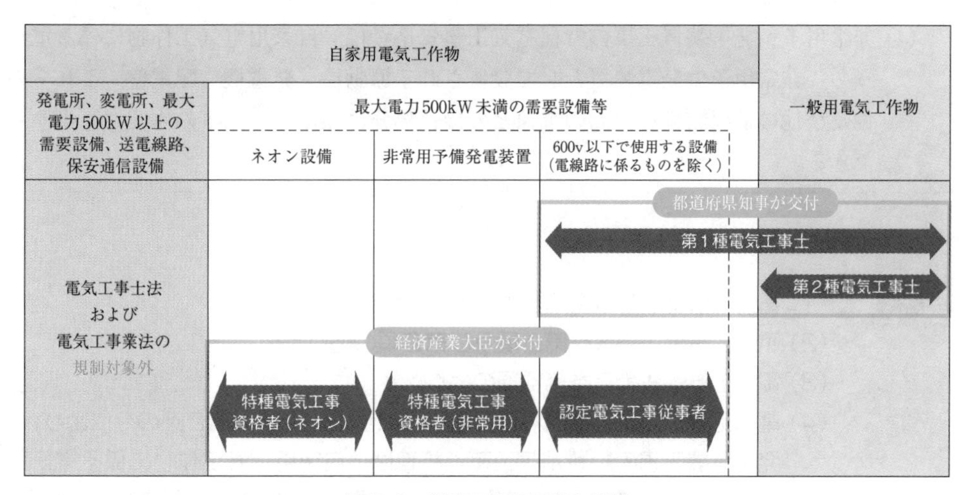

図3-3　従事できる工事と資格

- 一般用電気工作物：低圧で受電している需要家など。
- 自家用電気工作物：高圧で受電している需要家など。
- 簡易電気工事：自家用電気工作物の低圧部分の電気工事。
- 電圧の種別は表3-3の通り。

表3-3　電圧の種別

	交流	直流
低　圧	600V以下	750V以下
高　圧	低圧を超え7000V以下	
特別高圧	7000Vを超えるもの	

例題3-5　　令和元年度１級電気通信工事施工管理技術検定（学科）問題Ｂ（選択）〔No.05〕 

電気工事士等が従事する作業に関する記述として，「電気工事士法令」上，**誤っているもの**はどれか。ただし，自家用電気工作物は最大電力500kW 未満の需要設備とする。

(1) 第一種電気工事士は，特殊電気工事を除く，一般用電気工作物及び自家用電気工作物に係る電気工事の作業に従事することができる。
(2) 第二種電気工事士は，一般用電気工作物に係る電気工事の作業に従事できるが，自家用電気工作物に係る電気工事の作業に従事することができない。
(3) 認定電気工事従事者は，自家用電気工作物に係る電気工事のうち簡易電気工事の作業に従事することができる。
(4) 非常用予備発電装置工事の特種電気工事資格者は，自家用電気工作物に係る電気工事のうち，非常用予備発電装置として設置される原動機，発電機，配電盤，これらの附属設備及び他の需要設備との間の電線との接続部分に係る電気工事の作業に従事することができる。

正解：(4)

解説

(1) 電気工事士法第３条第１項の通り。
(2) 電気工事士法第３条第１項及び第２項の通り。
(3) 電気工事士法第３条第４項の通り。
(4) 電気工事士法第３条第４項、電気工事士法施行規則第２条の２により、非常用予備発電装置工事の特種電気工事資格者は、自家用電気工作物に係る電気工事のうち、非常用予備発電装置として設置される原動機、発電機、配電盤、これらの附属設備及び他の需要設備との間の**電線との接続部分**に係る電気工事の作業には**従事することはできない**。

3.3 電気用品安全法

電気用品安全法の分野からは、電気用品について、特定電気用品に該当するか、特定電気用品以外の電気用品に該当するかを問う問題などが出題される。要点と例題は次の通りである。

- 電気用品とは、一般用電気工作物の部分または接続して用いられる機械、器具、材料及び携帯発電機、蓄電池のことをいう。なお、一般電気工作物の電圧の範囲は**600Ｖ**と定められている。
- 特定電気用品とは、特に**危険又は障害の発生するおそれが多い**電気用品のことである。

- 主な特定電気用品
  絶縁電線（導体の公称断面積が 100mm^{2}以下）
  ケーブル（導体の公称断面積が 22mm^{2}以下）
  温度ヒューズ
  電流制限器（定格電流 100A以下）
- 主な特定電気用品以外の電気用品
  ケーブル（定格電圧が 100V以上600V以下、導体の公称断面積が 22mm^{2}を超え 100mm^{2}以下）
  電線管（内径 120mm以下のものに限る。）
  フロアダクト（幅 100mm以下のものに限る。）
  ケーブル配線用スイッチボックス
- 電気用品の表示は表3-4の通り。

表3-4　電気用品の表示

特定電気用品	特定電気用品以外の電気用品
PS E	PS E

LEDランプ

- LEDランプは、電流を流すと発光する半導体素子を用いたものである。
- LEDランプの発光原理は、電界発光（エレクトロルミネセンス）である。
- LEDランプは、振動や衝撃に強い。白熱電球よりも発光効率がよい。蛍光ランプよりも長寿命である。

例題3-6　令和4年度 2級電気通信工事施工管理技術検定（第一次・後期）問題（選択）〔No.47〕 

LEDランプに関する記述として，**適当でないもの**はどれか。

(1) LEDランプの発光原理は，熱放射である。
(2) LEDランプは，振動や衝撃に強い。
(3) LEDランプは，白熱電球よりも発光効率が良い。
(4) LEDランプは，蛍光ランプよりも長寿命である。

正解：(1)

解説　LEDランプの発光原理は、電界発光（エレクトロルミネセンス）である。

放電ランプ

- 放電ランプには、蛍光ランプ、水銀ランプ、ナトリウムランプなどがある。
- 低圧ナトリウムランプは橙黄色の単色光を発する。
- 蛍光ランプは点灯時間の経過とともに光束が低下する。

白熱ランプ

- 白熱ランプには、白熱電球やハロゲン電流がある。
- 白熱ランプの発光原理は熱放射である。

例題3-7　令和元年度1級電気通信工事施工管理技術検定（学科）問題B（選択）〔No.06〕 

次の電気用品のうち，「電気用品安全法令」上，特定電気用品に**該当しないもの**はどれか。ただし，使用電圧200Vの交流の電路に使用するものとする。

(1) ケーブル（CV 22mm²3心）
(2) ケーブル配線用スイッチボックス
(3) 電流制限器（定格電流 100A）
(4) 温度ヒューズ

正解：(2)

解説　設問の「ただし，使用電圧200Vの交流の電路に使用するものとする。」は、一般用電気工作物の部分となるものと解釈される。なお、電気用品については、電気用品安全法第2条に、一般用電気工作物については、電気事業法第38条第1項に規定されている。

(1) 一般用電気工作物の部分となるケーブル（導体の断面積22mm²以下）は、特定電気用品に該当する。
(2) 一般用電気工作物の部分となるケーブル配線用スイッチボックスは、特定電気用品以外の電気用品に該当する。
(3) 一般用電気工作物の部分となる電流制限器（定格電流100A以下）は、特定電気用品に該当する。
(4) 一般用電気工作物の部分となる温度ヒューズは、特定電気用品に該当する。

3.4 非常用予備発電装置

非常用予備発電装置の分野からは、負荷容量、騒音、電力会社への逆潮流防止、原動機についてが出題される。要点と例題は次の通りである。

- 非常用予備発電装置の負荷容量は、一般的に商用電源の負荷容量と比較して、必要最小限にするため、必要な負荷を選択して投入する。
- 法令や条例によって騒音値が規制される場合は、敷地境界における騒音規制値を満足する性能を有する必要がある。
- 非常用予備発電装置が運転される場合には、電力会社の配電線などに電気が流出しないようにする必要がある。
- 建設工事現場の仮設電源として使用される移動用発電設備は電気事業法令上、電気工作物に当たらないので、非常用予備発電装置として扱われない。
- $需要率 = \dfrac{最大需要電力\ [kW]}{設備容量\ [kW]} \times 100\ [\%]$
- $負荷率 = \dfrac{平均需要電力\ [kW]}{最大需要電力\ [kW]} \times 100\ [\%]$
- $不等率 = \dfrac{需要設備個々の最大需要電の総和\ [kW]}{合成最大需要電力\ [kW]}$

例題3-8　令和4年度1級電気通信工事施工管理技術検定（第一次）問題B（選択）〔No.4〕 

需要率の計算式として，**適当なもの**はどれか。

(1) $需要率 = \dfrac{平均需要電力\ [kW]}{最大需要電力\ [kW]} \times 100\ [\%]$

(2) $需要率 = \dfrac{平均需要電力\ [kW]}{設備容量\ [kW]} \times 100\ [\%]$

(3) $需要率 = \dfrac{最大需要電力\ [kW]}{設備容量\ [kW]} \times 100\ [\%]$

(4) $需要率 = \dfrac{需要設備個々の最大需要電力の総和\ [kW]}{合成最大需要電力\ [kW]} \times 100\ [\%]$

正解：(3)

解説　(1) は負荷率、需要率は (3) の式である。

3.5 土木

土木の分野からは、土留め壁、建設機械、通信鉄塔、地中埋設管路などについてが出題される。要点と例題は次の通りである。

(1) 土留め壁

- 親杭横矢板壁：親杭と呼ばれる杭に横長の矢板を積み重ねて構成された土留め壁。止水性がない。

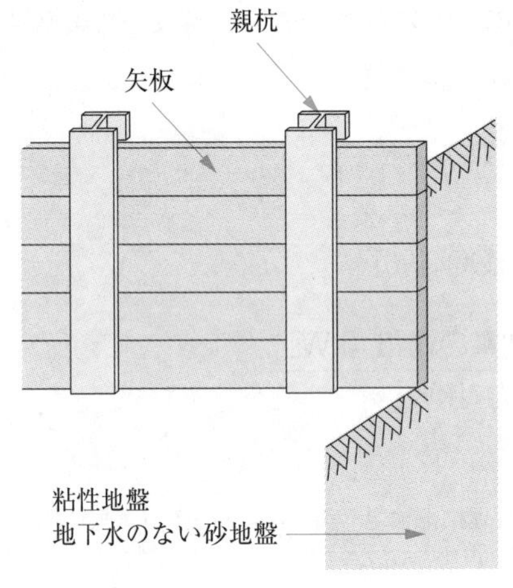

図3-4 親杭横矢板壁

- 鋼矢板壁：シートパイルと呼ばれる波板により構成される土留め壁。かみ合わせにより止水性が確保されるが、たわみ性の壁体であるため壁体の変形が大きい。

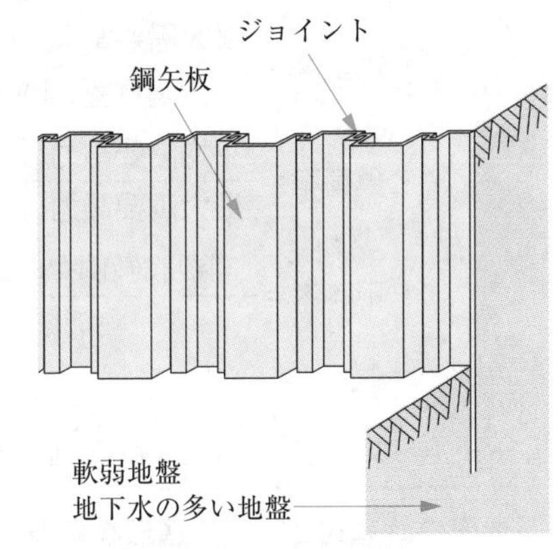

図3-5 鋼矢板壁

- 鋼管矢板壁：鋼管を縦に並べて構成された土留め壁。止水性があり、鋼矢板壁に比較して、剛性が大きく変形しにくい。

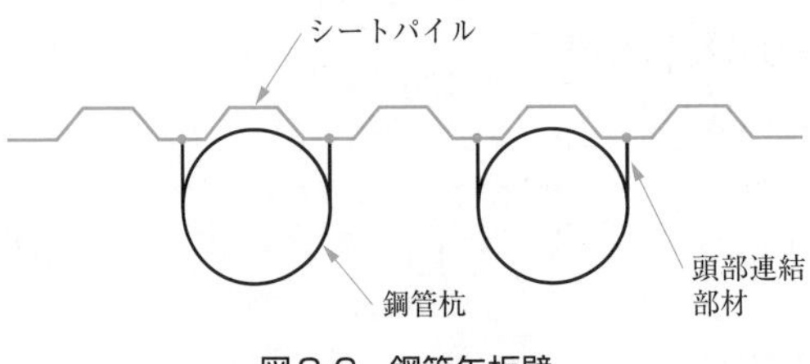

図3-6 鋼管矢板壁

- 地中連続壁：鉄筋コンクリート壁により構成された土留め壁。鋼矢板壁に比較して、剛性が大きく変形しにくい。

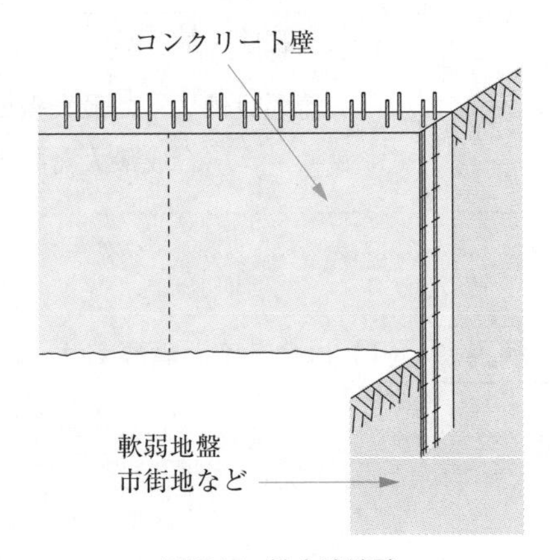

図3-7 地中連続壁

例題3-9　令和元年度１級電気通信工事施工管理技術検定（学科）問題B（選択）〔No.09〕 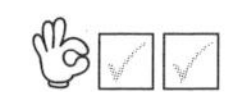

土留め壁に関する次の記述に該当する土留め壁の名称として，**適当なもの**はどれか。

「連続して地中に構築し，継ぎ手部のかみ合わせにより止水性が確保されるが，たわみ性の壁体であるため壁体の変形が大きくなる。」

(1) 親杭横矢板壁
(2) 鋼矢板壁
(3) 鋼管矢板壁
(4) 地中連続壁

正解：(2)

解説　前述の土留め壁に関する解説を参照。

(2) 建設機械

建設機械とは、建設・土木工事に用いられる機械で、重機ともいう。本試験では掘削工事に用いられるバックホウなどについて出題される。この分野に関する要点と例題は次の通りである。

- バックホウ：地表面より低い場所の掘削に適している建設機械。地中管路埋設工事などに使用される。
- アースオーガ：地面に穴を開ける建設機械。杭工事などに使用される。

図3-8　バックホウ

図3-9　アースオーガ

- ハンドブレーカ：手持ち型の**振動破壊**装置。地中管路埋設工事における舗装面の解体作業などに使用される。
- ランマ：地面の**締固め**に用いられる建設機械。地中管路埋設工事における埋戻し作業などに使用される。

図3-10　ハンドブレーカ

図3-11　ランマ

- **ロードローラ**とは**鉄輪**を用いた締固め機械で、前輪のみ鉄輪の**マカダム形**と前後輪鉄輪の**タンデム形**がある。
- **振動ローラ**とは、車輪内の**起振機**により転圧輪を強制振動させて締固める機械である。
- **タイヤローラ**は、**大型タイヤ**で締め固める機械である。

例題3-10　令和4年度 2級電気通信工事施工管理技術検定（第一次・前期）（選択）〔No.51〕 

建設工事で使用する機械に関する次の記述に該当する名称として，**適当なもの**はどれか。
「バケットを車体側に引き寄せて掘削する機械で，機械の位置よりも低い場所の掘削に適しており，かたい地盤の掘削ができ，掘削位置も正確に把握できるため，基礎の掘削や溝掘りなどに広く使用される。」

(1) スクレープドーザ
(2) バックホウ
(3) ダンプトラック
(4) トラクターショベル

正解：(2)

解説　記述の内容はバックホウである。

(3) 地中埋設管路の施工

道路下などの地中に埋設した管路の施工については、次のような内容が出題されている。地中埋設管路に関する要点と例題は次の通りである。

- 掘削した底部は、掘削した状態のままとせず、掘削した底盤は、十分に突き固めて平滑にする。
- 埋戻しのための土砂は、管路材などに損傷を与えるような小石、砕石などを含まず、かつ、管周辺部の埋戻し土砂は、管路材などに腐食を生じさせないものを使用する(JIS C 3653　電力用ケーブルの地中埋設の施工方法)。
- 管周辺部の埋戻し土砂は、すき間がないように十分に突き固める(JIS C 3653　電力用ケーブルの地中埋設の施工方法)。
- 管路は、ケーブルの布設に支障が生じる曲げ、蛇行などがないように施設する(JIS C 3653　電力用ケーブルの地中埋設の施工方法)。

例題3-11　令和元年度 2級電気通信工事施工管理技術検定(学科・前期)問題(選択)〔No.51〕 

地中埋設管路の施工に関する記述として,**適当でないもの**はどれか。

(1) 掘削した底部は,掘削した状態のままで管を敷設した。
(2) 小石,砕石などを含まない土砂で埋め戻した。
(3) 管路周辺部の埋め戻し土砂は,すき間がないように十分に突き固めた。
(4) ケーブルの布設に支障が生じる曲げ,蛇行などがないように管を敷設した。

正解:(1)

解説　(1) 掘削した底部は、掘削した状態のままとしない(JIS C 3653　電力用ケーブルの地中埋設の施工方法)。

(4) 基礎

- 基礎には、直接基礎と杭基礎がある。
- 直接基礎は、地表から比較的浅いところに基礎地盤がある場合、直接その基礎地盤の上につくる基礎である。
- 直接基礎には、フーチング基礎などがある。
- 杭基礎は、地表から深いところに基礎地盤がある場合、基礎地盤に達する杭を打ってつくる基礎である。
- 杭基礎には既成杭基礎、鋼管矢板基礎などがある。
- 杭基礎の工法には、工場製品の杭を用いる既成杭工法と現地に杭穴を掘削してコンクリートを打設する場所打ち杭工法がある。
- バイブロハンマーは、既製杭を打ち込むために使われる杭打機であり、振動機を杭頭に取り付け、その振動と振動機の重力、杭の重量によって杭を地盤に押し込むものである。

例題3-12　令和4年度1級電気通信工事施工管理技術検定（第一次）問題B（選択）〔No.9〕 

土木構造物の基礎に関する記述として，**適当でないもの**はどれか。

(1) 直接基礎では，基礎地盤と基礎底面を密着させるため基礎地盤の掘削完了後は，基礎地盤面をならしコンクリートなどでおおい，基礎地盤面の乱れやゆるみを防止する。
(2) 杭基礎の工法には，工場製品の杭を用いる既製杭工法と現地に杭穴を掘削してコンクリートを打設する場所打ち杭工法がある。
(3) 直接基礎は，地表から比較的浅いところに基礎地盤がある場合，直接その基礎地盤の上につくる基礎である。
(4) アースオーガは，既製杭を打ち込むために使われる杭打ち機であり，振動機を杭頭にとりつけ，その振動と振動機の重量，杭の重量によって杭を地盤に押し込むものである。

正解：(4)

解説　(4) アースオーガは地面に穴を開ける建設機械である。記述の建設機械はバイブロハンマーである。

(5) 舗装

アスファルト舗装

- シールコートは、新たに施工する層（表層）の表面に施すコーティング剤である。
- タックコートは、表層とその下のアスファルト層（基層）を付着させるためのコーティング剤である。
- プライムコートは、基層とその下の路盤を付着させるためのコーティング剤である。

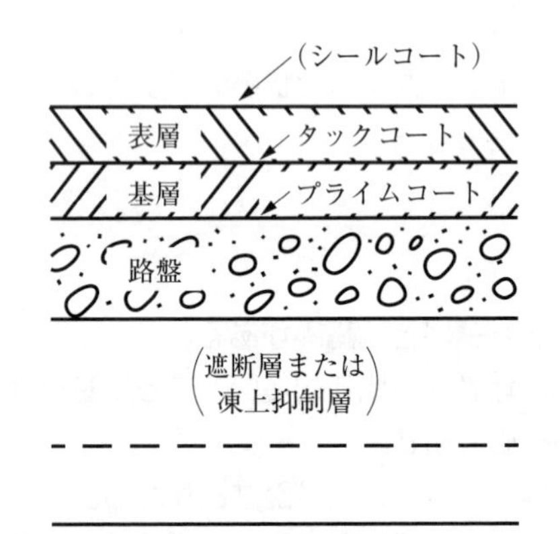

図3-12　アスファルト舗装のコーティング剤

(6) 土工

- 盛土は、原地盤上に土砂などを盛ることをいう。
- 切土は、原地盤を切り崩すことをいう。
- 法面は、盛土や切土によってできる斜面をいう。
- 法肩は、法面の最上部をいう。
- 法尻は、法面の最下部をいう。

(7) 土質材料

土粒子の大きさによる区分

- 土質材料は土粒子の大きさにより次のように区分されている。
  1. 粘土 ………………… 粒径0.005mm以下の粒子
  2. シルト …………… 粒径0.074～0.005mmの粒子
  3. 砂 …………………… 粒径2mm～0.074mmの粒子
  4. れき（礫）……… 粒径2mm以上の粒子
- 土質材料は小さい順に、粘土、シルト、砂、れき（礫）である。

3.6 雷保護・接地

雷保護とは、雷の被害から電気設備や電気通信設備を防護するための設備をいう。また、接地とは導体や機器などと大地を電気的に接続することをいい、アースともいう。

(1) 避雷設備（外部雷保護システム）

避雷設備の分野に関する要点と例題は次の通りである。

- 避雷設備（外部雷保護システム）とは、雷による電気設備、電気通信設備などに被害が及ぶのを防護する設備で、突心などの雷を受ける受雷部、受けた雷を接地極まで導く引下げ導体、雷による異常電圧・電流を大地に逃がす接地極などの接地システムにより構成されている。
- 受雷部システム：直撃雷を受け止める。突針、水平導体、メッシュ導体の各要素またはその組合せで構成。
- 保護角法：受雷部の上端から鉛直線に対して保護角を見込む稜線の内側を保護範囲とする方法。
- 保護角の大きさは、雷保護システム（LPS）保護レベルのクラスと受雷部の地上高により規定される。
- 回転球体法：2つ以上の受雷部に同時に接するように、または1つ以上の受雷部と大地面と同時に接するように球体を回転させたときに、球体表面の包絡面から被保護物側を保護範囲とする方法。
- 回転球体の半径は、雷保護システム（LPS）保護レベルのクラスにより規定される。
- メッシュ法：メッシュ導体で覆われた内側を保護範囲とする方法。
- メッシュの幅は、雷保護システム（LPS）保護レベルのクラスにより規定される。

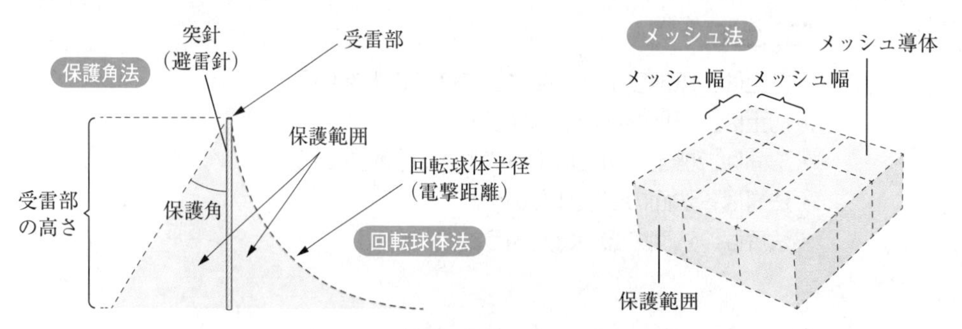

図3-13　外部雷保護システムの方法
（出典：一般社団法人日本雷保護システム工業会のWebサイト）

例題3-13　　令和元年度1級電気通信工事施工管理技術検定（学科）問題B（選択）〔No.10〕 

避雷設備（外部雷保護システム）に関する記述として，**適当でないもの**はどれか。

(1) 直撃雷を受け止める受雷部は，突針，水平導体，メッシュ導体の各要素又はその組合せで構成される。

(2) 保護角法は，受雷部の上端から鉛直線に対して保護角を見込む稜線の内側を保護範囲とする方法で，保護角は雷保護システム（LPS）のクラスと受雷部の地上高に準じて規定されている。

(3) 回転球体法は，2つ以上の受雷部に同時に接するように，又は1つ以上の受雷部と大地面と同時に接するように球体を回転させた時に，球体表面の包絡面から被保護物側を保護範囲とする方法で，球体の半径は雷保護システム（LPS）のクラスにより規定されている。

(4) メッシュ法は，メッシュ導体で覆われた内側を保護範囲とする方法で，メッシュの幅は保護する建築物の高さにより規定されている。

正解：(4)

解説　(4) メッシュの幅は雷保護システム（LPS）の保護レベルのクラスにより規定されている。

(2) 接地工事

接地工事は、電気設備の技術基準の解釈（電技解釈）によりA種、B種、C種、D種に区分されている。各接地工事の区分と規定された接地抵抗値は表3-5の通りである。

表3-5　接地工事の種類

接地工事	機械器具の区分	接地抵抗値
A種接地工事	高圧用	10Ω以下
B種接地工事	低圧電路と高圧電路が接触する際	計算値（※）
C種接地工事	300Vを超える低圧用	10Ω以下
D種接地工事	300V以下の低圧用	100Ω以下

※150÷特別高圧の電路の一線地絡電流
　一線地絡電流：電路の一線が地面と接触した際、地面側に流れる電流

- 等電位ボンディングとは、内部雷保護システムのうち、雷電流による離れた導電性部分間に発生する電位差を低減させるために、導電性部分間を直接導体により、あるいはサージ保護装置を介して行う接続である。

例題3-14　令和元年度2級電気通信工事施工管理技術検定（学科・後期）問題（選択）〔No.52〕 

「電気設備の技術基準の解釈」に規定されているA種接地工事の接地抵抗値として，**正しいもの**はどれか。

(1) 10Ω以下
(2) 100Ω以下
(3) 150Ω以下
(4) 500Ω以下

正解：(1)

解説　接地工事については、電気設備に関する技術基準を定める省令第10条、第11条に規定されている。また、電気設備の技術基準の解釈第17条（接地工事の種類及び施設方法）に、接地工事の種類（前出の表3-5）が規定されている。
したがって、電気設備の技術基準の解釈に規定されているA種接地工事の接地抵抗値として、正しい値は（1）10Ω以下である。

3.7 配電線路

(1) 架空配電線路

- ケッチヒューズは、柱上変圧器の2次側に設置して開閉動作や過負荷保護用として使用される高圧開閉器である。

例題3-15　令和4年度1級電気通信工事施工管理技術検定（第一次）問題B（選択）〔No.6〕 

架空配電線路に関する記述として，**適当でないもの**はどれか。

(1) がいしは，電線と支持物を絶縁するために用いるもので，使用電圧によって高圧がいしと低圧がいしがある。
(2) 柱上開閉器は，高圧配電線路の事故時又は作業時に，その部分だけを切り離すために用いる開閉器である。
(3) 柱上変圧器は，高圧配電線路の電圧を低圧に変えて，需要家に供給する変圧器である。
(4) ケッチヒューズは，柱上変圧器の一次側に設置して開閉動作や過負荷保護用として使用される高圧開閉器である。

正解：(4)

解説　(4) ケッチヒューズは柱上変圧器の2次側に設置される。

3.8 建築

(1) フレッシュコンクリートの性質

- コンシステンシーは、フレッシュコンクリートなどの変形または流動に対する抵抗性である。
- ポンパビリティーは、コンクリートポンプによる圧送のしやすさである。
- フィニッシャビリティーは、仕上げのしやすさを表す性質である。
- ワーカビリティーとは、練り混ぜ、運搬、打ち込み、締固め、仕上げなどの作業のしやすさを表す性質である。
- プラスティシティーとは、型につめやすく、粘りがあり、崩れたり、材料が分離したりすることのない性質である。

(2) 鉄筋コンクリート構造

- 圧縮力に強いコンクリートと引張力に強い鉄筋の特性を組み合わせた一体式構造である。
- 熱に弱い鉄筋をコンクリートで覆うことで耐火性を持たせている。
- コンクリートがアルカリ性であるため鉄筋をさびにくくしている。
- 中性化とは、コンクリートに大気中の二酸化炭素が侵入し、セメント水和物と炭酸化反応を起こすことによって、コンクリートのアルカリ性が失われていく現象のことである。
- 躯体の断面が大きく材料の質量が大きいので、建築物の重量が大きくなる。

例題3-16　令和4年度2級電気通信工事施工管理技術検定（第一次・後期）問題（選択）〔No.52〕

鉄筋コンクリート構造に関する記述として，**適当でないもの**はどれか。

(1) 圧縮力に強いコンクリートと，引張力に強い鉄筋の特性を組み合わせた一体式構造である。
(2) コンクリートが中性であるため鉄筋をさびにくくしている。
(3) 熱に弱い鉄筋をコンクリートで覆うことで耐火性を持たせている。
(4) 躯体の断面が大きく材料の質量が大きいので，建築物の自重が大きくなる。

正解：(2)

解説　コンクリートがアルカリ性であるため鉄筋をさびにくくしている。

(3) 建築構造

- ラーメン構造は、柱を鉛直方向、梁を水平方向に配置し接合部を強く固めた構造である。
- 壁式構造は、板状の壁と床を箱型に組み、建築物とした構造である。
- ブレース構造は、柱や梁などで構成された四角形の対角線上に部材を入れた構造である。
- アーチ構造は、湾曲した部材や石材、煉瓦を積み重ねて曲線状にした構造である。

例題3-17　令和4年度2級電気通信工事施工管理技術検定（学科・前期）問題（選択）〔No.52〕

建築構造の壁式構造に関する記述として，**適当なもの**はどれか。

(1) 板状の壁と床を箱形に組み，建築物とした構造である。
(2) 柱や梁などで構成された四角形の対角線上に部材を入れた構造である。
(3) 柱を鉛直方向，梁を水平方向に配置し接合部を強く固めた構造である。
(4) 湾曲した部材や石材，煉瓦を積み重ねて曲線状にした構造である。

正解：(1)

解説　(1) の記述の内容は壁式構造である。
(2) の記述の内容はブレース構造である。
(3) の記述の内容はラーメン構造である。
(4) の記述の内容はアーチ構造である。

第1章 建設業法

建設業法からは、用語の定義、建設業の許可、請負契約、元請負人の義務、施工体制台帳・体系図、主任技術者・監理技術者に関する事項が出題される。

1.1 用語の定義、許可、請負契約

(1) 建設業法の目的（法第1条）

- 建設業を営む者の資質の向上。
- 建設工事の請負契約の適正化。
- 建設工事の適正な施工の確保。
- 発注者の保護。
- 建設業の健全な発達。
- 公共の福祉の増進。

(2) 用語の定義（法第2条）

- 建設業：元請、下請問わず、建設工事の完成を請け負う営業。
- 建設業者：許可を受けて建設業を営む者。
- 下請契約：建設工事を他の者から請け負った建設業者と他の建設業者との間の請負契約。
- 発注者：建設工事（他の者から請け負ったものを除く）の注文者。
- 元請負人：下請契約における注文者で建設業者であるもの。
- 下請負人：下請契約における請負人。

(3) 建設業の許可（法3条、7条、15条）

- 国土交通大臣の許可：2つ以上の都道府県の区域内に営業所を設ける場合。
- 都道府県知事の許可：1つの都道府県の区域内にのみ営業所を設ける場合。
- 許可不要な軽微な建設工事：請負金額500万円（建築一式工事は1,500万円）未満。
- 特定建設業の許可：発注者から直接請け負う1件の建設工事につき、下請代金の総額が4,500万円（建築一式工事は7,000万円）以上となる下請契約を締結する場合。
- 一般建設業の許可：特定建設業以外の建設業の許可。
- 建設業の許可は、建設工事の種類ごとに、建設業に分けて与えられる。
- 建設業の許可は、5年ごとに更新を受けなければ、その効力を失う。
- 一般建設業の許可を受けた者が、特定建設業の許可を受けたときは、一般建設業の許可は効力を失う。

- 一般建設業の許可の基準：法人である場合においては当該法人又はその役員等若しくは政令で定める使用人が、個人である場合においてはその者又は政令で定める使用人が、請負契約に関して不正又は不誠実な行為をするおそれが明らかな者でないこと。（法第７条）
- 特定建設業の許可の基準：発注者との間の請負契約で、その請負代金の額が政令で定める金額（8000万円）以上であるものを履行するに足りる財産的基礎を有すること。（法第15条）
- 都道府県知事から許可を受けた建設業者は、許可を受けた都道府県と異なる都道府県での建設工事を行うことができる。

(4) 附帯工事（法第４条）

- 建設業者は、許可を受けた建設業に係る建設工事を請け負う場合においては、当該建設工事に附帯する他の建設業に係る建設工事を請け負うことができる。

(5) 下請契約の締結の制限（法第16条）

- 特定建設業の許可を受けた者でなければ、発注者から直接請け負う１件の建設工事につき、下請代金の総額が4,500万円（建築一式工事は7,000万円）以上となる下請契約を締結してはならない。

(6) 建設工事の請負契約

建設工事の請負契約の原則（法第18条）

- 建設工事の請負契約の当事者は、各々の対等な立場における合意に基づいて公正な契約を締結し、信義に従って誠実にこれを履行しなければならない。

建設工事の請負契約の内容（法第19条）

- 建設工事の請負契約の当事者は、契約の締結に際して、定められた事項を書面に記載し、署名又は記名押印をして相互に交付しなければならない。

著しく短い工期の禁止（法第19条の5）

- 注文者は、その注文した建設工事を施工するために通常必要と認められる期間に比して著しく短い期間を工期とする請負契約を締結してはならない。

契約の保証（法第21条）

- 建設工事の請負契約において請負代金の全部又は一部の前金払をする定がなされたときは、注文者は、建設業者に対して前金払をする前に、保証人を立てることを請求することができる。

(7) 現場代理人の選任等に関する通知(法第19条の2)

- 請負人は、現場代理人を置く場合は、現場代理人に関する事項を、書面により注文者に通知しなければならない。
- 注文者は、監督員を置く場合においては、監督員に関する事項を、書面により請負人に通知しなければならない。

(8) 不当な扱いの禁止

不当に低い請負代金の禁止(第19条の3)

- 注文者は、自己の取引上の地位を不当に利用して、通常必要と認められる原価に満たない金額を請負代金の額とする請負契約を締結してはならない。

不当な使用資材等の購入強制の禁止(第19条の4)

- 注文者は、請負契約の締結後、自己の取引上の地位を不当に利用して、資材若しくは機械器具又はこれらの購入先を指定し、請負人に購入させて、利益を害してはならない。

(9) 建設工事の見積り

建設工事の見積り等(法第20条)

- 建設業者は、建設工事の請負契約を締結するに際して、工事内容に応じ、工事の種別ごとに材料費、労務費その他の経費の内訳を明らかにして、建設工事の見積りを行うよう努めなければならない。
- 建設業者は、建設工事の注文者から請求があったときは、請負契約が成立するまでの間に、建設工事の見積書を交付しなければならない。
- 建設工事の注文者は、できる限り具体的な内容を提示し、かつ、建設業者が見積りをするために必要な一定の期間を設けなければならない。

建設工事の見積期間(令第6条)

- 法第20条第3項に規定する見積期間は、次に掲げる通りとする。ただし、やむを得ない事情があるときは、第1号及び第2号の期間は、5日以内に限り短縮することができる。
  - 工事一件の予定価格が500万円未満の工事：1日以上
  - 工事一件の予定価格が500万円以上5,000万円未満の工事：10日以上
  - 工事一件の予定価格が5,000円以上の工事：15日以上

(10) 請負契約とみなす場合(法第24条)

- 委託を含めその他どんな名義であっても、報酬を得て建設工事の完成を目的として締結する契約は、建設工事の請負契約とみなす。

例題 1-1　令和4年度 2級電気通信工事施工管理技術検定（第一次・後期）問題（選択）〔No.34〕 

建設工事の請負契約に関する記述として，「建設業法」上，**誤っているもの**はどれか。

(1) 請負人は，請負契約の履行に関し工事現場に現場代理人を置く場合においては，現場代理人に関する事項を書面により注文者に通知しなければならない。
(2) 委託その他いかなる名義をもってするかを問わず，報酬を得て建設工事の完成を目的として締結する契約は，工事の請負契約とみなして，建設業法の規定が適用される。
(3) 建設業者は，建設工事の注文者から請求があったときは，請負契約の締結後速やかに建設工事の見積書を交付しなければならない。
(4) 注文者は，その注文した建設工事を施工するために通常必要と認められる期間に比して著しく短い期間を工期とする請負契約を締結してはならない。

正解：(3)

解説　請負契約が成立するまでの間に見積書を交付しなければならない。

例題 1-2　令和元年度 2級電気通信工事施工管理技術検定（学科・後期）問題（選択）〔No.33〕 

建設工事の請負契約に関する記述として，「建設業法令」上，**正しいもの**はどれか。

(1) 建設業者は，建設工事の注文者から請求があったときは，請負契約が成立するまでの間に，建設工事の見積書を交付しなければならない。
(2) 請負人は，請負契約の履行に関し工事現場に現場代理人を置く場合は，書面により注文者の承諾を得なければならない。
(3) 電気通信工事の施工にあたり，1次下請の建設業者が総額3,500万円以上の下請契約を締結する場合，その1次下請の建設業者は特定建設業の許可を受けていなければならない。
(4) 元請負人は，下請負人より建設工事の完成通知を受けた日から30日以内に完成検査を完了しなければならない。

正解：(1)

解説
(1) 建設業法第20条の通り。
(2) 建設業法第19条の2の通り、請負人は、請負契約の履行に関し工事現場に現場代理人を置く場合は、現場代理人に関する事項を、書面により注文者に通知しなければならない。
(3) 建設業法第16条及び建設業法施行令第2条の通り、電気通信工事の施工にあたり、発注者から直接請け負う建設業者が総額4,500万円以上の下請契約を締結する場合、特定建設業の許可を受けていなければならない。
(4) 建設業法第24条の4第1項（1.2の（5）参照）の通り、元請負人は、下請負人より建設工事の完成通知を受けた日から20日以内に完成検査を完了しなければならない。

1.2 下請契約、元請負人の義務

(1) 一括下請負の禁止(法第22条)

- 建設業者は、請け負った建設工事を、いかなる方法を持ってするかを問わず、一括して他人に請け負わせてはならない。
- 建設業を営む者は、建設業者から当該建設業者の請け負った建設工事を一括して請け負ってはならない。
- 多数の者が利用する施設又は工作物に関する重要な建設工事以外の建設工事である場合で、あらかじめ発注者の書面による承諾を得たときは、一括下請負の禁止の規定は、適用しない。

(2) 下請負人の変更請求(法第23条)

- 注文者は、請負人に対して、著しく不適当と認められる下請負人があるときは、変更を請求することができる。ただし、あらかじめ注文者の書面による承諾を得て選定した下請負人については、この限りでない。

(3) 下請負人の意見の聴取(法第24条の2)

- 元請負人は、建設工事に必要な工程の細目、作業方法その他元請負人において定めるべき事項を定めようとするときは、あらかじめ、下請負人の意見をきかなければならない。

(4) 下請代金の支払法(法第24条の3)

- 元請負人は、請負代金の支払を受けたときは、下請負人に対して、支払を受けた日から1月以内で、かつ、できる限り短い期間内に支払わなければならない。
- 元請負人は、前払金の支払を受けたときは、下請負人に対して、資材の購入、労働者の募集その他建設工事の着手に必要な費用を前払金として支払うよう適切な配慮をしなければならない。

(5) 検査及び引渡し(法第24条の4)

- 元請負人は、下請負人から完成の通知を受けたときは、通知を受けた日から20日以内で、かつ、できる限り短い期間内に、完成を確認するための検査を完了しなければならない。
- 元請負人は、建設工事の完成を確認した後、下請負人が申し出たときは、直ちに、当該建設工事の目的物の引渡しを受けなければならない。ただし、完成から20日を経過した日以前に引渡しを受ける特約がされている場合は、この限りでない。

(6) 特定建設業者の下請代金の支払期日等（法第24条の6）

- 特定建設業者が注文者の下請代金の支払期日は、下請負人の申出の日から50日を経過する日以前において、かつ、できる限り短い期間内において定められなければならない。
- 特定建設業者は、当該特定建設業者が注文者となった下請契約に係る下請代金の支払につき、当該下請代金の支払期日までに一般の金融機関（預金又は貯金の受入れ及び資金の融通を業とする者をいう。）による割引を受けることが困難であると認められる手形を交付してはならない。

(7) 下請負人に対する特定建設業者の指導等（法第24条の7）

- 発注者から直接建設工事を請け負った特定建設業者は、当該建設工事の下請負人が、法令の規定に違反しないよう、指導に努めるものとする。
- 特定建設業者は、下請負人である建設業者が規定に違反していると認めたときは、建設業者に対し、違反している事実を指摘して、是正を求めるように努めるものとする。
- 建設業者が是正しないときは、特定建設業者は、許可をした国土交通大臣・都道府県知事又は建設工事の区域都道府県知事に、速やかに、通報しなければならない。

例題 1-3　令和元年度1級電気通信工事施工管理技術検定（学科）問題A（選択）〔No.46〕 

元請負人の義務に関する記述として，「建設業法」上，**誤っているもの**はどれか。

(1) 元請負人は，その請け負った建設工事を施工するために必要な工程の細目，作業方法その他元請負人において定めるべき事項を定めようとするときは，あらかじめ，発注者の意見をきかなければならない。
(2) 元請負人は，前払金の支払を受けたときは，下請負人に対して，資材の購入，労働者の募集その他建設工事の着手に必要な費用を前払金として支払うよう適切な配慮をしなければならない。
(3) 元請負人は，下請負人からその請け負った建設工事が完成した旨の通知を受けたときは，当該通知を受けた日から20日以内で，かつ，できる限り短い期間内に，その完成を確認するための検査を完了しなければならない。
(4) 元請負人は，下請契約において引渡しに関する特約がされている場合を除き，完成を確認するための検査によって建設工事の完成を確認した後，下請負人が申し出たときは，直ちに，当該建設工事の目的物の引渡しを受けなければならない。

正解：(1)

解説
(1) 建設業法第24条の2の通り、元請負人は、その請け負った建設工事を施工するために必要な工程の細目、作業方法その他元請負人において定めるべき事項を定めようとするときは、あらかじめ、下請負人の意見をきかなければならない。
(2) 建設業法第24条の3第2項の通り。
(3) 建設業法第24条の4第1項の通り。
(4) 建設業法第24条の4第2項の通り。

例題 1-4　令和元年度 2級電気通信工事施工管理技術検定（学科・前期）問題（選択）〔No.34〕

建設工事における元請負人と下請負人の関係に関する記述として，「建設業法令」上，**誤っているもの**はどれか。

(1) 下請工事の予定価格が300万円に満たないため，元請負人が下請負人に対して，当該工事の見積期間を1日とした。
(2) 追加工事等の発生により当初の請負契約の内容に変更が生じたので，追加工事等の着工前にその変更契約を締結した。
(3) 下請契約締結後に元請負人が下請負人に対し，資材購入先を一方的に指定し，下請負人に予定より高い価格で資材を購入させた。
(4) 元請負人は，見積条件を提示のうえ見積を依頼した建設業者から示された見積金額で当該建設業者と下請契約を締結した。

正解：(3)

解説

(1) 建設業法第20条及び建設業法施行令6条に下請工事の予定価格が500万円未満の工事の見積期間は1日以上と規定されている。
(2) 建設業法第19条第2項の通り。
(3) 建設業法第19条の4の通り、注文者は請負人に対し、資材購入先を一方的に指定し、請負人に予定より高い価格で資材を購入させてはならない。
(4) 建設業法第20条第1項の通り。

例題 1-5　令和元年度 2級電気通信工事施工管理技術検定（学科・後期）問題（選択）〔No.34〕

建設工事における元請負人と下請負人の関係に関する記述として，「建設業法」上，**誤っているもの**はどれか。

(1) 元請負人は，前払い金の支払いを受けたときは，下請負人に対して，建設工事の着手に必要な費用を前払金として支払うよう適切な配慮をしなければならない。
(2) 元請負人は，請け負った建設工事の施工に必要な工程の細目，作業方法等を定めようとするときは，あらかじめ，下請負人から意見をきかなければならない。
(3) 元請負人は，請負代金の工事完成後における支払いを受けたときは，下請負人に対して，下請代金を，当該支払いを受けた日から2ヶ月以内に支払わなければならない。
(4) 元請負人は，検査によって，下請負人の建設工事の完成を確認したのち，下請負人が申し出たときは，直ちに，当該建設工事の目的物の引渡しを受けなければならない。

正解：(3)

解説

(1) 建設業法第24条の3第2項の通り。
(2) 建設業法第24条の2の通り。
(3) 建設業法第24条の3第1項に元請負人は、請負代金の工事完成後における支払いを受けたときは、下請負人に対して、下請代金を、当該支払いを受けた日から1月以内に支払わなければならないと規定されている。

(4) 建設業法第24条の4第2項の通り。

1.3 施工体制台帳、体系図、技術者の設置

(1) 施工体制台帳及び施工体系図の作成等（法第24条の8）

- 特定建設業者は、発注者から直接建設工事を請け負った場合において、締結した下請契約の請負代金の総額が4,500万円（建築一式工事は7,000万円）以上になるときは、施工体制台帳を作成し、工事現場ごとに備え置かなければならない。施工体系図を作成し、工事現場の見やすい場所に掲げなければならない。
- 前項の建設工事の下請負人は、建設工事を他の建設業者に請け負わせたときは、特定建設業者に対して、他の建設業者の商号又は名称、建設工事の内容及び工期他の事項を通知しなければならない。
- 特定建設業者は、発注者から請求があったときは、施工体制台帳を閲覧に供しなければならない。
- 施工体制台帳の備置き施工体系図の掲示は、建設工事の目的物の引渡しをするまで行わなければならない。
- 施工体制台帳の記載事項
  1. 作成建設業者に関する次に掲げる事項
     - 許可を受けて営む建設業の種類
     - 健康保険等の加入状況
  2. 下請負人に関する次に掲げる事項
     - 商号又は名称及び住所
     - 当該下請負人が建設業者であるときは、その者の許可番号及びその請け負った建設工事に係る許可を受けた建設業の種類
     - 健康保険等の加入状況

例題 1-6　令和2年度 2級電気通信工事施工管理技術検定（学科・後期）問題（選択）〔No.35〕

施工体制台帳の記載事項として,「建設業法令」上, **誤っているもの**はどれか。

(1) 作成建設業者の許可を受けて営む建設業の種類
(2) 下請負人の資本金
(3) 作成建設業者の健康保険等の加入状況
(4) 下請負人の健康保険等の加入状況

正解：(2)

解説　「下請負人の資本金」は、施工体制台帳の記載事項に該当しない。

(2) 主任技術者及び監理技術者の設置等(法第26条)

- 建設業者は、請け負った建設工事を施工するときは、主任技術者を置かなければならない。
- 発注者から直接建設工事を請け負った特定建設業者は、下請契約の請負代金の総額が4,500万円(建築一式工事は7,000万円)以上になる場合は、監理技術者を置かなければならない。
- 公共性のある施設若しくは工作物又は多数の者が利用する施設若しくは工作物に関する重要な建設工事は、主任技術者又は監理技術者は、工事現場ごとに専任の者でなければならない。
- 専任の者でなければならない監理技術者は、監理技術者資格者証の交付者であって、国土交通大臣の登録を受けた講習を受講したもののうちから選任しなければならない。
- 監理技術者は、発注者から請求があつたときは、監理技術者資格者証を提示しなければならない。
- 1級電気通信工事施工管理技士の資格を有する者は、電気通信工事の監理技術者になることができる。
- 2級電気通信工事施工管理技士の資格を有する者は、電気通信工事の主任技術者になることができる。
- 第3級陸上特殊無線技士の資格を有する者は、電気通信工事の主任技術者になるための要件を満たしていない。
- 2級土木施工管理技士の資格を有する者は、電気通信工事の営業所ごとに置かなければならない専任の技術者になることはできない。

例題 1-7　令和2年度 2級電気通信工事施工管理技術検定(学科・後期)問題(選択)〔No.33〕 

建設工事の現場に配置する技術者に関する記述として,「建設業法令」上,**誤っているもの**はどれか。

(1) 発注者から直接建設工事を請け負った特定建設業者は,その下請契約の請負代金の総額が政令で定める金額以上になる場合は,当該工事現場に主任技術者を配置しなければならない。
(2) 2級電気通信工事施工管理技士の資格を有する者は,電気通信工事の主任技術者になることができる。
(3) 工事現場における建設工事の施工に従事する者は,主任技術者又は監理技術者がその職務として行う指導に従わなければならない。
(4) 主任技術者及び監理技術者は,当該建設工事の施工計画の作成,工程管理,品質管理その他の技術上の管理を行わなければならない。

正解:(1)

解説　主任技術者ではなく監理技術者を配置しなければならない。

(3) 専任の主任技術者又は監理技術者を必要とする建設工事（令第27条）

- 専任の主任技術者又は監理技術者を必要とする建設工事は、工事1件の請負代金の額が4,000万円（建築一式工事は8,000万円）以上のもの。
- 建設工事のうち密接な関係のある2以上の建設工事を同一の建設業者が同一の場所又は近接した場所において施工するものについては、同一の専任の主任技術者が管理することができる。

例題 1-8　　令和4年度 1級電気通信工事施工管理技術検定（第一次）問題A（選択）〔No.47〕 

建設工事現場に配置する主任技術者及び監理技術者に関する記述として，「建設業法令」上，**誤っているもの**はどれか。

(1) 発注者から直接建設工事を請け負った特定建設業者は，当該建設工事を施工するために締結した下請契約の請負代金の総額が政令で定める金額以上になる場合は監理技術者を当該工事現場に置かなければならない。
(2) 注文者が国である建設工事の場合は工事1件の請負代金の額にかかわらず，注文者から直接建設工事を請け負った建設業者は，工事現場ごとに置く主任技術者又は監理技術者を専任の者としなければならない。
(3) 主任技術者及び監理技術者は，当該建設工事の施工計画の作成，工程管理，品質管理その他の技術上の管理及び当該建設工事の施工に従事する者の技術上の指導監督を行わなければならない。
(4) 工事現場における建設工事の施工に従事する者は，主任技術者又は監理技術者がその職務として行う指導に従わなければならない。

正解：(2)

解説　注文者が国であっても、工事1件の請負代金の額により、工事現場ごとに置く主任技術者又は監理技術者は専任の者としなければならない。

(4) 主任技術者及び監理技術者の職務等（法第26条の4）

- 主任技術者及び監理技術者は、建設工事の施工計画の作成、工程管理、品質管理その他の技術上の管理及び建設工事に従事する者の技術上の指導監督の職務を誠実に行わなければならない。
- 建設工事の施工に従事する者は、主任技術者又は監理技術者が職務として行う指導に従わなければならない。

(5) 標識の記載事項及び様式（法施行規則第25条）

- 建設業者が掲げる標識には、店舗には下記の1～4、建設工事の現場には1～5までに掲げる事項を記載しなくてはならない。
  1. 一般建設業又は特定建設業の別

2. 許可年月日、許可番号及び許可を受けた建設業
3. 商号又は名称
4. 代表者の氏名
5. 主任技術者又は監理技術者の氏名

例題 1-9　令和元年度 1 級電気通信工事施工管理技術検定（学科）問題A（選択）〔No.47〕 

建設業者が建設工事現場に掲げなければならない標識の記載事項に関する記述として，「建設業法令」上，**誤っているもの**はどれか。

(1) 一般建設業又は特定建設業の別
(2) 許可年月日，許可番号及び許可を受けた建設業
(3) 主任技術者又は監理技術者の氏名
(4) 健康保険等の加入状況

正解：(4)

解説　標識の記載事項は、建設業法施行規則第25条の通り。
(4) 健康保険等の加入状況は、記載事項に該当しない。

(6) 監理技術者資格者証

監理技術者資格者証の交付（法第27条の18）

国土交通大臣は、監理技術者資格を有する者の申請により、その申請者に対して、監理技術者資格者証を交付する。

2　資格者証には、交付を受ける者の氏名、交付の年月日、交付を受ける者が有する監理技術者資格、建設業の種類その他の国土交通省令で定める事項（生年月日、本籍、住所等）を記載するものとする。

3　第1項の場合において、申請者が2以上の監理技術者資格を有する者であるときは、これらの監理技術者資格を合わせて記載した資格者証を交付するものとする。

4　資格者証の有効期間は、5年とする。

5　資格者証の有効期間は、申請により更新する。

6　第4項の規定は、更新後の資格者証の有効期間について準用する。

例題 1-10　令和2年度 1級電気通信工事施工管理技術検定（学科）問題A（選択）〔No.47〕

国土交通大臣が交付する監理技術者資格者証に関する記述として，「建設業法令」上，**誤っているもの**はどれか。

(1) 申請者が2以上の監理技術者資格を有する者であるときは，これらの監理技術者資格を合わせて記載した監理技術者資格者証が交付される。
(2) 監理技術者資格者証を保有する者の申請により更新される更新後の監理技術者資格者証の有効期間は，3年である。
(3) 監理技術者資格者証には，交付を受ける者の氏名，生年月日，本籍及び住所が記載されている。
(4) 監理技術者資格を有する者の申請により監理技術者資格者証が交付されるが，その有効期間は，5年である。

正解：(2)

解説　(2) 申請により更新される資格者証の有効期間は5年である。

第2章 労働関連の法規

労働基準法からは、労働時間、休憩、休日、年少者、労働災害補償などが、労働安全衛生法からは、事業所単位の安全管理体制、現場単位の安全管理体制、作業主任者、安全衛生教育に関する事項が出題される。

2.1 労働基準法

(1)労働条件

労働条件の明示(法第15条)

- 使用者は、労働契約の締結に際し、労働者に対して賃金、労働時間その他の労働条件を明示しなければならない。
- 賃金及び労働時間に関する事項その他については、書面の交付により明示しなければならない。
- 明示された労働条件が事実と相違する場合においては、労働者は、即時に労働契約を解除することができる。

書面の交付により明示しなければならない労働条件(令第5条)

- 労働契約の期間に関する事項。
- 期間の定めのある労働契約を更新する場合の基準に関する事項。
- 就業の場所及び従事すべき業務に関する事項。
- 始業及び終業の時刻、所定労働時間を超える労働の有無、休憩時間、休日、休暇並びに労働者を二組以上に分けて就業させる場合における就業時転換に関する事項。
- 賃金の決定、計算及び支払の方法、賃金の締切り及び支払の時期、昇給に関する事項。
- 退職に関する事項。

使用者が定めをする場合において明示すべき労働条件(令第5条)

- 退職手当に関する事項。
- 臨時に支払われる賃金、賞与等に関する事項。
- 労働者に負担させるべき食費、作業用品その他に関する事項。
- 安全及び衛生に関する事項。
- 職業訓練に関する事項。
- 災害補償及び業務外の傷病扶助に関する事項。
- 表彰及び制裁に関する事項。
- 休職に関する事項。

解雇の予告(法第20条)

- 使用者は、労働者を解雇しようとする場合においては、少くとも30日前にその予告をしなければならない。30日前に予告をしない使用者は、30日分以上の平均賃金を支払わなければならない。但し、天災事変その他やむを得ない事由のために事業の継続が不可能となった場合又は労働者の責に帰すべき事由に基いて解雇する場合においては、この限りでない。

例題2-1　令和元年度1級電気通信工事施工管理技術検定(学科)問題A(選択)〔No.48〕 

労働契約の締結に際し，使用者が労働者に対して必ず書面の交付により明示しなければならない労働条件に関する記述として，「労働基準法令」上，**誤っているもの**はどれか。

(1) 労働契約の期間に関する事項
(2) 職業訓練に関する事項
(3) 始業及び終業の時刻に関する事項
(4) 退職に関する事項

正解：(2)

解説 労働契約の締結に際し、使用者が明示しなければならない労働条件に関する事項は、労働基準法施行規則第5条に規定されている。また、労働条件は、必ず書面の交付により明示しなければならない労働条件と、定めがある場合に書面の交付により明示しなければならない労働条件に分けられる。

(2) 職業訓練に関する事項は、必ず書面の交付により明示しなければならない労働条件に該当せず、定めがある場合に書面の交付により明示しなければならない労働条件に該当する。

(2) 労働時間、休憩、休日

労働時間(法第32条)

- 使用者は、労働者に、休憩時間を除き1週間について40時間を超えて、労働させてはならない。
- 使用者は、1週間の各日については、労働者に、休憩時間を除き1日について8時間を超えて、労働させてはならない。

休憩(法第34条)

- 使用者は、労働時間が6時間を超える場合においては少くとも45分、8時間を超える場合においては少くとも1時間の休憩時間を労働時間の途中に与えなければならない。

休日(法第35条)

- 使用者は、労働者に対して、毎週少くとも1回の休日を与えなければならない。
- 前項の規定は、4週間を通じ4日以上の休日を与える使用者については適用しない。

年次有給休暇（法第39条）

- 使用者は、その雇入れの日から起算して6箇月間継続勤務し全労働日の8割以上出勤した労働者に対して、継続し、又は分割した10労働日の有給休暇を与えなければならない。

例題2-2　　令和元年度 2級電気通信工事施工管理技術検定（学科・前期）問題（選択）〔No.36〕 

> 労働時間，休日，休暇に関する記述として，「労働基準法」上，**誤っているもの**はどれか。
>
> (1) 使用者は，労働者に，休憩時間を除き1週間について48時間を超えて，労働させてはならない。
> (2) 使用者は，1週間の各日については，労働者に，休憩時間を除き1日について8時間を超えて，労働させてはならない。
> (3) 使用者は，労働者に対して，毎週少くとも1回の休日を与えなければならない。この規定は，4週間を通じ4日以上の休日を与える使用者については適用しない。
> (4) 使用者は，その雇入れの日から起算して6箇月以上継続勤務し全労働日の8割以上出勤した労働者に対し有給休暇を与えなければならない。

正解：(1)

解説

(1) 労働基準法第32条にある通り、使用者は、労働者に、休憩時間を除き1週間について40時間を超えて、労働させてはならない。
(2) 労働基準法第32条第2項の通り。
(3) 労働基準法第35条の通り。
(4) 労働基準法第39条の通り。

(3) 年少者・女性

最低年齢（法第56条）

- 使用者は、児童が満15歳に達した日以後の最初の3月31日が終了するまで、これを使用してはならない。

年少者の証明書（法第57条）

- 使用者は、満18歳に満たない者について、その年齢を証明する戸籍証明書を事業場に備え付けなければならない。

未成年者の労働契約（法第58条、59条）

- 親権者又は後見人は、未成年者に代つて労働契約を締結してはならない。
- 未成年者は、独立して賃金を請求することができる。親権者又は後見人は、未成年者の賃金を代って受け取つてはならない。
- 親権者若しくは後見人又は行政官庁は、労働契約が未成年者に不利であると認める場合においては、将来に向つてこれを解除することができる。

深夜業（法第61条）

- 使用者は、満18才に満たない者を午後10時から午前5時までの間において使用してはならない。ただし、交替制によって使用する満16才以上の男性については、この限りでない。

危険有害業務の就業制限（法第62条）

- 使用者は、満18才に満たない者に、省令で定める危険な業務、重量物を取り扱う業務に就かせてはならない。

坑内労働の禁止（法第63条）

- 使用者は、満18才に満たない者を坑内で労働させてはならない。

危険有害業務の就業制限（法第64条の3）

- 使用者は、妊娠中の女性及び産後1年を経過しない女性を、重量物を取り扱う業務、有害ガスを発散する場所における業務その他妊産婦の妊娠、出産、哺育等に有害な業務に就かせてはならない。

年少者の就業制限の業務の範囲（年少者労働基準規則第8条）

法第62条第1項の厚生労働省令で定める危険な業務及び同条第2項の規定により満18歳に満たない者を就かせてはならない業務は、次の各号に掲げるものとする（抜粋）。

- ボイラーの取扱いの業務
- ボイラーの溶接の業務
- クレーン、デリック又は揚貨装置の運転の業務
- 最大積載荷重が2トン以上の人荷共用若しくは荷物用のエレベーター又は高さが15メートル以上のコンクリート用エレベーターの運転の業務
- 動力により駆動される軌条運輸機関、乗合自動車又は最大積載量が2トン以上の貨物自動車の運転の業務
- 動力により駆動される巻上げ機（電気ホイスト及びエアホイストを除く。）、運搬機又は索道の運転の業務
- 直流にあっては750ボルトを、交流にあっては300ボルトを超える電圧の充電電路又はその支持物の点検、修理又は操作の業務
- 運転中の原動機又は原動機から中間軸までの動力伝導装置の掃除、給油、検査、修理又はベルトの掛換えの業務
- クレーン、デリック又は揚貨装置の玉掛けの業務（2人以上の者によって行う玉掛けの業務における補助作業の業務を除く。）
- 最大消費量が毎時400リットル以上の液体燃焼器の点火の業務
- 動力により駆動される土木建築用機械又は船舶荷扱用機械の運転の業務
- 土砂が崩壊するおそれのある場所又は深さが5メートル以上の地穴における業務
- 高さが5メートル以上の場所で、墜落により労働者が危害を受けるおそれのあるところにおける業務
- 足場の組立、解体又は変更の業務（地上又は床上における補助作業の業務を除く。）

- 火薬、爆薬又は火工品を製造し、又は取り扱う業務で、爆発のおそれのあるもの
- 危険物を製造し、又は取り扱う業務で、爆発、発火又は引火のおそれのあるもの
- 圧縮ガス又は液化ガスを製造し、又は用いる業務
- さく岩機、鋲打機等身体に著しい振動を与える機械器具を用いて行う業務
- 強烈な騒音を発する場所における業務

例題2-3　令和4年度 2級電気通信工事施工管理技術検定（第一次・後期）問題（選択）〔No.36〕 

満18歳に満たない者を就かせてはならない業務として，「労働基準法令」上，**誤っているもの**はどれか。

(1) 交流200Vの電圧の充電電路の点検の業務
(2) 深さが5mの地穴における業務
(3) クレーンの運転の業務
(4) 足場の組立の業務（地上又は床上における補助作業の業務を除く。）

正解：(1)

解説　直流は750Vを交流は300Vを超える電圧の充電電路又はその支持物の点検、修理又は操作の業務が、満18歳未満の者を就かせてはならない業務に該当する。

(4) 労働災害補償

療養補償（法第75条）

- 労働者が業務上負傷し、又は疾病にかかった場合は、使用者は療養補償で必要な療養を行うか、必要な療養の費用を負担しなければならない。

休業補償（法第76条）

- 労働者が業務上の負傷、又は疾病の療養のため、労働することができないために賃金を受けない場合においては、使用者は、労働者の療養中平均賃金の100分の60の休業補償を行わなければならない。

障害補償（法第77条）

- 労働者が業務上負傷し、又は疾病にかかり、治った場合において、その身体に障害が存するときは、使用者は、その障害の程度に応じて、障害補償を行わなければならない。

休業補償及び障害補償の例外（法第78条）

- 労働者が重大な過失によって業務上負傷し、又は疾病にかかり、且つ使用者がその過失について行政官庁の認定を受けた場合においては、休業補償又は障害補償を行わなくてもよい。

遺族補償(法第79条)

- 労働者が業務上死亡した場合においては、使用者は、遺族に対して、平均賃金の1,000日分の遺族補償を行わなければならない。

葬祭料(法第80条)

- 労働者が業務上死亡した場合においては、使用者は、葬祭を行う者に対して、平均賃金の60日分の葬祭料を支払わなければならない。

打切補償(法第81条)

- 療養補償を受ける労働者が、療養開始後3年を経過しても負傷又は疾病がなおらない場合においては、使用者は、平均賃金の1,200日分の打切補償を行い、その後はこの法律の規定による補償を行わなくてもよい。

補償を受ける権利(法第83条)

- 補償を受ける権利は、労働者の退職によって変更されることはない。

例題2-4　令和4年度 2級電気通信工事施工管理技術検定(第一次・後期)問題(選択)〔No.37〕 

労働者が業務上負傷し，又は疾病にかかった場合の災害補償に関する記述として，「労働基準法」上，**正しいもの**はどれか。

(1) 使用者は，労働者の療養中平均賃金に等しい額の休業補償を行わなければならない。
(2) 労働者が業務上負傷し，治った場合において，その身体に障害が残ったときは，使用者はその障害が最も重度な場合に限って障害補償を行わなければならない。
(3) 労働者が重大な過失によって業務上負傷し，且つ使用者がその過失について産業医の認定を受けた場合においては，休業補償又は障害補償を行わなくてもよい。
(4) 補償を受ける権利は，労働者の退職によって変更されることはない。

正解：(4)

解説

(1) 平均賃金の60%の休業補償を行わなければならない。
(2) 障害の程度に応じて障害補償を行わなければならない。
(3) 行政官庁の認定を受けた場合においては、休業補償又は障害補償を行わなくてもよい。
(4) 正しい。

(5) 賃金

男女同一賃金の原則(法第4条)

使用者は、労働者が女性であることを理由として、賃金について、男性と差別的取扱いをしてはならない。

賠償予定の禁止（法第16条）
使用者は、労働契約の不履行について違約金を定め、又は損害賠償額を予定する契約をしてはならない。

例題2-5　令和3年度 2級電気通信工事施工管理技術検定（第一次・前期）問題（選択）〔No.37〕

労働契約に関する次の記述の［　　］に当てはまる語句の組合せとして，「労働基準法」上，**正しいもの**はどれか。
「使用者は，労働契約の不履行について［ ア ］を定め，又は［ イ ］を予定する契約をしてはならない。」

	（ア）	（イ）
(1)	違約金	損害賠償額
(2)	違約金	労働期間の延長
(3)	科料	損害賠償額
(4)	科料	労働期間の延長

正解：(1)

解説　使用者は、労働契約の不履行について違約金を定め、又は損害賠償額を予定する契約をしてはならない。

前借金相殺の禁止（法第17条）
使用者は、前借金その他労働することを条件とする前貸の債権と賃金を相殺してはならない。

賃金の支払（法第24条）
賃金は、通貨で、直接労働者に、その全額を支払わなければならない。ただし、法令若しくは労働協約に別段の定めがある場合又は厚生労働省令で定める賃金について確実な支払の方法で厚生労働省令で定めるものによる場合においては、通貨以外のもので支払い、また、法令に別段の定めがある場合又は当該事業場の労働者の過半数で組織する労働組合があるときはその労働組合、労働者の過半数で組織する労働組合がないときは労働者の過半数を代表する者との書面による協定がある場合においては、賃金の一部を控除して支払うことができる。
2　賃金は、毎月1回以上、一定の期日を定めて支払わなければならない。ただし、臨時に支払われる賃金、賞与その他これに準ずるもので厚生労働省令で定める賃金（臨時の賃金等という。）については、この限りでない。

非常時払（法第25条）
使用者は、労働者が出産、疾病、災害その他厚生労働省令で定める非常の場合の費用に充てるために請求する場合においては、支払期日前であっても、既往の労働に対する賃金を支払わなければならない。

出来高払制の保障給（法第27条）

出来高払制その他の請負制で使用する労働者については、使用者は、労働時間に応じ一定額の賃金の保障をしなければならない。

(6) 労働者名簿、賃金台帳

労働者名簿（法第107条）

使用者は、各事業場ごとに労働者名簿を、各労働者（日日雇い入れられる者を除く。）について調製し、労働者の氏名、生年月日、履歴その他厚生労働省令で定める事項を記入しなければならない。

2　前項の規定により記入すべき事項に変更があつた場合においては、遅滞なく訂正しなければならない。

賃金台帳（法108条）

使用者は、各事業場ごとに賃金台帳を調製し、賃金計算の基礎となる事項及び賃金の額その他厚生労働省令で定める事項を賃金支払の都度遅滞なく記入しなければならない。

記録の保存（法第109条）

使用者は、労働者名簿、賃金台帳及び雇入れ、解雇、災害補償、賃金その他労働関係に関する重要な書類を5年間保存しなければならない。

例題2-6　令和4年度 2級電気通信工事施工管理技術検定（第一次・前期）問題（選択）〔No.37〕 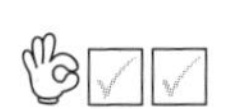

労働者に支払う賃金に関する記述として，「労働基準法」上，**誤っているもの**はどれか。

(1) 使用者は，労働者が女性であることを理由として，賃金について，男性と差別的取扱いをしてはならない。
(2) 使用者は，前借金その他労働することを条件とする前貸の債権と賃金を相殺することができる。
(3) 賃金は臨時の賃金等を除き，毎月1回以上，一定の期日を定めて支払わなければならない。
(4) 使用者の責に帰すべき事由による休業の場合においては，使用者は，休業期間中当該労働者に，その平均賃金の100分の60以上の手当を支払わなければならない。

正解：(2)

解説　使用者は、前借金その他労働することを条件とする前貸の債権と賃金を相殺してはならない。

(7) 就業規則

作成及び届出の義務（法第89条）

常時10人以上の労働者を使用する使用者は、次に掲げる事項について就業規則を作成し、行政官庁に届け出なければならない。次に掲げる事項を変更した場合においても、同様とする。

1. 始業及び終業の時刻、休憩時間、休日、休暇並びに労働者を2組以上に分けて交替に就業させる場合においては就業時転換に関する事項。
2. 賃金（臨時の賃金等を除く。以下この号において同じ。）の決定、計算及び支払の方法、賃金の締切り及び支払の時期並びに昇給に関する事項。
3. 退職に関する事項（解雇の事由を含む。）。
   3の2　退職手当の定めをする場合においては、適用される労働者の範囲、退職手当の決定、計算及び支払の方法並びに退職手当の支払の時期に関する事項。
4. 臨時の賃金等（退職手当を除く。）及び最低賃金額の定めをする場合においては、これに関する事項。
5. 労働者に食費、作業用品その他の負担をさせる定めをする場合においては、これに関する事項。
6. 安全及び衛生に関する定めをする場合においては、これに関する事項。
7. 職業訓練に関する定めをする場合においては、これに関する事項。
8. 災害補償及び業務外の傷病扶助に関する定めをする場合においては、これに関する事項。
9. 表彰及び制裁の定めをする場合においては、その種類及び程度に関する事項。
10. 前各号に掲げるものの他、当該事業場の労働者のすべてに適用される定めをする場合においては、これに関する事項。

例題2-7　令和2年度 2級電気通信工事施工管理技術検定（学科・後期）問題（選択）〔No.36〕 

就業規則に必ず記載しなければならない事項として，「労働基準法」上，**誤っているもの**はどれか。

(1) 賃金（臨時の賃金等を除く。）の決定に関する事項
(2) 始業及び終業の時刻に関する事項
(3) 福利厚生施設に関する事項
(4) 退職に関する事項（解雇の事由を含む。）

正解：(3)

解説　福利厚生施設に関する事項は、就業規則に必ず記載しなければならない事項に該当しない。

2.2 労働安全衛生法

(1) 事業所単位の安全管理体制

総括安全衛生管理者（法第10条）

・事業者は、常時100人以上の労働者を使用する建設業の事業場ごとに、総括安全衛

生管理者を選任し、安全管理者、衛生管理者又は技術的事項を管理する者の指揮をさせるとともに、次の業務を統括管理させなければならない。

1. 労働者の危険又は健康障害を防止するための措置に関すること。
2. 労働者の安全又は衛生のための教育の実施に関すること。
3. 健康診断の実施その他健康の保持増進のための措置に関すること。
4. 労働災害の原因の調査及び再発防止対策に関すること。
5. 前各号に掲げるものの他、労働災害を防止するため必要な業務で、厚生労働省令で定めるもの。

安全管理者（法第11条）

- 事業者は、常時50人以上の労働者を使用する建設業の事業場ごとに、安全管理者を選任し、安全に係る技術的事項を管理させなければならない。
- 労働基準監督署長は、労働災害を防止するため必要があると認めるときは、事業者に対し、安全管理者の増員又は解任を命ずることができる。

衛生管理者（法第12条）

- 事業者は、常時50人以上の労働者を使用する建設業の事業場ごとに、衛生管理者を選任し、衛生に係る技術的事項を管理させなければならない。
- 労働基準監督署長は、労働災害を防止するため必要があると認めるときは、事業者に対し、衛生管理者の増員又は解任を命ずることができる。

安全衛生推進者等（法第12条の2則第12条の2）

- 事業者は、常時10人以上50人未満の労働者を使用する建設業の事業場ごとに、安全衛生推進者を選任しなければならない。

産業医等（法第13条）

- 事業者は、常時50人以上の労働者を使用する建設業の事業場ごとに、医師のうちから産業医を選任し、労働者の健康管理等を行わせなければならない。

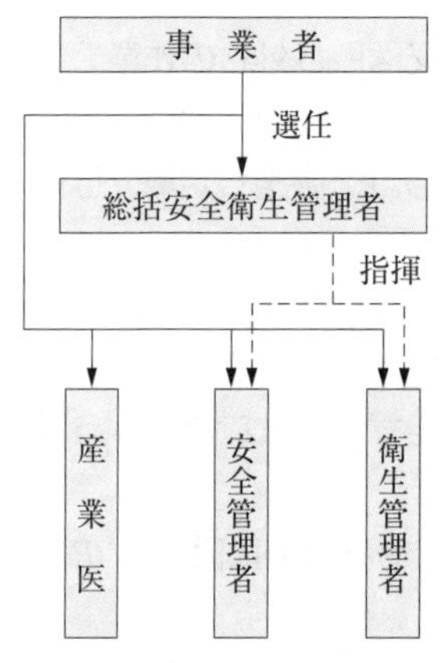

図2-1　常時100人以上の労働者を使用する建設業の事業場ごとの安全管理体制

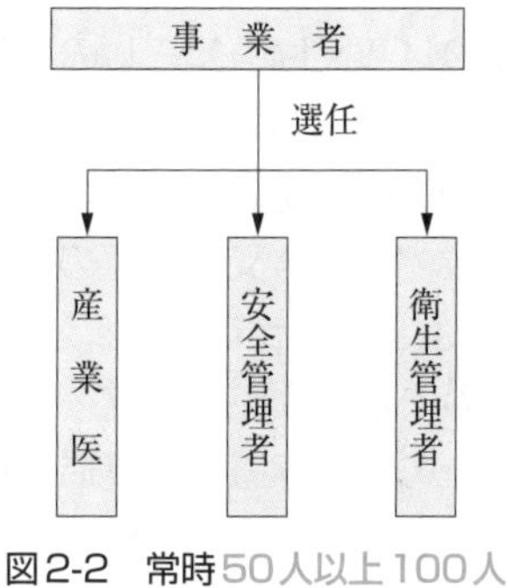

図2-2　常時50人以上100人未満の労働者を使用する建設業の事業場ごとの安全管理体制

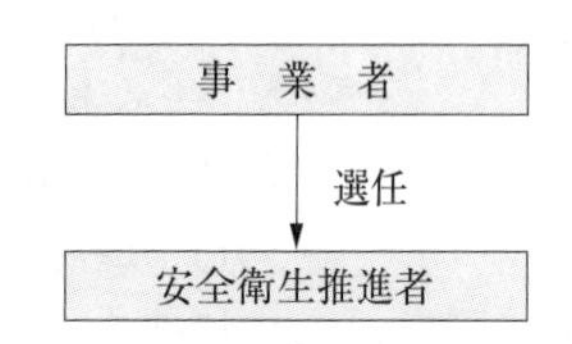

図2-3　常時10人以上50人未満の労働者を使用する建設業の事業場ごとの安全管理体制

例題2-8　令和元年度1級電気通信工事施工管理技術検定（学科）問題A（選択）〔No.51〕 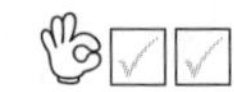

総括安全衛生管理者が行う統括管理の業務として，「労働安全衛生法」上，**誤っているもの**はどれか。

(1) 健康診断の実施その他健康の保持促進のための措置に関すること。
(2) 工事遅延の原因の調査及び再発防止対策に関すること。
(3) 労働者の危険又は健康障害を防止するための措置に関すること。
(4) 労働者の安全又は衛生のための教育の実施に関すること。

正解：(2)

解説　総括安全衛生管理者が行う統括管理の業務については、労働安全衛生法第10条に、規定されている。

(2) 工事遅延の原因の調査及び再発防止対策に関することは、総括安全衛生管理者が行う統括管理の業務に該当しない。

(2) 作業主任者

作業主任者（法第14条）

- 事業者は、労働災害を防止するための管理を必要とする作業については、都道府県労働局長の免許を受けた者又は都道府県労働局長の登録を受けた者が行う技能講習を修了した者のうちから、作業主任者を選任し、労働者の指揮その他の事項を行わせなければならない。

作業主任者を選任すべき主な作業（令第6条）

- アセチレン溶接装置又はガス集合溶接装置を用いて行う金属の溶接、溶断又は加熱の作業。
- 掘削面の高さが2m以上となる地山の掘削（ずい道及びたて坑以外の坑の掘削を除く。）の作業。
- 土止め支保工の切りばり又は腹起こしの取付け又は取り外しの作業。
- 型枠支保工の組立て又は解体の作業。
- つり足場（ゴンドラのつり足場を除く。以下同じ。）、張出し足場又は高さが5m以上の構造の足場の組立て、解体又は変更の作業。
- 建築物の骨組み又は塔であって、金属製の部材により構成されるもの（その高さが5m以上であるものに限る。）の組立て、解体又は変更の作業。
- 軒の高さが5m以上の木造建築物の構造部材の組立て又はこれに伴う屋根下地若しくは外壁下地の取付けの作業。
- コンクリート造の工作物（その高さが5m以上であるものに限る。）の解体又は破壊の作業。
- 酸素欠乏危険場所における作業。
- 石綿等を取り扱う作業他。

例題2-9　令和元年度1級電気通信工事施工管理技術検定（学科）問題A（選択）〔No.50〕 

作業主任者の選任を必要とする作業に関する記述として，「労働安全衛生法令」上，**誤っているもの**はどれか。

(1) 掘削面の高さが1mの地山の掘削（ずい道及びたて坑以外の坑の掘削を除く。）の作業
(2) 土止め支保工の切りばり又は腹起こしの取付け作業
(3) 高さが5mの無線通信用鉄塔の組立て作業
(4) 地下に設置されたマンホール内の通信ケーブル敷設作業

正解：(1)

解説　作業主任者の選任を必要とする作業は、労働安全衛生法施行令第6条に、規定されている。

（1）掘削面の高さが1mではなく2m以上の地山の掘削（ずい道及びたて坑以外の坑の掘削を除く。）の作業が、作業主任者の選任を必要とする作業に該当する。

（3）建設現場単位の安全管理体制

統括安全衛生責任者（法第15条）

- 特定元方事業者は、常時50人以上（ずい道・橋梁の建設は30人）の労働者が1の場所において作業を行うときは、統括安全衛生責任者を選任し、元方安全衛生管理者の指揮、統括管理をさせなければならない。

元方安全衛生管理者（法第15条の2）

- 統括安全衛生責任者を選任した事業者で、政令で定めるものは、元方安全衛生管理者を選任し、技術的事項を管理させなければならない。

元方安全衛生管理者の資格（則第18条の4）

- 大学又は高等専門学校における正規の課程を修めた者で、3年以上の実務経験を有するもの。
- 高等学校又は中等教育学校において正規の学科を修めた者で、5年以上の実務経験を有するもの。

店社安全衛生管理者（法第15条の3）

- 建設業に属する事業の元方事業者は、常時50人未満の労働者が1の場所において作業を行うときは、店社安全衛生管理者を選任しなければならない。

店社安全衛生管理者の資格（則第18条の7）

- 大学又は高等専門学校を卒業した者で、3年以上の実務経験を有するもの。
- 高等学校又は中等教育学校を卒業した者で、5年以上の実務経験を有するもの。
- 8年以上の実務経験を有する者。

安全衛生責任者（法第16条）

- 統括安全衛生責任者を選任すべき事業者以外の請負人で、自ら行うものは、安全衛生責任者を選任し、統括安全衛生責任者との連絡他の事項を行わせなければならない。
- 安全衛生責任者を選任した請負人は、特定元方事業者に対し、遅滞なく、その旨を通報しなければならない。

店社安全衛生管理者の職務（則第18条の8）

- 少なくとも毎月1回、労働者が作業を行う場所を巡視すること。
- 労働者の作業の種類その他作業の実施の状況を把握すること。
- 協議組織の会議に随時参加すること。
- 工程計画及び機械、設備等の配置計画に関し措置が講ぜられていることについて確認すること。

安全衛生責任者の職務（則第19条）

- 統括安全衛生責任者との連絡。
- 統括安全衛生責任者から連絡を受けた事項の関係者への連絡。
- 統括安全衛生責任者からの連絡事項のうち当該請負人に係るものの実施管理。
- 請負人が作成する計画と特定元方事業者が作成する計画との整合性の確保を図るための統括安全衛生責任者との調整。
- 当該請負人の労働者の行う作業及び当該労働者以外の者の行う作業によって生ずる労働災害に係る危険の有無の確認。
- 仕事の一部を他の請負人に請け負わせている場合における他の請負人の安全衛生責任者との作業間の連絡及び調整。

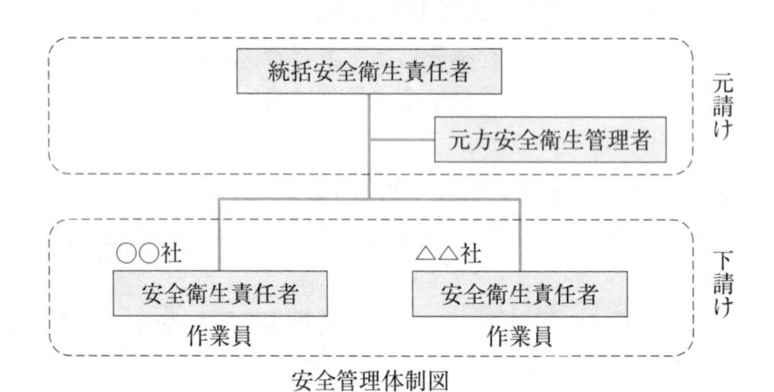

図2-4　常時50人以上の労働者を使用する建設業の現場ごとの安全管理体制

特定元方事業者等の講ずべき措置（法第30条）

- 協議組織の設置及び運営を行うこと。
- 作業間の連絡及び調整を行うこと。
- 作業場所を巡視すること。
- 関係請負人が行う安全又は衛生のための教育に対する指導及び援助。
- 工程計画、機械、設備等の配置計画の作成、関係請負人が講ずべき措置についての指導。
- 労働災害を防止するため必要な事項。

例題2-10　令和元年度 2級電気通信工事施工管理技術検定（学科・後期）問題（選択）〔No.39〕

店社安全衛生管理者の選任条件に関する次の記述の［　　］に当てはまる語句の組合せとして，「労働安全衛生法令」上，**正しいもの**はどれか。

「学校教育法による大学又は高等専門学校を卒業した者で，その後［ア］以上建設工事の施工における［イ］の実務に従事した経験を有するもの」

	（ア）	（イ）
(1)	1年	安全衛生
(2)	1年	施工管理
(3)	3年	安全衛生
(4)	3年	施工管理

正解：(3)

解説　労働安全衛生法により、店社安全衛生管理者の選任条件として定められているのは、「学校教育法による大学又は高等専門学校を卒業した者で，その後3年以上建設工事の施工における安全衛生の実務に従事した経験を有するもの」である。店社安全衛生管理者の資格については、労働安全衛生規則第18条の7に規定されている。

(4) 安全衛生教育

安全衛生教育（法第59条）

- 事業者は、労働者を雇い入れたとき、労働者の作業内容を変更したときは、安全又は衛生のための教育を行なわなければならない。
- 事業者は、危険又は有害な業務に労働者をつかせるときは、安全又は衛生のための特別の教育を行なわなければならない。

職長教育（法第60条）

- 事業者は、新たに職務につくこととなった職長その他の作業中の労働者を直接指導又は監督する者（作業主任者を除く。）に対し、次の事項について、安全又は衛生のための教育を行なわなければならない。
  1. 作業方法の決定及び労働者の配置に関すること。
  2. 労働者に対する指導又は監督の方法に関すること。
  3. 労働災害を防止するため必要な事項で、異常時等における措置に関することなど。

特別教育を必要とする業務（則第36条）

法第59条第3項の厚生労働省令で定める危険又は有害な業務は、次の通りとする。（抜粋）

- アーク溶接機を用いて行う金属の溶接、溶断等の業務
- 高圧若しくは特別高圧の充電電路若しくは当該充電電路の支持物の敷設、点検、修理若しくは操作の業務

- 低圧の充電電路の敷設若しくは修理の業務は配電盤室、変電室等区画された場所に設置する低圧の電路のうち充電部分が露出している開閉器の操作の業務
- 対地電圧が50ボルトを超える低圧の蓄電池を内蔵する自動車の整備の業務
- 最大荷重1トン未満のフォークリフトの運転（道路上を走行させる運転を除く。）の業務
- 作業床の高さが10m未満の高所作業車の運転（道路上を走行させる運転を除く。）の業務
- つり上げ荷重が1トン未満の移動式クレーンの運転（道路上を走行させる運転を除く。）の業務
- つり上げ荷重が1トン未満のクレーン、移動式クレーン又はデリックの玉掛けの業務
- ゴンドラの操作の業務
- 酸素欠乏危険場所における作業に係る業務。
- 特定粉じん作業（設備による注水又は注油をしながら行う粉じん則第３条各号に掲げる作業に該当するものを除く。）に係る業務
- 石綿障害予防規則第４条第１項に掲げる作業に係る業務
- 足場の組立て、解体又は変更の作業に係る業務（地上又は堅固な床上における補助作業の業務を除く。）
- 高さが２メートル以上の箇所であって作業床を設けることが困難なところにおいて、昇降器具（労働者自らの操作により上昇し、又は下降するための器具であって、作業箇所の上方にある支持物にロープを緊結してつり下げ、当該ロープに労働者の身体を保持するための器具を用いて、労働者が当該昇降器具により身体を保持しつつ行う作業（40度未満の斜面における作業を除く。以下「ロープ高所作業」という。）に係る業務
- 高さが２メートル以上の箇所であって作業床を設けることが困難なところにおいて、墜落制止用器具のうちフルハーネス型のものを用いて行う作業に係る業務（前号に掲げる業務を除く。）

例題2-11　令和4年度 1級電気通信工事施工管理技術検定（第一次）問題B（選択）〔No.27〕 

労働者を業務に従事させるにあたり特別教育が必要な業務として，「労働安全衛生法令」上，**誤っているもの**はどれか。

(1) つり上げ荷重が0.5tのクレーンの玉掛けの業務
(2) 高圧の充電電路の点検の業務
(3) つり上げ荷重が1tの移動式クレーンの運転の業務（道路上を走行させる運転を除く。）
(4) 作業床の高さが8mの高所作業車の運転の業務（道路上を走行させる運転を除く。）

正解：(3)

解説　特別教育が必要な業務は、つり上げ荷重が1トン未満の移動式クレーンの運転（道路上を走行させる運転を除く。）の業務である。

例題2-12　令和2年度 2級電気通信工事施工管理技術検定（学科・後期）問題（選択）〔No.39〕 

特別教育を必要とする業務として，「労働安全衛生法令」上，**誤っているもの**はどれか。

(1) 低圧（交流100V）の充電電路の敷設の業務
(2) つり上げ荷重が5トンのクレーンの玉掛けの業務
(3) 作業床の高さが8mの高所作業車の運転の業務（道路上を走行させる運転を除く。）
(4) 高圧の充電電路の支持物の敷設の業務

正解：(2)

解説　つり上げ荷重1t以上のクレーンの玉掛けの業務は、特別教育ではなく技能講習が必要である。

玉掛けの業務の就業制限

区分	技能講習	特別教育
つり上げ荷重1t以上	○	×
つり上げ荷重1t未満	○	○

(5) 快適な職場環境の形成のための措置

事業者の講ずる措置（法第71条の2）

・事業者は、事業場における安全衛生の水準の向上を図るため、次の措置を継続的かつ計画的に講ずることにより、快適な職場環境を形成するように努めなければならない。
1. 作業環境を快適な状態に維持管理するための措置
2. 労働者の従事する作業について、その方法を改善するための措置
3. 作業に従事することによる労働者の疲労を回復するための施設又は設備の設置又は整備
4. 前3号に掲げるものの他、快適な職場環境を形成するため必要な措置

例題2-13　令和4年度 2級電気通信工事施工管理技術検定（第一次・後期）問題（選択）〔No.39〕 

事業者が継続的かつ計画的に講じなければならない快適な職場環境の形成のための措置として，「労働安全衛生法」上，**誤っているもの**はどれか。

(1) 作業環境を快適な状態に維持管理するための措置
(2) 労働者の従事する作業について，その方法を改善するための措置
(3) 作業に従事することによる労働者の疲労を回復するための施設又は設備の設置又は整備
(4) 労働者の救護に関し必要な事項についての訓練

正解：(4)

解説　労働者の救護に関し必要な事項についての訓練は、快適な職場環境の形成のための措置として規定されていない。

第3章 道路・河川関連の法規

道路法からは道路占用の許可と道路工事実施の方法について、河川法からは、土地の占用の許可や工作物の新築等の許可に関する事項が出題される。

3.1 道路法

(1) 道路占用の許可と許可基準

道路の占用の許可（法第32条）

- 道路に次に掲げる工作物、物件又は施設を設け、継続して道路を使用しようとする場合、道路管理者の許可を受けなければならない。
  1. 電柱、電線、変圧塔、郵便差出箱、公衆電話所、広告塔その他これらに類する工作物
  2. 水管、下水道管、ガス管その他これらに類する物件
  3. 鉄道、軌道その他これらに類する施設
  4. 歩廊、雪よけその他これらに類する施設
  5. 地下街、地下室、通路、浄化槽その他これらに類する施設
  6. 露店、商品置場その他これらに類する施設
  7. 道路の構造又は交通に支障を及ぼすおそれのある工作物、物件又は施設で政令で定めるもの
- 許可を受けようとする者は、次に掲げる事項を記載した申請書を道路管理者に提出しなければならない。
  1. 道路の占用の目的
  2. 道路の占用の期間
  3. 道路の占用の場所
  4. 工作物、物件又は施設の構造
  5. 工事実施の方法
  6. 工事の時期
  7. 道路の復旧方法

道路の占用の許可基準（法第33条）

- 道路管理者は、道路の敷地外に余地がないためにやむを得ないものであり、かつ、政令で定める基準に適合する場合に限り、許可を与えることができる。

例題3-1　令和元年度２級電気通信工事施工管理技術検定（学科・前期）問題（選択）〔No.40〕

道路占用許可申請書の記載事項として，「道路法」上，**定められているもの**はどれか。

(1) 交通規制の方法　　(2) 施設の維持管理方法
(3) 施設の点検方法　　(4) 道路の復旧方法

正解：(4)

解説　(4) 道路の復旧方法は、道路法第32条第２項第７号に規定されている。それ以外は規定されていない。

(2) 工事実施の方法に関する基準

工事実施の方法に関する基準（令第13条）

- 道路の占用の許可の政令で定める基準は、次のとおりとする。
  1. 占用物件の保持に支障を及ぼさないために必要な措置を講ずること。
  2. 道路を掘削する場合においては、溝掘、つぼ掘又は推進工法その他これに準ずる方法によるものとし、えぐり掘の方法によらないこと。
     （えぐり掘とは、開口部に対して底部を広げるようにして掘削する方法で、土砂崩落事故が発生しやすく、かつ埋戻し時に空隙ができやすいので禁止されている）
  3. 路面の排水を妨げない措置を講ずること。
  4. 原則として、道路の一方の側は、常に通行することができることとすること。
  5. 工事現場においては、さく又は覆いの設置、夜間における赤色灯又は黄色灯の点灯その他道路の交通の危険防止のために必要な措置を講ずること。
  6. 電線、水管、下水道管、ガス管若しくは石油管が地下に設けられていると認められる場所又はその付近を掘削する工事にあっては、保安上の支障のない場合を除き、次のいずれにも適合するものであること。
     イ 試掘その他の方法により当該電線等を確認した後に実施すること。
     ロ 当該電線等の管理者との協議に基づき、当該電線等の移設又は防護、工事の見回り又は立会いその他の保安上必要な措置を講ずること。
     ハ ガス管又は石油管の付近において、火気を使用しないこと。

例題3-2　　令和元年度1級電気通信工事施工管理技術検定（学科）問題A（選択）〔No.52〕 

道路占用工事における工事実施方法に関する記述として，「道路法令」上，**誤っているもの**はどれか。

(1) 道路の一方の側は，常に通行することができるようにする。
(2) 工事現場においては，さく又は覆いの設置，夜間における赤色灯又は黄色灯の点灯その他道路の交通の危険防止のために必要な措置を講ずる。
(3) 路面の排水を妨げない措置を講ずる。
(4) 道路を掘削する場合は，溝掘，えぐり掘又は推進工法その他これに準ずる方法により掘削する。

正解：(4)

解説　道路占用工事における工事実施方法に関する事項については、道路法施行令第13条に、規定されている。

(4) 道路法施行令第13条により、道路を掘削する場合においては、溝掘、つぼ掘又は推進工法その他これに準ずる方法によるものとし、えぐり掘の方法によらないことと規定されている。

3.2 河川法

(1) 用語の定義

河川管理の原則等（法第2条）

- 河川は、公共用物であって、その保全、利用その他の管理は、前条の目的が達成されるように適正に行なわれなければならない。

河川及び河川管理施設（法第3条）

- この法律において「河川」とは、一級河川及び二級河川をいい、これらの河川に係る河川管理施設を含むものとする。

一級河川（法第4条）

- この法律において「一級河川」とは、国土保全上又は国民経済上特に重要な水系で政令で指定したものに係る河川（公共の水流及び水面をいう。以下同じ。）で国土交通大臣が指定したものをいう。

二級河川（法第5条）

- この法律において「二級河川」とは、一級河川以外の水系で公共の利害に重要な関係があるものに係る河川で都道府県知事が指定したものをいう。

一級河川の管理（法第９条）

- 一級河川の管理は、国土交通大臣が行なう。

二級河川の管理（法第１０条）

- 二級河川の管理は、当該河川の存する都道府県を統轄する都道府県知事が行なう。

土地の占用の許可（法第２４条）

- 河川区域内の土地を占用しようとする者は、河川管理者の許可を受けなければならない。

占用施設（河川敷地占用許可準則第７）

- 占用の許可が必要な施設である占用施設は、水道管、下水道管、ガス管、電線、鉄塔、電話線、電柱、情報通信又は放送用ケーブルその他これらに類する施設ほかをいう。

例題3-3　令和3年度 2級電気通信工事施工管理技術検定（第一次・後期）問題（選択）〔No.40〕 

「河川法」に関する記述として，**誤っているもの**はどれか。

(1) 2級河川は，市町村長が管理する。
(2) 河川法上の河川には，ダム，堰，堤防などの河川管理施設も含まれる。
(3) 1級河川は，国土保全上又は国民経済上特に重要な水系に係る河川で，国土交通大臣が指定した河川である。
(4) 河川は，公共用物である。

正解：(1)

解説　２級河川は都道府県知事が管理する。

(2) 土砂採取・新築・掘削等の許可

土石等の採取の許可（法第２５条）

- 河川区域内の土地において土石（砂を含む。以下同じ。）を採取しようとする者は、河川管理者の許可を受けなければならない。
- 河川区域内の土地において土石以外の河川の産出物で政令で指定したもの（竹木、あし、かやその他これらに類するもの）を採取しようとする者も、河川管理者の許可を受けなければならない。

工作物の新築等の許可（法第２６条）

- 河川区域内の土地において工作物を新築し、改築し、又は除却しようとする者は、河川管理者の許可を受けなければならない。
- 河川の河口附近の海面において河川の流水を貯留し、又は停滞させるための工作物を新築し、改築し、又は除却しようとする者も、河川管理者の許可を受けなければならない。

土地の掘削等の許可（法第27条）

- 河川区域内の土地において土地の掘削、盛土若しくは切土その他土地の形状を変更する行為又は竹木の栽植若しくは伐採をしようとする者は、河川管理者の許可を受けなければならない。ただし、政令で定める軽易な行為については、この限りでない。

河川区域における土地の掘削等で許可を要しないもの（令第15条の4）

- 河川区域における土地の掘削等で許可を要しない軽易な行為は、次に掲げるものとする。
  1. 河川管理施設の敷地から10m以上離れた土地における耕耘
  2. 許可を受けて設置された取水施設又は排水施設の機能を維持するために行う取水口又は排水口の付近に積もつた土砂等の排除
  3. 地形、地質、河川管理施設及びその他の施設の設置状況その他の状況からみて、竹木の現に有する治水上又は利水上の機能を確保する必要があると認められる区域として河川管理者が指定した区域及び樹林帯区域以外の土地における竹木の伐採
  4. 河川管理者が治水上及び利水上影響が少ないと認めて指定した行為

例題3-4　令和4年度1級電気通信工事施工管理技術検定（第一次）問題A（選択）〔No.53〕 

河川管理者の許可が必要な事項に関する記述として，「河川法」上，**正しいもの**はどれか。

(1) 河川区域の上空に，光ファイバケーブルを横断して新設する場合は，河川管理者の許可を受ける必要はない。
(2) 河川区域内における電柱の新設について河川管理者の許可を受けている場合は，その電柱を施工するための土地の掘削に関して新たに許可を受ける必要はない。
(3) 河川区域内の民有地に一時的な仮設工作物として現場事務所を設置する場合は，河川管理者の許可を受ける必要はない。
(4) 河川区域内で河川管理者の許可を受けて設置した送電鉄塔を撤去する場合は，河川管理者の許可を受ける必要はない。

正解：(2)

解説　(1)(3)(4)は、河川管理者の許可が必要である。

第4章 電気通信・無線関連の法規

電気通信事業法からは、電気通信設備や電気通信役務などの用語の定義などが、有線電気通線設備令からは、電線や支持物などの用語の定義、架空電線の高さなどが、電波法からは、工事設計等の変更、変更等の検査、変更検査、目的外使用の禁止などに関する事項が、無線設備規則からは、周波数安定のための条件に関する事項が出題される。

4.1 電気通信事業法

(1) 用語の定義

用語の定義(法第2条)

- 電気通信：有線、無線その他の電磁的方式により、符号、音響又は影像を送り、伝え、又は受けること。
- 電気通信設備：電気通信を行うための機械、器具、線路その他の電気的設備。
- 電気通信役務：電気通信設備を用いて他人の通信を媒介し、その他電気通信設備を他人の通信の用に供すること。
- 電気通信事業：電気通信役務を他人の需要に応ずるために提供する事業。
- 電気通信事業者：電気通信事業を営むことについて、登録を受けた者及び届出をした者。
- 電気通信業務：電気通信事業者の行う電気通信役務の提供の業務。

例題4-1　令和元年度1級電気通信工事施工管理技術検定（学科）問題A（選択）〔No.54〕 

「電気通信事業法」で規定されている用語に関する記述として，**正しいもの**はどれか。

(1) 電気通信とは，有線，無線その他の電磁的方式により，符号，音響又は影像を送り，伝え，又は情報を処理することをいう。
(2) 電気通信設備とは，電気通信を行うための機械，器具，線路その他の電気的設備をいう。
(3) 電気通信事業とは，電気通信回線設備を他人の需要に応ずるために提供する事業をいう。
(4) 電気通信業務とは，電気通信事業者の行う電気通信設備の維持及び運用の提供の業務をいう。

正解：(2)

解説
(1) 電気通信とは、電気通信事業法第2条により、有線、無線その他の電磁的方式により、符号、音響又は影像を送り、伝え、又は受けることをいう。
(2) 電気通信設備とは、電気通信事業法第2条により、電気通信を行うための機械、器具、線路その他の電気的設備をいう。

(3) 電気通信事業とは、電気通信事業法第２条により、電気通信役務を他人の需要に応ずるために提供する事業をいう。

(4) 電気通信業務とは、電気通信事業法第２条により、電気通信事業者の行う電気通信役務の提供の業務をいう。

(2) 故障検出

故障検出（事業用電気通信設備規則第５条）

- 事業用電気通信設備は、電源停止、共通制御機器の動作停止その他電気通信役務の提供に直接係る機能に重大な支障を及ぼす故障等の発生時には、これを直ちに検出し、当該事業用電気通信設備を維持し、又は運用する者に通知する機能を備えなければならない。

例題4-2　令和元年度２級電気通信工事施工管理技術検定（学科・前期）問題（選択）〔No.41〕

事業用電気通信設備の故障検出に関する次の記述の［　　］に当てはまる語句の組合せとして，「電気通信事業法令」上，**正しいもの**はどれか。

「事業用電気通信設備は，電源停止，共通制御機器の動作停止その他電気通信役務の提供に直接係る機能に重大な支障を及ぼす故障等の発生時には，これを直ちに［ア］，当該事業用電気通信設備を維持し，又は［イ］に通知する機能を備えなければならない。」

	（ア）	（イ）
(1)	検出し	運用する者
(2)	検出し	利用する者
(3)	記録し	運用する者
(4)	記録し	利用する者

正解：(1)

解説　事業用電気通信設備規則第５条（故障検出）の規定の通り。

(3) 電気通信事業者の責務

検閲の禁止（法第３条）

- 電気通信事業者の取扱中に係る通信は、検閲してはならない。

秘密の保護（法第４条）

- 電気通信事業者の取扱中に係る通信の秘密は、侵してはならない。

　２　電気通信事業に従事する者は、在職中電気通信事業者の取扱中に係る通信に関して知り得た他人の秘密を守らなければならない。その職を退いた後においても、同様とする。

利用の公平（法第６条）

- 電気通信事業者は、電気通信役務の提供について、不当な差別的取扱いをしてはならない。

基礎的電気通信役務の提供（法第７条）

- 基礎的電気通信役務（国民生活に不可欠であるためあまねく日本全国における提供が確保されるべきものとして総務省令で定める電気通信役務をいう。）を提供する電気通信事業者は、その適切、公平かつ安定的な提供に努めなければならない。

重要通信の確保（法第８条）

- 電気通信事業者は、天災、事変その他の非常事態が発生し、又は発生するおそれがあるときは、災害の予防若しくは救援、交通、通信若しくは電力の供給の確保又は秩序の維持のために必要な事項を内容とする通信を優先的に取り扱わなければならない。公共の利益のため緊急に行うことを要するその他の通信であって総務省令で定めるものについても、同様とする。

電気通信事業の登録（法第９条）

- 電気通信事業を営もうとする者は、総務大臣の登録を受けなければならない。

例題4-3　令和４年度２級電気通信工事施工管理技術検定（第一次・後期）問題（選択）〔No.41〕 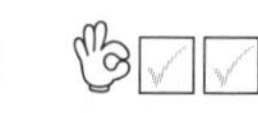

「電気通信事業法」に関する記述として，**誤っているもの**はどれか。

(1) 電気通信事業者の取扱中に係る通信は，検閲しなければならない。
(2) 基礎的電気通信役務を提供する電気通信事業者は，その適切，公平かつ安定的な提供に努めなければならない。
(3) 電気通信事業者の取扱中に係る通信の秘密は，侵してはならない。
(4) 電気通信事業者は，電気通信役務の提供について，不当な差別的取扱いをしてはならない。

正解：(1)

解説　電気通信事業者の取扱中に係る通信は、検閲してはならない。

4.2　有線電気通信設備令

(1) 用語の定義

用語の定義（令第１条）

- 電線：有線電気通信を行うための導体（絶縁物又は保護物で被覆されている場合は、これらの物を含む。）であって、強電流電線に重畳される通信回線に係るもの以外のもの。

- 絶縁電線：絶縁物のみで被覆されている電線。
- ケーブル：光ファイバ並びに光ファイバ以外の絶縁物及び保護物で被覆されている電線。
- 強電流電線：強電流電気の伝送を行うための導体（絶縁物又は保護物で被覆されている場合は、これらの物を含む）。
- 線路：送信の場所と受信の場所との間に設置されている電線及びこれに係る中継器その他の機器（これらを支持し、又は保蔵するための工作物を含む）。
- 支持物：電柱、支線、つり線その他電線又は強電流電線を支持するための工作物。
- 離隔距離：線路と他の物体（線路を含む。）とが気象条件による位置の変化により最も接近した場合におけるこれらの物の間の距離。
- 音声周波：周波数が200Hzを超え、3,500Hz以下の電磁波。
- 高周波：周波数が3,500Hzを超える電磁波。
- 絶対レベル：一の皮相電力の1mWに対する比をdBで表したもの。
- 平衡度：通信回線の中性点と大地との間に起電力を加えた場合におけるこれらの間に生ずる電圧と通信回線の端子間に生ずる電圧との比をdBで表したもの。

例題4-4　令和元年度２級電気通信工事施工管理技術検定（学科・前期）問題（選択）〔No.42〕 

「有線電気通信設備令」に規定する用語に関する記述として，**誤っているもの**はどれか。

(1) 電線とは，有線電気通信を行うための導体であって，強電流電線に重畳される通信回線に係るものを含めたものをいう。
(2) ケーブルとは，光ファイバ並びに光ファイバ以外の絶縁物及び保護物で被覆されている電線をいう。
(3) 線路とは，送信の場所と受信の場所との間に設置されている電線及びこれに係る中継器その他の機器（これらを支持し，又は保蔵するための工作物を含む。）をいう。
(4) 支持物とは，電柱，支線，つり線その他電線又は強電流電線を支持するための工作物をいう。

正解：(1)

解説　(1) 有線電気通信設備令第１条第１号により、電線とは、有線電気通信を行うための導体であって、強電流電線に重畳される通信回線に係るもの以外のものをいう。
(2) 有線電気通信設備令第１条第３号の通り。
(3) 有線電気通信設備令第１条第５号の通り。
(4) 有線電気通信設備令第１条第６号の通り。

(2) 電線の種類、電圧・電力、架空電線の高さ

使用可能な電線の種類（令第２条の２）

- 有線電気通信設備に使用する電線は、絶縁電線又はケーブルでなければならない。ただし、総務省令で定める場合は、この限りでない。

線路の電圧及び通信回線の電力（令第４条）

- 通信回線の線路の電圧は、100V以下でなければならない。ただし、電線としてケーブルのみを使用するとき、又は人体に危害を及ぼし、若しくは物件に損傷を与えるおそれがないときは、この限りでない。
- 通信回線の電力は、絶対レベルで表した値で、その周波数が音声周波であるときは、＋10dB以下、高周波であるときは、+20dB以下でなければならない。ただし、総務省令で定める場合は、この限りでない。

昇降に使用する足場金具（令第７条の２）

- 架空電線の支持物には、取扱者が昇降に使用する足場金具等を地表上1.8m未満の高さに取り付けてはならない。ただし、総務省令で定める場合は、この限りでない。

架空電線の高さ（令第８条）

- 架空電線の高さは、道路上にあるとき、鉄道又は軌道を横断するとき、及び河川を横断するときは、総務省令で定めるところによらなければならない。

架空電線の高さ（則第７条）

- 架空電線の高さは、次によらなければならない。
  1. 道路上にあるときは、横断歩道橋の上にあるときを除き、路面から5m（交通に支障を及ぼすおそれが少ない場合で工事上やむを得ないときは、歩道と車道との区別がある道路の歩道上においては、2.5m、その他の道路上においては、4.5m）以上であること。
  2. 横断歩道橋の上にあるときは、路面から3m以上であること。
  3. 鉄道又は軌道を横断するときは、軌条面から6m（車両の運行に支障を及ぼすおそれがない高さが6mより低い場合は、その高さ）以上であること。
  4. 河川を横断するときは、舟行に支障を及ぼすおそれがない高さであること。

架空電線と他人の設置した架空電線等との関係（令第９条）

- 架空電線は、他人の設置した架空電線との離隔距離が30cm以下となるように設置してはならない。ただし、その他人の承諾を得たとき、又は設置しようとする架空電線が、その他人の設置した架空電線に係る作業に支障を及ぼさず、かつ、その他人の設置した架空電線に損傷を与えない場合として総務省令で定めるときは、この限りでない。

屋内電線（令第１７条）

- 屋内電線（光ファイバを除く）と大地との間及び屋内電線相互間の絶縁抵抗は、直流100Vの電圧で測定した値で1MΩ以上でなければならない。

通信回線の平衡度（令第３条）

- 通信回線（導体が光ファイバであるものを除く。以下同じ。）の平衡度は、1000Hzの交流において34dB以上でなければならない。ただし、総務省令で定める場合は、この限りでない。

(3) 非常事態における通信の確保

非常事態における通信の確保(法第8条)

- 総務大臣は、天災、事変その他の非常事態が発生し、又は発生するおそれがあるときは、有線電気通信設備を設置した者に対し、災害の予防若しくは救援、交通、通信若しくは電力の供給の確保若しくは秩序の維持のために必要な通信を行い、又はこれらの通信を行うためその有線電気通信設備を他の者に使用させ、若しくはこれを他の有線電気通信設備に接続すべきことを命ずることができる。

例題4-5　令和4年度2級電気通信工事施工管理技術検定(第一次・後期)問題(選択)〔No42〕 

非常事態における通信の確保に関する次の記述の［　　］に当てはまる語句の組合せとして，「有線電気通信法」上，**正しいもの**はどれか。

「総務大臣は，天災，事変その他の非常事態が発生し，又は発生するおそれがあるときは，有線電気通信設備を［ア］に対し，災害の予防若しくは救援，交通，通信若しくは電力の供給の確保若しくは秩序の維持のために必要な通信を行い，又はこれらの通信を行うためその有線電気通信設備を他の者に使用させ，若しくはこれを他の有線電気通信設備に接続すべきことを［イ］ことができる。」

	(ア)	(イ)
(1)	利用している者	命ずる
(2)	利用している者	要請する
(3)	設置した者	命ずる
(4)	設置した者	要請する

正解：(3)

解説　上記参照。

(4) 設置届

有線電気通信設備の届出(法第3条)

- 有線電気通信設備を設置しようとする者は、次の事項を記載した書類を添えて、設置の工事の開始の日の2週間前まで（工事を要しないときは、設置の日から2週間以内）に、その旨を総務大臣に届け出なければならない。
  1. 有線電気通信の方式の別
  2. 設備の設置の場所
  3. 設備の概要

例題4-6　令和4年度2級電気通信工事施工管理技術検定（第一次・前期）問題（選択）〔No.42〕

有線電気通信設備の設置の届出書に添える書類の記載事項として，「有線電気通信法令」上，**誤っているもの**はどれか。

(1) 設備の運用開始時期
(2) 有線電気通信の方式の別
(3) 設備の設置の場所
(4) 設備の概要

正解：(1)

解説　設備の運用開始時期は、設置の届出書に備える書類の記載事項に該当しない。

例題4-7　令和3年度2級電気通信工事施工管理技術検定（第一次・後期）問題（選択）〔No.42〕 

「有線電気通信法」に関する記述として，**誤っているもの**はどれか。

(1) 有線電気通信とは，送信の場所と受信の場所との間の線条その他の導体を利用して，電磁的方式により，符号，音響又は影像を送り，伝え，又は受けることをいう。
(2) 有線電気通信設備を設置しようとする者は，総務大臣の免許を受けなければならない。
(3) 有線電気通信設備とは，有線電気通信を行うための機械，器具，線路その他の電気的設備（無線通信用の有線連絡線を含む。）をいう。
(4) 有線電気通信の秘密は，侵してはならない。

正解：(2)

解説　有線電気通信設備を設置しようとする者は、総務大臣に届け出なければならない。

4.3 電波法

(1) 工事等の変更と許可、検査

定義（法第2条）

この法律及びこの法律に基づく命令の規定の解釈に関しては、次の定義に従うものとする。

1. 「電波」とは、300万MHz以下の周波数の電磁波をいう。
2. 「無線電信」とは、電波を利用して、符号を送り、又は受けるための通信設備をいう。
3. 「無線電話」とは、電波を利用して、音声その他の音響を送り、又は受けるための通信設備をいう。
4. 「無線設備」とは、無線電信、無線電話その他電波を送り、又は受けるための電気的設備をいう。

5.「無線局」とは、無線設備及び無線設備の操作を行う者の総体をいう。但し、受信のみを目的とするものを含まない。

6.「無線従事者」とは、無線設備の操作又はその監督を行う者であって、総務大臣の免許を受けたものをいう。

例題4-8　令和4年度 2級電気通信工事施工管理技術検定（第一次・前期）問題（選択）〔No.43〕 

「電波法」に規定されている用語に関する記述として，**誤っているもの**はどれか。

(1) 無線局とは，無線設備及び無線設備の操作を行う者の総体をいい，受信のみを目的とするものを含む。

(2) 無線従事者とは，無線設備の操作又はその監督を行う者であって，総務大臣の免許を受けたものをいう。

(3) 無線電信とは，電波を利用して，符号を送り，又は受けるための通信設備をいう。

(4) 無線設備とは，無線電信，無線電話その他電波を送り，又は受けるための電気的設備をいう。

正解：(1)

解説　「無線局」とは、無線設備及び無線設備の操作を行う者の総体をいう。但し、受信のみを目的とするものを含まない。

欠格事由（法第５条）

次の各号のいずれかに該当する者には、無線局の免許を与えない。

一　日本の国籍を有しない人

二　外国政府又はその代表者

三　外国の法人又は団体

四　法人又は団体であって、前三号に掲げる者がその代表者であるもの又はこれらの者がその役員の３分の１以上若しくは議決権の３分の１以上を占めるもの

3.　次の各号のいずれかに該当する者には、無線局の免許を与えないことができる。

一　この法律又は放送法に規定する罪を犯し罰金以上の刑に処せられ、その執行を終わり、又はその執行を受けることがなくなった日から２年を経過しない者

例題4-9　令和2年度 1級電気通信工事施工管理技術検定（学科）問題A（選択）〔No.57〕

無線局の免許の欠格事由に関する次の記述の［　　］に当てはまる語句の組合せとして，「電波法」上，**正しいもの**はどれか

「電波法に規定する罪を犯し［ア］以上の刑に処せられ，その［イ］を終わり，又はその［イ］を受けることがなくなった日から［ウ］年を経過しない者には，無線局の免許を与えないことができる。」

	（ア）	（イ）	（ウ）
(1)	罰金	執行	2
(2)	罰金	処分	3
(3)	過料	執行	3
(4)	過料	処分	2

正解：(1)

解説 前記参照。

免許状（法第14条）

- 総務大臣は、免許を与えたときは、免許状を交付する。
- 免許状には、次に掲げる事項を記載しなければならない。
  1. 免許の年月日及び免許の番号
  2. 免許人（無線局の免許を受けた者をいう。以下同じ。）の氏名又は名称及び住所
  3. 無線局の種別
  4. 無線局の目的（主たる目的及び従たる目的を有する無線局にあつては、その主従の区別を含む。）
  5. 通信の相手方及び通信事項
  6. 無線設備の設置場所
  7. 免許の有効期間
  8. 識別信号
  9. 電波の型式及び周波数
  10. 空中線電力
  11. 運用許容時間

例題4-10　令和3年度 2級電気通信工事施工管理技術検定（第一次・前期）問題（選択）〔No.43〕 

無線局の免許状に記載される事項として，「電波法」上，**誤っているもの**はどれか。

(1) 免許の年月日及び免許の番号
(2) 通信の相手方及び通信事項
(3) 無線局の種別
(4) 主任無線従事者の資格

正解：(4)

解説 「主任無線従事者の資格」は免許状の記載事項に該当しない。

受信設備の条件（法第29条）

- 受信設備は、その副次的に発する電波又は高周波電流が、総務省令で定める限度をこえて他の無線設備の機能に支障を与えるものであってはならない。

工事設計等の変更（法第9条）

- 予備免許を受けた者は、工事設計を変更しようとするときは、あらかじめ総務大臣の許可を受けなければならない。但し、総務省令で定める軽微な事項については、この限りでない。
- 総務省令で定める軽微な事項について工事設計を変更したときは、遅滞なく総務大臣に届け出なければならない。

落成後の検査（法第10条）

- 予備免許を受けた者は、工事が落成したときは、総務大臣に届け出て、無線設備等について検査を受けなければならない。

変更等の許可（法第17条）

- 免許人は、無線設備の変更の工事をしようとするときは、あらかじめ総務大臣の許可を受けなければならない。ただし、次に掲げる事項の変更は、行うことができない。
  1. 基幹放送局以外の無線局が基幹放送をすることとすること。
  2. 基幹放送局が基幹放送をしないこととすること。

変更検査（法第18条）

- 無線設備の変更の工事の許可を受けた免許人は、総務大臣の検査を受け、許可の内容に適合していると認められた後でなければ、無線設備を運用してはならない。ただし、総務省令で定める場合は、この限りでない。

例題4-11　令和元年度1級電気通信工事施工管理技術検定（学科）問題A（選択）〔No.56〕 

無線設備の変更工事を行う場合の手続きに関する記述として，「電波法」上，**正しいもの**はどれか。

(1) 免許人は，無線局の目的，通信の相手方，通信事項，放送事項，放送区域，無線設備の設置場所若しくは基幹放送の業務に用いられる電気通信設備を変更し，又は無線設備の変更の工事を行った場合は，遅滞なく総務大臣の許可を受けなければならない。

(2) 無線局の予備免許を受けた者は，工事設計を変更したときは，遅滞なく総務大臣へ届け出なければならない。

(3) 無線局の予備免許を受けた者は，工事が落成したときは，その旨を総務大臣に届け出て，その無線局について確認を受けなければならない。

(4) 無線設備の設置場所の変更又は無線設備の変更の工事の許可を受けた免許人は，総務大臣の検査を受け，当該変更又は工事の結果が許可の内容に適合していると認められた後でなければ，許可に係る無線設備を運用してはならない。

正解：(4)

解説

(1) 電波法第17条第1項により、免許人は、原則として、無線局の目的、通信の相手方、通信事項、放送事項、放送区域、無線設備の設置場所若しくは基幹放送の業務に用いられる電気通信設備を変更し、又は無線設備の変更の工事をしようとするときは、あらかじめ総務大臣の許可を受けなければならない。

(2) 電波法第9条第1項により、無線局の予備免許を受けた者は、工事設計を変更しようとするときは、あらかじめ総務大臣の許可を受けなければならない。

(3) 電波法第10条第1項により、無線局の予備免許を受けた者は、工事が落成したときは、その旨を総務大臣に届け出て、その無線局について検査を受けなければならない。

(4) 電波法第18条第1項の通り。

(2) 目的外使用の禁止等

目的外使用の禁止等（法第52条）

- 無線局は、免許状に記載された目的又は通信の相手方若しくは通信事項の範囲を超えて運用してはならない。ただし、次に掲げる通信については、この限りでない。
  1. 遭難通信（船舶又は航空機が重大かつ急迫の危険に陥った場合に遭難信号を前置する方法その他総務省令で定める方法により行う無線通信をいう）
  2. 緊急通信（船舶又は航空機が重大かつ急迫の危険に陥るおそれがある場合その他緊急の事態が発生した場合に緊急信号を前置する方法その他総務省令で定める方法により行う無線通信をいう）
  3. 安全通信（船舶又は航空機の航行に対する重大な危険を予防するために安全信号を前置する方法その他総務省令で定める方法により行う無線通信をいう）
  4. 非常通信（地震、台風、洪水、津波、雪害、火災、暴動その他非常の事態が発生し、又は発生するおそれがある場合において、有線通信を利用することができないか又はこれを利用することが著しく困難であるときに人命の救助、災害の救援、交通通信の確保又は秩序の維持のために行われる無線通信をいう）
  5. 放送の受信
  6. その他総務省令で定める通信

例題4-12　令和元年度 2級電気通信工事施工管理技術検定（学科・後期）問題（選択）〔No.43〕

非常通信に関する次の記述の［　　］に当てはまる語句の組合せとして，「電波法」上，**正しいもの**はどれか。

「地震，台風，洪水，津波，雪害，火災，暴動その他非常の事態が発生し，又は発生する恐れがある場合において，［ア］を利用することができないか又はこれを利用することが著しく困難であるときに人命の救助，災害の救援，［イ］又は秩序の維持のために行われる無線通信をいう。」

	（ア）	（イ）
(1)	有線通信	公共通信の確保
(2)	有線通信	交通通信の確保
(3)	防災通信	公共通信の確保
(4)	防災通信	交通通信の確保

正解：(2)

解説 非常通信については、目的外使用の禁止等の項目として、電波法第52条に規定されている。

(3) 予備免許の指定事項

予備免許（第８条）

総務大臣は、前条の規定により審査した結果、その申請が同条第一項各号又は第二項各号に適合していると認めるときは、申請者に対し、次に掲げる事項を指定して、無線局の予備免許を与える。

一　工事落成の期限
二　電波の型式及び周波数
三　呼出符号（標識符号を含む。）、呼出名称その他の総務省令で定める識別信号（以下「識別信号」という。）
四　空中線電力
五　運用許容時間

例題4-13　令和4年度1級電気通信工事施工管理技術検定（第一次）問題A（選択）〔No.56〕 

無線局の予備免許を与える際に総務大臣が申請者に対して指定する事項として，「電波法」上，**正しいもの**はどれか。

(1) 工事落成期限
(2) 無線設備の設置場所
(3) 通信事項
(4) 通信の相手方

正解：(1)

解説 工事落成の期限は、予備免許の指定事項に該当する。

(4) 無線局の種別

無線局の種別及び定義（則第4条）

無線局の種別を次の通り定め、それぞれ下記の通り定義する。

一　固定局　固定業務を行う無線局をいう。

七　携帯基地局　携帯局と通信を行うため陸上に開設する移動しない無線局をいう。

七の二　無線呼出局　無線呼出業務を行う陸上に開設する無線局をいう。

十の二　船上通信局　船上通信設備のみを使用して無線通信業務を行う移動する無線局をいう。

十二　陸上移動局　陸上を移動中又はその特定しない地点に停止中運用する無線局（船上通信局を除く。）をいう。

十三　携帯局　陸上、海上若しくは上空の一若しくは二以上にわたり携帯して移動中又はその特定しない地点に停止中運用する無線局（船上通信局及び陸上移動局を除く。）をいう。

十五　無線測位局　無線測位業務を行う無線局をいう。

十八の二　無線標定陸上局　無線標定業務を行なう移動しない無線局をいう。

十九　無線標定移動局　無線標定業務を行なう移動する無線局をいう。

二十　無線標識局　無線標識業務を行う無線局をいう。

二十の二　地球局　宇宙局と通信を行ない、又は受動衛星その他の宇宙にある物体を利用して通信（宇宙局とのものを除く。）を行なうため、地表又は地球の大気圏の主要部分に開設する無線局をいう。

二十の九　宇宙局　地球の大気圏の主要部分の外にある物体（その主要部分の外に出ることを目的とし、又はその主要部分の外から入ったものを含む。以下「宇宙物体」という。）に開設する無線局をいう。

例題4-14　令和4年度1級電気通信工事施工管理技術検定（第一次）問題A（選択）〔No.57〕 

無線局の種別及び定義に関する記述として「電波法令」上，**正しいもの**はどれか。

(1) 陸上移動局とは，陸上を移動中又はその特定しない地点に停止中運用する無線局（船上通信局を除く。）をいう。
(2) 無線標定陸上局とは，無線測位業務を行う無線局をいう。
(3) 無線呼出局とは，携帯局と通信を行うため陸上に開設する移動しない無線局をいう。
(4) 地球局とは，固定業務を行う無線局をいう。

正解：(1)

解説

(2) 無線標定陸上局とは、無線標定業務を行う移動しない無線局をいう。
(3) 無線呼出局とは、無線呼出業務を行う陸上に開設する無線局をいう。携帯局と通信を行うため陸上に開設する移動しない無線局は携帯基地局である。
(4) 固定業務を行う無線局は固定局である。

(5) 無線設備の操作

操作及び監督の範囲（令第3条）

次に掲げる資格の無線従事者は、無線設備の操作（アマチュア無線局の無線設備の操作を除く。以下この項において同じ。）を行うことができる。

- 第一級陸上特殊無線技士
  1. 陸上の無線局の空中線電力500W以下の多重無線設備（多重通信を行うことができる無線設備でテレビジョンとして使用するものを含む。）で30MHz以上の周波数の電波を使用するものの技術操作。
  2. 前号に掲げる操作以外の操作で第二級陸上特殊無線技士の操作の範囲に属するもの。
- 第二級陸上特殊無線技士
  1. 次に掲げる無線設備の外部の転換装置で電波の質に影響を及ぼさないものの技術操作。
     イ　受信障害対策中継放送局及び特定市区町村放送局の無線設備。
     ロ　陸上の無線局の空中線電力10W以下の無線設備（多重無線設備を除く。）で1606.5kHzから4000kHzまでの周波数の電波を使用するもの。
     ハ　陸上の無線局のレーダーでロに掲げるもの以外のもの。
     ニ　陸上の無線局で人工衛星局の中継により無線通信を行うものの空中線電力50W以下の多重無線設備。
  2. 第三級陸上特殊無線技士の操作の範囲に属する操作。
- 第三級陸上特殊無線技士
  陸上の無線局の無線設備（レーダー及び人工衛星局の中継により無線通信を行う無線局の多重無線設備を除く。）で次に掲げるものの外部の転換装置で電波の質に影響を及ぼさないものの技術操作。
  1. 空中線電力50W以下の無線設備で25010kHzから960MHzまでの周波数の電波を使用するもの。
  2. 空中線電力100W以下の無線設備で1215MHz以上の周波数の電波を使用するもの。

例題4-15　令和3年度 1級電気通信工事施工管理技術検定（第一次）問題A（選択）〔No.57〕 

第1級陸上特殊無線技士が行うことができる無線設備の操作に関する記述として,「電波法令」上, **正しいもの**はどれか。

(1) 無線設備の国内通信のための通信操作
(2) 航空機に施設する無線設備並びに航空局, 航空地球局及び航空機のための無線航行局の無線設備の通信操作（モールス符号による通信操作を除く。）
(3) 海岸局, 船舶局及び船舶のための無線航行局のレーダーの外部の転換装置で電波の質に影響を及ぼさないものの技術操作
(4) 陸上の無線局の空中線電力500W以下の多重無線設備（多重通信を行うことができる無線設備でテレビジョンとして使用するものを含む。）で30MHz以上の周波数の電波を使用するものの技術操作

正解：(4)

解説 (1) は、第2級無線総合通信士の操作範囲である。
(2) は、航空無線通信士の操作範囲である。
(3) は、レーダー級海上特殊無線技士の操作範囲である。
(4) は、第1級陸上特殊無線技士の操作範囲である。

(6) 電波の型式

電波の型式の表示（則第4条の2）

電波の主搬送波の変調の型式、主搬送波を変調する信号の性質及び伝送情報の型式は、次の各号に掲げるように分類し、それぞれ当該各号に掲げる記号を持つて表示する。ただし、主搬送波を変調する信号の性質を表示する記号は、対応する算用数字を持つて表示することがあるものとする。

表4-1　電波の形式の表示

<table>
<tr><th colspan="3">第1文字</th><th colspan="2">第2文字</th><th colspan="2">第3文字</th></tr>
<tr><td colspan="3">主搬送波の変調の型式</td><td colspan="2">主搬送波を変調する信号の性質</td><td colspan="2">伝送情報の型式</td></tr>
<tr><td colspan="2">無変調</td><td>N</td><td>変調信号無し</td><td>0</td><td>無情報</td><td>N</td></tr>
<tr><td rowspan="6">振幅変調</td><td>両側波帯</td><td>A</td><td rowspan="2">副搬送波を使用しないデジタル信号の単一チャネル</td><td rowspan="2">1</td><td>電信（聴覚受信）</td><td>A</td></tr>
<tr><td>単側波帯・全搬送波</td><td>H</td><td>電信（自動受信）</td><td>B</td></tr>
<tr><td>単側波帯・低減搬送波</td><td>R</td><td>副搬送波を使用するデジタル信号の単一チャネル</td><td>2</td><td>ファクシミリ</td><td>C</td></tr>
<tr><td>単側波帯・抑圧搬送波</td><td>J</td><td>アナログ信号の単一チャネル</td><td>3</td><td>データ伝送・遠隔測定・遠隔指令</td><td>D</td></tr>
<tr><td>独立側波帯</td><td>B</td><td rowspan="2">デジタル信号の2以上のチャネル</td><td rowspan="2">7</td><td>電話（音響）</td><td>E</td></tr>
<tr><td>残留側波帯</td><td>C</td><td>テレビジョン（映像）</td><td>F</td></tr>
<tr><td rowspan="2">角度変調</td><td>周波数変調</td><td>F</td><td>アナログ信号の2以上のチャネル</td><td>8</td><td>NからFまでの組合せ</td><td></td></tr>
<tr><td>位相変調</td><td>G</td><td rowspan="2">1以上のアナログ信号のチャネルと1以上のデジタル信号のチャネルの複合方式</td><td rowspan="2">9</td><td rowspan="2"></td><td rowspan="2"></td></tr>
<tr><td colspan="2">振幅変調及び角度変調を同時に又は一定の順序で変調</td><td>D</td></tr>
</table>

例題4-16　令和2年度1級電気通信工事施工管理技術検定（学科）問題A（選択）〔No.56〕 

電波の型式の表示に関する記述として，「電波法令」上，**誤っているもの**はどれか。

(1) 主搬送波の変調の型式の記号がAの場合，振幅変調であって両側波帯のものを表している。
(2) 主搬送波を変調する信号の性質の記号が3の場合，アナログ信号である単一チャネルのものを表している。
(3) 伝送情報の型式の記号がNの場合，電話を表している。
(4) 電波の型式は，主搬送波の変調の型式，主搬送波を変調する信号の性質及び伝送情報の型式の記号をもって，かつ，その順序に従って表記する。

正解：(3)

解説　伝送情報の型式の記号「N」は「無情報」を表す。「電話」の型式の記号は「E」である。

(7) 擬似空中線回路

擬似空中線回路の使用（法第57条）

- 無線局は、次に掲げる場合には、なるべく擬似空中線回路を使用しなければならない。
  1. 無線設備の機器の試験又は調整を行うために運用するとき。
  2. 実験等無線局を運用するとき。

例題4-17　令和4年度2級電気通信工事施工管理技術検定（第一次・後期）問題（選択）〔No.43〕 

無線局において，なるべく擬似空中線回路を使用しなければならない場合に関する記述として，「電波法」上，**正しいもの**はどれか。

(1) 非常通信のために運用するとき
(2) 至近距離にある無線局との通信のために運用するとき
(3) 市街地で無線局を運用するとき
(4) 無線設備の機器の試験又は調整を行うために運用するとき

正解：(4)

解説　無線局は、次に掲げる場合には、なるべく擬似空中線回路を使用しなければならない。

- 無線設備の機器の試験又は調整を行うために運用するとき。
- 実験等無線局を運用するとき。

擬似空中線回路とは、通信機器の運用回路ではない試験調整・実験用の回路である。

4.4 無線設備規則

(1) 周波数安定のための条件

周波数の安定のための条件(則第15条)

- 周波数をその許容偏差内に維持するため、送信装置は、できる限り電源電圧又は負荷の変化によって発振周波数に影響を与えないものでなければならない。
- 周波数をその許容偏差内に維持するため、発振回路の方式は、できる限り外囲の温度若しくは湿度の変化によって影響を受けないものでなければならない。
- 移動局(移動するアマチユア局を含む。)の送信装置は、実際上起り得る振動又は衝撃によっても周波数を許容偏差内に維持するものでなければならない。

周波数の安定のための条件(則第16条)

- 水晶発振回路に使用する水晶発振子は、周波数を許容偏差内に維持するため、次の条件に適合するものでなければならない。
  1. 発振周波数が当該送信装置の水晶発振回路により又はこれと同一の条件の回路によりあらかじめ試験を行って決定されているものであること。
  2. 恒温槽を有する場合は、恒温槽は水晶発振子の温度係数に応じてその温度変化の許容値を正確に維持するものであること。

例題4-18　令和元年度1級電気通信工事施工管理技術検定(学科)問題A(選択)〔No.57〕

無線設備の送信装置における周波数の安定のための条件について,「電波法令」上,**誤っているもの**はどれか。

(1) 周波数をその許容偏差内に維持するため,送信装置は,できる限り電源電圧又は負荷の変化によって発振周波数に影響を与えないものでなければならない。
(2) 移動局の送信装置は,実際上起り得る気圧の変化によっても周波数をその許容偏差内に維持するものでなければならない。
(3) 周波数をその許容偏差内に維持するため,発振回路の方式は,できる限り外囲の温度若しくは湿度の変化によって影響を受けないものでなければならない。
(4) 水晶発振回路に使用する水晶発振子は,発振周波数が当該送信装置の水晶発振回路により又はこれと同一の条件の回路によりあらかじめ試験を行って決定されているものであること。

正解:(2)

解説

(1) 無線設備規則第15条第1項の通り。
(2) 無線設備規則第15条第3項により、移動局の送信装置は、実際上起り得る振動又は衝撃によっても周波数をその許容偏差内に維持するものでなければならないと規定されている。

(3) 無線設備規則第16条第1号の通り。
(4) 無線設備規則第16条第2号の通り。

4.5 無線機器型式検定規則

(1) 検定合格の場合

検定合格の場合(則第8条)

- 総務大臣は、試験の結果、当該申請に係る機器が検定の合格の条件に適合すると認めたときは、型式検定合格とし、無線機器型式検定合格証書を申請者に交付するとともに、次に掲げる事項を告示する。
  1. 型式検定合格の判定を受けた者の氏名又は名称
  2. 機器の名称
  3. 機器の型式名
  4. 検定番号
  5. 型式検定合格の年月日
  6. その他必要な事項

例題4-19　令和元年度 2級電気通信工事施工管理技術検定(学科・前期)問題(選択)〔No.43〕

無線設備の型式検定に合格したとき告示される事項として,「電波法令」上, **誤っているもの**はどれか。

(1) 型式検定合格の判定を受けた者の氏名又は名称
(2) 型式検定申請の年月日
(3) 検定番号
(4) 機器の名称

正解:(2)

解説

(1) 無線機器型式検定規則第8条第1項第1号の通り。
(2) 型式検定申請の年月日は、無線設備の型式検定に合格したとき告示される事項に該当しない。型式検定合格の年月日は、無線機器型式検定規則第8条第1項第5号に規定されている。
(3) 無線機器型式検定規則第8条第1項第4号の通り。
(4) 無線機器型式検定規則第8条第1項第2号の通り。

4.6 端末設備等規則

(1) 用語

定義(則第2条)

二 「アナログ電話用設備」とは、電話用設備であって、端末設備又は自営電気通信設備を接続する点においてアナログ信号を入出力とするものをいう。

四 「移動電話用設備」とは、電話用設備であって、端末設備又は自営電気通信設備との接続において電波を使用するものをいう。

十七 「発信」とは、通信を行う相手を呼び出すための動作をいう。

十八 「応答」とは、電気通信回線からの呼出しに応ずるための動作をいう。

十九 「選択信号」とは、主として相手の端末設備を指定するために使用する信号をいう。

二十四 「呼設定用メッセージ」とは、呼設定メッセージ又は応答メッセージをいう。

二十五 「呼切断用メッセージ」とは、切断メッセージ、解放メッセージ又は解放完了メッセージをいう。

例題4-20　令和4年度1級電気通信工事施工管理技術検定（第一次）問題A（選択）〔No.54〕 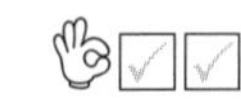

「電気通信事業法」に基づく「端末設備等規則」に規定されている用語に関する記述として，**正しいもの**はどれか。

(1)「呼設定用メッセージ」とは，切断メッセージ，解放メッセージ又は解放完了メッセージをいう。
(2)「発信」とは，電気通信回線からの呼出しに応ずるための動作をいう。
(3)「選択信号」とは，主として相手の端末設備を指定するために使用する信号をいう。
(4)「アナログ電話用設備」とは，電話用設備であって，端末設備又は自営電気通信設備との接続において電波を使用するものをいう。

正解：(3)

解説

(1)「呼設定用メッセージ」とは、呼設定メッセージ又は応答メッセージをいう。
(2)「発信」とは、通信を行う相手を呼び出すための動作をいう。
(4)「アナログ電話用設備」とは、電話用設備であって、端末設備又は自営電気通信設備を接続する点においてアナログ信号を入出力とするものをいう。

4.7 事業用電気通信設備規則

(1) 用語

定義（則第3条）

- 音声伝送役務：おおむね4kHz帯域の音声その他の音響を伝送交換する機能を有する電気通信設備を他人の通信の用に供する電気通信役務であってデータ伝送役務以外のもの。
- データ伝送役務：専ら符号又は影像を伝送交換するための電気通信設備を他人の通信の用に供する電気通信役務をいう。
- 専用役務：特定の者に電気通信設備を専用させる電気通信役務をいう。
- 直流回路：電気通信回線設備に接続して電気通信事業者の交換設備の動作の開始及び終了の制御を行うための回路をいう。
- 絶対レベル：1の皮相電力の1mWに対する比をデシベルで表したものをいう。

4.8 無線局運用規則

(1) 無線通信の原則

無線通信の原則（則第10条）

- 必要のない無線通信は、これを行なつてはならない。
- 無線通信に使用する用語は、できる限り簡潔でなければならない。
- 無線通信を行うときは、自局の識別信号を付して、その出所を明らかにしなければならない。
- 無線通信は、正確に行うものとし、通信上の誤りを知つたときは、直ちに訂正しなければならない。

例題4-21　令和2年度 2級電気通信工事施工管理技術検定（学科・後期）問題（選択）〔No.43〕 

無線通信の原則に関する記述として，「電波法令」上，**誤っているもの**はどれか。

(1) 無線通信を行うときは，自局の免許番号を付して，その出所を明らかにしなければならない。
(2) 無線通信に使用する用語は，できる限り簡潔でなければならない。
(3) 無線通信は，正確に行うものとし，通信上の誤りを知ったときは，直ちに訂正しなければならない。
(4) 必要のない無線通信は，これを行なってはならない。

正解：(1)

解説 無線通信を行うときは、自局の識別信号を付して、その出所を明らかにしなければならない。免許番号ではない。

第5章 その他の法規

その他の法規では、消防法、建築基準法、公共工事標準請負契約約款、図記号について解説する。

5.1 消防法

(1) 消防設備士

消防設備士(法第17条の5)

- 消防設備士免状の交付を受けていない者は、次に掲げる消防用設備等又は特殊消防用設備等の工事(設置に係るものに限る。)又は整備のうち、政令で定めるものを行つてはならない。
  1. 技術上の基準又は設備等技術基準に従つて設置しなければならない消防用設備等
  2. 設備等設置維持計画に従つて設置しなければならない特殊消防用設備等

消防設備士免状の種類(法第17条の6)

- 消防設備士免状の種類は、甲種消防設備士免状及び乙種消防設備士免状とする。
- 甲種消防設備士が行うことができる工事又は整備の種類及び乙種消防設備士が行うことができる整備の種類は、総務省令で定める。

(2) 消防用設備

消防用設備等の種類(令第7条)

- 消防の用に供する設備は、消火設備、警報設備及び避難設備とする。
- 消火活動上必要な施設は、排煙設備、連結散水設備、連結送水管、非常コンセント設備及び無線通信補助設備とする。

自動火災報知設備に関する基準(令第21条)

- 自動火災報知設備には、非常電源を附置すること。

消防設備士でなければ行つてはならない工事又は整備(令第36条の2)

漏電火災警報器は、消防設備士でなければ行つてはならない整備対象の消防設備に規定されているが、消防設備士でなければ行つてはならない工事対象の消防設備には規定されていない。したがって、漏電火災警報器を対象とした第7類消防設備士は、表5-1の通り、甲種はなく乙種のみが定められている。

表5-1　消防設備士区分と設備等の種類

<table>
<tr><th rowspan="2">消防設備士
区分</th><th rowspan="2">消防用設備等又は
特殊消防用設備等の種類</th><th colspan="2">免状の種別</th></tr>
<tr><th>甲種</th><th>乙種</th></tr>
<tr><td>特類</td><td>特殊消防用設備等</td><td>工事・整備</td><td>—</td></tr>
<tr><td>第１類</td><td>屋内消火栓、屋外消火栓、スプリンクラー設備、水噴霧消火設備、パッケージ型消火設備、パッケージ型自動消火設備、共同住宅用スプリンクラー設備</td><td rowspan="5">工事・整備</td><td rowspan="7">整備</td></tr>
<tr><td>第２類</td><td>泡消火設備、パッケージ型消火設備、パッケージ型自動消火設備、特定駐車場用泡消火設備</td></tr>
<tr><td>第３類</td><td>不活性ガス消火設備、ハロゲン化物消火設備、粉末消火設備、パッケージ型消火設備、パッケージ型自動消火設備、</td></tr>
<tr><td>第４類</td><td>自動火災報知設備、ガス漏れ火災警報設備、消防機関へ通報する火災報知設備、共同住宅用自動火災報知設備、住戸用自動火災報知設備、特定小規模施設用自動火災報知設備、複合型住居施設用自動火災報知設備</td></tr>
<tr><td>第５類</td><td>金属製避難はしご（固定式のものに限る）、救助袋、緩降機</td></tr>
<tr><td>第６類</td><td>消火器</td><td>—</td></tr>
<tr><td>第７類</td><td>漏電火災警報器</td><td>—</td></tr>
</table>

例題5-1　令和元年度１級電気通信工事施工管理技術検定（学科）問題Ａ（選択）〔No.58〕 

消防用設備等に関する記述として,「消防法令」上,**誤っているもの**はどれか。

(1) 消火設備，警報設備及び避難設備は，消防の用に供する設備に該当する。
(2) 無線通信補助設備は，消火活動上必要な施設に該当する。
(3) 自動火災報知設備には，非常電源を附置しなければならない。
(4) 漏電火災警報器は，甲種消防設備士が設置工事にあたり，乙種消防設備士が整備にあたる。

正解：(4)

解説
(1) 消防法施行令第７条第１項の通り。
(2) 消防法施行令第７条第６項の通り。
(3) 消防法施行令第21条第２項第４号の通り。
(4) 消防法第17条の５第１項により、消防設備士免状の交付を受けていない者は、消防用設備等又は特殊消防用設備等の工事（設置に係るものに限る。）又は整備のうち、政令で定めるものを行ってはならない。漏電火災警報器は、消防法施行令第36条第２項第３号に、消防設備士でなければ行つてはならない整備の項目として規定されている。

5.2 建築基準法

(1) 用語の定義

用語の定義(法第2条)

- 建築物:土地に定着する工作物のうち、屋根及び柱若しくは壁を有するもの(これに類する構造のものを含む。)、これに附属する門若しくは塀、観覧のための工作物又は地下若しくは高架の工作物内に設ける事務所、店舗、興行場、倉庫その他これらに類する施設(鉄道及び軌道の線路敷地内の運転保安に関する施設並びに跨(こ)線橋、プラットホームの上家、貯蔵槽その他これらに類する施設を除く。)をいい、建築設備を含むものとする。
- 特殊建築物:学校(専修学校及び各種学校を含む。以下同様とする。)、体育館、病院、劇場、観覧場、集会場、展示場、百貨店、市場、ダンスホール、遊技場、公衆浴場、旅館、共同住宅、寄宿舎、下宿、工場、倉庫、自動車車庫、危険物の貯蔵場、と畜場、火葬場、汚物処理場その他これらに類する用途に供する建築物をいう。
- 建築設備:建築物に設ける電気、ガス、給水、排水、換気、暖房、冷房、消火、排煙若しくは汚物処理の設備又は煙突、昇降機若しくは避雷針をいう。
- 居室:居住、執務、作業、集会、娯楽その他これらに類する目的のために継続的に使用する室をいう。
- 主要構造部:壁、柱、床、はり、屋根又は階段をいい、建築物の構造上重要でない間仕切壁、間柱、付け柱、揚げ床、最下階の床、回り舞台の床、小ばり、ひさし、局部的な小階段、屋外階段その他これらに類する建築物の部分を除くものとする。
- 建築:建築物を新築し、増築し、改築し、又は移転することをいう。
- 大規模の修繕:建築物の主要構造部の一種以上について行う過半の修繕をいう。
- 大規模の模様替:建築物の主要構造部の一種以上について行う過半の模様替をいう。
- 建築主:建築物に関する工事の請負契約の注文者又は請負契約によらないで自らその工事をする者をいう。

例題5-2　令和元年度2級電気通信工事施工管理技術検定(学科・前期)問題(選択)〔No.44〕 

「建築基準法」で定められている用語の定義として,**誤っているもの**はどれか。

(1) 建築物に設ける「エレベーター」は,建築設備である。
(2) 建築物における「執務のために継続的に使用する室」は,居室である。
(3) 建築物における「ひさし」は,主要構造部である。
(4)「工場の用途に供する建築物」は,特殊建築物である。

正解:(3)

解説
(1) 建築基準法第2条第3号の通り。
(2) 建築基準法第2条第4号の通り。
(3) 建築基準法第2条第5号により建築物における「ひさし」は、主要構造部ではない。
(4) 建築基準法第2条第2号の通り。

5.3 公共工事標準請負契約約款

(1) 公共工事標準請負契約約款とは

建設業法では、建設工事の請負契約において、中央建設業審議会（中建審）が具体的な内容を定める標準請負契約約款を作成し、実施を勧告する旨、規定されている。

> (中央建設業審議会の設置等)
> 第三十四条
> 2　中央建設業審議会は、建設工事の標準請負契約約款、入札の参加者の資格に関する基準並びに予定価格を構成する材料費及び役務費以外の諸経費に関する基準を作成し、並びにその実施を勧告することができる。

公共工事標準請負契約約款は、国、地方公共団体等の公共発注者のみならず、電力、ガス、鉄道、電気通信等の建設工事を発注する民間企業の工事についても用いることができるように作成されており、国、都道府県、市町村、公共法人等に加え、電力会社、ガス会社、JR、NTT等の民間企業に対しても、勧告され、広く用いられている。

(2) 総則

総則（第1条）

- 発注者及び受注者は、この約款（契約書を含む）に基づき、設計図書（別冊の図面、仕様書、現場説明書及び現場説明に対する質問回答書をいう）に従い、日本国の法令を遵守し、この契約を履行しなければならない。
- 受注者は、契約書記載の工事を契約書記載の工期内に完成し、工事目的物を発注者に引き渡すものとし、発注者は、その請負代金を支払うものとする。
- 仮設、施工方法その他工事目的物を完成するために必要な一切の手段については、この約款及び設計図書に特別の定めがある場合を除き、受注者がその責任において定める。
- 受注者は、この契約の履行に関して知り得た秘密を漏らしてはならない。
- この約款に定める請求、通知、報告、申出、承諾及び解除は、書面により行わなければならない。
- この契約の履行に関して発注者と受注者との間で用いる言語は、日本語とする。
- この約款に定める金銭の支払いに用いる通貨は、日本円とする。
- この契約の履行に関して発注者と受注者との間で用いる計量単位は、設計図書に特別の定めがある場合を除き、計量法に定めるものとする。
- この約款及び設計図書における期間の定めについては、民法及び商法の定めるところによるものとする。
- この契約は、日本国の法令に準拠するものとする。
- この契約に係る訴訟については、日本国の裁判所をもって合意による専属的管轄裁判所とする。

例題5-3　令和元年度 2級電気通信工事施工管理技術検定（学科・後期）問題（必須）〔No.45〕 

「公共工事標準請負契約約款」に関する記述として，**適当でないもの**はどれか。

(1) 入札公告は，設計図書に含まれる。
(2) 発注者と受注者との間で用いる言語は，日本語である。
(3) 請求は，書面により行わなければならない。
(4) 金銭の支払に用いる通貨は，日本円である。

正解：(1)

解説

(1) 公共工事標準請負契約約款第１条第１項に、設計図書は別冊の図面、仕様書、現場説明書及び現場説明に対する質問回答書をいうと規定されている。したがって、入札公告は、設計図書に含まれない。
(2) 公共工事標準請負契約約款第１条第６項の通り。
(3) 公共工事標準請負契約約款第１条第５項の通り。
(4) 公共工事標準請負契約約款第１条第７項の通り。

(3) 現場代理人及び主任技術者等

下請負人の通知（第７条）

- 発注者は、受注者に対して、下請負人の商号又は名称その他必要な事項の通知を請求することができる。

監督員（第９条）

- 発注者は、監督員を置いたときは、その氏名を受注者に通知しなければならない。監督員を変更したときも同様とする。
- 監督員の指示又は承諾は、原則として、書面により行わなければならない。
- 発注者が監督員を置かないときは、この約款に定める監督員の権限は、発注者に帰属する。

現場代理人及び主任技術者等（第１０条）

- 受注者は、次に掲げる者を定めて工事現場に設置し、設計図書に定めるところにより、氏名他必要な事項を発注者に通知しなければならない。変更したときも同様とする。
  1. 現場代理人
  2. 主任技術者、監理技術者
  3. 専門技術者（建設業法第26条の2に規定する技術者をいう）
- 現場代理人は、契約の履行に関し、工事現場に常駐し、運営、取締りを行う他、請負代金額の変更、請負代金の請求及び受領、契約の解除に係る権限を除き、受注者の一切の権限を行使することができる。
- 現場代理人、主任技術者（監理技術者）及び専門技術者は、兼ねることができる。

例題5-4　令和4年度1級電気通信工事施工管理技術検定（第一次）問題B（必須）〔No.1〕 

「公共工事標準請負契約約款」に関する記述として，**適当でないもの**はどれか。

(1) 施工方法等については，公共工事標準請負契約約款及び設計図書に特別の定めがある場合を除き，発注者がその責任において定める。
(2) 発注者が監督員を置かないときは，公共工事標準請負契約約款に定める監督員の権限は，発注者に帰属する。
(3) 受注者は，設計図書において監督員の検査（確認を含む。）を受けて使用すべきものと指定された工事材料については，当該検査に合格したものを使用しなければならない。
(4) 受注者は，工事の施工に当たり，設計図書の表示が明確でないことを発見したときは，その旨を直ちに監督員に通知し，その確認を請求しなければならない。

正解：(1)

解説　仮設、施工方法等については、特別の定めがある場合を除き、受注者がその責任において定める。

(4) 品質、条件変更、検査、引き渡し

工事材料の品質及び検査等（第13条）

- 工事材料の品質については、設計図書に定めるところによる。設計図書に品質が明示されていない場合は、中等の品質を有するものとする。
- 受注者は、設計図書において監督員の検査、確認を受けて使用すべきと指定された工事材料については、検査に合格したものを使用しなければならない。検査に直接要する費用は、受注者の負担とする。
- 受注者は、工事現場内に搬入した工事材料を監督員の承諾を受けないで工事現場外に搬出してはならない。

条件変更等（第18条）

- 受注者は、工事の施工に当たり、次の各号のいずれかに該当する事実を発見したときは、その旨を直ちに監督員に通知し、その確認を請求しなければならない。
  1. 図面、仕様書、現場説明書及び現場説明に対する質問回答書が一致しないこと（これらの優先順位が定められている場合を除く）
  2. 設計図書に誤謬又は脱漏があること
  3. 設計図書の表示が明確でないこと
  4. 工事現場の形状、地質、湧水等の状態、施工上の制約等設計図書に示された自然的又は人為的な施工条件と実際の工事現場が一致しないこと
  5. 設計図書で明示されていない施工条件について予期することのできない特別な状態が生じたこと

臨機の措置（第27条）

- 受注者は、災害防止等のため必要があると認めるときは、臨機の措置を取らなければ

ならない。この場合において、必要があると認めるときは、受注者は、あらかじめ監督員の意見を聴かなければならない。ただし、緊急やむを得ない事情があるときは、この限りでない。

- 監督員は、災害防止その他工事の施工上特に必要があると認めるときは、受注者に対して臨機の措置をとることを請求することができる。

検査及び引渡し（第31条）

- 受注者は、工事を完成したときは、その旨を発注者に通知しなければならない。
- 発注者は、通知を受けたときは、通知を受けた日から14日以内に工事の完成を確認するための検査を完了し、結果を受注者に通知しなければならない。この場合、発注者は、必要があると認められるときは、理由を受注者に通知して、工事目的物を最小限度破壊して検査することができる。
- 検査又は復旧に直接要する費用は、受注者の負担とする。
- 発注者は、検査によって工事の完成を確認した後、受注者が工事目的物の引渡しを申し出たときは、直ちに引渡しを受けなければならない。

(5) 代金の支払い、解除権

請負代金の支払い（第32条）

- 受注者は、検査に合格したときは、請負代金の支払いを請求することができる。
- 発注者は、請求を受けた日から40日以内に請負代金を支払わなければならない。

前金払及び中間前金払（第34条）

- 受注者は、保証事業会社と保証契約を締結し、保証証書を発注者に寄託して、前払金の支払いを発注者に請求することができる。
- 発注者は、請求があったときは、請求を受けた日から14日以内に前払金を支払わなければならない。

部分払（第37条）

- 受注者は、工事の完成前に、出来形部分並びに工事現場に搬入済みの工事材料に相応する額について、部分払を請求することができる。
- 受注者は、規定による確認があったときは、部分払を請求することができる。発注者は、当該請求を受けた日から14日以内に部分払金を支払わなければならない。

発注者の解除権（第47条）

- 発注者は、受注者が次のいずれかに該当するときは、この契約を解除することができる。
  1. 正当な理由なく、工事に着手すべき期日を過ぎても工事に着手しないとき。
  2. その責めに帰すべき事由により工期内に完成しないとき又は工期経過後相当の期間内に工事を完成する見込みが明らかにないと認められるとき。
  3. 主任技術者、監理技術者を設置しなかったとき。
  4. 受注者が契約に違反し、契約の目的を達することができないと認められるとき。

受注者の解除権（第49条）

- 受注者は、次のいずれかに該当するときは、この契約を解除することができる。
  1. 設計図書を変更したため請負代金額が3分の2以上減少したとき。
  2. 発注者が契約に違反し、契約の履行が不可能となったとき。

例題5-5　令和元年度1級電気通信工事施工管理技術検定（学科）問題B（必須）〔No.01〕 

設計図書に関する記述として，「公共工事標準請負契約約款」上，**適当でないもの**はどれか。

(1) 設計図書でいう図面は，設計者の意思を一定の規約に基づいて図示した書面をいい，通常，設計図と呼ばれているものであり，基本設計図，概略設計図等もここにいう図面に含まれる。

(2) 現場説明書，現場説明に対する質問回答書は，契約締結前の書類であり，契約上は設計図書には含まれない。

(3) 仕様書は，工事の施工に際して要求される技術的要件を示すもので，工事を施工するために必要な工事の規準を詳細に説明した文書であり，通常は共通仕様書と特記仕様書からなる。

(4) 受注者は工事の施工にあたり，設計図書の中の文書間に内容の不一致を発見したとき，設計図書に優先順位の記載がない場合には監督員に通知し，その確認を請求しなければならない。

正解：(2)

解説　(2) 設計図書については、公共工事標準請負契約約款第1条に、別冊の図面、仕様書、現場説明書及び現場説明に対する質問回答書をいうと明記されている。したがって、現場説明書、現場説明に対する質問回答書は、契約締結前の書類であるが、設計図書に含まれる。

5.4 図記号

図記号の問題として、テレビ共同受信設備に用いられる図記号が出題されている。今後、その他の電気通信設備の図記号も出題される可能性があるが、膨大な範囲と量の図記号を試験対策として学習するのは得策ではない。まずは出題された分野に関する図記号をおさえておこう。

(1)テレビ共同受信設備

機器名	図記号	概要
UHFアンテナ		UHFを受信するためのアンテナ
衛星アンテナ		衛星放送を受信するためのパラボラアンテナ
混合器 (分波器)		信号を干渉することなく、混合・分波する機器
増幅器		信号を増幅する機器
分岐器	2分岐器	信号の一部を取り出す機器。
分配器	2分配器	信号を均等に分配する機器。
直列ユニット		テレビ用端子ユニット

例題5-6　　令和元年度1級電気通信工事施工管理技術検定（学科）問題B（必須）〔No.02〕 

下図に示すテレビ共同受信設備系統図において，（ア），（イ）の日本産業規格（JIS）で定められた記号の名称の組合せとして，**適当なもの**はどれか。

	（ア）	（イ）
(1)	分配器	増幅器
(2)	混合器	分配器
(3)	混合器	増幅器
(4)	増幅器	分配器

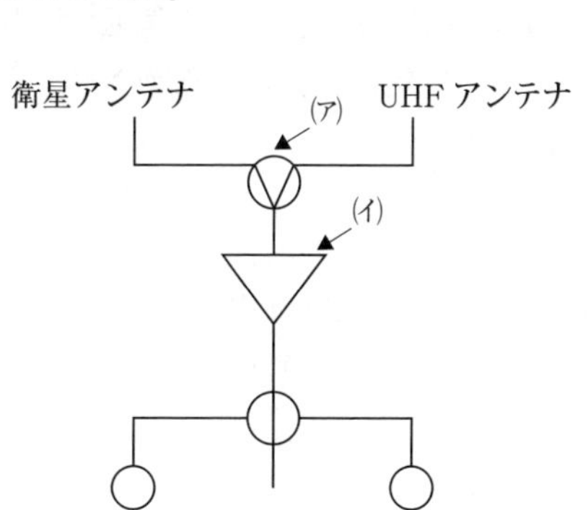

正解：(3)

解説 （ア）は混合器、（イ）は増幅器である。

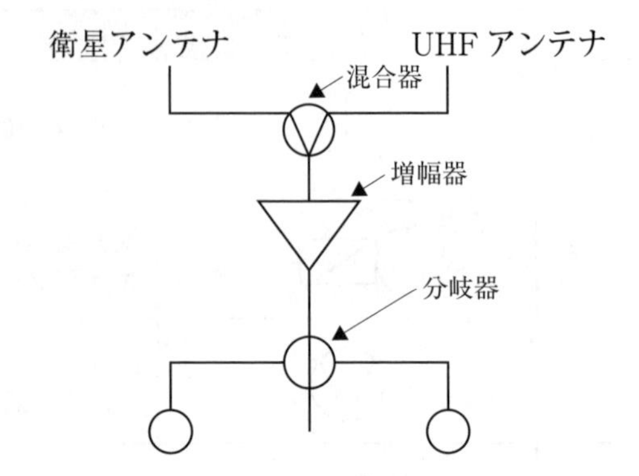

5.5 不正アクセス禁止法

定義（法第2条）

この法律において「不正アクセス行為」とは、次の各号のいずれかに該当する行為をいう。

一　アクセス制御機能を有する特定電子計算機に電気通信回線を通じて当該アクセス制御機能に係る他人の識別符号を入力して当該特定電子計算機を作動させ、当該アクセス制御機能により制限されている特定利用をし得る状態にさせる行為（当該アクセス制御機能を付加したアクセス管理者がするもの及び当該アクセス管理者又は当該識別符号に係る利用権者の承諾を得てするものを除く。）。

例題5-7　令和4年度 2級電気通信工事施工管理技術検定（学科・前期）問題（選択）〔No.44〕

不正アクセス行為に関する次の記述の［　　］に当てはまる語句の組合せとして，「不正アクセス行為の禁止等に関する法律」上，**正しいもの**はどれか。

「［ア］を有する特定電子計算機に電気通信回線を通じて当該［ア］に係る他人の識別符号を入力して当該特定電子計算機を作動させ，当該［ア］により制限されている［イ］をし得る状態にさせる行為」

	（ア）	（イ）
(1)	通信制御機能	遠隔操作
(2)	通信制御機能	特定利用
(3)	アクセス制御機能	遠隔操作
(4)	アクセス制御機能	特定利用

正解：(4)

解説 上記参照

不正アクセス行為の禁止（法第３条）

- 何人も、不正アクセス行為をしてはならない。

他人の識別符号を不正に取得する行為の禁止（法第４条）

- 何人も、不正アクセス行為の用に供する目的で、アクセス制御機能に係る他人の識別符号を取得してはならない。

不正アクセス行為を助長する行為の禁止（法第５条）

- 何人も、業務その他正当な理由による場合を除いては、アクセス制御機能に係る他人の識別符号を、当該アクセス制御機能に係るアクセス管理者及び当該識別符号に係る利用権者以外の者に提供してはならない。

他人の識別符号を不正に保管する行為の禁止（法第６条）

- 何人も、不正アクセス行為の用に供する目的で、不正に取得されたアクセス制御機能に係る他人の識別符号を保管してはならない。

識別符号の入力を不正に要求する行為の禁止（法第７条）

- 何人も、アクセス制御機能を特定電子計算機に付加したアクセス管理者になりすまし、その他当該アクセス管理者であると誤認させて、次に掲げる行為をしてはならない。ただし、当該アクセス管理者の承諾を得てする場合は、この限りでない。
  一　当該アクセス管理者が当該アクセス制御機能に係る識別符号を付された利用権者に対し当該識別符号を特定電子計算機に入力することを求める旨の情報を、電気通信回線に接続して行う自動公衆送信を利用して公衆が閲覧することができる状態に置く行為
  二　当該アクセス管理者が当該アクセス制御機能に係る識別符号を付された利用権者に対し当該識別符号を特定電子計算機に入力することを求める旨の情報を、電子メールにより当該利用権者に送信する行為

例題5-8　令和３年度１級電気通信工事施工管理技術検定（第一次）問題Ａ（選択）〔No.58〕 

「不正アクセス行為の禁止等に関する法律」で禁止されている行為に関する記述として，**誤っているもの**はどれか。

(1) アクセス制限されているコンピュータに対して，そのコンピュータの正規の利用者のIDとパスワードを本人に無断でインターネットを経由して入力し，利用できる状態にする行為
(2) 電気通信回線に接続されていないパソコンを，そのパソコンの正規の利用者でない者が直接操作して表計算ソフトを使用する行為
(3) ウェブサイトのログインに使用している他人のIDとパスワードを，正当な理由なしに正規の利用者以外の者に提供する行為
(4) インターネット専業銀行のアクセス管理者に無断で，当該銀行のウェブサイトを装った偽のウェブサイトに顧客のIDとパスワードを入力するように求める文章，入力欄及び送信ボタンを表示し，それをインターネット上に公開して公衆が閲覧できる状態にする行為

正解：(2)

解説 電気通信回線に接続されていないパソコンは、不正アクセス禁止法で規定する禁止行為に該当しない。

5.6 車両制限令

車両の幅等の最高限度(令第3条)

法第47条第1項の車両の幅、重量、高さ、長さ及び最小回転半径の最高限度は、次の通りとする。

1. 幅　2.5メートル
2. 重量　次に掲げる値
   イ　総重量　高速自動車国道又は道路管理者が道路の構造の保全及び交通の危険の防止上支障がないと認めて指定した道路を通行する車両にあっては25トン以下で車両の長さ及び軸距に応じて当該車両の通行により道路に生ずる応力を勘案して国土交通省令で定める値、その他の道路を通行する車両にあっては20トン
   ロ　軸重　10トン
   ハ　隣り合う車軸に係る軸重の合計　隣り合う車軸に係る軸距が1.8メートル未満である場合にあつては18トン(隣り合う車軸に係る軸距が1.3メートル以上であり、かつ、当該隣り合う車軸に係る軸重がいずれも9.5トン以下である場合にあっては、19トン)、1.8メートル以上である場合にあっては20トン
   ニ　輪荷重　5トン
3. 高さ　道路管理者が道路の構造の保全及び交通の危険の防止上支障がないと認めて指定した道路を通行する車両にあつては4.1メートル、その他の道路を通行する車両にあつては3.8メートル
4. 長さ　12メートル
5. 最小回転半径　車両の最外側のわだちについて12メートル

例題5-9　令和4年度2級電気通信工事施工管理技術検定(第一次・後期)問題(選択)〔No.40〕 

「車両制限令」で規定されている車両の幅等の最高限度(一般的制限値)を**超えているもの**はどれか。

(1) 車両の総重量が15tである。
(2) 車両の幅が3.5mである。
(3) 車両の高さが3mである。
(4) 車両の長さが10mである。

正解：(2)

解説　(2) 車両の幅の最高限度は2.5mである。

5.7 建設リサイクル法（建設工事に係る資材の再資源化等に関する法律）

(1) 特定建設資材

定義（法第2条）

- この法律において「建設資材」とは、土木建築に関する工事（以下「建設工事」という。）に使用する資材をいう。
- この法律において「特定建設資材」とは、コンクリート、木材その他建設資材のうち、建設資材廃棄物となった場合におけるその再資源化が資源の有効な利用及び廃棄物の減量を図る上で特に必要であり、かつ、その再資源化が経済性の面において制約が著しくないと認められるものとして政令で定めるものをいう。

特定建設資材（令第1条）

- 建設工事に係る資材の再資源化等に関する法律（以下「法」という。）第2条第5項のコンクリート、木材その他建設資材のうち政令で定めるものは、次に掲げる建設資材とする。
  1. コンクリート
  2. コンクリート及び鉄から成る建設資材
  3. 木材
  4. アスファルト・コンクリート

例題5-10　令和3年度2級電気通信工事施工管理技術検定（第一次・後期）問題（選択）〔No.44〕

特定建設資材に該当するものとして，「建設工事に係る資材の再資源化等に関する法令」上，**誤っているもの**はどれか。

(1) コンクリート
(2) 同軸ケーブル
(3) 木材
(4) アスファルト・コンクリート

正解：(2)

解説　同軸ケーブルは特定建設資材に該当しない。

2

第2部 第二次検定対策

アクセスキー j

(小文字のジェイ)

第2部 第二次検定対策

第1章 施工管理

第二次検定の施工管理の分野からは、工程管理、品質管理、安全管理について、自身の経験を問う問題が出題される。

1.1 施工経験記述

施工経験記述とは、自分が経験した施工管理業務について、設定された内容に対して文章を記述することをいう。

(1)設問

施工経験記述は、自分が経験した管工事を選び、「**工事概要**」と「**施工管理上、重要と考えた事項ととった措置または対策**」を、解答用紙に記述する形式で出題されている。工事を施工することにあたり「○○管理」上の部分には、「**工程管理**」「**品質管理**」「**安全管理**」の3つのうち、2つについて指定され出題されている。したがって、3つのどのテーマが出題されても記述できるように、**あらかじめ準備**しておく必要がある。

【問題】 あなたが経験した電気通信工事のうちから，代表的な工事を1つ選び，次の設問の答えを解答欄に記述しなさい。

〔注意〕 代表的な工事の工事名が工事以外でも，電気通信設備の据付調整が含まれている場合は，実務経験として認められます。
ただし，あなたが経験した工事でないことが判明した場合は失格となります。

〔設問1〕 あなたが**経験した電気通信工事**に関し，次の事項について記述しなさい。

〔注意〕「経験した電気通信工事」は，あなたが工事請負者の技術者の場合は，あなたの所属会社が受注した工事内容について記述してください。従って，あなたの所属会社が二次下請業者の場合は，発注者名は一次下請業者名となります。
なお，あなたの所属が発注機関の場合の発注者名は，所属機関名となります。

(1) 工事名

解答

工　事　名	

(2) 工事の内容

解答

①発注者名	
②工事場所	
③工　期	
④請負概算金額	
⑤工事概要	

(3) 工事現場における施工管理上のあなたの立場又は役割

解答

立　場	

〔設問2〕 上記工事を施工することにあたり「**工程管理**」上，あなたが**特に重要と考えた事項**をあげ，それについてとった**措置**又は**対策**を簡潔に記述しなさい。

解答

〔設問3〕 上記工事を施工することにあたり「**品質管理**」上，あなたが**特に重要と考えた事項**をあげ，それについて**とった措置**又は**対策**を簡潔に記述しなさい。

解答

〔設問4〕 上記工事を施工することにあたり「**安全管理**」上，あなたが**特に重要と考えた事項**をあげ，それについてとった**措置**又は**対策**を簡潔に記述しなさい。
ただし，安全管理については，交通誘導員の配置のみに関する記述は除く。

解答

(2) 記述上の注意事項

施工経験を記述する際の主な注意事項は次の通りである。

1. 経験した電気通信工事の選定

> あなたが経験した電気通信工事に関し，次の事項について記述しなさい。

必ず、「受験の手引き」において、「電気通信工事施工管理の実務経験として認められている工事種別・工事内容」に該当する工事を選ぶこと。「受験の手引き」において、「電気通信工事の実務経験と認められない工事・業務等」に該当する工事・業務を選ばないようにすること。特に※の表記のある部分や、「〜を除く」などの除外事項については、よく確認しておく。

(1) 電気通信工事施工管理に関する実務経験として認められる主な工事種別・工事内容等

	工事種別	工事内容
受験資格として認められる工事種別・工事内容	有線電気通信設備工事	通信ケーブル工事、CATVケーブル工事、伝送設備工事、電話交換設備工事　等
	無線電気通信設備工事	携帯電話設備工事（携帯局を除く）、衛星通信設備工事（可搬地球局を除く）、移動無線設備工事（移動局を除く）、固定系無線設備工事、航空保安無線設備工事、対空通信設備工事、海岸局無線設備工事、ラジオ再放送設備工事、空中線設備工事　等
	ネットワーク設備工事	LAN設備工事、無線LAN設備工事　等
	情報設備工事	監視カメラ設備工事、コンピュータ設備工事、AI（人工知能）処理設備工事、映像・情報表示システム工事、案内表示システム工事、監視制御システム工事、河川情報システム工事、道路交通情報システム工事、ETC設備工事（車両取付を除く）、指令システム工事、センサー情報収集システム工事、テレメータ設備工事、水文・気象等観測設備工事、レーダ雨量計設備工事、監視レーダ設備工事、ヘリコプター映像受信基地局設備工事、道路情報表示設備工事、放流警報設備工事、非常警報設備工事、信号システム工事、計装システム工事、入退室管理システム工事、デジタルサイネージ設備工事　等
	放送機械設備工事	放送用送信設備工事、放送用中継設備工事、FPU受信基地局設備工事、放送用製作・編集・送出システム工事、CATV放送設備工事、テレビ共同受信設備工事、構内放送設備工事　等

※上記表における工事内容と経験を有する件名が合致しない場合においても、上記表に該当する電気通信設備の据付調整まで含まれている場合は電気通信工事の実務経験として認められる。

※上記表においては、既にある設備の増設、改造、修繕に関する工事も実務経験として認められる。

※上記表の「携帯局を除く」とは、携帯電話端末、自動車電話車載機等の移動する側の無線通信設備を除くことをいう。

(2) 電気通信工事施工管理に関する実務経験として認められない主な工事種別・工事内容等

受験資格として認められない・工事種別・工事内容	工事種別	工事内容
	電気通信設備取付	自動車、鉄道車両、建設機械、船舶、航空機等における電気通信設備の取付
	土木工事	通信管路（マンホール・ハンドホール）敷設工事、とう道築造工事、地中配管埋設工事
	電気設備工事	発電設備工事、送配電線工事、引込線工事、受変電設備工事、構内電気設備（非常用電気設備を含む。）工事、照明設備工事、電車線工事、ネオン装置工事、建築物等の「○○電気設備工事」 等
	鋼構造物工事	通信鉄塔工事
	機械器具設備工事	プラント設備工事、エレベータ設備工事、運搬機器設置工事、内燃力発電設備工事、集塵機器設置工事、給排気機器設置工事、揚排水（ポンプ場）機器設置工事、ダム用仮設工事、遊技施設設置工事、舞台装置設置工事、サイロ設置工事、立体駐車場設備工事
	消防施設工事	屋内消火栓設置工事、スプリンクラー設置工事、水噴霧・泡・不燃ガス・蒸発性液体又は粉末による消火設備工事、屋外消火栓設置工事、動力消防ポンプ設置工事、漏電火災警報設備工事

(3) 電気通信工事施工管理に関する実務経験として認められない業務・作業等

- 設計、積算、保守、点検、維持メンテナンス、営業、事務などの業務
- 工事における雑役務のみの業務、単純な労働作業など
- 官公庁における行政及び行政指導、教育機関及び研究所等における教育・指導及び研究等
- 工程管理、品質管理、安全管理等を含まない単純な労務作業等（単なる雑務のみの業務）
- 据付調整を含まない工場製作のみの工事、製造及び購入
- アルバイトによる作業員としての経験

1.2 工事概要

工事概要では、工事名、工事の内容、工事における自身の立場・役割を記述することが求められる。

(1) 記述例

工事概要の記述例は次の通りである。

1. **工事名**

○○ビル新築工事（電気通信設備工事）

2. **工事の内容**

① **発注者名**	○○○○株式会社
② **工事場所**	○○県○○市○○町１－２－３
③ **工　期**	20○○年○○月○○日～20○○年○○月○○日
④ **請負概算金額**	○○○○万円
⑤ **工事概要**	建物概要　SRC造　地上○○階　地下○階 延べ面積○○○○○m²　事務所ビル 電気通信設備　○○設備　○○kW×○○台　○○配線 ○○×○○m

3. **工事現場における施工管理上のあなたの立場又は役割**

電気通信設備工事の施工管理

(2) 工事概要の記述のヒント

- 共通設備：配線（光ケーブル、UTPケーブル、給電線）、配管、ダクト、ケーブルラック、分電盤、接続箱、プルボックス、ハンドホール、引込柱、通信線柱、UPS(無停電電源設備)、直流電源装置、太陽光発電装置、雷保護装置、接地
- 各種情報設備：19インチ汎用ラック、各種情報設備、IPネットワーク装置（ルータ、L2スイッチ、L3スイッチ)、無線LAN装置
- 多重無線通信設備：多重無線装置、乾燥空気充填装置、空中線装置、監視制御装置
- 衛星通信設備：送受信装置、ネットワーク装置、空中線装置
- 通信基地局設備：基地局装置、空中線装置、附属装置
- テレメータ設備：監視局装置、中継局装置、観測局装置、雨量・水位計、GPS装置
- 放流警報装置：監視局装置、中継局装置、警報局装置
- ヘリコプタ映像伝送設備：基地局装置、リモート局装置
- 電話交換設備：自動電話交換装置、簡易電話交換装置、IP電話交換装置、中継台、夜間転送台、電話機、端子盤
- 有線通信設備：総合IPネットワーク装置（サーバ、HUB、ルータ、Wifiルータなど)、光ファイバ線路監視装置
- 道路情報表示設備：制御装置、表示装置、機側操作盤
- 河川情報表示設備：制御装置、表示装置
- 放流警報表示設備：制御装置、表示装置
- トンネル監視制御装置：監視制御装置、付属設備（煙霧透過率測定装置、CO計、風向風速計）

- 非常警報設備：受信装置、主制御装置、副制御装置、押ボタン式通報装置、警報表示板、非常電話案内板、付属設備、火災検知器
- ラジオ再放送設備：受信空中線、ラジオ受信装置、ラジオ再放送装置、トンネル内空中線、付属機器、監視装置、割込制御装置
- トンネル無線補助設備：無線補助装置、空中線
- 路側通信設備：制御装置、端末装置、放送装置、空中線装置、案内標識版
- 道路防災設備：交通信号装置、車両感知装置、路車間通信装置
- 施設計測・監視制御設備：路面凍結検知装置、積雪深計測装置、気象観測装置、強震計測装置、土石流監視制御装置、路面冠水検知装置
- ダム・堰諸量設備：ダム・堰諸量装置、ダム・堰放流制御装置
- レーダ雨量計設備：全国合成処理局装置、監視制御局装置、レーダ基地局装置
- 統一河川情報システム：統一河川情報システム装置
- 道路交通情報設備：道路情報中枢局装置、道路情報集中局装置
- CCTV設備：CCTV監視制御装置、カメラ装置、機側装置
- 水質自動監視設備：水質自動監視装置、観測局装置
- 電話応答通報設備：電話応答（通報）装置
- システム・インテグレーション：IPネットワーク機器（ネットワーク伝送装置〔SDN方式〕無線LAN設備）、統合型IP電話交換設備

(3) 記述上の注意事項

工事概要を記述する際の注意事項は次の通りである。

①工事名：**工事契約上の実際の工事件名**を記述する。建物名、施設名は**固有名詞**を記述する。設問の〔注意〕にある通り、「経験した電気通信工事」は、自分が工事請負者の技術者の場合は、**自分の所属会社が受注した工事内容**について記述する。

②発注者名：**工事契約上の実際の発注者名**を記述する。設問の〔注意〕にある通り、自分の所属会社が二次下請業者の場合は、発注者名は**一次下請業者名**となり、**自分の所属が発注機関**の場合の発注者名は、**所属機関名**となる。

③工事場所：**住所**など場所が特定できる情報をできるだけ詳細に記述する。

④工期：**着工から完工**までの請負契約書の工期を記述する。また、事例として挙げる工事は、**完工**したもので、できるだけ**直近から5、6年以内**に経験した**3ヶ月以上**の工期のものが望ましい。現在施工中のものは取り上げないようにする。

⑤請負概算金額：請負概算金額を**万円単位**で記述する。

⑥工事概要：建物や施設、電気通信設備の概要を、どのくらいの規模の工事を経験したのか分かるように、階数、延べ面積、出力、台数、延長などの**具体的な数字**を挙げて記述する。

⑦工事現場における施工管理上のあなたの立場又は役割：会社での立場、役割、役職ではなく、**現場においての立場、役割**を記述する。「受験の手引き」の「電気通信工事施工管理に関する実務経験として**認められない業務・作業**等」は**記述しない**こと。請負業者の場合は、「施工監督」などとして「**施工管理**」に携わっていることを明確に記述する。発注者・監理者の場合、現場の「**工事監理**」に携わっていることを明確に記述する。

1.3 施工管理上、重要と考えた事項ととった措置または対策

施工管理上、重視した事項と措置・対策については、次に示す内容に注意しながら記述することが求められる。

> 上記工事を施工することにあたり「○○管理」上，あなたが特に重要と考えた事項をあげ，それについてとった措置又は対策を簡潔に記述しなさい。

①テーマに合致した「特に重要と考えた事項」を記述する

「○○管理」の部分には、「工程管理」「品質管理」「安全管理」のテーマが指定される。この設問で最も重要なことは、設問のテーマに合致した内容を記述し、テーマからずれた内容とならないようにすることである。例えば、物が損傷しないようにカバーすることは「品質管理」の一環、人がケガをしないようにカバーすることは「安全管理」の一環である。各テーマの概要は次の通りである。

- 工程管理：工期内に完工させるための管理。キーワードは「トキ」
- 品質管理：要求事項に適合する品質を得るための管理。キーワードは「モノ」
- 安全管理：施工中の作業者、第三者など、人に対する危害防止のための管理。キーワードは「ヒト」

②「特に重要と考えた事項」と「とった措置又は対策」を正しく切り分けて記述する

次に重要なことは、「特に重要と考えた事項」と「とった措置又は対策」は解答欄が分かれており、両者を正しく切り分けて記述することである。「特に重要と考えた事項」の解答欄に「とった措置又は対策」を記述しないこと、逆に、「とった措置又は対策」の解答欄に「特に重要と考えた事項」を記述しないこと。例えば、「墜落制止器具の着用」は「とった措置又は対策」であり、「特に重要と考えた事項」は「作業員の転落事故防止」となる。

③「とった措置又は対策」は実施したことを記述する

当然であるが、「とった措置又は対策」は実施したことを記述する。実施とは、実際に行うことであり、すなわち、「とった措置又は対策」の解答欄には、実際に行ったことを記述する。自分の頭の中で検討したことではなく、実際に自分が行動したことを記述する。例えば、「○○の工程が遅延しないように検討した。」などの記述は、「とった措置又は対策」の記述ではない。検討や打ち合わせは対策の実施ではないからである。検討した結果、実際に行ったことを記述すること。したがって、記述の文末を「～を実施した」となるように意識して記述するとよい。また、実施した結果も記述する。

④簡潔に記述する

設問の末尾に「簡潔に記述しなさい。」とあるように、指定された解答欄に収まるよう簡潔に記述すること。指定された解答欄からはみ出したり、解答欄以外の部分に記述し

たりしないこと。

⑤具体的に記述する

何を重視して、どのような措置・対策をとったのか、採点者が読んで理解できるよう、具体的に記述すること。具体的に記述するポイントは次の通りある。

- 数字を挙げる：高い、大きい、重い、多い、かなりなどの形容詞・副詞は、数字を挙げて表現する。
- 例を挙げる：「重量物」、「高所作業」は、「○○等の重量物」、「○○等の高所作業」と例を挙げて表現する。
- 理由を挙げる：「特に重要と考えた事項」には、そう考えた理由を記述する
- WHを挙げる：「いつ」、「どこで」、「何を」、「どのように」、できるだけWHを交えて表現する。

⑥施工段階の事項を記述する

「特に重要と考えた事項」と「とった措置又は対策」は、施工中の事項を記述する。施工前の設計段階や引き渡し後の運用段階の事項は記述しない。例えば、「施工中に機器が転倒して作業員がケガをしないようにすること」は、安全管理上の記述になり得るが、「引き渡し後、機器が転倒して利用者がケガをしないようにすること」は、安全管理上の記述にはならない（ただし、品質管理上の記述にはなり得る。）。

⑦その他、一般的な注意事項

その他、記述に関する一般的な注意事項は次の通りである。

- 解答欄の8割以上は文字で埋める。
- 隠語や話し言葉で記述しない。
  （例：×　水道屋　→　○　給水工事業者）
- 誤字、脱字、略字、当て字で記述しない。
  （例：×　撤底した　→　○　徹底した）
- 訂正は、取り消し線などでせず、消しゴムで消して書き直す。
  （例：×　~~25kW~~50kW　→　○　50kW）
- 失敗談を書かない。
  （例：×　○○の対策をしたが、うまくいかなかった。）
- 記述は、箇条書きでも、箇条書きでなくてもよい。
- オリジナルであることが求められる。例文の丸写しは不合格になる可能性が高い。

1.4 例文

特に重要と考えた事項と、それに対してとった措置・対策の例文を以下に示す。

(1) 記述の基本パターン例

「特に重要と考えた事項」と「とった措置又は対策」の記述の基本パターン例は、下記の通りである。記述の書式は自由であり、必ずしも下記のパターンで記述する必要はないが、文章を構成する際に参考にされたい。

①特に重要と考えた事項

〇〇の場所の〇〇の作業・工程・設備において、〇〇の理由があったので、〇〇について、特に重要と考えた。

②とった措置又は対策

- 〇〇について、〇〇するために、〇〇を実施した。
- △△について、△△するために、△△を実施した。
- □□について、□□するために、□□を実施した。

※複数の措置・対策を列記するか、措置・対策の各段階を箇条書きにすると書きやすい。

なお、以降に示している記述例は、実際の解答用紙の大きさと異なるため、行数などが異なる。

(2)「工程管理」の記述のヒント

「工程管理」の記述は、工程が遅延・短縮する理由を思い出して記述すると書きやすい。「工程管理」の「とった措置又は対策」は、先行作業、並行作業、増員、プレハブなどが挙げられる。これらの措置、対策を、数字や例を挙げて具体的に記述するとよい。なお、「工程管理」の措置・対策に「打ち合わせをした。」という記述が散見されるが、打ち合わせは措置・対策ではない。打ち合わせた結果、実施したことを記述する。また、第一次検定対策で学習したネットワーク手法（フォローアップによる日程短縮やクリティカルパス、フロートの算定など）を記述してもよい。

①天候不順

工事を施工するに当たり「工程管理」上、あなたが特に重要と考えた事項についてとった措置又は対策を簡潔に記述しなさい。

(1) 特に重要と考えた事項

〇〇の〇〇設備の〇〇の作業は、〇〇の理由により、雨天時には施工できないので、当該作業の施工日程の確保が特に重要と考えた。

(2) とった措置又は対策
・○○の作業よりも先行して○○の作業を実施することで、○日、所要日程を短縮できた。
・天気予報で雨天が予想されるときは、雨天時でも作業ができる屋内の○○の作業に切り替えた。
・○○の作業を、○人×○班から○人×○班からに増員することで、○日、所要日程を短縮できた。

②前工程の遅延

工事を施工するに当たり「工程管理」上、あなたが特に重要と考えた事項についてとった措置又は対策を簡潔に記述しなさい。

(1) 特に重要と考えた事項
○○の○○設備の○○の作業は、前工程の○○の作業が○日間遅延したことにより、当該作業の開始日が○日間遅延したので、当該作業の施工日程の確保が特に重要と考えた。

(2) とった措置又は対策
・○○の作業は、あらかじめ弊社加工場で作業することで、○日、所要日程を短縮できた。
・○○の作業と同時に○○の作業を実施することで、○日、所要日程を短縮できた。
・○○の作業を、○人×○班から○人×○班からに増員することで、○日、所要日程を短縮できた。

③工期の短縮

工事を施工するに当たり「工程管理」上、あなたが特に重要と考えた事項についてとった措置又は対策を簡潔に記述しなさい。

(1) 特に重要と考えた事項
○○の○○設備の○○の作業は、発注者の要望により工期が○日間短縮したため、当該作業の施工日程の確保が特に重要と考えた。

(2) とった措置又は対策
・○○の作業を、○人×○班から○人×○班からに増員することで、○日、所要日程を短縮できた。
・○○の作業と同時に○○の作業を実施することで、○日、所要日程を短縮できた。
・○○の作業は、部分引き渡し後に実施することとし、○日、所要日程を短縮できた。

④作業時間の制限

工事を施工するに当たり「工程管理」上、あなたが特に重要と考えた事項についてとった措置又は対策を簡潔に記述しなさい。

(1) 特に重要と考えた事項

○○の○○設備の○○の作業は、発注者の要望により作業時間が○○：○○～○○：○○までの○時間という制限があったので、当該作業の施工日程の確保が特に重要と考えた。

(2) とった措置又は対策

- ○○の作業は、あらかじめ弊社加工場で作業することで、○日、所要日程を短縮できた。
- 時間制限のない○○の作業を指定作業時間外に実施することで、○日、所要日程を短縮できた。
- 時間制限のある○○の作業は、タクト工程表を作成し、無駄な移動のない効率的な工程を組んだ。

⑤フォローアップ

工事を施工するに当たり「工程管理」上、あなたが特に重要と考えた事項についてとった措置又は対策を簡潔に記述しなさい。

(1) 特に重要と考えた事項

○○の○○設備の○○の作業は、工期の途中、ネットワーク工程表で所要日数を算出し直したところ、○日間増加することが予想されたので、当該作業工程のフォローアップが特に重要と考えた。

(2) とった措置又は対策

- ○○の作業と同時に○○の作業を実施することで、○日、所要日程を短縮できた。
- ネットワーク工程表によりトータルフロートを求め、マイナスとなる作業を洗い出した。
- ○○の作業を、○人×○班から○人×○班からに増員することで、○日、所要日程を短縮できた。

⑥工場生産品の製作期間

工事を施工するに当たり「工程管理」上、あなたが特に重要と考えた事項についてとった措置又は対策を簡潔に記述しなさい。

(1) 特に重要と考えた事項

○○の○○設備の○○の機器は、工場での製作に○○日間要し、○○作業工程におけるネットワーク上のクリティカルパスに該当するので、重点管理する必要があると考えた。

(2) とった措置又は対策

- メーカーに、納入○日までに○○機器の何の仕様を決定する必要があるかリストアップさせた。
- 発注者（または元請負人）に、納入○日までに○○機器の○○などの仕様を決定してもらった。
- ○日に1回、定期的に製作工場の担当者に連絡をし、製作工程に遅延がないことを確認した。

⑦搬入工程

工事を施工するに当たり「工程管理」上、あなたが特に重要と考えた事項についてとった措置又は対策を簡潔に記述しなさい。

(1) 特に重要と考えた事項

○○の○○設備の○○の大型機器は、○○の場所の○○工事の○○の作業の前に、搬入口から揚重機器により搬入する必要があり、当該機器の搬入工程を重視した。

(2) とった措置又は対策

- ○○工事の担当者と共通のバーチャート工程表を作成し、○○の搬入日と予備日を確保した。
- ○○の揚重機器は、搬入日○日と天候不順に備えた予備日○日の計○日間の日程を確保した。
- ○日に1回、定期的に製作工場の担当者に連絡をし、搬入日に遅延しないことを確認した。

(3)「品質管理」の記述のヒント

「品質管理」の記述は、受入検査、社内検査、完成検査など、現場で実施した検査や試験を思い出して記述すると書きやすい。受入検査、社内検査、完成検査などはどこの現場においても実施しているものであるので、それらの試験、検査を実施した現場特有の理由に重点をおいて記述するとよい。その他、搬入・施工・引き渡しまでの損傷防止や作業員の施工能力、耐災害性、耐震性の確保なども、品質管理の記述対象となり得る。

①受入検査

工事を施工するに当たり「品質管理」上、あなたが特に重要と考えた事項についてとった措置又は対策を簡潔に記述しなさい。

(1) 特に重要と考えた事項

○○階○○室の○○設備の○○は、種類が○種、台数が○台と種類・台数が多く、誤発注・誤納入しやすいので、正しい仕様のものを納入・施工することが特に重要と考えた。

(2) とった措置又は対策

- 受け入れ時に銘板と納入仕様書を照合し、全数についてチェックシートにより確認した。
- 検査を実施したものには「検査済」、未実施のものは「未実施」と箱に表示し、分けて保管した。
- 検査の結果、誤納入されたものは「使用禁止」の表示をし、速やかに場外に搬出した。

②損傷防止

工事を施工するに当たり「品質管理」上、あなたが特に重要と考えた事項についてとった措置又は対策を簡潔に記述しなさい。

(1) 特に重要と考えた事項

○階○○室の○○設備の○○は、○○より搬入し、○○室に設置される。設置後、引き渡しまで○日間、作業現場にあるため、搬入・据付・引き渡しまでの損傷防止が重要と考えた。

(2) とった措置又は対策

- 搬入経路の段差にスロープを設置し、柱・壁のコーナー部に緩衝材を施し、衝撃による損傷を防止した。
- 設置後、作業による損傷防止のため、○○を緩衝材で養生し、「さわるな」と注意表示した。
- ○○の損傷防止について、作業前ミーティングで作業員に周知するとともに、適時点検した。

③施工能力の確保

工事を施工するに当たり「品質管理」上、あなたが特に重要と考えた事項についてとった措置又は対策を簡潔に記述しなさい。

(1) 特に重要と考えた事項

○階○○室の○○設備の○○の作業は、今回、はじめて依頼する協力会社により施工されるので、○○作業の施工能力の確保が重要と考えた。

(2) とった措置又は対策

- 着工前に、当該協力会社の建設業の許可、有資格者、経歴等により、施工能力があることを確認した。
- 作業前に、当該協力会社の作業員に対して、施工要領書の説明会を行い、施工能力の確保を図った。
- 作業後、施工要領書に従って作業したかを現地で点検し、不具合箇所は理由を説明して是正させた。

④完成検査

工事を施工するに当たり「品質管理」上、あなたが特に重要と考えた事項についてとった措置又は対策を簡潔に記述しなさい。

(1) 特に重要と考えた事項

当該建物の○○設備は○○○○方式が採用され、○○○○法上の○○○○となるため、当該○○○○を、○○○○法上の技術基準に適合させることが重要と考えた。

(2) とった措置又は対策

- 使用する機器・管材について、受入検査で認証マーク等により適合品であることを確認した。
- ○○設備について、○○○○法上の技術基準に則った○○試験を実施し、○○○○のないこと、○○○○が正常動作することを確認した。
- 端末装置において○○○○測定器を用いて、○○状態をチェックし、端末装置への○○○○、○○○○に異常のないことを確認した。

⑤耐震性

工事を施工するに当たり「品質管理」上、あなたが特に重要と考えた事項についてとった措置又は対策を簡潔に記述しなさい。

(1) 特に重要と考えた事項

○階○○室の○○設備の○○は、発注者より、災害時の安全性を確保することを要求されていたので、○○についての耐震性の確保が特に重要と考えた。

(2) とった措置又は対策

- ○○のアンカーボルトは、想定地震力に対抗できる径、本を計算により求めた。
- ○○のアンカーボルトは、床スラブに堅固に緊結して施工した。
- ○○の上部に振れ止めを設け、下部には耐震ストッパーを設けた。

⑥通信線の施工

工事を施工するに当たり「品質管理」上、あなたが特に重要と考えた事項についてとった措置又は対策を簡潔に記述しなさい。

(1) 特に重要と考えた事項

○階の○○室は、○○設備の○○機器への○○通信の配線は、○○の理由により○○の施工不良のおそれがあったため、○○を防止することが、特に重要と考えた。

(2) とった措置又は対策

- ○階の○○室の上部にある配線は、施工後の接続の状況を点検し、写真にて記録した。
- ○○設備の○○配線については、絶縁抵抗試験を行い、○○MΩ以上であり異常のないことを確認した。
- ○○設備の○○配線については、○○試験、○○試験を行い、異常のないことを確認した。

⑦塩害対策

工事を施工するに当たり「品質管理」上、あなたが特に重要と考えた事項についてとった措置又は対策を簡潔に記述しなさい。

(1) 特に重要と考えた事項

当該建物は海浜部にあり、屋外設置の○○設備の○○機器などについて塩害のおそれがあったので、塩害防止が特に重要と考えた。

(2) とった措置又は対策
- 屋外設置の〇〇機器は、耐塩害仕様のものが納入されているか、銘板と納品書で確認した。
- 屋外設置の〇〇機器の外気取入れ換気口に、耐塩フィルターが装着されているか、納品書で確認した。
- 電線管、ボックス、ダクト、配線器具は、耐塩害仕様であることを、納入時、施工時に確認し、記録した。

(4)「安全管理」の記述のヒント

「安全管理」の記述は、施工中に発生が懸念された労働災害・公衆災害に対して、どのような予防措置をとったかを思い出して記述すると書きやすい。請負業者の場合は、作業員に対する労働災害とともに、通行人など、第三者に対する公衆災害が記述の対象となる。一方、発注者の場合は、通行人や第三者に対する公衆災害が記述の対象となる。なお、設問に「ただし，安全管理については，交通誘導員の配置のみに関する記述は除く。」などのただし書きがある場合もあるので、ただし書きの内容に注意して記述する。

①高所作業

工事を施工するに当たり「安全管理」上、あなたが特に重要と考えた事項についてとった措置又は対策を簡潔に記述しなさい。

(1) 特に重要と考えた事項
〇階〇〇室の〇〇設備の〇〇作業が、〇〇mの高所作業となるため、作業員の転落事故を防止することが特に重要と考えた。

(2) とった措置又は対策
- 作業場所に、幅40cm以上の作業床を設け、作業床には転落防止用に高さ85cm以上の手すりを設けた。
- 作業場所に、墜落制止器具を取り付ける設備を設け、作業員に墜落制止器具を使用させて作業を実施させた。
- 安全作業手順を作業前ミーティングで作業員に周知するとともに、安全パトロールをして点検した。

②揚重作業

工事を施工するに当たり「安全管理」上、あなたが特に重要と考えた事項についてとった措置又は対策を簡潔に記述しなさい。

(1) 特に重要と考えた事項

○○階○○室の○○設備の○○作業が、○○kgの重量物の移動式クレーンによる揚重作業となるため、作業員に対する落下事故を防止することが特に重要と考えた。

(2) とった措置又は対策

- 吊り荷の下に人が入らないように、バリケードで立入禁止とし、誘導員を配置して監視させた。
- 移動式クレーンの運転者、玉掛け者は、免許者・技能講習修了者であることを免状により確認した。
- 安全作業手順を作業前ミーティングで全作業員に周知するとともに、安全パトロールをして点検した。

③酸欠作業

工事を施工するに当たり「安全管理」上、あなたが特に重要と考えた事項についてとった措置又は対策を簡潔に記述しなさい。

(1) 特に重要と考えた事項

○○階○○室の○○設備の○○作業が、酸素欠乏症のおそれのある作業となるため、作業員の酸欠事故を防止することが特に重要と考えた。

(2) とった措置又は対策

- ダクトファンにより作業場所を換気し、酸素濃度が18%以上であることを測定してから作業を行った。
- 技能講習修了者の作業主任者を選任し、作業員は特別教育修了者であることを確認して作業させた。
- 安全作業手順を作業前ミーティングで全作業員に周知するとともに、安全パトロールをして点検した。

④熱中症作業

工事を施工するに当たり「安全管理」上、あなたが特に重要と考えた事項についてとった措置又は対策を簡潔に記述しなさい。

(1) 特に重要と考えた事項
○階○○室の○○設備の○○作業が、熱中症のおそれのある作業となるため、作業員の熱中症事故を防止することが特に重要と考えた。

(2) とった措置又は対策
- 作業場所にスポットクーラーと扇風機を配置して、作業場所の通風を確保した。
- 作業場所の近くに冷水器と塩飴を配置して、○○分ごとに休憩させて、水分と塩分を補給させた。
- 安全作業手順を作業前ミーティングで全作業員に周知するとともに、安全パトロールをして点検した。

⑤電動工具作業

工事を施工するに当たり「安全管理」上、あなたが特に重要と考えた事項についてとった措置又は対策を簡潔に記述しなさい。

(1) 特に重要と考えた事項
○階○○室の○○設備の○○作業が、電動工具による感電のおそれのある作業となるため、作業員の感電事故を防止することが特に重要と考えた。

(2) とった措置又は対策
- 電動工具の電源は、漏電遮断器付き電工ドラムから取り、必ずアースを施して使用させた。
- 使用開始前に、漏電遮断器の動作テスト、電動工具の絶縁抵抗測定を実施させた。
- 安全作業手順を作業前ミーティングで全作業員に周知するとともに、安全パトロールをして点検した。

⑥第三者災害（交通災害）

工事を施工するに当たり「安全管理」上、あなたが特に重要と考えた事項についてとった措置又は対策を簡潔に記述しなさい。

(1) 特に重要と考えた事項

○○の○○設備の○○作業は、○○のための作業車両と通行人などの第三者が、○○の理由により、接触事故を起こすおそれがあったので、車両による接触事故防止が重要と考えた。

(2) とった措置又は対策

- 原則として、作業車両の通行は、通行人の少ない○○：○○～○○：○○に制限した。
- 上記時間帯は車両が通行することを、案内資料を配布、掲示して、建物関係者に周知した。
- 車両通行時には、バリケードにより幅○○cmの安全通路を確保し、誘導員を配置し誘導させた。

⑦第三者災害（飛来・落下災害）

工事を施工するに当たり「安全管理」上、あなたが特に重要と考えた事項についてとった措置又は対策を簡潔に記述しなさい。

(1) 特に重要と考えた事項

○階○○室の○○設備の○○作業は○○mの高所作業となり、○○の理由により、通行人への飛来・落下災害のおそれがあるため、飛来・落下災害の防止が特に重要と考えた。

(2) とった措置又は対策

- 原則として、当該作業の作業時間は、通行人の少ない○○：○○～○○：○○に制限した。
- 工具に落下防止の紐をつけ、足場の下部に防網を設け、足場には不要なものを置かないようにさせた。
- 作業場所の下に、バリケードにより幅○○cmの安全通路を確保し、誘導員を配置し誘導させた。

例題 1-1　令和4年度 2級電気通信工事施工管理技術検定（第二次検定）問題〔No.1〕

〔設問1〕 あなたが**経験した電気通信工事**に関し，次の事項について記述しなさい。

〔注意〕「経験した電気通信工事」は，あなたが工事請負者の技術者の場合は，あなたの所属会社が受注した工事内容について記述してください。従って，あなたの所属会社が二次下請業者の場合は，発注者名は一次下請業者名となります。なお，あなたの所属が発注機関の場合の発注者名は，所属機関名となります。

(1) 工　事　名

(2) 工事の内容

① 発注者名

② 工事場所

③ 工　　期

④ 請負概算金額

⑤ 工事概要

(3) 工事現場における施工管理上のあなたの立場又は役割

〔設問2〕 上記工事を施工することにあたり「**工程管理**」上，あなたが**特に重要と考えた事項**をあげ，それについて**とった措置**又は**対策**を簡潔に記述しなさい。

〔設問3〕 上記工事を施工することにあたり「**品質管理**」上，あなたが**特に重要と考えた事項**をあげ，それについて**とった措置**又は**対策**を簡潔に記述しなさい。

解答例

〔設問1〕

解説

1.1（2）「記述上の注意事項」及び1.2（2）「記述上の注意事項」を参照のこと。

〔設問2〕

解答例

(1) 特に重要と考えた事項

第３センターのネットワーク監視設備のシステム更改作業は、発注者の要望により作業時間が月曜日の深夜１：００～早朝５：００までの４時間という制限があったので、当該作業の施工日程の確保が特に重要と考えた。

(2) とった措置又は対策

• 新設ネットワーク監視装置の設置、設定、事前検証の作業を、あらかじめ試験用ラックを設けて行うことで、2時間、所要工程を短縮することができた。

- 時間制限のない既存ネットワーク監視装置の撤去作業を作業時間外に実施することで、2時間、所要工期を短縮することができた。
- 時間制限のある新旧ネットワーク監視装置切換・試験調整作業は、作業班ごとのタクト工程表を作成し、各班ともに無駄のない効率的な工程を組んだ。

〔設問3〕

解答例

(1) 特に重要と考えた事項

3階サーバ室のネットワーク設備の光ファイバケーブル敷設の作業は、今回、はじめて依頼する協力会社により施工されるので、光ファイバケーブル敷設作業の施工能力の確保が重要と考えた。

(2) とった措置又は対策

- 着工前に、当該協力会社の建設業の許可、有資格者、経歴などにより、施工能力があることを確認した。
- 作業前に、当該協力会社の作業員に対して、施工要領書の説明会を行い、施工能力の確保を図った。
- 作業後、施工要領書に従って作業したかを現地で点検し、不具合箇所は理由を説明して是正させた。

例題 1-2　令和2年度 1級電気通信工事施工管理技術検定（実地試験）問題〔No.1〕 

〔設問1〕 あなたが**経験した電気通信工事**に関し，次の事項について記述しなさい。

〔注意〕「経験した電気通信工事」は，あなたが工事請負者の技術者の場合は，あなたの所属会社が受注した工事内容について記述してください。従って，あなたの所属会社が二次下請業者の場合は，発注者名は一次下請業者名となります。
なお，あなたの所属が発注機関の場合の発注者名は，所属機関名となります。

(1) 工　事　名

(2) 工事の内容

① 発注者名

② 工事場所

③ 工　　期

④ 請負概算金額

⑤ 工事概要

(3) 工事現場における施工管理上のあなたの立場又は役割

〔設問2〕 上記工事を施工することにあたり「**安全管理**」上，あなたが**特に重要と考えた事項**をあげ，それについて**とった措置**又は**対策**を簡潔に記述しなさい。
ただし，安全管理については，交通誘導員の配置のみに関する記述は除く。

〔設問3〕 上記工事を施工することにあたり「**品質管理**」上，あなたが**特に重要と考えた事項**をあげ，それについて**とった措置**又は**対策**を簡潔に記述しなさい。

解答例

〔設問1〕

解説　1.1（2）「記述上の注意事項」及び1.2（2）「記述上の注意事項」を参照のこと。

〔設問2〕

解答例　**(1) 特に重要と考えた事項**

夏期に行うB1 ～ 10階のEPS内のWifiルータ設置作業が、熱中症のおそれのある作業となるため、作業員の熱中症事故を防止することが特に重要と考えた。

(2) とった措置又は対策

- 作業場所にスポットクーラーと扇風機を配置して、作業場所の通風を確保した。
- 作業場所の近くに冷水器と塩飴を配置して、1時間ごとに10分間休憩させて、水分と塩分を補給させた。
- 安全作業手順を作業前ミーティングで全作業員に周知するとともに、安全パトロールをして点検した。

〔設問3〕

解説　1.3及び1.4（3）「『品質管理』の記述のヒント」を参照のこと。

第2章 施工計画

第二次検定における施工計画の分野では、電気通信工事に関する語句の施工管理上留意すべき内容について具体的に記述させる問題と、図を読み解かせる問題が出題されている。

2.1 施工計画に関する記述

施工計画は、電気通信工事などを行うにあたっての計画のことで、工事に着手する前に目的となる工事をどのように完成させるかという手順や工法・安全計画などについて、項目立ててまとめることを指す。これを明文化したものが施工計画書であり、実際に電気通信工事などを行う前に完成させて現場監督職員に提出しなければならない。

試験の出題では、時間や解答用紙の紙面の都合などもあるため、長大な施工計画書の全文を書き下すようなことは求められず、その一部として電気通信工事に関する機材の扱い方や搬入方法、工事方法、安全管理・資材管理、機材の検証などに絞って要点をまとめる形で出題されている。

2.2 「施工管理上留意すべき内容」のヒント

本国家試験は電気通信工事施工管理技士であるから、電気通信工事、具体的には電話工事（アナログ電話、ISDN）、光ファイバ工事、IPネットワーク工事、CATV・地上デジタル・衛星テレビジョン共聴システム工事、そして無線通信設備工事などの分野から出題される。出題内容としては、それら工事を行う際に必要な資材運搬、搬入、検証、設置、完成検査などについて、各々の機器や物品の特性に合わせた留意点を簡潔に記述することが必要となる。

2.3 施工図でよく用いられる記号

施工図でよく用いられる図示記号を紹介する。記号と名称が結びつくように、覚えておく必要がある。

表2-1　よく用いられる図示記号

記号	名称
配管配線	
	ジョイントボックス
	プルボックス （形式、寸法は、傍記による。）
	ケーブル用ジョイントボックス （傍記tは、端子付を示す。）
盤	
	分電盤（二重枠のものは、耐熱形分電盤とする。）
	ＯＡ盤
	実験盤
	制御盤
	配電盤
	警報盤
	接地端子箱
構内情報通信網装置	
RT	ルータ （ルータ以外の機器もこれに準じ□内に機器名を記入する。）
	情報用アウトレット 通信コネクタ×１ （通信コネクタ１個以外及び種類は、傍記による。）
	二重床用情報用アウトレット 通信コネクタ×１ （通信コネクタ１個以外及び種類は、傍記による。）
構内交換装置	
T	内線電話機
T BT	ボタン電話機
	集合保安器箱（対数〔実装数／容量－列数〕形式は、傍記による。）
	転換器又は接続器 （回線数は、傍記による。）
	端子盤（対数〔実装数／容量－列数〕形式は、傍記による。）
MDF	本配線盤 （対数〔実装数／容量－列数〕形式は、傍記による。）
ATT	局線中継台 （形式は、傍記による。）
PBX	交換装置 （形式は、傍記による。）
	ボタン電話主装置 （形式は、傍記による。）
	局線表示盤 （局線数は、傍記による。）
	床付電話用アウトレット（形状及び通信コネクタの種類は、傍記による。）
	壁付電話用アウトレット（通信コネクタの種類は、傍記による。）
映像・音響装置、拡声装置	
	スピーカ
	ホーン形スピーカ
	アッテネータ
	ラジオアンテナ （種別は、傍記による。）
AMP	増幅器
P	プロジェクタ
TV	カラーモニタ・カラーテレビ
RM	リモコンマイク
誘導支援装置	
t	電話形インターホン親機 （使用用途は、傍記による。）
t	電話形インターホン子機 （使用用途は、傍記による。）
	スピーカ形インターホン親機 （使用用途は、傍記による。）
	スピーカ形インターホン子機 （使用用途は、傍記による。）
	トイレ等呼出表示 （窓数は、傍記による。）

（次ページに続く）

記号	名称
L	壁付呼出ボタン（確認灯付） （自己保持機能付は、傍記による。）
R	壁付復帰ボタン
	壁付呼出表示灯
t	呼出スピーカ子機 （通話機能付）
t	壁付呼出スピーカ子機 （通話機能付）
	壁付押しボタン（2個以上のボタン数は、傍記による。）
	卓上押しボタン（2個以上のボタン数は、傍記による。）
	ベル
	ブザー
	チャイム
テレビ共同受信装置	
	テレビアンテナ （種類は、傍記による。）
	パラボラアンテナ （種類は、傍記による。）
	混合（分波）器 （種類は、傍記による。）
	増幅器 （種類は、傍記による。）
	1分岐器
	2分岐器
	4分岐器
	2分配器
	4分配器
	6分配器
	8分配器

記号	名称
	1端子形テレビ端子 （傍記Sは上り信号カット機能付き、傍記Wは2,602MHz対応、傍記SHは3,224MHz対応を示す）
	1端子形直列ユニット F形接栓 （傍記Rは終端抵抗器付き、傍記Sは上り信号カット機能付き、傍記Wは2,602MHz対応、傍記SHは3,224MHz対応を示す）
	機器収容箱
テレビ電波障害防除装置	
A	混合（分波）器
A	線路増幅器
A	1分岐器
A	2分岐器
A	4分岐器
A	2分配器
A	4分配器
PS	電源供給器
監視カメラ装置	
	カメラ
TVM	モニタ
CCTV	監視カメラ装置架
DR	デジタルレコーダ
AVSW	映像切換器
	映像補償器

出典：「公共建築設備工事標準図（電気設備工事編）平成31年版」（国土交通省）
（https://www.mlit.go.jp/common/001282589.pdf）より、抜粋、加工して作成

例題2-1

令和4年度1級電気通信工事施工管理技術検定（第二次）問題〔No.2〕

次の〔設問1〕から〔設問3〕の答えを解答欄に記述しなさい。

〔設問1〕 電気通信工事に関する語句を選択欄の中から**2つ**選び，**語句**を記入のうえ，**施工管理上留意すべき内容**について，それぞれ具体的に記述しなさい。

選択欄

1. 機器の据付け	2. 二重天井内配線
3. ケーブルラックの敷設	4. 電線等の防火区画の貫通

〔設問2〕 下図に示す防犯設備系統図において，（ア），（イ）の日本産業規格（JIS）の記号の**名称**を記述のうえ，それらの**機能**又は**概要**を記述しなさい。

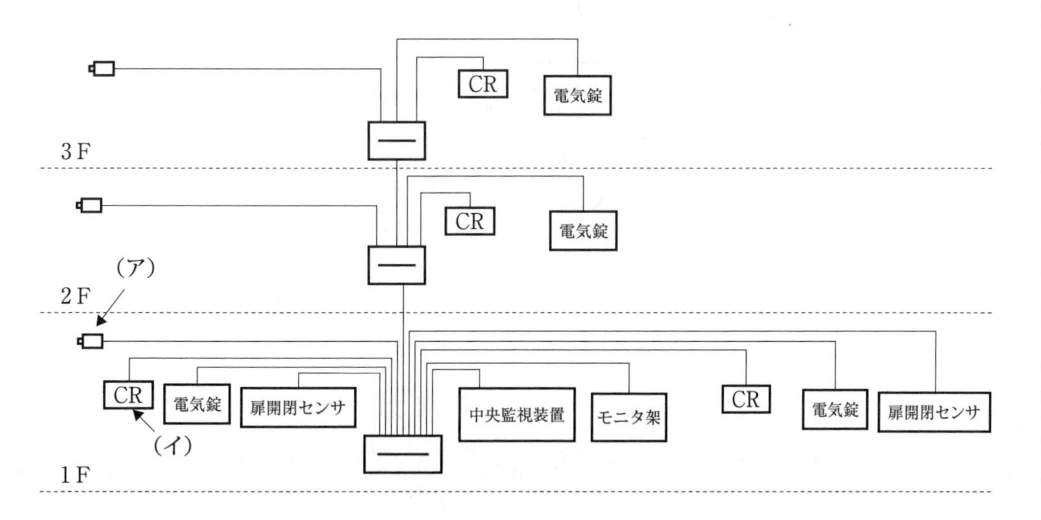

〔設問3〕 下図に示すループコイル式車両検知システムにおいて，[　　]に当てはまる語句を記述しなさい。

「ループコイル式」は，ケーブルを長方形のループ状にしたものを車路に埋設し，高周波電流を流して磁力線を発生させ，車両がループコイル上を通過する際のコイルの[ア]の変化を電圧や位相変化に変換して検出するものである。
図において，ループコイルが2組ずつ設置されているのは，[イ]を判定するのが目的である。

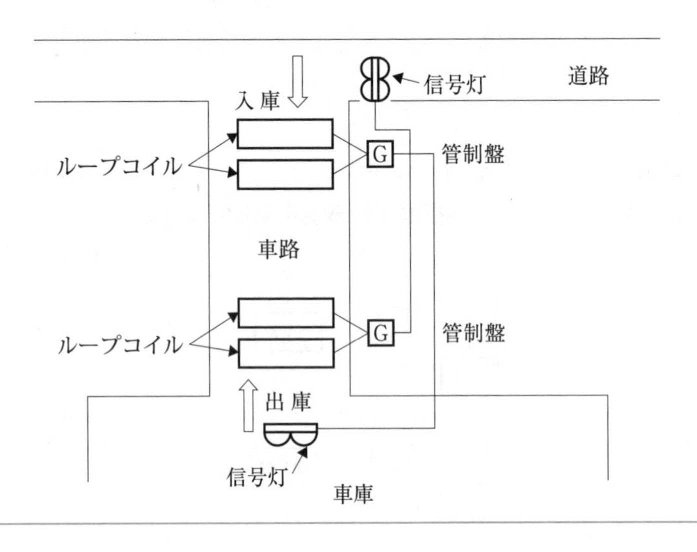

解答例

記述問題は、要点を簡潔・明快に書くことが求められる。形式は文章形式でも箇条書き形式でもよく、出題に合わせて書きやすい形で記述する。ポイントは技術上重要な点をきちんと書けているかどうかなので、たくさん書けば高得点となるわけではない。目安としては文章なら200～400文字程度、箇条書きなら2～4項目程度だが、絶対にこれだけ書かなければならないというものでもないし、これだけ書けば絶対に不足しないというものでもない。 試験対策勉強の段階では、「自分が採点者になったつもりでチェックする」ことを心がけるとよい。

〔設問1〕

以下に、選択肢の記述例を示す。

1．機器の据付け

据付工事に当たっては、まず据付場所の床の耐荷重が確保されているか、床の仕上げなどに問題は無いか、工事に必要な材料や工具は適正かなどについて確認を行う必要がある。何らかの瑕疵により適正な耐荷重などが確保されていなければ、稼働開始後に事故の原因となるからである。
据付工事作業中は、指定通りの据付け位置であるか、水平や垂直は正しく出ているか、組立に当たって部材などの組み合わせミスはないか、使用するボルトなどの部材の品質が十分であり、他の部材との取り違えがないかなど、正しく組立・据付ができているか留意する。

2. 二重天井内配線

二重天井内は、電気通信配線だけではなく他の電力線なども通常存在するため、内線規程や技術基準などで決められた離隔距離を正しく確保できるルートで配線する点に十分留意する。また、吊り金具で吊り下げられた下地枠には鋭利な切り欠きや曲げ部分などが存在しているため、物理的に細くて弱い電気通信配線は損傷しやすい。そのため、必要に応じて適切な防護措置を施したうえで配線を行うことに留意する。

3. ケーブルラックの敷設

ケーブルラックを吊るインサートなどの部材は適正な品質のものであるか、吊り間隔は基準内に収まっているか、吊りボルトの長さは適正であるか、ダブルナットを使用するなどの施工条件は施工要領書通りか、振れ止めの施工は適切か、端部にエンドキャップが必要であれば正しく嵌め込まれているか、適切な設置工事が行われているか、そして強電流電線と近接する場合は適切なセパレータが取り付けられているか、などの点に留意する。

4. 電線等の防火区画の貫通

電線の燃焼を通じて火炎が貫通しないよう、規定された防火区画貫通処理の条件通りに施工されていることに十分留意して施工を行う必要がある。ここで使用する部材については、部材メーカーが区間貫通処理用認定部材を用意しているため、必ずそのような製品を用いるとともに、認定工法で施工したことを示すシールを貼付し、ボードなどで隠蔽処理される前に施工写真を撮影する必要がある。なお、複合用途防火対象物において「開口部のない耐火構造の床・壁」に該当する部分の場合、貫通工事は禁止であるので、錯誤がないよう留意する。

〔設問2〕

以下に、選択肢の記述例を示す。

ア：カメラ

玄関や通路など人通りがある場所に設置し、不審者の有無や万が一事件や事故が起こった際の人物映像などを撮影する装置。

イ：カードリーダー

入館証をスキャンして読み取る装置。

〔設問3〕

以下に、選択肢の記述例を示す。

ア：電流
イ：進行方向

例題2-2 令和4年度2級電気通信工事施工管理技術検定（第二次）問題〔No.2〕 

次の〔設問1〕から〔設問3〕の答えを解答欄に記述しなさい。

〔設問1〕 電気通信工事に関する語句を選択欄の中から**1つ**選び，**語句**を記入のうえ，**施工管理上留意すべき内容**について，具体的に記述しなさい。

選択欄

1. 工場検査	2. 端子盤内の配線処理
3. 硬質ビニル電線管（VE管）の露出施工	4. 管路の外壁貫通

〔設問2〕 電気通信工事の施工図等で使用される記号について，(1)，(2)の日本産業規格(JIS)の記号2つの中から**1つ**選び，**番号**を記入のうえ，**名称**と**機能**又は**概要**を記述しなさい。

(1) 　(2) 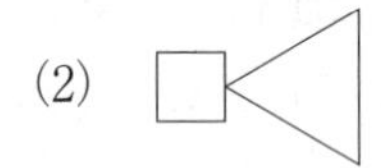

〔設問3〕 伝送品質の劣化要因等に関する次の記述において，[　　]に**当てはまる語句**を選択欄から選びなさい。

(1) [ア]は，回路素子の自由電子の熱的じょう乱運動により発生する雑音で，信号を伝送していないときにも発生する。

(2) [イ]は，パルス列の一部が消失又は重複伝送される現象で，受信した信号の位相変動を，位相同期用バッファメモリによって吸収できない場合などに発生する。

選択欄

準漏話雑音	干渉雑音	熱雑音	誘導雑音
スリップ	ジッタ	ワンダ	エコー

解答例

〔設問1〕

以下に、選択肢の記述例を示す。

1. 工場検査

外観の傷・汚れなどの目視検査の次に、納入仕様書通りに完成しているかどうかを検査するが、この際、図面のみで把握できない詳細部分、製造工場の品質管理状況、必要に応じて各種自主検査などの実施状況など、図面に表現されない部分の確認も併せて行う。当然、機器の動作試験を行い規定通りの動作ができるかどうかについても確認を行う。

2. 端子盤内の配線処理

端子盤内は狭い範囲に多くの配線が集結しているため、導体の露出部分やバリなどが隣接端子と短絡しないように処理する必要がある。また、多数の配線が存在する場合はバラバラにならないよう、系統ごとにまとめて糸などで縛って成形する。

3. 硬質ビニル電線管の露出施工

硬質ビニル電線管は機械的ストレスに弱いため、露出施工を行う場合は床など人間の踏み付けが想定される場所には使用しない。また、壁などに施工する場合も、定められた支点間距離を遵守し、機械的ストレスによる曲がりなどが発生しないように留意する必要がある。

4. 管路の外壁貫通

外壁を貫通して施工する場合、雨水の侵入を防ぐため屋外に向けて下り勾配を付けて施工する。また、メタルラス壁に金属管を使用してはならないなど法的基準に反しないよう留意する必要もある。

〔設問2〕

以下に、選択肢の記述例を示す。

(1) 親時計

親子時計の親側となる時計。構内各所に配置された子時計に対してパルス信号を送り、指針を同期させる働きを持つ。

(2) ホーン型スピーカ

拡声用や誘導支援用などに用いられるスピーカの一種で、ホーンを備えることで一方向に対して指向性を持つという特徴がある。

〔設問3〕

以下に、選択肢の記述例を示す。

ア：熱雑音
イ：スリップ

例題2-3　令和3年度1級電気通信工事施工管理技術検定（第二次）問題〔No.2〕

次の設問1から設問3の答えを解答欄に記述しなさい。

〔設問1〕 電気通信工事に関する語句を選択欄の中から**2つ**選び，**語句**を記入のうえ，**施工管理上留意すべき内容**について，それぞれ具体的に記述しなさい。

選択欄

1. 工事現場における資材管理	2. 打込み方式の金属拡張アンカーの施工
3. 金属製電線管の露出施工	4. 工場検査

〔設問2〕 下図に示すインターホン設備系統図において，（ア），（イ）の日本産業規格（JIS）の記号の**名称**を記入のうえ，それらの**機能**又は**概要**を記述しなさい。

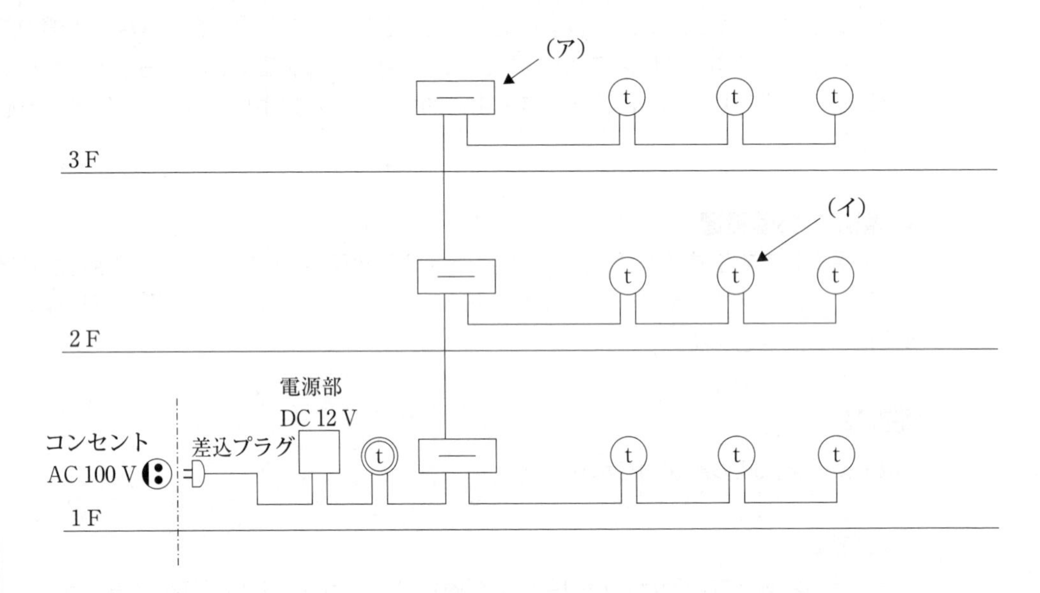

〔設問3〕 無線LAN工事における，通信方式等に関する次の記述において，［　　　］に**当てはまる語句**を記述しなさい。

(1) 無線LAN通信機能を内蔵したIP端末と，［　ア　］と呼ばれる無線LANの基地局を介してLAN機器と接続する通信方式（図-1）は，インフラストラクチャモードと呼ばれる。

(2) 無線LAN通信機能を内蔵したIP端末同士を直接無線LANで接続する通信方式（図-2）は，［　イ　］モードと呼ばれる。

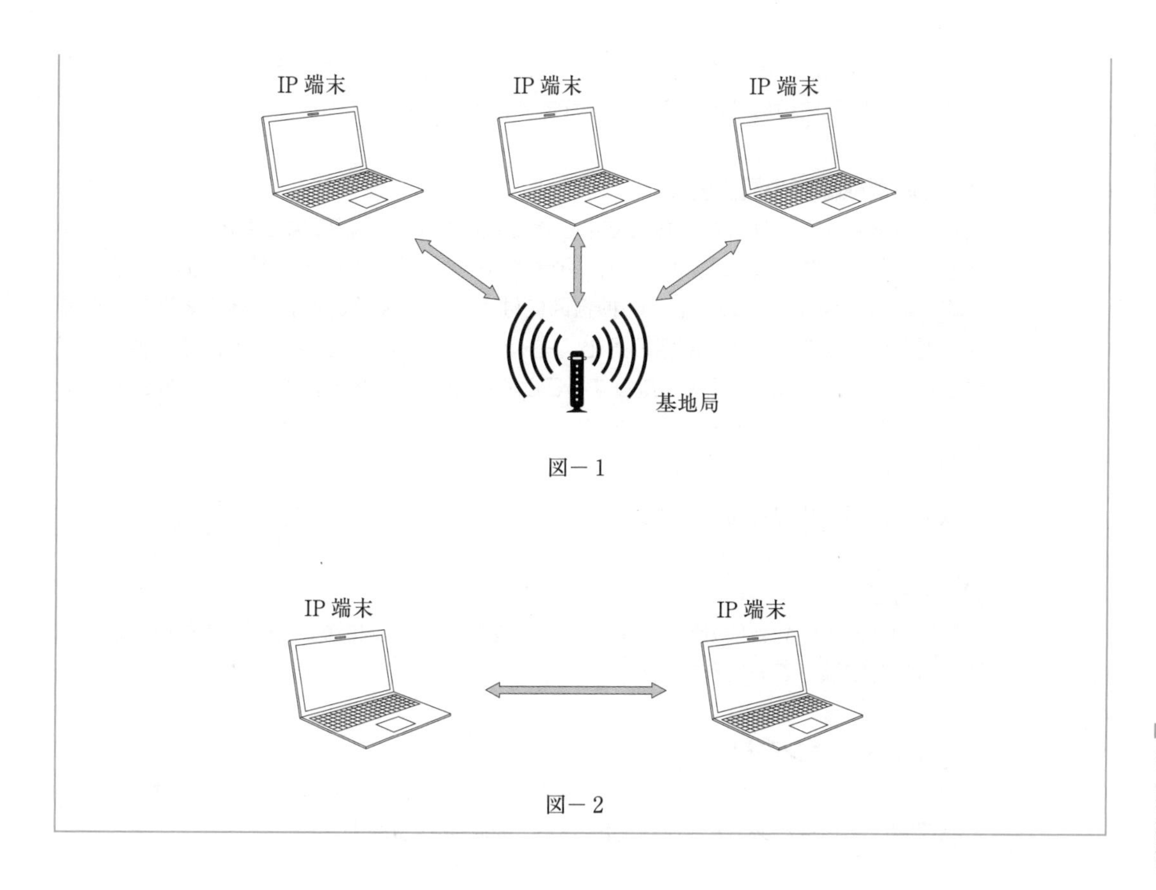

図－1

図－2

解答例

〔設問 1〕

以下に、選択肢の記述例を示す。

1．工事現場における資材管理

資材の数を管理することで欠品や過剰在庫が発生しないように管理する他、風雨などによる破損や劣化の防止、不適切な積み上げによる崩落や落下による労働災害・破損の発生を抑制することで、工事の品質を担保し、無駄の発生を抑制する。また、状況によっては盗難などに対する警戒が必要な場合も考えられる。

2．打込み方式の金属拡張アンカーの施工

- アンカーサイズに適合したドリルを使用して削孔すること。
- 削孔深さは、使用するアンカーに指定された深さを遵守すること。この際、ドリルにテープやインキなどでマーキングを行い、確実に規定通りの深さとすること。
- 削孔後は内部の清掃を十分かつ確実に行うこと。
- アンカーの打ち込みは、製品に指定された打ち込み棒を使用して確実に奥まで行うこと。

・締付トルクなどに関して指定がある場合はそれに従って締付を行うこと。
・その他、製品に付属する施工指示書があればそれに従うこと。

3. 金属製電線管の露出施工

金属製電線管は、異種金属と接触することで電蝕が発生し錆による劣化が起こるため、異種金属との接触が起こらないように留意すること。また、内部に電線を挿入する際は電線を傷つけやすいため、電線の挿抜時には十分留意すること。屋外に配管する場合は、雨水が侵入すると錆や電線の劣化、屋内への浸水などの原因となるため、適切な部材を用いたり施工方法を工夫したりすることで不適切な工事を避けることも必要である。

〔設問2〕

以下に、選択肢の記述例を示す。

ア：端子盤

通信線の接続変更や責任分界点を目的とした接続点。内部は多数の端子が並び、必要箇所どうしを結線して信号を中継する。

イ：インターホン子機

マンションのオートロック式玄関などに備え付けられているインターホン親機から、訪問者の呼び出しなど必要に応じて接続され、通話を行う装置。

〔設問3〕

以下に、選択肢の記述例を示す。

ア：アクセスポイント
イ：アドホック

例題2-4　令和3年度 2級電気通信工事施工管理技術検定（第二次）問題〔No.2〕

次の設問1から設問3の答えを解答欄に記述しなさい。

〔設問1〕 電気通信工事に関する語句を選択欄の中から**1つ**選び，**語句**を記入のうえ，**施工管理上留意すべき内容**について，具体的に記述しなさい。

選択欄

1. 資材の受入検査	2. 機器の据付け
3. 1種金属線ぴの施工	4. OTDRによる測定

注）OTDR：光パルス試験器

〔設問2〕 電気通信工事の施工図等で使用される記号について，(1)，(2) の日本産業規格(JIS) の記号2つの中から**1つ**選び，番号を記入のうえ，**名称**と**機能**又は**概要**を記述しなさい。

(1) 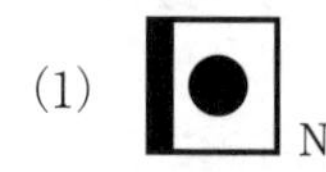

(2) 

〔設問3〕 LAN配線に用いるケーブルの施工に関する次の記述の［　　］に**当てはまる語句**を選択欄から選びなさい。

(1) カテゴリ5eのツイストペアケーブルの使用が適当であるイーサネットの規格名称は，［ア］である。

(2) ［イ］は，LAN配線用のツイストペアケーブルの成端に使うコネクタである。

選択欄

10BASE 5	1000BASE-T	1000BASE-SX	10 GBASE-T
SCコネクタ	RJ-45コネクタ	N型コネクタ	RJ-11コネクタ

解答例

〔設問1〕

以下に、選択肢の記述例を示す。

1．資材の受入検査

（令和元年度２級問題に同一の設問があるので省略）

2．機器の据付け

（令和４年１級問題２に同一の設問があるので省略）

3．１種金属線ぴの施工

- D種接地を確実に施工すること。
- 使用電圧は300V以下であること。
- 乾燥した場所で展開した場所、もしくは点検できる隠ぺい場所であること。
- 爆発性粉塵、可燃性粉塵がある場所など特殊場所ではないこと。
- 原則として内部に接続点を設けていないこと。

4．OTDRによる測定

- 変状の程度を定量的に捉えることは難しいため、定量的な測定が必要な場合は適さない。
- 距離レンジは測定しようとするファイバの全長よりも長く、かつ最も近いレンジを選択する。
- 送り出すパルス幅の設定は、線路の状況に合わせた最適な値を選択する必要がある。

〔設問2〕

以下に、選択肢の記述例を示す。

(1) 壁付押しボタン（人感センサー付）

手を近づけるなどの動作で非接触で動作する壁付スイッチ。

(2) 衛星放送受信用アンテナ

BSやCSなど衛星放送用に打ち上げられた人工衛星からの信号を受信するためのパラボラアンテナ。

〔設問3〕

以下に、選択肢の記述例を示す。

ア：1000BASE-T
イ：RJ-45コネクタ

例題2-5 令和元年度 2級電気通信工事施工管理技術検定（実地）問題〔No.2〕

次の設問1から設問3の答えを解答欄に記述しなさい。

〔設問1〕 電気通信工事に関する語句を選択欄の中から**1つ**選び，**番号**と**語句**を記入のうえ，**施工管理上留意すべき内容**について，具体的に記述しなさい。

選択欄

1. 資材の受入検査	2. OTDR（光パルス試験器）の測定
3. UTPケーブルの施工	4. 機器の搬入

〔設問2〕 電気通信工事の施工図等で使用される記号について，(1)，(2) の日本産業規格（JIS）の記号2つの中から**1つ**選び，**番号**を記入のうえ，**名称**と**機能**又は**概要**を記述しなさい。

(1) (2) RT

〔設問3〕 下図に示す地中埋設管路における光ファイバケーブル布設工事の施工について，(1)，(2) の項目の答えを記述しなさい。

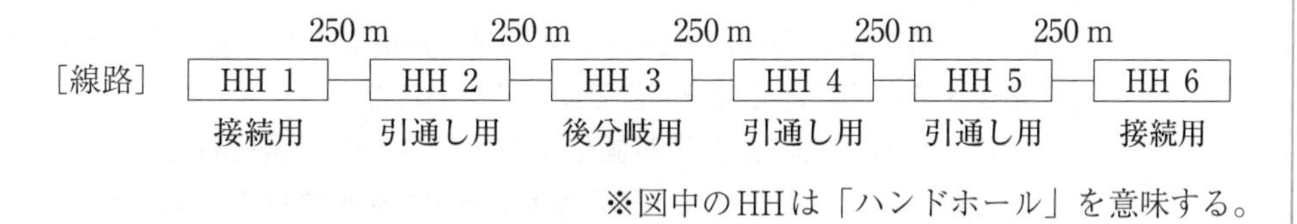

※図中のHHは「ハンドホール」を意味する。

(1) 光ファイバケーブル布設工事の施工において，**管内通線の前に行う作業**として**必要な内容**を記述しなさい。

(2) 光ファイバケーブル布設工事の施工において，後分岐用ハンドホールでの**施工上の留意点**を記述しなさい。

解答例

〔設問1〕

以下に、選択肢ごとの記述例を示す。

1. 資材の受入検査

電気通信工事に使用する資材は、外観検査だけではなく、光ファイバであれば各種光学特性、UTPケーブルなどのメタルケーブルであれば電気的な信号伝達特性等、そしてルータやスイッチなどのネットワーク機器であれば仕様通りの動作が行えるかなど多岐にわたるチェック項目が挙げられる。したがって、機器によっては事前に検証手順をマニュアル化した上で検証のための時間も確保することが必要である。

2. OTDRの測定

OTDR測定を行う際は、必ず事前に校正用光ファイバなどを用いて特性を校正しておくことが必要である。また、測定に用いる光の波長と実際に運用されている光の波長が異なると正しい特性を求めることができない他、観測できるファイバ長に合わせたダイナミックレンジを持つ測定器を用いることも重要である。

（OTDRについては、「第Ⅰ編 基礎編―5.5光ファイバの損失試験」を参照）

3. UTPケーブルの施工

- UTPケーブル本体に極端な曲げや潰れがないこと。
- 結線の誤りがないこと。
- 圧着加工の際には、心線がRJ45コネクタの先端まで十分達するとともに被覆も十分コネクタ内部の押さえ部分にまで達していること。
- 施工後に十分校正された測定装置により十分な特性が得られていることを確認し、ケーブル長やヘッドルーム値などの測定データが記録されていること。

（UTPケーブルについては、「第Ⅰ編 基礎編―8.2 ケーブル」を参照）

4. 機器の搬入

他の工事と同様、床や壁などを十分に養生することはもちろんだが、その上で各種ネットワーク機器などは衝撃を与えると不良が発生する原因となるため、運搬時・開梱時・据付け時などに衝撃が加わらないように十分注意すること。また、光ファイバやメタルケーブルなどについては、衝撃による潰れや踏み潰しなどによって特性が悪化してしまうため、これらの運搬時・開梱時・施工時などにそのような事故が発生しないように注意し、場合によっては保護・養生などを行う必要がある。

〔設問2〕

以下に、選択肢ごとの記述例を示す。

(1) 分電盤

漏電遮断器や配線用遮断器を1つにまとめた箱のこと。

(2) ルータ

コンピュータネットワークにおいて、データを複数の異なるネットワークの間で中継する装置。

〔設問3〕

以下に、記述例を示す。

(1)

- 光ファイバケーブルの用途・線種・サイズなどを表示した線名札を用意すること。
- 管内で接続点が発生しないようドラム余長を事前に確認すること。
- 通線時の引張張力が光ファイバケーブルの規格値を超えてしまわないよう、通線張力を計算してから工事できるようにすること。
- 通線中に傷が付くおそれがある場合、事前にテストケーブルを敷設するなどして支障がないか確認を行うこと。

（光ファイバケーブルについては、「第Ⅰ編 基礎編—8.2 ケーブル」及び「第Ⅰ編 基礎編—5.2光ファイバ」を参照。管路式については、「第Ⅰ編 基礎編—8.3 支持物」を参照）

(2)

- 後分岐の必要性がある場合、後からの工事でケーブル余長が足りなくなるおそれがないよう、それを見越した必要長やクロージャ設置スペースが確保できるように留意すること。

例題2-6　令和元年度1級電気通信工事施工管理技術検定（実地）問題〔No.2〕

次の設問1から設問3の答えを解答欄に記述しなさい。

〔設問1〕 電気通信工事に関する語句を選択欄の中から**2つ**選び，**番号**と**語句**を記入のうえ，**施工管理上留意すべき内容**について，それぞれ具体的に記述しなさい。

選択欄

1. 資材の管理	2. 機器の据付け
3. 波付硬質合成樹脂管（FEP）の地中埋設	4. 工場検査

〔設問2〕 下図に示す電話設備系統図において，（ア），（イ）の日本産業規格（JIS）の記号の**名称**を記入し，それらの**機能**又は**概要**を記述しなさい。

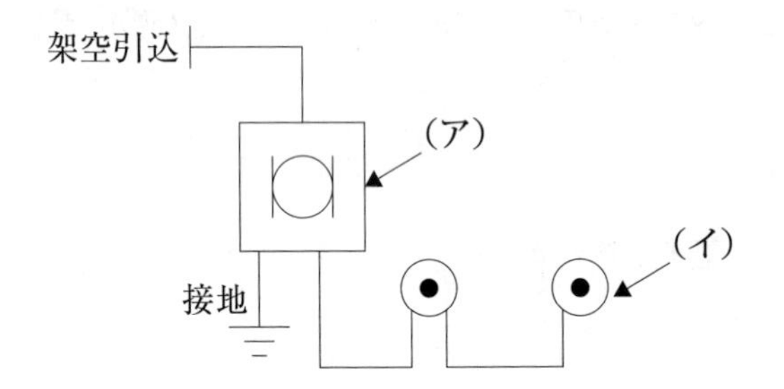

〔設問3〕 下図に示す光ファイバケーブルの施工図において，(1)，(2) の項目の答えを記述しなさい。

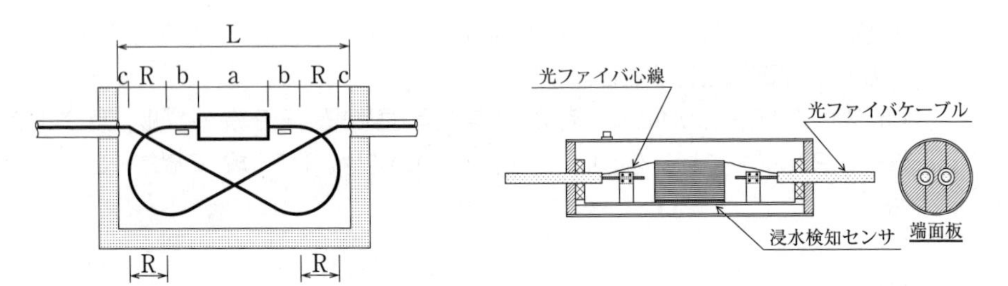

図—1　光ファイバケーブル接続要領図　　図—2　クロージャ断面図

(1) 図—1の光ファイバケーブル接続要領図において，ハンドホールの**必要有効長**（L）を求める**関係式**を記述しなさい。
ただし，クロージャ長をa，ケーブル直線部必要長をb，ケーブル許容曲げ半径をR，ケーブルと壁面の離れをcとする。

(2) 光ファイバケーブルの接続に使用される図—2のクロージャにおいて，**浸水検知センサ**の**機能**又は**概要**を記述しなさい。

解答例

〔設問1〕

以下に、選択肢ごとの記述例を示す。

1. 資材の管理

電気通信工事に用いるケーブル類、各種機器などに関する計画・購買・保管・施工の一連の流れについて、それらが合理的かつ確実に行うことができるようにする管理活動のことである。資材管理が適切に行われないと、剰余ケーブルなどの無駄な資産の発生、ルータ機器などの高価な資材の紛失・盗難、資材手配漏れによる工事の遅延などの形で場合によっては大きな損失が発生してしまう可能性も高く、十分留意しなければならない。

2. FEPの地中埋設

- 電気設備技術基準や内線規程などの関連規定に適合する埋設深さを確保すること。
- 掘削構内には砂や良質な土を均一に敷き詰めて平たんに均して填圧し、できるだけ凹凸が生じないようにすること。
- 埋め戻しの土砂からは、角石など管を傷つける可能性のあるものを排除すること。
- 配管時は管のクセを取りながら行い、管路に曲げやクセが残らないようにすること。
- 埋め戻し時には試験棒の通過試験を行い、管内に異物が残っていないことを確認すること。
- 管内に雨水などが浸入しないよう、必要に応じてキャップなどを使用すること。
- 地中から地上への立ち上げ部は緩やかに曲げ、通線時にできるだけ支障が起きないようにすること。

〔設問2〕

(ア) 集合保安器箱

架空引込線の近隣で落雷があった場合などにおいて、誘導雷による高電圧が到来する可能性がある。これを避雷器によって接地に逃がすことで安全を確保するための装置である。

(イ) 電話用アウトレット

電話機を接続するための壁や床などに取り付けるコネクタである。

〔設問3〕

(1)

L=a+2b+2R+2c=a+2(b+R+c)

(2)

浸水検知センサは、浸水が発生すると内部センサの吸水材が膨張することで光ファイバに曲げを加え、損失を増加させることで各接続部の浸水を検知するものである。

第3章 工程管理

第二次検定における工程管理の分野からはネットワーク工程表の作図の問題が出題されたので、本章ではネットワーク工程表に関する解説を行う。

3.1 ネットワーク工程表の概要

ネットワーク工程表の概要については第一次検定でも触れたが、本章でも触れておく。ネットワーク工程表の概要は次の通りである。

- ネットワーク工程表は、→と○で表された工程表。
- →をアクティビティ（作業）、○をイベント（結合点）という。
- →の上に作業名、→の下に作業時間を明記し、○は→の結合点を示し、通し番号（イベント番号）が振られる。
- 各→は、上流側の→の作業が全て終了しないと開始することができない。
- 各作業の順序関係を明確に図示することが可能。
- 点線の矢線はダミーといい、作業の要素の意味を持たず、作業間の順序関係のみを示している。

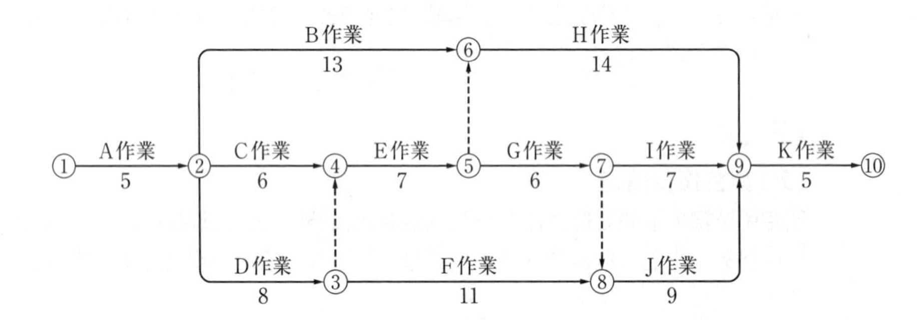

(1) ネットワーク工程表の用語

ネットワーク工程表に関する主な用語は次の通りである。

用語	説明
イベント(結合点)	作業と作業を結合する点
アクティビティ	結合点と結合点をつなぐ矢線
ダミー	作業の順序を示す点線の矢線
最早開始時刻	作業を最も早く開始できる時刻
最遅開始時刻	全体工期内に完了させるためには、遅くとも開始しなければならない時刻
最早完了時刻	作業を最も早く完了できる時刻
最遅完了時刻	全体工期内に完了させるためには、遅くとも完了しなければならない時刻
クリティカルパス	工程表上、最も時間のかかる経路
トータルフロート	最早開始時刻で開始してもなお、後続作業の最遅開始時刻に影響を与えない余裕時間
フリーフロート	最早開始時刻で開始してもなお、後続作業の最早開始時刻に影響を与えない余裕時間

(2) ネットワーク工程表の計算

ネットワーク工程表に関する最早開始時刻、所要工期、最遅完了時刻、フロートなどの計算方法は、次の通りである。

最早開始時刻と所要工期の計算

- 始点イベントの最早開始時刻を0とし、各アクティビティの作業時刻を順次加算して、各イベントにおける最早開始時刻を求める。
- 各イベントに至るアクティビティが複数ある場合は、加算した数字の大きい方を採用する。
- そして終点イベントの最早開始時刻が所要工期になる。

クリティカルパスの求め方

- 全ての経路の所要時間を求め、最も時間のかかる経路を特定する。
- 最早開始時刻を求め、終点イベントから逆に最早開始時刻に採用された経路を始点イベントまでたどると、求めることができる。

最遅完了時刻の計算

- 所要工期を始点イベントの最遅完了時刻とし、各アクティビティの作業時刻を順次減算して、各イベントにおける最遅完了時刻を求める。
- 各イベントに戻るアクティビティが複数ある場合は、減算した数字の小さい方を採用する。

フロート(余裕時間)の計算

- トータルフロート
  ＝当該作業の最遅完了時刻－(当該作業の最早開始時刻＋当該作業の作業時間)

- フリーフロート
  ＝後続作業の最早開始時刻－（当該作業の最早開始時刻＋当該作業の作業時間）
- ディペンデントフロート
  ＝当該作業のトータルフロート－当該作業のフリーフロート

クリティカルパスの性質

- 工程短縮の手順として、クリティカルパスに着目する。
- クリティカルパスは、必ずしも１本になるとは限らない。
- クリティカルパス以外の作業でも、フロート（余裕時間）を使ってしまうとクリティカルパスになる可能性がある。

例題3-1　令和元年度１級電気通信工事施工管理技術検定（実地）問題〔No.3〕

下記の条件を伴う作業から成り立つ電気通信工事のネットワーク工程表について，(1)，(2)の項目の答えを解答欄に記入しなさい。

(1)　**所要工期**は，何日か。
(2)　作業Jの**フリーフロート**は何日か。

条件
1.　作業A，B，Cは，同時に着手でき，最初の仕事である。
2.　作業D，Eは，Aが完了後着手できる。
3.　作業F，Gは，B，Dが完了後着手できる。
4.　作業Hは，Cが完了後着手できる。
5.　作業Iは，E，Fが完了後着手できる。
6.　作業Jは，Fが完了後着手できる。
7.　作業Kは，G，Hが完了後着手できる。
8.　作業Lは，I，J，Kが完了後着手できる。
9.　作業Lが完了した時点で，工事は終了する。
10.　各作業の所要日数は，次のとおりとする。
A＝4日，B＝7日，C＝3日，D＝5日，E＝9日，F＝5日，G＝6日
H＝6日，I＝7日，J＝3日，K＝5日，L＝5日

解答：(1) 26日　(2) 4日

解説　条件１～10に従いネットワーク工程表を作図すると次の通りである。

条件１

作業A、B、Cは、同時に着手でき、最初の仕事である。

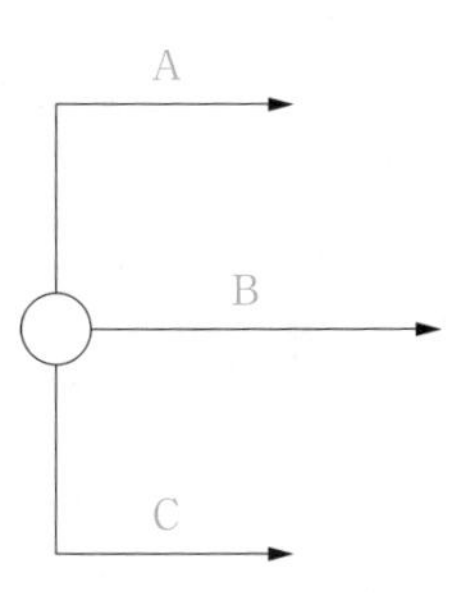

作業A、B、Cの矢線を始点の結合点より引き出す。

条件2

作業D、Eは、Aが完了後着手できる。

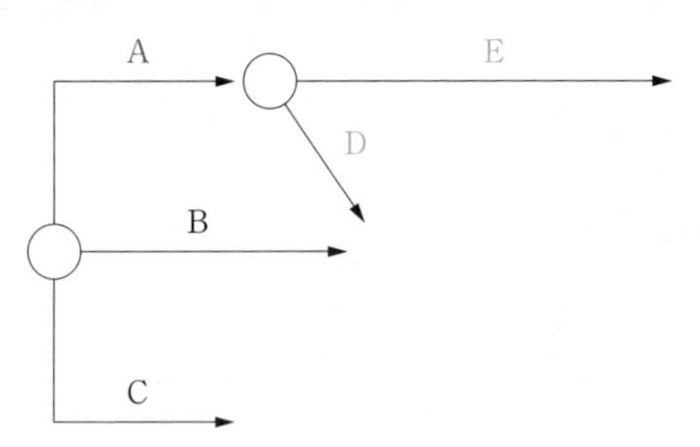

作業Aの後続に結合点を設け、作業D、Eの矢線を引き出す。

条件3

作業F、Gは、B、Dが完了後着手できる。

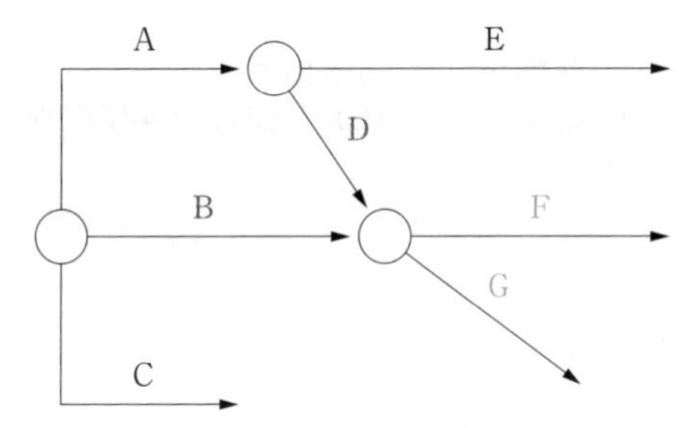

作業B、Dを合流させた結合点の後続に、作業F、Gの矢線を引き出す。

条件4

作業Hは、Cが完了後着手できる。

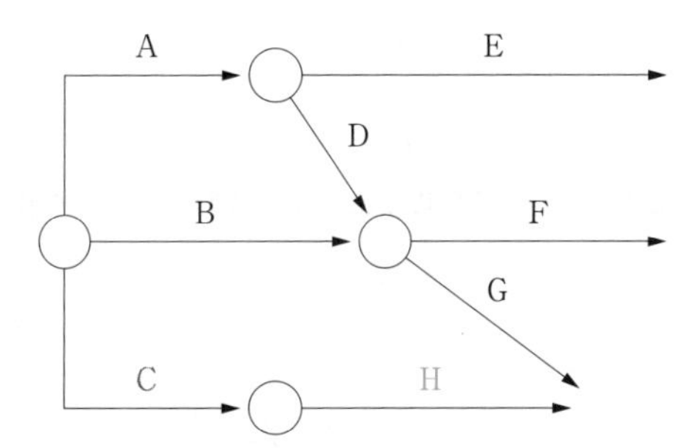

作業Cの後続に結合点を設け、作業Hの矢線を引き出す。

条件5

作業Iは、E、Fが完了後着手できる。

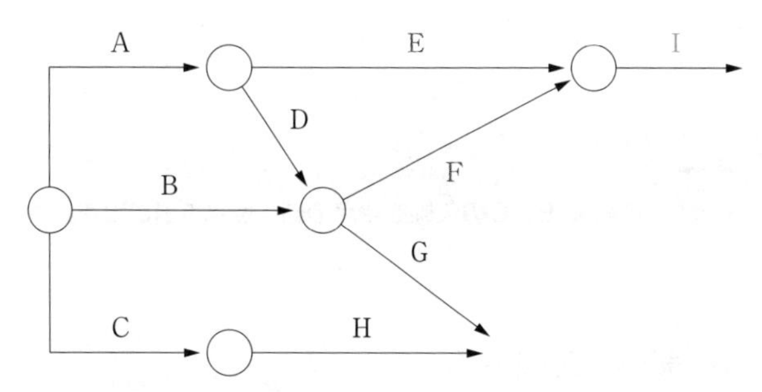

作業E、Fを合流させた結合点の後続に、作業Iの矢線を引き出す。

条件6

作業Jは、Fが完了後着手できる。

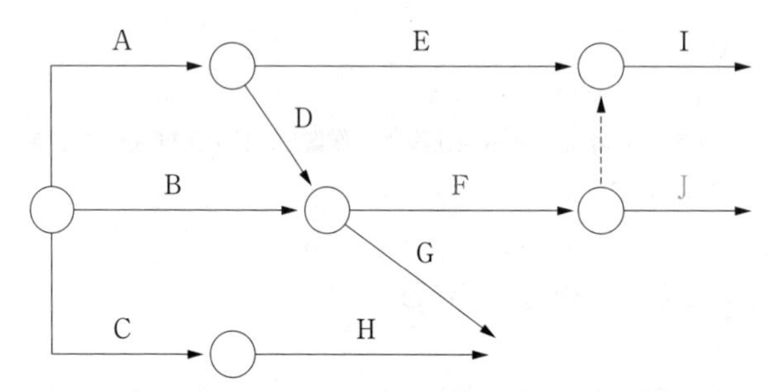

作業Fの後続に結合点を設け、作業Jの矢線を引き出す。
作業Eと作業Fの後続のダミーを合流させて結合点を設け、作業Iの矢線を引き出す。

条件7

作業Kは、G、Hが完了後着手できる。

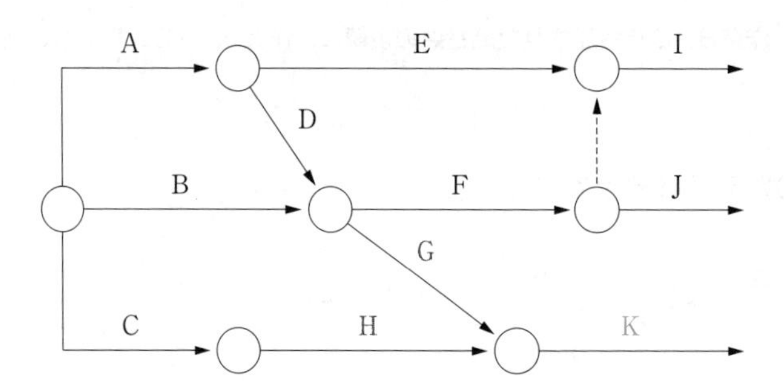

作業G、Hを合流させた結合点の後続に、作業Kの矢線を引き出す。

条件8

作業Lは、I、J、Kが完了後着手できる。

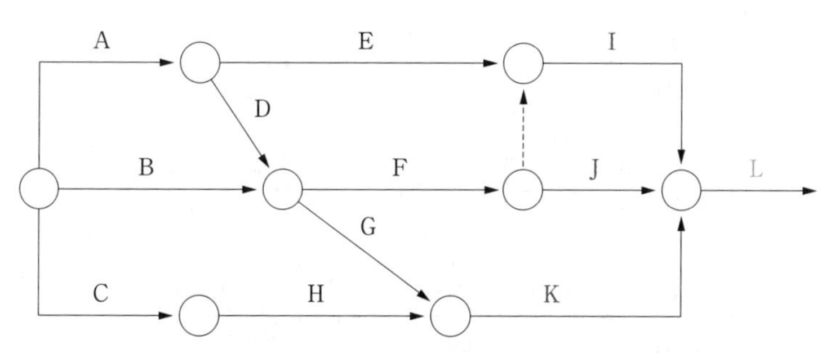

作業I、J、Kを合流させた結合点の後続に、作業Lの矢線を引き出す。

条件9

作業Lが完了した時点で、工事は終了する。

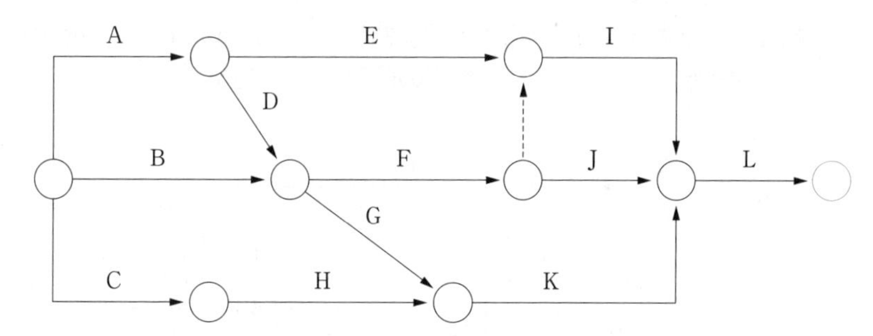

作業Lの後続に、終点の結合点を設ける。

条件10

各作業の所要日数は、次の通りとする。

A＝4日、B＝7日、C＝3日、D＝5日、E＝9日、F＝5日、G＝6日
H＝6日、I＝7日、J＝3日、K＝5日、L＝5日

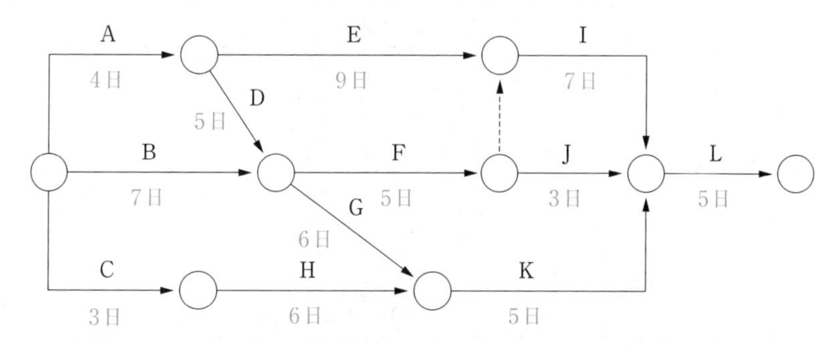

各作業の所要日数を、矢線の下に記入する。

(1) 所要工期は，何日か。

便宜上、各イベントの左から右へ①から通し番号のイベント番号を振る。

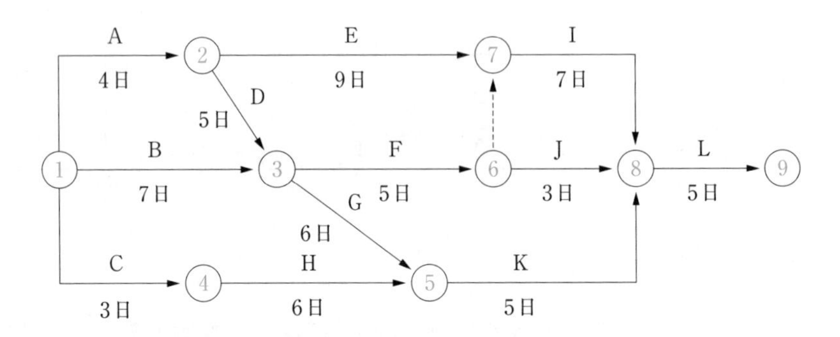

始点のイベント番号①の最早開始時刻を0日として、各作業の所要日数を順次加算して、各イベント番号の最早開始時刻を求める。イベントに至るルートが複数ある場合は、所要日数のかかる方が最早開始時刻となる。終点のイベント番号⑨の最早開始時刻が所要工期となる。

各イベント番号の最早開始時刻は次の通りである。イベント番号⑨の最早開始時刻26日が設問のネットワーク工程表の所要工期である。

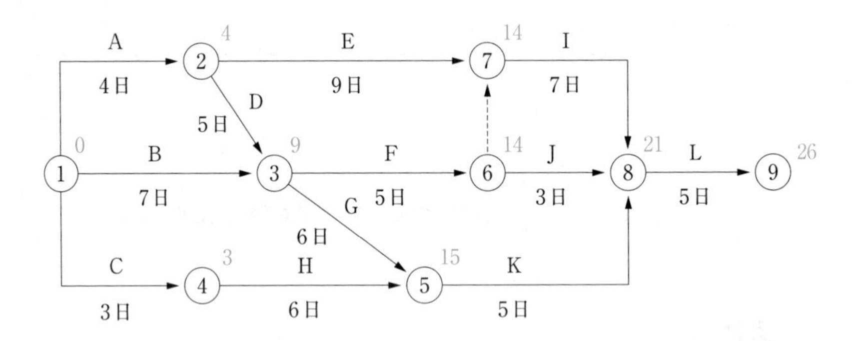

イベント番号	最早開始時刻の算定
①	0［日］
②	①→② 0+4=4［日］
③	①→③ 0+7=7［日］
	②→③ 4+5=9［日］ 7<9 ∴9［日］
④	①→④ 0+3=3［日］
⑤	③→⑤ 9+6=15［日］
	④→⑤ 3+6=9［日］ 9<15 ∴15［日］
⑥	③→⑥ 9+5=14［日］
⑦	②→⑦ 4+9=13［日］
	⑥┈→⑦ 14+0=14［日］ 13<14 ∴14［日］
⑧	⑤→⑧ 15+5=20［日］
	⑥→⑧ 14+3=17［日］
	⑦→⑧ 14+7=21［日］ 17<20<21 ∴21［日］
⑨	⑧→⑨ 21+5=26［日］

(2) 作業Jのフリーフロートは何日か。

作業Jのフリーフロートは、次式で算定される。

フリーフロート＝後続作業の最早開始時刻－（当該作業の最早開始時刻＋当該作業の所要日数）

作業Jのフリーフロート＝21－（14＋3）＝4［日］

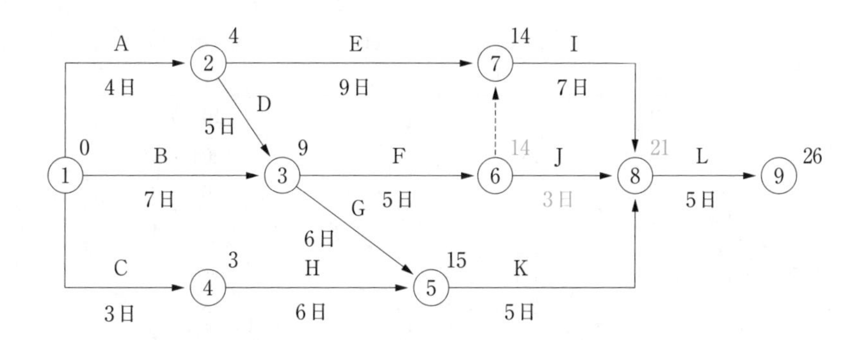

例題3-2 令和3年度1級電気通信工事施工管理技術検定（第二次）問題〔No.3〕 

下記の条件を伴う作業から成り立つ電気通信工事のネットワーク工程表について，(1)，(2) の項目の答えを解答欄に記述しなさい。

(1) **所要工期**は，何日か。
(2) 作業Hの**トータルフロート**は，何日か。

条件
1. 作業A，B，Cは同時に着手できる最初の仕事である。
2. 作業Dは，Aが完了後着手できる。
3. 作業Eは，Bが完了後着手できる。
4. 作業Fは，B及びCが完了後着手できる。
5. 作業Gは，D及びEが完了後着手できる。
6. 作業Hは，Eが完了後着手できる。
7. 作業I，Jは，Fが完了後着手できる。
8. 作業Kは，H及びIが完了後着手できる。
9. 作業Lは，Jが完了後着手できる。
10. 作業Mは，G，K，Lが完了後着手できる。
11. 作業Mが完了した時点で，全工事は終了する。
12. 各作業の所要日数は，下記のとおりとする。
    A＝3日，B＝7日，C＝5日，D＝7日，E＝5日，F＝8日，G＝10日，H＝6日，
    I＝5日，J＝3日，K＝4日，L＝5日，M＝8日

解説　作図して、各イベントの最早開始時刻と最遅完了時刻を算定して表示すると、下のようになります。

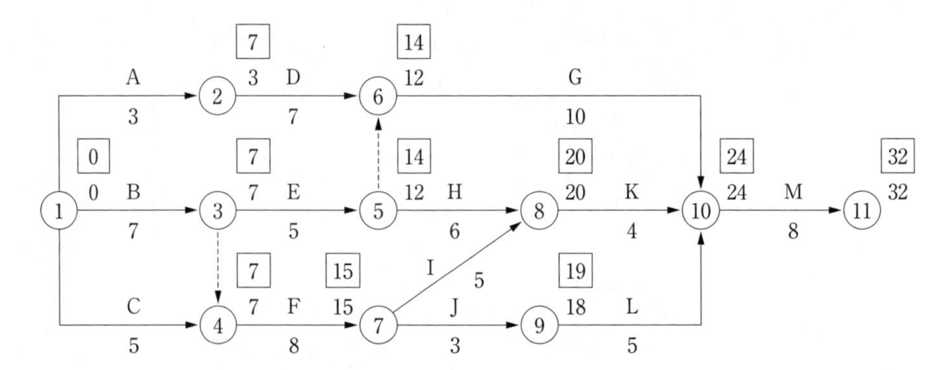

各イベントの右の数字　　：最早開始時刻
各イベントの右の□の数字：最遅完了時刻

（1）所要工期は何日か。

最早開始時刻は次のように算定されます。

イベント番号	最早開始時刻の算定
①	0[日]
②	①→②　0+3＝3[日]
③	①→③　0+7＝7[日]
④	①→④　0+5＝5[日]
	③…→④　7+0＝7[日]　5＜7　∴7[日]
⑤	③→⑤　7+5＝12[日]
⑥	②→⑥　3+7＝10[日]
	⑤…→⑥　12+0＝12[日]　10＜12　∴12[日]
⑦	④→⑦　7+8＝15[日]
⑧	⑤→⑧　12+6＝18[日]
	⑦→⑧　15+5＝20[日]　18＜20　∴20[日]
⑨	⑦→⑨　15+3＝18[日]
⑩	⑥→⑩　12+10＝22[日]
	⑧→⑩　20+4＝24[日]　22＜23＜24　∴24[日]
	⑨→⑩　18+5＝23[日]
⑪	⑩→⑪　24+8＝32[日]

所要工期は最終イベント⑪の最早開始時刻に相当する32日です。

(2) 作業Hのトータルフロートは何日か。

最早開始時刻は次のように算定されます。

イベント番号	最遅完了時刻の算定
⑪	32[日]
⑩	⑪→⑩　32-8＝24[日]
⑨	⑩→⑨　24-5＝19[日]
⑧	⑩→⑧　24-4＝20[日]
⑦	⑨→⑦　19-3＝16[日]
	⑧→⑦　20-5＝15[日]　15＜16　∴15[日]
⑥	⑩→⑥　24-10＝14[日]
⑤	⑧→⑤　20-6＝14[日]
	⑥…→⑤　14-0＝14[日]
④	⑦→④　15-8＝7[日]
③	⑤→③　14-5＝9[日]
	④…→③　7-0＝7[日]　7＜9　∴7[日]
②	⑥→②　14-7＝7[日]
①	④→①　7-5＝2[日]
	③→①　7-7＝0[日]　0＜2＜4　∴0[日]
	②→①　7-3＝4[日]

作業Hのトータルフロートは次のように算定されます。

作業Hのトータルフロート＝イベント⑧の最早開始時刻－（イベント⑤の最遅完了時刻＋作業Hの所要時間）＝20－（12+6）＝2[日]

例題3-3

令和元年度２級電気通信工事施工管理技術検定（実地）問題〔No.3〕 

下図に示すネットワーク工程表について，(1)，(2) の項目の答えを解答欄に記入しなさい。
ただし，○内数字はイベント番号，アルファベットは作業名，日数は所要日数を示す。

(1)　**所要工期**は，何日か。

(2)　作業Jの所要日数が**3日から7日**になったときイベント⑨の最早開始時刻は，**イベント①から何日目**になるか。

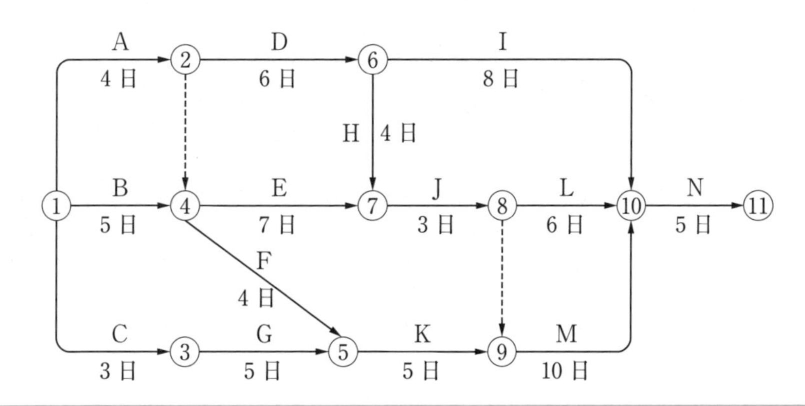

解答：（1）32日　（2）21日

解説　**（1）所要工期は，何日か。**

始点のイベント番号①の最早開始時刻を０日として、各作業の所要日数を順次加算して、各イベント番号の最早開始時刻を求める。イベントに至るルートが複数ある場合は、所要日数のかかる方が最早開始時刻となる。終点のイベント番号⑪の最早開始時刻が所要工期となる。

各イベント番号の最早開始時刻は次の通りである。イベント番号⑪の最早開始時刻32日が設問のネットワーク工程表の所要工期である。

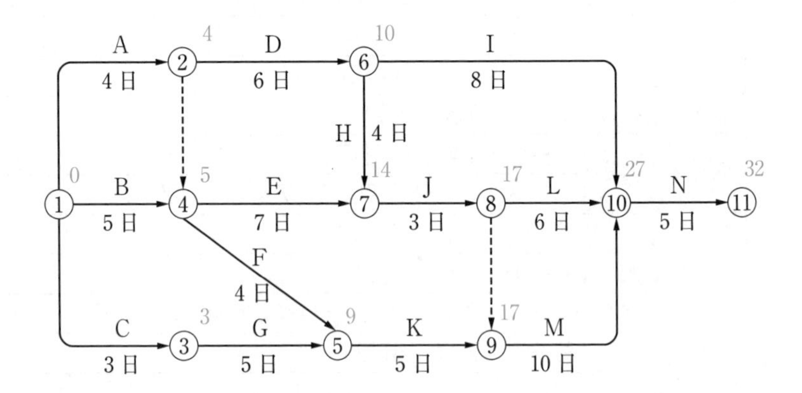

イベント番号	最早開始時刻の算定
①	0［日］
②	①→② 0+4＝4［日］
③	①→③ 0+3＝3［日］
④	①→④ 0+5＝5［日］
	②┈▶④ 4+0＝4［日］ 4＜5 ∴5［日］
⑤	③→⑤ 3+5＝8［日］
	④→⑤ 5+4＝9［日］ 8<9 ∴9[日]
⑥	②→⑥ 4+6＝10［日］
⑦	④→⑦ 5+7＝12［日］
	⑥→⑦ 10+4＝14［日］ 12＜14 ∴14［日］
⑧	⑦→⑧ 14+3＝17［日］
⑨	⑤→⑨ 9+5＝14［日］
	⑧┈▶⑨ 17+0＝17［日］ 14＜17 ∴17［日］
⑩	⑥→⑩ 10+8＝18［日］
	⑧→⑩ 17+6＝23［日］
	⑨→⑩ 17+10＝27［日］ 18＜23＜27 ∴27［日］
⑪	⑩→⑪ 27+5＝32［日］

解説　**(2) 作業Ｊの所要日数が３日から７日になったときイベント⑨の最早開始時刻は，イベント①から何日目になるか。**

作業Ｊの所要日数を３日から７日にしたときの各イベント番号の最早開始時刻は、次の通りである。イベント⑨のイベント①からの最早開始時刻は21日である。

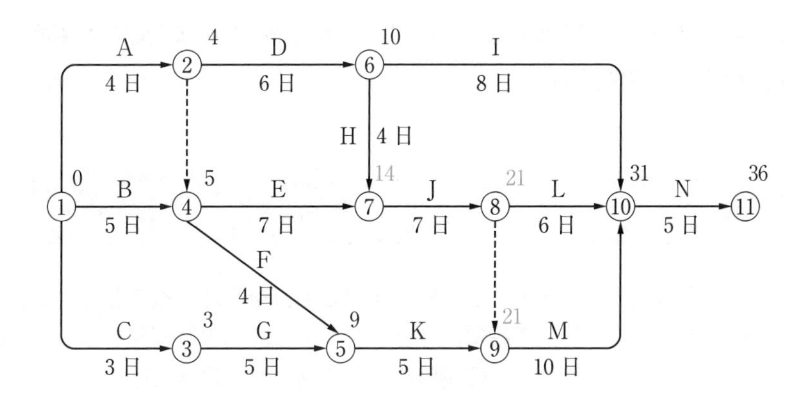

イベント番号	最早開始時刻の算定
①	0日［日］
②	①→② 0+4＝4［日］
③	①→③ 0+3＝3［日］
④	①→④ 0+5＝5［日］
	②┈→④ 4+0＝4［日］ 4＜5 ∴5［日］
⑤	③→⑤ 3+5＝8［日］
	④→⑤ 5+4＝9［日］ 8<9 ∴9[日]
⑥	②→⑥ 4+6＝10［日］
⑦	④→⑦ 5+7＝12［日］
	⑥→⑦ 10+4＝14［日］ 12＜14 ∴14［日］
⑧	⑦→⑧ 14+7＝21［日］
⑨	⑤→⑨ 9+5＝14［日］
	⑧┈→⑨ 21+0＝21［日］ 14＜21 ∴21［日］
⑩	⑥→⑩ 10+8＝18［日］
	⑧→⑩ 21+6＝27［日］
	⑨→⑩ 21+10＝31［日］ 18＜27＜31 ∴31［日］
⑪	⑩→⑪ 31+5＝36［日］

第4章 品質管理

第二次検定における品質管理の分野では、電気通信工事に関する用語の技術的な内容について具体的に記述させる問題が出題された。

4.1 品質管理に関する記述

品質管理とは、工事の各工程において品質を管理することで、できるだけよい品質で竣工すること、そして品質にばらつきが生じないよう管理する活動を意味している。電気通信工事施工管理技士の試験においては、品質管理を行うにあたって必要とされる技術上の知見について簡潔にまとめることが求められている。

4.2 「技術的な内容」のヒント

出題文の中に、「技術的な内容とは、定義、特徴、動作原理、用途、施工上の留意点などをいう」とあるので、それに則って記述すればよいが、そのためには工事に使用する各部材や機器類の性質、とりわけ一定の品質を維持するために守らなければならない事項について正しく把握していることが必要となる。したがって、各部材や機器類の仕様書を精読し、製品の品質を維持するために守らねばならない事項（例えばケーブルの曲げ半径、ケーブルに掛かる最大応力、電源電圧範囲、温度・湿度、許容加速度など）について理解しておくことが求められる。

解答作成にあたって、文章形式か箇条書き形式かという指定はないので、書きやすい形式で書けばよい。もちろん、技術的な内容について的確に論述しているかどうかがポイントである。目安としては100～200字程度で書けばよいが、これも内容によるため絶対にこれ以上やこれ以下がダメというわけではない。

例題4-1 令和4年度1級電気通信工事施工管理技術検定（第二次）問題〔No.5〕

電気通信工事に関する用語を選択欄の中から**3つ**選び，解答欄に**用語**を記入のうえ，**技術的内容**について，それぞれ具体的に記述しなさい。
ただし，技術的内容とは，定義，特徴，動作原理などをいう。

選択欄

1. GE-PON	2. 携帯電話のローミング
3. CSMA/CA方式	4. SaaS
5. IPsec	6. SQLインジェクション
7. JPEG	8. HFC型CATVシステム

注）GE-PON（Gigabit Ethernet-PON）
CSMA/CA（Carrier Sense Multiple Access with Collision Avoidance）
SaaS（Software as a Service）
IPsec（Security Architecture for Internet Protocol）
JPEG（Joint Photographic Experts Group）

解答例

以下に、選択肢の記述例を示す。

1．GE-PON

1本の光ファイバを複数の加入者で共有するために設置される装置で、受動素子を用いて光信号を分岐・合流させる働きを行う。記号EはEthernetの頭文字であり、これはイーサネットの信号をそのまま光信号として載せていることを意味している。受動素子で構成されるため低コストであり、加入者群の近隣に設置することも容易であるという特徴を持つ。

2．携帯電話のローミング

海外渡航先の他、国内であってもサービスエリア外の地域において、契約している携帯電話キャリアとは別の会社の通信回線インフラを用いることにより、普段利用している携帯電話でそのまま通信可能とする利用方法を指す。

3．CSMA/CA方式

Carrier Sense Multiple Access with Collision Avoidanceの頭文字で、無線LAN規格のIEEE802.11において採用されている競合制御方式である。有線イーサネットの競合制御方式であるCDMA/CDと異なる点として、ノードが送信を開始する前にチャネルの使用状況を監視し、一定の待ち時間の間、他者が通信を行っていないことを確認してから送信を開始するという点が挙げられる。これは無線メディアの場合、信号送信後に衝突を検出できないという理由による。

4. SaaS

Software as a Serviceの略で、パッケージソフトウェア形式ではなく、主にインターネット経由で必要なソフトウェア機能を必要な場合に提供する方式のサービスである。利点として、利用した期間・量に応じたサービス料で済む他、パッケージソフトウェアを特定のコンピュータにインストールする時間や手間が軽減できる、などが挙げられる。欠点としては、基本的にネットワーク回線経由でのサービスであるため、良質のネットワーク回線が存在しないと利用しにくい他、セキュリティ上の懸念が高まる点などが挙げられる。

5. IPsec

IP通信上で暗号化を行うことによりパケットの改竄や盗聴を防ぐ仕組みの1つであり、インターネットVPNを構築する際によく利用されている。特徴として、このプロトコルはネットワーク層で動作するため、トランスポート層にTCPやUDPをそのまま利用することができ、従来利用されていた上位プロトコルをそのまま透過的に利用できるという利便性を持っている。

6. SQLインジェクション

Web上で入力を受け付け、それを加工してバックエンドのSQLサーバにクエリを発して動的に作成されるWebページなどにおいて、受け付けた入力文字列の中にSQL命令を挿入することで不正なSQL命令を作成し、Webページ制作者が想定していないデータベース情報の漏洩を引き起こす攻撃手法である。この砲撃手法に対しては、SQL命令を作成する前にサニティチェックを行い、不正なSQL命令の混入を防止する対策が必須である。

7. JPEG

主にコンピュータ上で扱われる静止画像フォーマットの1つであり、基本的には非可逆圧縮方式を採用している。圧縮率を設定することができるという特徴があり、高精細の画像では低圧縮、サイズの低減が優先される画像では高圧縮にするなど、ユーザの希望に応じた設定が可能である他、比較的ファイルサイズが小さくできるという特徴も持っている。インターネット上でやり取りされる静止画像のフォーマットとして多く利用されている。

8. HFC型CATVシステム

HFCはHybrid Fiber-Coaxialの略で、センター設備からユーザに至る線路の途中までは大容量・低損失の光ファイバを利用し、ユーザの近隣で従来の同軸ケーブルに信号を変換して情報伝送を行う形式を指す。大容量の光ファイバを用いることで、ユーザ宅近隣までの線条数を大きく減らすことができる他、ユーザ宅は従来の同軸ケーブルで引き込むためユーザ設備機器更新の費用が不要というメリットがある。また、大容量の光回線を利用してインターネットサービスも同時に提供できるなど、サービスの品質向上の面からも有利な方式である。

例題 4-2　令和4年度 2級電気通信工事施工管理技術検定（第二次）問題〔No.4〕

電気通信工事に関する用語を選択欄の中から**2つ**選び，解答欄に**用語**を記入のうえ，**技術的内容**について，それぞれ具体的に記述しなさい。
ただし，技術的内容とは，定義，特徴，動作原理などをいう。

選択欄

1. スイッチングハブ	2. シリアルインタフェース
3. IPマルチキャスト	4. 携帯電話のハンドオーバ
5. スパイウェア	6. CATVのヘッドエンド

解答例

以下に、選択肢の記述例を示す。

1. スイッチングハブ

イーサネットの中継装置の1つで、データリンク層のアドレス（MACアドレス）を参照して信号の伝送先を決定する機能を持つ。物理層で動作するリピータハブに比べ、通信効率が高くセキュリティ面でも好ましい性質を持つ。

2. シリアルインタフェース

ビット列を1本の電線を用いて直列伝送する信号インターフェースのこと。一度に複数ビットを並列伝送するパラレルインターフェースでは、高速伝送を行うと並列ビット間の信号遅延差が無視できなくなりエラーが増えてしまうが、シリアル伝送は1ビットずつ直列伝送するため、ビット相互間の遅延時間差が発生せず、高速伝送に向いているという特徴を持つ。

3. IPマルチキャスト

IPデータグラムを特定の複数のノードに向けて1回で送信する方式の一種であり、放送型ストリーミング通信などに用いられている。IPv4においてはクラスDアドレスとして予約され、224.0.0.0から239.255.255.255までの範囲が利用される。ユニキャスト通信のように複数のノードに対してノードの数だけ並行してコネクションを張る必要がないため、効率よく伝送を行うことができる。

4. 携帯電話のハンドオーバ

携帯電話で移動しながら通信を行う際、通信を継続したまま接続する基地局をつなぎ変えることを指す。現在、基地局の境界では複数の基地局と同時に通信を行い、ユーザから見た通信が途絶することなくスムーズに切り替わる技術が利用されているため、基地局境界を意識することなく通信継続が可能となっている。

5. スパイウェア

有益なプログラムを装ってコンピュータにインストールさせ、インストールされたコンピュータの内部に存在する機密情報などを密かに外部に送信するように作られているソフトウェアのことを指す。

6. CATVのヘッドエンド

受信点設備で得られたTV放送局の信号や地域放送局で作られた番組、CATV局内で独自制作された番組などをCATV用に信号変換し、混合・分配して伝送路に送り出す設備のこと。CATV網内に放送信号を送り出す核となる設備であるため、安定性や耐久性が求められる。

例題4-3　令和3年度 1級電気通信工事施工管理技術検定（第二次）問題〔No.5〕 

電気通信工事に関する用語を選択欄の中から**3つ**選び，解答欄に**用語**を記入のうえ，**技術的な内容**について，それぞれ具体的に記述しなさい。
ただし，技術的な内容とは，定義，特徴，動作原理などをいう。

選択欄

1. VoIPゲートウェイ	2. 再生中継方式
3. デリンジャ現象	4. プロキシサーバ
5. QoS	6. DMZ
7. VOD	8. ゼロデイ攻撃

注）VoIP（Voice over Internet Protocol）
　　QoS（Quality of Service）
　　DMZ（DeMilitarized Zone）
　　VOD（Video On Demand）

解答例

以下に、選択肢の記述例を示す。

1. VoIPゲートウェイ

アナログ電話機など従来の電話器（非IP電話機）の信号をIP電話に相互変換する装置。アナログ信号をデジタル化する場合、A/D変換、符号化、IPパケット化などの機能を提供し、IPパケットからアナログ信号へは復号化・D/A変換・信号変換などの機能を提供する。

2. 再生中継方式

電波や光などに載せて送られてきたデジタル信号をいったん復調してベースバンド信号に戻し、波形整形や同期の取り直しなどを行った後再度変調して電波や光信号などにして送り出す中継方式。

3. デリンジャ現象

太陽フレアなどの要因によって電離層が擾乱され、D層の電子密度が異常に増加することで短波帯の電波が電離層で反射されにくくなってしまう現象。これにより、短波帯における長距離通信が困難もしくは不可能となってしまう。

4. プロキシサーバ

クライアントからサーバへのリクエストを代理中継するサーバのこと。やり取りされる情報をキャッシュすることで不要なトラフィックを低減する効果がある。クライアント側ではなくサーバ側にも、多数のリクエストを処理するために設置されることがあるが、これはリバースプロキシサーバと呼ばれることが多い。

5. QoS

主にVoIPで使用される技術で、通信路にある一定の帯域を確保することにより、データ通信が輻輳していても音声データの帯域を確保するもの。これにより通話品質の劣化を防止する効果を上げることができる。

6. DMZ

インターネットとLANの中間に設置される「非武装地帯」である。インターネットからのリクエストはDMZ領域に達することができ、LAN内からのリクエストも同様にDMZに直接到達することができる。しかし、インターネットからDMZを中継してLAN内に侵入することはできず、このような構成にすることで利便性の確保とLAN内への侵入防止を両立することができる。DMZには通常、メールサーバやWebサーバ、DNSサーバなど組織内・組織外の両方からアクセスされるサーバを置く。

7. VOD

インターネットを利用した動画配信サービスを、視聴者のリクエストに応じて提供するサービスのことを指す。これにより、視聴者が観たいときに、観たい動画だけを効率的に配信することができる。

8. ゼロデイ攻撃

コンピュータに対して侵入することができるような脆弱性が発見された直後、ウイルス対策ソフトのベンダーやソフトウェアを提供するベンダーなどが対策パッチを配信するまでの短い時間のあいだに、その脆弱性を利用して侵入などの不正行為を仕掛ける行為のことを指す。

例題4-4　令和3年度 2級電気通信工事施工管理技術検定（第二次）問題〔No.4〕 

電気通信工事に関する用語を選択欄の中から**2つ**選び，解答欄に**用語**を記入のうえ，**技術的な内容**について，それぞれ具体的に記述しなさい。
ただし，技術的な内容とは，定義，特徴，動作原理などをいう。

選択欄

1. SIP	2. 量子化雑音
3. シンクライアントシステム	4. フラッシュメモリ
5. STB	6. DDoS攻撃

注）SIP（Session Initiation Protocol）
STB（Set Top Box）

解答例

以下に、選択肢の記述例を示す。

1. SIP

VoIPで使用されるプロトコルの1つで、IPネットワーク上で音声や画像などをリアルタイムでやり取りするために使用される。SIPは主に呼制御を司り、実際にやり取りされる音声信号などはRTPなどのプロトコルを主に使用する。

2. 量子化雑音

アナログ信号をデジタル信号に変換するA/D変換において、振幅方向に有限段階の刻み幅で近似化する際、本来のアナログ値とデジタル情報との差異が雑音となって表れるもの。

3. シンクライアントシステム

コンピュータのデスクトップ環境を利用する際、主な処理はサーバコンピュータ側で実行し、ユーザが利用するクライアント端末はキーボードやマウス、画面などの入出力といった最低限の機能だけを提供するように構成するシステムのこと。万が一クライアントマシンが盗難などの被害に遭っても、内部に重要な情報が保存されていないためセキュリティを高めることが期待できる。

4. フラッシュメモリ

電子的に消去・再書き込みができるROMのこと。内部構造はMOSFETによって構築され、浮遊ゲート端子に電子を送り込むことで記憶を保持する。電源を切っても記録されたデータが失われず、かつ消去や追記が容易にできることからハードディスクに代わるメディアとして利用されている。

5. STB

ディスプレイに接続して動画などのコンテンツを表示させることに特化した機材。ケーブルテレビやインターネット、携帯電話回線などを経由して情報を更新することで、宣伝や地図などを表示するデジタルサイネージ用に広く利用されている。

6. DDoS攻撃

インターネット上に存在する大量のボットコンピュータ（コンピュータウイルスなどにより、あらかじめ遠隔操作を仕込んであるコンピュータ群）に対して命令を与え、特定のサーバに対して大量のリクエストを送信することで対象サーバを機能停止に陥らせる攻撃手法のこと。

例題4-5　令和元年度 2級電気通信工事施工管理技術検定（実地）問題〔No.4〕

電気通信工事に関する用語を選択欄の中から**2つ**選び，解答欄に**番号**と**用語**を記入のうえ，**技術的な内容**について，それぞれ具体的に記述しなさい。
ただし，技術的な内容とは，定義，特徴，動作原理，用途，施工上の留意点などをいう。

選択欄

1. ONU	2. SIP
3. 衛星テレビ放送	4. 防災行政無線
5. GPS	6. 公開鍵暗号方式

注）ONU（Optical Network Unit）
SIP（Session Initiation Protocol）
GPS（Global Positioning System）

解答例

以下に、選択肢ごとの記述例を示す。

1. ONU

ONUは光回線終端装置の略で、光ファイバと電気信号の相互変換を行う装置である。一般家庭や企業などに設置されるONUにおいては、一方をFTTHなどの光ファイバ、他方を100BASE-Tや1000BASE-Tなどのイーサネットとしている製品が多く、このイーサネット側をインターネットルータの外部側端子に接続し、PPPOEなどを用いてインターネット接続を行っている。
（ONUについては、「第Ⅰ編 基礎編―3.3 ADSL」を参照）

2. SIP

SIPはIP電話の呼制御プロトコルの1つである。同様のプロトコルとしてH.323があるが、SIPはHTTPに似たテキストベースのメッセージフォーマットを採用しているため、H.323に比べて単純で拡張性が高いという利点がある。SIPサーバと複数の端末（IP電話機）でIP電話網を構築することにより、従来のアナログ電話内線交換機をIPネットワークで置き換えることができる利点がある。
（SIPについては、「第Ⅰ編 基礎編―3.4（3）各種のインターネットサービス」を参照）

3. 衛星テレビ放送

赤道上空にある静止衛星で電波を中継することによって提供されているテレビ放送である。大きく分類するとBS放送とCS放送の2種類があり、BSはBroadcast Satelliteつまり放送衛星の略、CSはCommunication Satelliteつまり通信衛星の略である。したがって元々はBSが放送、CSが通信目的という分類であったが、現在はCSでも一般向け放送が行われている。
BSは1～24チャネルで11～12GHz帯の周波数を利用、CSはND-1～ND-20のチャネルがあり12GHz帯の周波数を利用している。
（通信衛星については、「第Ⅰ編 基礎編―4.16静止衛星通信」を参照）

4. 防災行政無線

市町村などの地方自治体において、住民に対して主に防災情報を周知することを目的として設置される同報無線システムである。周波数はVHF帯のFM変調波を使用するものが多かったが、近年はデジタル変調方式に移行している。
（防災行政無線については、「第Ⅰ編 基礎編―9.2防災行政無線」を参照）

5. GPS

Global Positioning Systemの略で、宇宙空間に多数打ち上げられた衛星からの電波を受信することで地上での正確な位置を知ることができるものである。管理は米軍が行っているため、一般市民の利用に対してはわざと精度を落としてある。カーナビゲーションシステムなどでは地図との照合を行うことで精度を向上させたり、あらかじめ高精度に座標が求まっている地点における誤差を利用することで精度を向上させるDGPSを利用するなどの工夫も行われている。

（GPSについては、「学科ーⅠ基礎編ー4.17 準同期軌道」を参照）

6. 公開鍵暗号方式

主にインターネット上で使用される暗号化方式の一種。あらかじめ秘密鍵と公開鍵の2つを作成し、秘密鍵は秘匿し、公開鍵を一般に公開する。暗号文を送る場合、送信者の秘密鍵で暗号化して送り、受信者は送信者の公開鍵で復号化する。公開鍵から秘密鍵を求めることはできないので安全が保たれる他、送信者の公開鍵で復号できるということは暗号文を送った相手が送信者であるということも保証される。

（公開鍵暗号方式については、「学科ーⅠ基礎編ー3.4（3）TCP/IP 上の各種プロトコル」を参照）

例題4-6　令和元年度１級電気通信工事施工管理技術検定（実地）問題〔No.5〕

電気通信工事に関する用語を選択欄の中から**4つ**選び，解答欄に**番号**と**用語**を記入のうえ，**技術的な内容**について，それぞれ具体的に記述しなさい。

ただし，技術的な内容とは，定義，特徴，動作原理，用途，施工上の留意点，対策などをいう。

選択欄

1. WDM	2. マルチパス
3. IP―VPN	4. TCP／IP
5. 気象用レーダ	6. L3スイッチ
7. ワンセグ放送	8. OFDM

注）WDM（Wavelength Division Multiplexing）
マルチパス（無線の伝播現象）
IP―VPN（Internet Protocol Virtual Private Network）
TCP／IP（Transmission Control Protocol／Internet Protocol）
OFDM（Orthogonal Frequency Division Multiplexing）

以下に、選択肢ごとの記述例を示す。

1. WDM

波長分割多重の略語である。これは、1本の光ファイバ内に複数の波長の光を通すことにより、情報伝送路を多重化する仕組みである。
(WDMについては、「第Ⅰ編 基礎編—5.2 光ファイバ (1) SM (シングルモード) 型光ファイバ」を参照)

2. マルチパス

電波伝搬において、直接波の他地表反射波、ビル反射波、山岳反射波など複数の伝搬経路が存在する場合、各々の伝搬経路の距離差により位相乱れが発生し、信号が強め合ったり弱め合ったりする。このような伝搬環境をマルチパスという。
(マルチパスについては、「第Ⅰ編 基礎編—4.7 (5) MIMO」を参照)

3. IP-VPN

社内LANなどのプライベートネットワークどうしを、途中経路にインターネットを挟んで接続するための技術である。IPはInternet Protocolの略で、この場合はインターネットを主に意味する。VPNはVirtual Private Networkの略で、仮想的にプライベートネットワークどうしを接続する技術のことである。具体的には、プライベートネットワークのIPデータを、拠点どうしを接続するインターネット経由のIPデータ内にカプセル化し、通常さらに暗号化を施して通信を行っている。
(IP－VPNについては、「第Ⅰ編 基礎編—3.4 (1) IP (インターネットプロトコル)」を参照)

4. TCP/IP

インターネット上で主に使われているプロトコルの総称である。OSI7階層モデルにおいて、IPはネットワーク層、TCPはトランスポート層に該当する。また、トランスポート層にUDPを用いた通信やICMPなども含めて総称としてTCP/IPと呼ぶことが多い。IPはノードの住所に該当するIPアドレスを基にしてルーティングを行い、TCPは3ウェイハンドシェイクを用いた高信頼性の通信サービスを提供している。UDPは到達保証を行わない簡易なデータ通信サービスを提供する。
(TCP/IPについては、「第Ⅰ編 基礎編—3.4 (1) IP (インターネットプロトコル)」を参照)

5. 気象用レーダ

アンテナから発射した電波が物標に当たって戻ってくる物標反射波によってリモートセンシングを行うレーダ技術を用い、高層大気の状態や風雨・降雪などの状況を把握するシステムである。パルスレーダを用いて観測対象までの距離を求める他、ドップラーレーダを用いて大気や雲の移動速度も求めることで情報を得ている。
(気象用レーダについては、「第Ⅰ編 基礎編—4.19 (2) ドップラーレーダ」を参照)

6. L3スイッチ

複数のネットワークどうしを接続する機器の一種で、ネットワーク層すなわち通常IPアドレスを参照してルーティングを行う装置である。機能としてはルータに近いが、インターフェースがイーサネットのみであり、ネットワークアドレス変換などの機能がない代わりに高速でスイッチングできる点が強みである。高速スイッチングを実現するために、ハードウェア処理を行っている製品が多い。

(L3スイッチについては、「学科—I基礎編—3.4（5）ネットワークの中継装置−ルータ」を参照)

7. ワンセグ放送

地上デジタルテレビ放送は1チャネルあたり13セグメントに分かれ、高画質放送になるほど同時に多数のセグメントを使用する（例えば標準画質放送では4セグメントを使用している)。ワンセグ放送は、携帯電話などのモバイル端末向けとして、画面を小さく性能を抑える代わりに1セグメントのみを用いる放送のことを指す。

(ワンセグ放送については、「学科—I基礎編—4.20（3）地上デジタルテレビ放送」を参照)

8. OFDM

OFDMは直交周波数分割多重方式の略である。これは、互いに直交する多数のサブキャリアに分割してデータを載せることにより、サブキャリアどうしの周波数帯域が重なっているにもかかわらずFFTを用いてサブキャリアどうしを干渉なしに取り出すことができ、周波数の利用効率を効果的に高めることができる技術である。マルチパスによる符号間干渉やフェージングに対して強い他、周波数利用効率が高く、タイミング同期エラーに対しても強いなど多くの利点がある。

(OFDMについては、学科—I基礎編—4.7「多元接続とその技術」を参照)

第5章 安全管理

第二次検定における安全管理の分野からは、高所作業車、低圧活線近接作業、脚立作業、移動式クレーン、酸素欠乏危険場所に関する事項が出題されている。

5.1 労働災害防止対策の記述のポイント

第二次検定における安全管理としては、次に示すような労働災害防止対策について記述する内容の問題が出題されている。記述のポイントは次の通りである。

> 電気通信工事に関する作業を選択欄の中から選び、解答欄に番号と作業名を記入のうえ、「労働安全衛生法令」に沿った労働災害防止対策について、それぞれ具体的に記述しなさい。ただし、保護帽及び安全帯（墜落制止用器具）の着用の記述は除くものとする。

①解答欄に番号と作業名を記入する。
②「労働安全衛生法令」に沿った対策を記述する。
③具体的に記述する。
④ただし書きで除外された記述をしない。

5.2 高所作業車作業の労働災害防止対策

高所作業車の安全基準については、労働安全衛生規則（第194条の8～第194条の28）に規定されており、主な労働災害防止対策は次の通りである。

①作業計画、作業指揮者を定める。
②高所作業車の転倒を防止するため、アウトリガーを張り出す。
③合図を定め、合図を行う者を指名してその者に行わせる。
④運転位置から離れるときは、作業床を最低降下位置に置く、原動機を止め、かつ、ブレーキを確実にかける。
⑤乗車席及び作業床以外の箇所に労働者を乗せない。
⑥積載荷重を超えて使用しない。
⑦荷のつり上げ等用途以外に使用しない。
⑧作業床に労働者を乗せて走行させない。
⑨その日の作業を開始する前に、制動装置、操作装置及び作業装置の機能について点検を行う。

5.3 低圧活線近接作業の労働災害防止対策

低圧活線近接作業の安全基準については、労働安全衛生規則（第347条）に規定されており、主な労働災害防止対策は次の通りある。

①充電電路に絶縁シートなどの絶縁用防具を装着する。
②絶縁用保護具を着用させて作業を行う場合には、着用していない部分が充電電路に接触しないようにする。
③絶縁用防具の装着又は取りはずしの作業を行う場合は、絶縁用手袋などの絶縁用保護具を着用する。

なお、該当条文は次の通りである。

（低圧活線近接作業）
第三百四十七条　事業者は、低圧の充電電路に近接する場所で電路又はその支持物の敷設、点検、修理、塗装等の電気工事の作業を行なう場合において、当該作業に従事する労働者が当該充電電路に接触することにより感電の危険が生ずるおそれのあるときは、当該充電電路に絶縁用防具を装着しなければならない。ただし、当該作業に従事する労働者に絶縁用保護具を着用させて作業を行なう場合において、当該絶縁用保護具を着用する身体の部分以外の部分が当該充電電路に接触するおそれのないときは、この限りでない。
2　事業者は、前項の場合において、絶縁用防具の装着又は取りはずしの作業を労働者に行なわせるときは、当該作業に従事する労働者に、絶縁用保護具を着用させ、又は活線作業用器具を使用させなければならない。
3　労働者は、前二項の作業において、絶縁用防具の装着、絶縁用保護具の着用又は活線作業用器具の使用を事業者から命じられたときは、これを装着し、着用し、又は使用しなければならない。

5.4 脚立作業の労働災害防止対策

脚立の安全基準については、労働安全衛生規則（第528条）に規定されており、主な労働災害防止対策は次の通りである。

①丈夫な構造で、著しい損傷、腐食等がなく、安全に作業を行うための面積を有する踏み面のものを使用する。
②脚と水平面との角度を75度以下とする。
③折りたたみ式のものは、脚と水平面との角度を確実に保つ金具等を使用する。

なお、該当条文は次の通りである。

（脚　立）
第五百二十八条　事業者は、脚立については、次に定めるところに適合したものでなければ使用してはならない。
一　丈夫な構造とすること。
二　材料は、著しい損傷、腐食等がないものとすること。
三　脚と水平面との角度を七十五度以下とし、かつ、折りたたみ式のものにあつては、脚と水平面との角度を確実に保つための金具等を備えること。
四　踏み面は、作業を安全に行なうため必要な面積を有すること。

5.5 移動式クレーン作業の労働災害防止対策

移動式クレーンの使用及び就業については、クレーン等安全規則（第63条～75条の2）に規定されており、主な労働災害防止対策は次の通りである。

①荷をつり上げるときは、外れ止め装置を使用する。
②定格荷重をこえる荷重をかけて使用しない。
③ジブの傾斜角の範囲をこえて使用しない。
④アウトリガーは、鉄板を敷いた上に最大限に張り出して使用する。
⑤一定の合図を定め、合図を行う者を指名して合図を行う。
⑥労働者を運搬、つり上げて作業させない。
⑦上部旋回体と接触するおそれのある箇所に労働者を立ち入らせない。
⑧つり上げられている荷の下に労働者を立ち入らせない。
⑨強風のため危険が予想されるときは、作業を中止し、転倒防止措置を講じる。
⑩運転者を、荷をつったままで、運転位置から離れさせない。

5.6 酸素欠乏危険場所での作業の労働災害防止対策

酸素欠乏危険場所での作業については、酸素欠乏症等防止規則に規定されており、主な労働災害防止対策は次の通りである。

①その日の作業を開始する前に、空気中の酸素の濃度を測定する。
②作業場所の空気中の酸素の濃度を18%パーセント以上に保つように換気する。
③換気することができない又は著しく困難な場合は、労働者と同数以上の空気呼吸器等を備え、使用させる。
④労働者を入場・退場させるときに人員を点検する。

⑤労働者以外の者が立ち入ることを禁止し、かつ、その旨を見やすい箇所に表示する。
⑥作業場所と作業場所以外との間の連絡を保つ。
⑦技能講習を修了した者のうちから酸素欠乏危険作業主任者を選任する。
⑧労働者に対し、特別の教育を行う。
⑨常時作業の状況を監視し、異常時に直ちに酸素欠乏危険作業主任者他の関係者に通報する者を置く。
⑩酸素欠乏等のおそれが生じたときは、直ちに作業を中止し、労働者をその場所から退避させる。
⑪空気呼吸器等、はしご、繊維ロープ等の避難用具等を備える。
⑫救出作業するときは、空気呼吸器等を使用する。
⑬酸素欠乏症等にかかった労働者に、直ちに医師の診察又は処置を受けさせる。

5.7 危険物（ガソリン）の取扱いの労働災害防止対策

危険物（ガソリン）の取扱いについては、労働安全衛生規則（第256 ～ 267条）に規定されており、主な労働災害防止対策は次の通りです。

①引火性の物については、みだりに、火気その他点火源となるおそれのあるものに接近させ、若しくは注ぎ、蒸発させ、又は加熱しないこと。
②危険物を製造し、又は取り扱う設備のある場所を常に整理整とんし、及びその場所に、みだりに、可燃性の物又は酸化性の物を置かないこと。
③事業者は、危険物を製造し、又は取り扱う作業を行なうときは、当該作業の指揮者を定め、その者に当該作業を指揮させるとともに、次の事項を行なわせなければならない。
- 危険物を製造し、又は取り扱う設備及び当該設備の附属設備について、随時点検し、異常を認めたときは、直ちに、必要な措置をとること。
- 危険物を製造し、又は取り扱う設備及び当該設備の附属設備がある場所における温度、湿度、遮しや光及び換気の状態等について、随時点検し、異常を認めたときは、直ちに、必要な措置をとること。
- 前各号に掲げるものの他、危険物の取扱いの状況について、随時点検し、異常を認めたときは、直ちに、必要な措置をとること。
- 前各号の規定によりとつた措置について、記録しておくこと。

また、危険物（ガソリン）の取扱いについては、危険物の規制に関する政令（第24条）にも規定されており、主な労働災害防止対策は次の通りです。

①危険物を容器に収納して貯蔵し、又は取り扱うときは、その容器は、当該危険物の性質に適応し、かつ、破損、腐食、さけめ等がないものであること。
②危険物を収納した容器を貯蔵し、又は取り扱う場合は、みだりに転倒させ、落下させ、衝撃を加え、又は引きずる等粗暴な行為をしないこと。

③可燃性の液体、可燃性の蒸気若しくは可燃性のガスがもれ、若しくは滞留するおそれのある場所又は可燃性の微粉が著しく浮遊するおそれのある場所では、電線と電気器具とを完全に接続し、かつ、火花を発する機械器具、工具、履物等を使用しないこと。

5.8 作業場内の通路の労働災害防止対策

作業場内の通路については、架設通路として労働安全衛生規則（第552条）に規定されており、主な労働災害防止対策は次の通りです。

①丈夫な構造とすること。
②勾配は、30度以下とすること。ただし、階段を設けたもの又は高さが2m未満で丈夫な手掛を設けたものはこの限りでない。
③勾配が15度を超えるものには、踏桟その他の滑止めを設けること。
④墜落の危険のある箇所には、次に掲げる設備（丈夫な構造の設備であって、たわみが生ずるおそれがなく、かつ、著しい損傷、変形又は腐食がないものに限る。）を設けること。

- 高さ85cm以上の手すり又はこれと同等以上の機能を有する設備（以下「手すり等」という。）
- 高さ35cm以上50cm以下の桟又はこれと同等以上の機能を有する設備（以下「中桟等」という。）
- たて坑内の架設通路でその長さが15m以上であるものは、10m以内ごとに踊場を設けること。
- 建設工事に使用する高さ8m以上の登り桟橋には、7m以内ごとに踊場を設けること。

5.9 スレート屋根上の作業の労働災害防止対策

スレート屋根上の作業については、労働安全衛生規則（第524条）に次のように規定されています。

- 事業者は、スレート、木毛板等の材料でふかれた屋根の上で作業を行なう場合において、踏み抜きにより労働者に危険を及ぼすおそれのあるときは、幅が30cm以上の歩み板を設け、防網を張る等踏み抜きによる労働者の危険を防止するための措置を講じなければならない。

5.10 地山掘削の事前調査の労働災害防止対策

地山掘削の事前調査については、労働安全衛生規則（第355条）に次のように規定されています。

- 事業者は、地山の掘削の作業を行う場合において、地山の崩壊、埋設物等の損壊等により労働者に危険を及ぼすおそれのあるときは、あらかじめ、作業箇所及びその周辺の地山について次の事項をボーリングその他適当な方法により調査し、これらの事項について知り得たところに適応する掘削の時期及び順序を定めて、当該定めにより作業を行わなければならない。
  - 形状、地質及び地層の状態
  - き裂、含水、湧水及び凍結の有無及び状態
  - 埋設物等の有無及び状態
  - 高温のガス及び蒸気の有無及び状態

5.11 足場の組立・解体作業の労働災害防止対策

足場の組立・解体作業については、労働安全衛生規則（第564～568条）に規定されており、主な労働災害防止対策は次の通りです。

①組立て、解体又は変更の時期、範囲及び順序を当該作業に従事する労働者に周知させること。
②組立て、解体又は変更の作業を行う区域内には、関係労働者以外の労働者の立入りを禁止すること。
③強風、大雨、大雪等の悪天候のため、作業の実施について危険が予想されるときは、作業を中止すること。
④幅40cm以上の作業床を設けること。ただし、当該作業床を設けることが困難なときは、この限りでない。
⑤要求性能墜落制止用器具を安全に取り付けるための設備等を設け、かつ、労働者に要求性能墜落制止用器具を使用させる措置を講ずること。ただし、当該措置と同等以上の効果を有する措置を講じたときは、この限りでない。
⑥材料、器具、工具等を上げ、又は下ろすときは、つり綱、つり袋等を労働者に使用させること。ただし、これらの物の落下により労働者に危険を及ぼすおそれがないときは、この限りでない。
⑦事業者は、令第六条第十五号の作業については、足場の組立て等作業主任者技能講習を修了した者のうちから、足場の組立て等作業主任者を選任しなければならない。
⑧事業者は、足場における作業を行うときは、点検者を指名して、その日の作業を開始する前に足場等について点検させ、異常を認めたときは、直ちに補修しなければならない。

⑨事業者は、強風、大雨、大雪等の悪天候若しくは中震以上の地震又は足場の組立て、一部解体若しくは変更の後において、足場における作業を行うときは、点検者を指名して、作業を開始する前に、足場等について点検させ、異常を認めたときは、直ちに補修しなければならない。

5.12 玉掛け作業の労働災害防止対策

玉掛け作業については、クレーン等安全規則（第213～220条）に規定されており、主な労働災害防止対策は次の通りです。

①事業者は、クレーン、移動式クレーン又はデリツクの玉掛用具であるワイヤロープの安全係数については、6以上でなければ使用してはならない。
②事業者は、次の各号のいずれかに該当するワイヤロープをクレーン、移動式クレーン又はデリツクの玉掛用具として使用してはならない。
- ワイヤロープ1よりの間において素線の数の10%以上の素線が切断しているもの
- 直径の減少が公称径の7%をこえるもの
- キンクしたもの
- 著しい形くずれ又は腐食があるもの

③事業者は、フツク、シヤツクル、リング等の金具で、変形しているもの又はき裂があるものを、クレーン、移動式クレーン又はデリツクの玉掛用具として使用してはならない。
④事業者は、磁力若しくは陰圧により吸着させる玉掛用具、チェーンブロック又はチェーンレバーホイストを用いて玉掛けの作業を行うときは、当該玉掛用具について定められた使用荷重等の範囲で使用しなければならない。
⑤事業者は、クレーン、移動式クレーン又はデリツクの玉掛用具であるワイヤロープ、つりチエーン、繊維ロープ、繊維ベルト又はフツク、シヤツクル、リング等の金具を用いて玉掛けの作業を行なうときは、その日の作業を開始する前に当該ワイヤロープ等の異常の有無について点検を行なわなければならない。また、異常を認めたときは、直ちに補修しなければならない。
⑥事業者は、玉掛け技能講習を修了した者等でなければつり上げ荷重が1トン以上のクレーン、移動式クレーン又はデリツクの玉掛け業務に就かせてはならない。
⑦つり上げ荷重が1トン未満のクレーン、移動式クレーン又はデリツクの玉掛けの業務に労働者をつかせるときは、当該労働者に対し、当該業務に関する安全のための特別の教育を行なわなければならない。

5.13 墜落制止用器具の使用の労働災害防止対策

墜落制止用器具の使用については、労働安全衛生規則（第518～521条）に規定されており、主な労働災害防止対策は次の通りです。

①事業者は、高さが2m以上の箇所（作業床の端、開口部等を除く。）で作業を行なう場合において墜落により労働者に危険を及ぼすおそれのあるときは、足場を組み立てる等の方法により作業床を設けなければならないが、作業床を設けることが困難なときは、防網を張り、労働者に要求性能墜落制止用器具を使用させる等、墜落による労働者の危険を防止するための措置を講じなければならない。
②事業者は、高さが2m以上の作業床の端、開口部等で墜落により労働者に危険を及ぼすおそれのある箇所には、囲い、手すり、覆い等を設けなければならないが、囲い等を設けることが著しく困難なとき又は作業の必要上臨時に囲い等を取りはずすときは、防網を張り、労働者に要求性能墜落制止用器具を使用させる等、墜落による労働者の危険を防止するための措置を講じなければならない。
③事業者は、高さが2m以上の箇所で作業を行う場合において、労働者に要求性能墜落制止用器具等を使用させるときは、要求性能墜落制止用器具等を安全に取り付けるための設備等を設けなければならない。
④事業者は、労働者に要求性能墜落制止用器具等を使用させるときは、要求性能墜落制止用器具等及びその取付け設備等の異常の有無について、随時点検しなければならない。
⑤高さが2m以上の箇所であって作業床を設けることが困難なところにおいて、墜落制止用器具のうちフルハーネス型のものを用いて行う作業に係る業務は、特別教育を必要とする業務である。

5.14 移動はしご作業の労働災害防止対策

移動はしご作業については、労働安全衛生規則（第527条）に次のように規定されています。

- 事業者は、移動はしごについては、次に定めるところに適合したものでなければ使用してはならない。
  - 丈夫な構造とすること。
  - 材料は、著しい損傷、腐食等がないものとすること。
  - 幅は、30cm以上とすること。
  - すべり止め装置の取付けその他転位を防止するために必要な措置を講ずること。

5.15 熱中症の労働災害防止対策

主な熱中症の労働災害防止対策は次の通りです。

①熱の遮断、散水、通風、冷房等によるWBGT値の低減等
②冷房の効いた休憩場所の整備と小まめな休憩
③暑熱環境での作業時間の短縮

④高温に慣れるため計画的に暑熱順化期間を設ける
⑤水分及び塩分の摂取
⑥透湿性及び通気性のよい服装の着用
⑦労働者の健康状態の確認をするために作業中の巡視
⑧労働衛生教育の実施
⑨救急処置：意識の確認、救急隊の要請、涼しい場所への避難、脱衣と冷却、水分と塩分の摂取

5.16 飛来落下災害の防止対策

飛来落下災害の防止については、労働安全衛生規則（第536～539条）に規定されており、主な労働災害防止対策は次の通りです。

①事業者は、3m以上の高所から物体を投下するときは、適当な投下設備を設け、監視人を置く等労働者の危険を防止するための措置を講じなければならない。
②事業者は、作業のため物体が落下することにより、労働者に危険を及ぼすおそれのあるときは、防網の設備を設け、立入区域を設定する等当該危険を防止するための措置を講じなければならない。
③事業者は、作業のため物体が飛来することにより労働者に危険を及ぼすおそれのあるときは、飛来防止の設備を設け、労働者に保護具を使用させる等当該危険を防止するための措置を講じなければならない。
④事業者は、船台の附近、高層建築場等の場所で、その上方において他の労働者が作業を行なつているところにおいて作業を行なうときは、物体の飛来又は落下による労働者の危険を防止するため、当該作業に従事する労働者に保護帽を着用させなければならない。

5.17 漏電による感電防止

漏電による感電の防止については、労働安全衛生規則（第333条）に次のように規定されています。

①事業者は、電動機を有する機械又は器具で、対地電圧が150Vをこえる移動式若しくは可搬式のもの又は水等導電性の高い液体によつて湿潤している場所その他鉄板上、鉄骨上、定盤上等導電性の高い場所において使用する移動式若しくは可搬式のものについては、漏電による感電の危険を防止するため、当該電動機械器具が接続される電路に、当該電路の定格に適合し、感度が良好であり、かつ、確実に作動する感電防止用漏電しや断装置を接続しなければならない。
②事業者は、前項に規定する措置を講ずることが困難なときは、電動機械器具の金属製外わく、電動機の金属製外被等の金属部分を接地して使用しなければならない。

5.18 悪天候時の労働災害防止対策

悪天候時の作業については、労働安全衛生規則（第522条）、クレーン等安全規則（第74条の3）に規定されており、主な労働災害防止対策は次の通りです。

①事業者は、高さが2m以上の箇所で作業を行なう場合において、強風、大雨、大雪等の悪天候のため、当該作業の実施について危険が予想されるときは、当該作業に労働者を従事させてはならない。
②事業者は、強風のため、移動式クレーンに係る作業の実施について危険が予想されるときは、当該作業を中止しなければならない。

5.19 安全管理者の職務

安全管理者については、労働安全衛生法（第11条）に規定されており、具体的な主な職務は次の通りです。

①建設物、設備、作業場所又は作業方法に危険がある場合における応急措置又は適当の防止の措置
②安全装置、保護具その他危険防止のための設備・器具の定期的点検及び整備
③作業の安全についての教育及び訓練
④発生した災害原因の調査及び対策の検討
⑤消防及び避難の訓練
⑥作業主任者その他安全に関する補助者の監督
⑦安全に関する資料の作成、収集及び重要事項の記録
⑧その事業の労働者が行う作業が他の事業の労働者が行う作業と同一の場所において行われる場合における安全に関し、必要な措置
⑨安全衛生に関する方針の表明に関すること
⑩危険性又は有害性等の調査及びその結果に基づき講ずる措置に関すること
⑪安全衛生に関する計画の作成、実施、評価及び改善に関すること

5.20 安全衛生教育

安全衛生教育については、労働安全衛生法（第59～60条の2）に次のように規定されています。

①雇い入れ時の教育
事業者は、労働者を雇い入れたときは、当該労働者に対し、厚生労働省令で定めるところにより、その従事する業務に関する安全又は衛生のための教育を行なわなければ

ならない。労働者の作業内容を変更したときについて準用する。

②特別の教育

事業者は、危険又は有害な業務で、厚生労働省令で定めるものに労働者をつかせるときは、厚生労働省令で定めるところにより、当該業務に関する安全又は衛生のための特別の教育を行なわなければならない。

③職長教育

事業者は、その事業場の業種が政令で定めるものに該当するときは、新たに職務につくこととなった職長その他の作業中の労働者を直接指導又は監督する者（作業主任者を除く。）に対し、次の事項について、厚生労働省令で定めるところにより、安全又は衛生のための教育を行なわなければならない。

- 作業方法の決定及び労働者の配置に関すること。
- 労働者に対する指導又は監督の方法に関すること。
- 労働災害を防止するため必要な事項で、厚生労働省令で定めるもの。

④安全衛生の水準向上を図るための教育

事業者は、その事業場における安全衛生の水準の向上を図るため、危険又は有害な業務に現に就いている者に対し、その従事する業務に関する安全又は衛生のための教育を行うように努めなければならない。

例題 5-1　令和4年度 1級電気通信工事施工管理技術検定（第二次）問題〔No.4〕 

電気通信工事に関する作業を選択欄の中から**2つ**選び，解答欄に**作業名**を記入のうえ，「労働安全衛生法令」に沿った**労働災害防止対策**について，それぞれ具体的に記述しなさい。
ただし，保安帽及び安全帯（墜落制止用器具）の着用に関する記述は除くものとする。

選択欄

1. 移動式クレーン作業
2. 危険物（ガソリン）の取扱い
3. 脚立作業
4. 作業場内の通路
5. 酸素欠乏危険場所での作業

解答例

解説　選択欄より作業を2つ選び、問題文の指示に従って回答する。
本章の5.1 ～ 5.20を参照。

第6章 法規

第二次検定における法規の分野は、建設業法、労働安全衛生規則、労働基準法などの法文の空白穴埋め問題が出題されている。

法文については第一次検定でも触れたが、本章でも記載しておく。

6.1 建設工事の請負契約の内容（建設業法）

建設業法（第19条）に規定された建設工事の請負契約の内容について出題されている。概要は次の通りである。

①工事内容。
②請負代金の額。
③工事着手の時期及び工事完成の時期。
④請負代金の全部又は一部の前金払又は出来形部分に対する支払の定めをするときは、その支払の時期及び方法。
⑤当事者の一方から設計変更又は工事着手の延期若しくは工事の全部若しくは一部の中止の申出があつた場合における工期の変更、請負代金の額の変更又は損害の負担及びそれらの額の算定方法に関する定め。
⑥天災その他不可抗力による工期の変更又は損害の負担及びその額の算定方法に関する定め。
⑦価格等の変動若しくは変更に基づく請負代金の額又は工事内容の変更。
⑧工事の施工により第三者が損害を受けた場合における賠償金の負担に関する定め。
⑨注文者が工事に使用する資材を提供し、又は建設機械その他の機械を貸与するときは、その内容及び方法に関する定め。
⑩注文者が工事の全部又は一部の完成を確認するための検査の時期及び方法並びに引渡しの時期。
⑪工事完成後における請負代金の支払の時期及び方法。
⑫工事の目的物の瑕疵を担保すべき責任又は当該責任の履行に関して講ずべき保証保険契約の締結その他の措置に関する定めをするときは、その内容。
⑬各当事者の履行の遅滞その他債務の不履行の場合における遅延利息、違約金その他の損害金。
⑭契約に関する紛争の解決方法。

6.2 施工体制台帳の記載事項（建設業法施行規則）

建設業法施行規則（第14条の2）に規定された施工体制台帳の記載事項について出題されている。概要は次の通りである。

①許可を受けて営む建設業の種類。
②健康保険等の加入状況。
③建設工事の名称、内容及び工期。
④発注者と請負契約を締結した年月日、当該発注者の商号、名称又は氏名及び住所並びに当該請負契約を締結した営業所の名称及び所在地。
⑤発注者が監督員を置くときは、監督員の氏名及び通知事項。
⑥作成建設業者が現場代理人を置くときは、現場代理人の氏名及び通知事項。
⑦主任技術者又は監理技術者の氏名、その者が有する主任技術者資格又は監理技術者資格及びその者が専任の主任技術者又は監理技術者であるか否かの別。
⑧主任技術者又は監理技術者以外のものを置くときは、その者の氏名、その者が管理をつかさどる建設工事の内容及びその有する主任技術者資格。
⑨一号特定技能外国人、外国人技能実習生、外国人建設就労者の従事の状況。

6.3 契約の保証（建設業法）

建設業法（第21条）に規定された契約の保証について出題されている。概要は次の通りである。

①建設工事の請負契約において請負代金の全部又は一部の前金払をする定がなされたときは、注文者は、建設業者に対して前金払をする前に、保証人を立てることを請求することができる。但し、公共工事の前払金保証事業に関する法律第二条第四項に規定する保証事業会社の保証に係る工事又は政令で定める軽微な工事については、この限りでない。
②前項の請求を受けた建設業者は、次に規定する保証人を立てなければならない。
- 建設業者の債務不履行の場合の遅延利息、違約金その他の損害金の支払の保証人
- 建設業者に代って自らその工事を完成することを保証する他の建設業者

③建設業者が第一項の規定により保証人を立てることを請求された場合において、これを立てないときは、注文者は、契約の定にかかわらず、前金払をしないことができる。

6.4 安全衛生責任者の職務（労働安全衛生規則）

労働安全衛生規則（第19条）に規定された安全衛生責任者の職務について出題されている。概要は次の通りである。

①統括安全衛生責任者との連絡。
②統括安全衛生責任者から連絡を受けた事項の関係者への連絡。
③統括安全衛生責任者からの連絡に係る事項のうち当該請負人に係るものの実施についての管理。
④当該請負人がその労働者の作業の実施に関し計画を作成する場合における当該計画と特定元方事業者が作成する計画との整合性の確保を図るための統括安全衛生責任者との調整。
⑤当該請負人の労働者の行う作業及び当該労働者以外の者の行う作業によって生ずる労働災害に係る危険の有無の確認。
⑥当該請負人がその仕事の一部を他の請負人に請け負わせている場合における当該他の請負人の安全衛生責任者との作業間の連絡及び調整。

6.5 総括安全衛生管理者（労働安全衛生法）

労働安全衛生法（第10条）に規定された総括安全衛生管理者について出題されている。概要は次の通りである。

①事業者は、政令で定める規模の事業場ごとに、厚生労働省令で定めるところにより、総括安全衛生管理者を選任し、その者に安全管理者、衛生管理者又は第二十五条の二第二項の規定により技術的事項を管理する者の指揮をさせるとともに、次の業務を統括管理させなければならない。
- 労働者の危険又は健康障害を防止するための措置に関すること。
- 労働者の安全又は衛生のための教育の実施に関すること。
- 健康診断の実施その他健康の保持増進のための措置に関すること。
- 労働災害の原因の調査及び再発防止対策に関すること。
- 前各号に掲げるものの他、労働災害を防止するため必要な業務で、厚生労働省令で定めるもの。

②総括安全衛生管理者は、当該事業場においてその事業の実施を統括管理する者を持つて充てなければならない。
③都道府県労働局長は、労働災害を防止するため必要があると認めるときは、総括安全衛生管理者の業務の執行について事業者に勧告することができる。

6.6 労働者の危険又は健康障害を防止するための措置（労働安全衛生法）

労働安全衛生法（第23～25条）に規定された事業者の講ずべき措置等について出題されている。概要は次の通りである。

①事業者は、労働者を就業させる建設物その他の作業場について、通路、床面、階段等の保全並びに換気、採光、照明、保温、防湿、休養、避難及び清潔に必要な措置その他労働者の健康、風紀及び生命の保持のため必要な措置を講じなければならない。
②事業者は、労働者の作業行動から生ずる労働災害を防止するため必要な措置を講じなければならない。
③事業者は、労働災害発生の急迫した危険があるときは、直ちに作業を中止し、労働者を作業場から退避させる等必要な措置を講じなければならない。

6.7 照度の保持（労働安全衛生規則）

労働安全衛生規則（第523条）に規定された照度の保持について出題されている。概要は次の通りである。

・事業者は、高さが2m以上の箇所で作業を行なうときは、当該作業を安全に行なうため必要な照度を保持しなければならない。

6.8 労働時間（労働基準法）

労働基準法（第32条）に規定された労働時間について出題されている。概要は次の通りである。

①使用者は、労働者に、休憩時間を除き1週間について40時間を超えて、労働させてはならない。
②使用者は、1週間の各日については、労働者に、休憩時間を除き1日について8時間を超えて、労働させてはならない。

6.9 徒弟の弊害排除（労働基準法）

労働基準法（第69条）に規定された徒弟の弊害排除について出題されている。概要は次の通りである。

①使用者は、徒弟、見習、養成工その他名称の如何を問わず、技能の習得を目的とする者であることを理由として、労働者を酷使してはならない。
②使用者は、技能の習得を目的とする労働者を家事その他技能の習得に関係のない作業に従事させてはならない。

6.10 端末設備機器の絶縁抵抗、絶縁耐力、接地抵抗（端末設備等規則）

端末設備等規則（第6条）に規定されている端末設備機器の絶縁抵抗等について出題されている。概要は次の通りである。

- 絶縁抵抗は、使用電圧が300V以下の場合は、0.2MΩ以上であり、300Vを超え750V以下の直流及び300Vを超え600V以下の交流の場合は、0.4MΩ以上であること。
- 絶縁耐力は、使用電圧が750Vを超える直流及び600Vを超える交流の場合は、その使用電圧の1.5倍の電圧を連続して10分間加えたときこれに耐えること。
- 端末設備の機器の金属製の台及び筐体は、接地抵抗が100Ω以下となるように接地しなければならない。ただし、安全な場所に危険のないように設置する場合は、この限りでない。

6.11 有線電気通信設備の保安（有線電気通信設備令）

有線電気通線設備令（第19条）に規定されている有線電気通信設備の保安について出題されている。概要は次の通りである。

- 有線電気通信設備は、総務省令で定めるところにより、絶縁機能、避雷機能その他の保安機能をもたなければならない。

6.12 空中線等の保安施設（電波法施行規則）

電波法施行規則（第26条）に規定されている空中線等の保安施設について出題されている。概要は次の通りである。

- 無線設備の空中線系には避雷器又は接地装置を、また、カウンターポイズには接地装置をそれぞれ設けなければならない。

6.13 免許の申請（電波法）

電波法（第6条）に規定されている免許の申請について出題されている。概要は次の通りである。

- 無線局の免許を受けようとする者は、申請書に、次に掲げる事項を記載した書類を添えて、総務大臣に提出しなければならない。
  ①目的
  ②開設を必要とする理由
  ③通信の相手方及び通信事項
  ④無線設備の設置場所
  ⑤電波の型式並びに希望する周波数の範囲及び空中線電力
  ⑥希望する運用許容時間（運用することができる時間をいう。以下同じ。）
  ⑦無線設備の工事設計及び工事落成の予定期日
  ⑧運用開始の予定期日
  ⑨他の免許人等との間で混信その他の妨害を防止するために必要な措置に関する契約を締結しているときは、その契約の内容
  ⑩法人又は団体にあっては、次に掲げる事項
    - 代表者の氏名又は名称及び掲げる者により占められる役員の割合
    - 外国人等直接保有議決権割合

6.14 電波の質（電波法）

電波法（第28条）に規定された電波の質について出題されている。概要は次の通りである。

- 送信設備に使用する電波の周波数の偏差及び幅、高調波の強度等電波の質は、総務省令で定めるところに適合するものでなければならない。

6.15 秘密の保護（電波法）

電波法（第59条）に規定されている秘密の保護について出題されている。概要は次の通りである。

- 何人も法律に別段の定めがある場合を除く他、特定の相手方に対して行われる無線通信を傍受してその存在若しくは内容を漏らし、又はこれを窃用してはならない。

例題6-1 令和4年度1級電気通信工事施工管理技術検定（第二次）問題〔No.6〕

次の〔設問1〕から〔設問3〕の答えを解答欄に記述しなさい。

〔設問1〕「建設業法」に定められている元請負人の義務に関する次の文章において，[　　]に**当てはまる語句**を記述しなさい。

「[ア]建設業者は，発注者から直接建設工事を請け負った場合において，当該建設工事を施工するために締結した下請契約の請負代金の額が政令で定める金額以上になるときは，建設工事の適正な施工を確保するため，国土交通省令で定めるところにより，当該建設工事について，下請負人の商号又は名称，当該下請負人に係る建設工事の内容及び工期その他の国土交通省令で定める事項を記載した[イ]台帳を作成し，工事現場ごとに備え置かなければならない。」

〔設問2〕「労働安全衛生法」に定められている事業者の講ずべき措置等に関する次の文章において，[　　]に**当てはまる語句**を記述しなさい。

「事業者は，労働者を就業させる建設物その他の作業場について，通路，床面，階段等の保全並びに換気，採光，[ウ]，保温，防湿，休養，避難及び清潔に必要な措置その他労働者の健康，風紀及び[エ]の保持のため必要な措置を講じなければならない。」

〔設問3〕「有線電気通信設備令」に定められている屋内電線に関する次の文章において，[　　]に**当てはまる数値**を記述しなさい。

「屋内電線は，屋内強電流電線との離隔距離が[オ]cm以下となるときは，総務省令で定めるところによらなければ，設置してはならない。」

解答例

解答：（ア）特定　（イ）施工体制　（ウ）照明　（エ）生命　（オ）30

解説　設問1は建設業法第24条の8、設問2は労働安全衛生法第23条、設問3は有線電気通信設備令第18条による。

索引

数字

欧文

あ

か

さ

た

な

は

ま

や

ら

わ

著者紹介

石原 鉄郎（いしはら てつろう）

電気施工管理技士、建築施工管理技士、管工事施工管理技士、ビル管理士、給水装置工事主任技術者などの技術系国家試験の指導講師。講習会の指導講師のほか動画出演講師も勤める。著書に『第２種電気工事士筆記試験 完全合格テキスト＆問題集』（共著、ナツメ社）、『ポケット版　１級管工事施工　学科試験問題解説』、『第３種冷凍機械責任者試験 過去問題集』（共著、オーム社）、『これ１冊で最短合格 ２級ボイラー技士試験対策テキスト＆問題集』（秀和システム）、『工学教科書 炎の第３種冷凍機械責任者 テキスト＆問題集』、『建築土木教科書 炎のビル管理士 テキスト＆問題集』、『工学教科書 炎の２級ボイラー技士 テキスト＆問題集』、『建築土木 教科書 給水装置工事主任技術者 出るとこだけ！ 第2版』、『建築土木教科書 ビル管理士 出るとこだけ！ 第2版』、『建築土木教科書 ２級管工事施工管理技士 学科・実地 テキスト＆問題集』、『工学教科書 エネルギー管理士 熱分野 出るとこだけ！』（翔泳社）などがある。
ドライブシャフト合同会社 https://drive-shaft.biz/

毛馬内 洋典（けまない ひろのり）

1974年東京都中野区生まれ。電気通信大学・大学院修了。専門は電気通信工学・電子工学。現在は、有限会社 KHz-NET 代表取締役社長、都立職業能力開発センター講師、高等学校講師のほか、技術系書籍の執筆や、技術系資格試験講座の講師などに幅広く従事。第一級総合無線通信士、第一級陸上無線技術士、電気通信主任技術者などの電気通信系資格のほか、電気主任技術者（電験）、エネルギー管理士、消防設備士全類など、取得した国家資格数は70に及ぶ。著書に『これ１冊で最短合格 ２級ボイラー技士試験対策テキスト＆問題集』（共著）、『これ１冊で最短合格 消防設備士４類試験対策テキスト＆問題集』（秀和システム）、『まるごと覚える 第１種衛生管理者 ポイントレッスン』（監修、新星出版社）、『丸覚え！ 電験三種 公式·用語·法規の超重要ポイント』、『第２種電気工事士筆記試験 完全合格テキスト＆問題集』（共著、ナツメ社）、『工学教科書 エネルギー管理士 熱分野 出るとこだけ！』（翔泳社）などがある。
Kema's Homepage　https://kemanai.jp/

装丁　小口翔平＋阿部早紀子（tobufune）
DTP　株式会社シンクス

図版提供　一般社団法人日本雷保護システム工業会、ケイコン株式会社、株式会社サンコーシヤ、
住友電気工業株式会社、株式会社電翔

建築土木教科書
１級・２級 電気通信工事施工管理技士 第一次・第二次検定 テキスト＆問題集 第２版

2023年　8月29日 初版　第１版発行

著　者　石原鉄郎（いしはらてつろう）、毛馬内洋典（けまないひろのり）
発行人　佐々木幹夫
発行所　株式会社 翔泳社（https://www.shoeisha.co.jp）
印刷／製本　株式会社ワコー

ISBN978-4-7981-8153-0　Printed in Japan